KARL MAY

Karl May, am 25. Februar 1842 in Hohenstein-Ernstthal geboren und in ärmlichen Verhältnissen aufgewachsen, gilt seit einem halben Jahrhundert als einer der bedeutendsten deutschen Volksschriftsteller. Nach trauriger Kindheit und Jugend wandte er sich dem Lehrerberuf zu. Als Redakteur verschiedener Zeitschriften begann er später die Schriftstellerlaufbahn, zunächst mit kleineren Humoresken und Erzählungen. Bald jedoch kam sein einziges Talent voll zur Entfaltung. Er begann „Reiseerzählungen" zu schreiben. Damit begründete er seinen Weltruhm und schuf sich eine nach Millionen zählende Lesergemeinde. Die spannungsreiche Form seiner Erzählkunst ein hohes Maß an fachlichem Wissen und eine überzeugend vertretene Weltanschauung verbanden sich überaus glücklich in seinen Schriften. Auch heute begeistern die blühende Phantasie und der liebenswürdige Humor des Schriftstellers in unverändertem Maß seine jungen und alten Leser. Karl Mays Werke wurden in mehr als zwanzig Kultursprachen übersetzt. Allein von der deutschen Originalausgabe sind bisher mehr als fünfundzwanzig Millionen Bände gedruckt worden. Karl May starb am 30. März 1912 in Radebeul bei Dresden.

KARL MAY

DER MAHDI

UNGEKÜRZTE VOLKSAUSGABE

421. TAUSEND
DER GESAMTAUFLAGE

KARL MAY TASCHENBÜCHER
IM
VERLAG CARL UEBERREUTER
WIEN-HEIDELBERG

INHALT

Herausgegeben von Dr. E. A. Schmid

Bestellnummer
T 17

Druck: Carl Ueberreuter, Wien — Papier: Matthäus Salzers Söhne, Wien

1. Ein Spion

Kordofân, dieses eigenartige Land, ist von jeher das Durchzugsland vieler wandernder Stämme gewesen, und darum war seine Bevölkerung schon vor der Eroberung durch Mehemed Ali bunt gemischt. Dann brachten die Fellahîn und die Baschibosuks des Vizekönigs das Blut aller kleinasiatischen Rassen unter das Volk. Griechen, Levantiner, Armenier, Arnauten haben sich mit den schwarzen Stämmen des Südens vermischt, und zwischen ihren Abkömmlingen wohnen wieder die rein- blütigen Enkel ganzer Nomadenstämme, die aus dem Hedschas herüber- wanderten. Kordofân gehört zu den Sudanländern. Es bildet in seinem nördlichen und westlichen Teil eine ungeheure Grassteppe, die in der trocknen Jahreszeit einer dürren Wüste gleicht, sich aber während der Regenzeit mit üppigem Pflanzenwuchs bedeckt. Die weiten, grasigen Strecken werden von Mimosenwäldern unterbrochen. In dieser Steppe gibt es ungefähr neunhundert Brunnen mit Dörfern in der Nähe. Dort weiden während der Regenzeit die vielen wandernden Stämme ihre Herden, um zu Beginn der trocknen Jahreszeit wieder fortzuziehen. Man trifft da Giraffen, Strauße, überhaupt Vögel der verschiedensten Arten, und ungeheure Antilopenherden.

Der südliche Teil des Landes hat mehr tonigen Boden, der das Wasser hält, woraus eine wahrhaft bewunderswerte Fülle und Groß- artigkeit des Pflanzenwuchses folgt. Riesige Strecken sind mit Palmen, Gewürzbäumen, Adansonien und Dattelbäumen bedeckt. Die Tiere, die diese Wälder bewohnen, werden von den Leoparden und dem Panther gejagt, und häufig hört man hier auch die Stimme des Löwen, des „alles Beherrschenden".

Das Wadi Melk wird schon mit zu Kordofân gerechnet, und da wir uns zwischen diesem und Es Safih befanden, hatten wir Nubien hinter uns. Wie man sich erinnern wird, hatte ich dem Sklavenjäger Ibn Asl die geraubten Beduininnen abgenommen und in ihre Heimat zum Bir es Serir zurückgebracht. Zwanzig Asaker[1] begleiteten mich. Wir waren von den Angehörigen der Frauen und Mädchen mit Jubel aufgenom- men und nach ihren Verhältnissen reich bewirtet und beschenkt wor- den. Nach unserm Aufbruch hatten die Fessarah uns das Geleit bis zum Ende der zweiten Tagereise gegeben, und nun wollten wir auf dem kürzesten Weg nach Khartum, wo ich meine Asaker ihrem Befehls- haber, dem Reïs Effendina Achmed Abd el Insaf, zu übergeben ge- dachte.

[1] Ägyptische Soldaten

Es war noch nicht allzuspät nach der Regenzeit, darum stand die Grasflur noch in saftigem Grün. Wäre ich nicht auf einem Hedschihn[1], sondern auf einem Pferd gesessen, so hätte ich leicht denken können, der Ritt ginge durch eine amerikanische Prärie. Wenn in der trocknen Jahreszeit das Gras verdorrt ist, muß man den Weg möglichst so legen, daß man Brunnen berührt. Jetzt aber war das nicht nötig. Das Wandern von einem Brunnen zum andern kostet viel Zeit. Gegenwärtig, bei der saftigen Grasweide, brauchten wir für unsere Tiere kein Wasser, und für uns waren die Schläuche gefüllt. Darum konnten wir eine schnurgerade Richtung einhalten, bis das Wasser für die Menschen zur Neige ging und wir dadurch doch gezwungen waren, wieder einen Brunnen aufzusuchen.

Auf diese Weise gelangten wir immer noch einen vollen Tag eher an den Bir Atschahn. Dieser Name bedeutet der ‚durstige Brunnen', denn er enthält während der heißen Jahreszeit kein Wasser. Jetzt aber hatte er mehr, als nötig war, um unsre Schläuche von neuem zu füllen. Er lag inmitten der ebenen Steppe, ohne von einem Felsen, einem Baum oder Strauch gekennzeichnet zu werden. Ich hätte ihn gewiß nicht gefunden, wäre uns nicht von unsern Gastfreunden ein Führer mitgegeben worden, der uns nach Khartum bringen sollte und die Gegend hier ebenso genau kannte wie die schlechten Eigenschaften seiner langen arabischen Flinte.

Diese Flinte war Abdullahs Herzeleid, und doch schien er sie über alle Maßen zu lieben. Er hatte sie stets in der Hand und sprach gern von ihr. Auch jetzt, als er neben mir beim Brunnen saß, hielt er sie liebevoll fest, ließ seinen Blick freundlich über sie gleiten und sagte:

„Hast du schon einmal so eine Arbeit gesehen, Effendi? Ist sie nicht bewundernswert?"

Der Kolben des Gewehrs war nämlich mit Elfenbein stark ausgelegt. Die Zeichnung bildete eine Gestalt, die mir unverständlich war. Darum entsprach meine Antwort nicht ganz seinem Wunsch.

„Äußerst geschmackvoll, ja geradezu prächtig! Aber was soll die Zeichnung vorstellen?"

„Was sie vorstellen soll? Welche Frage! Siehst du das denn nicht?" Abdullah hielt mir den Kolben vor die Nase.

„Da, sieh genauer hin! Nun, was ist's?"

Ich gab mir alle Mühe, das Ding zu enträtseln, doch vergeblich. Das war keine Schrift, kein Bild, überhaupt nichts Erkennbares.

„Du bist blind", meinte er. „Möge Allah dein Auge erleuchten! Aber da du ein Christ bist, so ist es gar nicht zu verwundern, daß du die Zeichnung nicht erkennst. Ein gläubiger Muslim sieht beim ersten Blick, was sie zu bedeuten hat. Erkennst du nicht, daß es ein Kopf ist?"

Ein Kopf? Keine Spur davon! Man hätte es höchstens für den unförmigen Schädel eines Nilpferdes halten können. Ich wiegte also zweifelnd mein Haupt. — „Nicht? Allah, Wallah, Tallah! Es ist der Kopf des Propheten, der in allen Himmeln Allahs sitzt."

[1] Reitkamel

6

„Unmöglich! Man sieht ja gar nichts von einem Kopf! Wo ist denn die Nase?"

„Die fehlt, Effendi. Der Prophet braucht keine Nase. Er ist jetzt der reinste der Geister und besteht aus zehntausend Wohlgerüchen."

„Wo ist der Mund?"

„Der fehlt, denn der Prophet bedarf keines Mundes mehr, da er durch den Koran zu uns redet."

„Auch erblicke ich keine Augen."

„Wozu Augen, da der Prophet nichts zu sehen braucht, weil vor Allah alles offenbar ist?"

„Die Ohren suche ich auch vergeblich!"

„Du kannst sie nicht finden, weil sie nicht da sind. Der Prophet braucht unsre Gebete nicht zu hören, da er uns ihren Wortlaut genau vorgeschrieben hat."

„Wo ist der Bart?"

„Der ist nicht zu sehen. Wie dürfte man ihn durch Elfenbein entheiligen, da der Schwur beim Bart des Propheten der höchste und heiligste ist!"

„Folglich ist von dem Kopf nur die Stirn zu erblicken?"

„Auch sie nicht. Da sie der Sitz des Geistes ist, kann man sie gar nicht abbilden."

„So ist von dem Kopf also gar nichts da?"

„Gar nichts", bestätigte Abdullah. „Aber ich erkenne jeden Zug des Gesichts!"

„Ohne den Kopf überhaupt zu sehen? Das begreife, wer es kann!"

„Ja, ein Christ wird das freilich nicht begreifen. Ihr seid alle mit unheilbarer Blindheit geschlagen!"

„Du auch, nur ist deine Blindheit hellsehender als das gesündeste Auge. Du siehst einen Kopf, zu dem nichts als alles fehlt. Übrigens ist es bei euch doch verboten, einen Menschen abzubilden. Wieviel strafwürdiger muß es da sein, den Propheten abzuzeichnen!"

„Der Künstler, der dieses Gemälde fertigte, hat das Verbot nicht gekannt."

„Und muß doch den Propheten gesehen und die Verbote seiner Lehre gekannt haben."

„Gesehen? Ja! Im Geist! Das Gewehr ist uralt, wie du wohl erkennst. Der Mann, der es fertigte, hat jedenfalls weit vor dem Propheten gelebt."

„Das ist unmöglich, denn da gab es noch kein Pulver."

„Effendi, beraube mich doch nicht des Glücks, ein so kostbares Gewehr zu besitzen! Wozu Pulver? Wenn Allah will, schießt man auch ohne Pulver aus der Flinte."

„Ich gebe zu, daß Allah Wunder tut. Hier gibt es deren gleich zwei: erstens ein Schießgewehr aus einer Zeit, in der es noch kein Pulver gab, und zweitens das Bild des Propheten aus einer Zeit, in der er noch gar nicht lebte."

„Ich sagte dir bereits, daß der Künstler ihn im Geist gesehen hat.

Es war eine ‚Vision‘, und darum ist dieses Gewehr eine Visionsflinte.“

„Ah, Visionsflinte, das ist gut, das ist einzig!“

„Ja, einzig ist sie! Da hast du recht, und es freut mich, daß du endlich zur Einsicht gekommen bist. Die Büchse ist die einzige Visionsflinte, die es gibt, und darum halte ich sie heilig und bin sehr stolz auf sie.“

„Wie bist du denn zu ihr gekommen?“

„Durch Erbschaft. Der Künstler hat sie auf Kind und Kindeskind vererbt. Du mußt wissen, daß ich sein Nachkomme bin und sie einst meinem ältesten Sohn vererben werde. Ja, sieh mich nur verwundert an! Ich bin in Wirklichkeit der Urenkelsohn des Urenkels eines Mannes, dem Allah die Gnade verlieh, den Propheten zu schauen, noch ehe Mohammed geboren war.“

„So bist du der berühmteste Mann deines Stammes, und ich freue mich nicht bloß, sondern es ist mir auch eine unschätzbare Ehre, dich kennengelernt zu haben.“

„Ja“, meinte Abdullah in vollstem Ernst, „es ist für jedermann eine Ehre, einen solchen Urenkel des Urenkels zu schauen. Ich bin bekannt bis tief in den Sudan hinein, so weit es wahre Gläubige gibt, und mein Gewehr hat einen Ruf, der selbst in den Ländern der Heiden erschallt.“

„So schießt es wohl auch gut?“

„Leider nein. Es war Allahs Wille, daß, um die Vorzüge des Himmels zu erhöhen, auf dieser Erde nichts vollkommen sein soll. Das ist auch in Beziehung auf meine Visionsflinte so, wie ich leider der Wahrheit gemäß bekennen muß. Sie hat einige Eigenschaften, die mein Herz mit Wehmut erfüllen.“

„Ich kenne alle Arten von Gewehren und bin in ihrer Behandlung erfahren. Wenn du mir die Fehler nennst, kann ich dir vielleicht einen Rat erteilen.“

„Es sind mehrere. Zunächst hat das Gewehr die Eigenschaft eines wilden Ziegenbocks. Es stößt entsetzlich und hat mir schon manche kräftige Maulschelle versetzt.“

„Das ist freilich nicht hübsch, aber die Schuld liegt vielleicht nur an dir. Du mußt das Gewehr beim Schießen so fest an die Schulter legen, daß es dich nicht ohrfeigen kann.“

„So stößt es mich anderswohin, und das ist ganz das gleiche. Ferner schlingert es gewaltig.“

„Schlingern? Was verstehst du darunter?“

„Damit meine ich den leidigen Umstand, daß sich die Kugel nicht in gerader Richtung, sondern in Schlangenwindungen fortbewegt.“

„Unmöglich!“ zweifelte ich.

„Effendi, zweifle nicht! Bei einer Visionsflinte ist alles möglich. Ich habe es genau beobachtet. Ich darf nie auf das Ziel halten, sondern je nach der Entfernung mehr nach rechts oder links, höher oder tiefer.“

„Die Flinte ‚schraubt‘ also, und es gibt meines Wissens kein andres Mittel dagegen, als daß du einen neuen, bessern Lauf einziehen läßt.“

„Wie kannst du mir das zumuten? Dadurch würde das kostbare

Gewehr verunglimpft. Allah bewahre mich vor einer solchen Missetat! Die Flinte muß bleiben, wie sie ist."

„So ist es überflüssig, mir ihre andern Eigenschaften auch noch aufzuzählen. Meiner Ansicht nach ist das Gewehr das beste, das seinen Zweck am vollständigsten erfüllt."

„Das tut das meinige ja! Meine Visionsflinte beweist, daß mein Urahne den Propheten gesehen hat, und das ist vollständig genug."

„Wie es schießt, ist also Nebensache?"

„Ja!" behauptete Abdullah unbeirrt.

„Der Zweck des Schießens ist aber doch das Treffen!"

„Du bist kein Muslim und kannst dich also nicht mit der nötigen Ehrfurcht in den Wert und die Bedeutung dieser Flinte hineindenken."

„Nein, das kann ich nicht. Aber falls du in meiner Gegenwart einmal schießen solltest, so bitte ich dich, mein Leben zu schonen. Tu mir dann den Gefallen, auf mich zu zielen! So wirst du mich sicherlich nicht treffen."

„Spottest du etwa, Effendi? Ich sage dir, daß —"

Abdullah unterbrach sich, sprang auf und blickte, die Augen mit der Hand beschattend, gegen Osten.

„Was gibt's?" fragte ich ihn. „Siehst du etwas?"

„Ja, ich bemerke einen Punkt über dem Gras, der vorher nicht da war. Es muß ein Reiter sein."

Nun stand ich ebenfalls auf, zog mein Fernrohr auseinander und gewahrte einen Mann, der auf einem Kamel saß und auf den Brunnen zugeritten kam. Als er sich uns so weit genähert hatte, daß er uns bemerkte, hielt er an, um uns zu betrachten. Dann kam er herbei, blieb im Sattel vor mir halten und grüßte:

„Ssalâm alêk! Wirst du mir erlauben, Herr, mein Kamel aus diesem Bir Atschahn zu tränken und auch meinen eignen Durst zu stillen?"

„Alêk es ßalâm! Der Brunnen ist für jedermann da, und ich kann dich nicht hindern zu tun, was dir beliebt."

Ich gab, ohne den Ankömmling willkommen zu heißen, diese kühle Antwort, weil er keinen angenehmen Eindruck auf mich machte. Er war wie ein gewöhnlicher Beduine gekleidet und mit Flinte, Messer und Pistole bewaffnet. Sein Gesicht hatte keineswegs abstoßende Züge, aber der scharfe, ja stechende Blick, mit dem er uns musterte, gefiel mir nicht. Auch mußte es mir, der ich gewohnt war, auf alles zu achten, auffallen, daß er sich mit seiner Frage an mich wendete. Die Asaker trugen die Uniform des Vizekönigs, nur ich, Ben Nil und der Führer machten darin eine Ausnahme. Es wäre für ihn also den Umständen nach geboten gewesen, sich an die Soldaten zu wenden. Das alles erfüllte mich mit einem leisen Mißtrauen, das sich späterhin womöglich noch vergrößerte.

Er stieg ab und führte sein Kamel zur Seite, damit es grasen sollte, nachdem er es getränkt und ihm den Sattel abgenommen hatte. Dann schöpfte er sich Wasser, trank, setzte sich mir gegenüber und zog einen Tschibuk und einen Tabaksbeutel unter dem Haïk hervor. Nachdem er die Pfeife gestopft und den Tabak angezündet hatte, reichte er mir den Beutel zu.

„Nimm, Effendi, und stopfe dir auch! Es ist die Pfeife des Grußes, die ich dir biete."

„Deine Güte sei bedankt, ohne daß ich Gebrauch von ihr mache", lehnte ich ab.

„So rauchst du nicht? Gehörst du zu einer der strenggläubigen Sekten, deren Anhängern der Tabak verboten ist?"

Sein Ton war der eines Mannes, der schon im voraus weiß, welche Antwort man ihm geben wird. Das fiel mir auf, und darum wurde ich noch zurückhaltender.

„Ich rauche auch. Aber nicht an dir, sondern an mir war es, den Gruß zu bieten. Der vorher Anwesende hat den später Ankommenden zu empfangen. Das ist überall die Regel und hier in der Chala[1] wohl erst recht."

„Ich weiß es und bitte dich um Verzeihung. Es ist mein Fehler, daß ich das Herz stets auf der Zunge habe. Du gefielst mir auf den ersten Blick, und es trieb mich, dir das durch das Angebot des Tabaks zu zeigen. Darf ich fragen, woher du mit diesen Asakern kommst?"

„Darf ich vorher fragen, woher du weißt, daß ich zu ihnen gehöre?"

„Ich vermute es."

„Dein Scharfblick ist bewundernswert. Ich an deiner Stelle hätte es nicht vermutet."

„So bist du wohl fremd in der Chala, während ich sie öfters durchreite."

„Nicht nur ich bin hier fremd, sondern auch die Asaker sind noch niemals hier gewesen. Um so anerkennenswerter ist es, daß deine Vermutung gleich das Richtige traf. Du hast mich zwar vorher gefragt, aber da ich mich vor dir hier befand, wird es dir wohl recht und billig erscheinen, wenn ich zunächst wissen möchte, wo du deine Reise angetreten hast."

„Ich habe keinen Grund, es zu verschweigen. In der Wüste muß jeder wissen, wer der andre ist und was er treibt. Ich komme aus El Feky Ibrahim am Bahr el Abiad."

„Und wo liegt das Ziel deiner Reise?"

„Ich will nach El Fascher hinüber."

„Zwischen den Orten, die du nennst, gibt es eine viel benutzte Karawanenstraße, die über El Obeid und Fodscha geht. Warum bist du so weit nördlich abgewichen?"

„Weil ich ein Händler bin und darum die Bedürfnisse der Gegend kennenlernen muß. Ich will in El Fascher Waren einkaufen und sie auf dem Rückweg wieder losschlagen. Darum reite ich hier von Brunnen zu Brunnen, um von den da Lagernden zu erfahren, was sie brauchen."

„Du scheinst ein Anfänger im Handel zu sein."

„Wieso, Effendi?"

„Ein erfahrener Händler würde nicht leer nach El Fascher reisen,

[1] Steppe, Wüste

sondern hätte sich in Khartum mit Einfuhrwaren versehen, um sie auf dem Hinweg zu verkaufen und dabei ein Geschäft zu machen. Du willst nur auf dem Rückweg handeln und hast damit auf die Hälfte des Gewinns einer solchen Reise verzichtet. Das tut kein kluger Djallâb[1]."

„Ich wollte rasch ans Ziel gelangen, darum belud ich mein Tier jetzt nicht mit Lasten."

„Ein Handelsmann hat nur das eine Ziel, Gewinn zu erzielen. Übrigens reitest du kein gewöhnliches Hedschihn. Ein Djallâb aber pflegt sich nur eines Esels zu bedienen."

„Jeder nach seinem Vermögen, Effendi. Ich bin nicht ganz arm. Und nun laß es genug sein! Du hast meine Antworten gehört und wirst mir nun auch Auskunft geben. Woher kommst du?"

Meine Fragen waren derart gewesen, daß er daraus mein Mißtrauen fühlen mußte, ja, sie waren sogar beleidigend für jeden ehrlichen Mann. Sein Auge hatte auch wirklich einigemal schnell und zornig aufgeblitzt, aber der Ton, in dem er mir antwortete, war stets höflich und scheinbar unbefangen gewesen. Dieser Unterschied zwischen Blick und Ton verriet mir, daß er sich beherrschte. Beherrschung in solcher Lage ist Verstellung. Hatte der Mann Ursache, sich zu verstellen, so gab er mir damit allen Grund, vorsichtig gegen ihn zu sein.

Ihm zu glauben, daß er ein Djallâb sei, fiel mir nicht ein. Auch war ich fest überzeugt, daß er nicht aus El Feky Ibrahim, sondern aus Khartum kam. Seine Begegnung mit uns schien ihn nicht überrascht zu haben. Es schien, daß er erwartet habe, auf uns zu treffen. Wie war das zu erklären? Er hatte mich belogen, darum hielt ich es für das beste, ihm nicht die volle Wahrheit zu sagen, sondern ihm auszuweichen.

„Ich komme aus Badjaruga."

„Dort waren auch die Asaker?"

„Nein. Ich traf hier auf sie, und sie erlaubten mir, den Brunnen zu benutzen."

Um seine Mundwinkel spielte ein listiges Zucken, doch tat er so, als glaube er mir, und fragte weiter:

„Woher kommen sie? Wo sind sie gewesen?"

„Ich weiß es nicht."

„Du weißt es, denn du mußt doch mit ihnen gesprochen haben!"

„Ich bat sie um die Erlaubnis, mich hier niederlassen zu dürfen. Weiter habe ich nichts gesagt. Ich halte es für eine Unhöflichkeit, Unbekannte sofort nach der Begegnung nach allem möglichen auszufragen."

„In der Wüste und Steppe ist die Neugierde eine Pflicht gegen sich selber. Darum bitte ich dich um die Erlaubnis, dich fragen zu dürfen, welcher Ort das Ziel deiner Reise ist."

„Ich will nach Kamlin am Blauen Nil."

„So wirst du wohl bei Es Salayah über den Weißen Nil fahren?"

[1] Händler

„Ja."

„Und wohin reiten die Asaker?"

„Auch das weiß ich nicht."

Da machte er eine schnelle Wendung gegen den Führer, der an meiner Seite saß.

„Und wer bist du? Jedenfalls ein Ben Arab?"

Ich hoffte, Abdullah würde mein Mißtrauen beobachtet haben und sich infolgedessen hüten, die richtige Auskunft zu erteilen, aber er enttäuschte meine Hoffnung.

„Ich gehöre zu den Beni Fessarah."

„Du kommst jetzt aus deiner Heimat?"

„Ja."

„Wo weiden zur Zeit eure Herden?"

„Zwischen dem Bir es Serir und dem Dschebel Modschaf."

„Ich habe von den Beni Fessarah gehört. Sie sind tapfere Männer, und das Glück wohnt unter ihren Zelten."

Der Fremde wollte den Führer aushorchen. Da Abdullah so unvorsichtig gewesen war, den Stamm, zu dem er gehörte, zu nennen, konnte es mir gleich sein, welche weiteren Auskünfte er gab. Ich streckte mich also lang aus, legte den Ellbogen ins Gras und den Kopf in die Hand und gab mir den Anschein der Gleichgültigkeit, während ich in Wahrheit jedes Wort und jede Miene des angeblichen Djallâb scharf beobachtete.

„Ja, das Glück wohnte bei uns, hat uns aber verlassen", erklärte der Führer.

„Allah führe es zurück! Was ist denn geschehen?"

„Ibn Asl hat unsre Frauen und Töchter geraubt. Du kennst doch den Namen dieses Sklavenhändlers?"

„Gewiß! Seine Taten sind derart, daß man wohl von ihm hören muß. Also er hat euch überfallen? Das ist ja ganz undenkbar. Ihr seid strenggläubige Muslimin, und so darf er bei euch keine Sklavinnen suchen. Du irrst dich wahrscheinlich. Es muß ein heidnischer Stamm gewesen sein, der die Tat begangen hat."

„Ich irre mich nicht. Es ist erwiesen, daß es Ibn Asl war. Wenn du es nicht glaubst, kann ich es dir leicht beweisen, denn dieser —"

Ich sah es Abdullah an, daß er auf mich deuten und ‚dieser Effendi' sagen wollte. Glücklicherweise blickte er dabei auf mich herüber, und ich gab ihm einen warnenden Wink. Er hielt infolgedessen inne und verbesserte sich:

„Denn dieser Vorfall kann mir von den Asakern bezeugt werden, deren Führer ich bin. Sie waren bei uns und wissen alles genau."

Abdullah begann zu erzählen. Es kam auch meine Person in seinem Bericht vor, doch war er so vorsichtig, mich stets den ‚fremden Effendi' zu nennen und mich mit keinem Blick oder Fingerzeig zu verraten. Als er geendet hatte, brach der Fremde in Rufe des Erstaunens aus.

„Sollte man eine solche Schandtat für möglich halten! Ibn Asl hat eure Frauen und Töchter überfallen, er hat alle Personen, die nicht zu verkaufen waren, ermordet! Das ist ein fluchwürdiges Verbrechen, für das ihn die Strafe Allahs treffen wird."

„Ja, Allahs Arm wird ihn zu finden wissen, und der Effendi und der Reïs Effendina haben ihm Rache geschworen."

„Oh, Ibn Asl ist nicht bloß kühn, sondern auch listig. Er wird ihnen entgehen!"

„Das glaube ich nicht. Der fremde Effendi ist ein Mann, der jeden findet, den er sucht."

„Dazu müßte er allwissend sein!"

„Das ist nicht nötig. Sein Auge sieht alles, und aus dem, was er beobachtet, macht sich sein Scharfsinn den Zusammenhang klar. Er konnte den Weg, den die Frauenräuber einschlugen, nicht wissen, hat ihn aber so gut berechnet, daß alles genau stimmte."

„Wo befindet er sich jetzt?"

„Er ist — ist — ist noch in unserm Dorf", zögerte Abdullah.

„Noch in eurem Dorf?" wiederholte der Fremde mit einem versteckten Lächeln, während sein Blick mich prüfend streifte. „Ich möchte diesen Mann einmal sehen. Wenn ich Zeit hätte, würde ich nur zu diesem Zweck zum Bir es Serir reiten, aber meine Stunden sind so gezählt, daß ich selbst hier nicht länger verweilen kann. Ich will jetzt aufbrechen."

Er erhob sich und ging zu seinem Kamel. Obgleich er von mir unausgesetzt beobachtet worden war, hatte ich auch das Tier betrachtet. Dabei war mir aufgefallen, daß es einen Fehler hatte, den man das ‚Rupfen‘ nennt. Ein solches Tier öffnet und schließt beim Laufen die Zehen abwechselnd. Dabei rauft es die Grashalme aus, die zwischen den Zehen stecken bleiben. Großen Schaden verursacht dieser Fehler im allgemeinen nicht, nur daß ich ihn bei diesem Tier bemerkte, sollte mir großen Nutzen bringen und andern ihre bösen Pläne verderben.

Der Mann sattelte sein Hedschihn, stieg auf, trieb es zu uns herbei und wendete sich zu mir:

„Ssalâm, Effendi! Du hast mir zwar gesagt, woher du kommst und wohin du gehst, aber ich glaube dir nicht. Nicht gesagt hast du mir, wer du bist. Ich denke aber, daß ich es errate und daß du mich bald kennenlernen wirst."

Ich blieb liegen, ohne mich zu rühren, und antwortete ihm nicht. Er winkte höhnisch mit der Hand hinter sich und ritt fort.

„Was war das?" fragte der Führer. „Was meinte er? Das war ja eine Beleidigung!"

Ich zuckte die Achsel.

„Er glaubt dir nicht, und er errät, wer du bist! Begreifst du, was er will?"

„Wahrscheinlich mein Leben."

„Allah, Allah!"

„Und das der Asaker dazu."

„Effendi, du erschreckst mich!"

„So steig auf dein Kamel und reite heim! Wahrscheinlich wird es bald einen Kampf geben, und da dir dabei deine Visionsflinte wohl nicht gehorchen wird, so rate ich dir zu deinem eignen Besten, dich in Sicherheit zu bringen."

„Beschäme mich nicht! Ich soll dich nach Khartum bringen und werde dich nicht eher verlassen, als bis wir dort sind. Wie kannst du denn auf den Gedanken kommen, daß wir Feindseligkeiten zu erwarten haben? Die Stämme dieser Gegend leben jetzt im tiefsten Frieden miteinander." — „Der Djallâb hat es mir gesagt."

„Ich habe kein Wort davon gehört."

„Er hat es mir weniger in Worten als vielmehr durch sein Benehmen gesagt. Hast du ihn wirklich für einen Djallâb gehalten?"

„Warum sollte er sich für einen Händler ausgeben, wenn er keiner ist?"

„Um uns zu täuschen. Ein Kundschafter hat alle Veranlassung zu verschweigen, was er ist."

„Kund — schaf —? Du hältst ihn für einen Kundschafter? Wer sollte ihn gesandt haben?"

„Vielleicht Ibn Asl, der sich an mir rächen will."

„Wie kann der wissen, daß du dich hier befindest?"

„Für ihn ist es wohl nicht allzu schwer gewesen zu erfahren, daß ich die befreiten Sklavinnen in ihre Heimat geleitet habe. Ebenso leicht ist es zu erraten, daß ich nach Khartum kommen werde. Ich muß also auf der Strecke zwischen diesen beiden Orten zu finden sein."

„Wenn du so redest, beginne ich zu begreifen. Ibn Asl hat eine große Rache gegen dich. Wenn er dich überfallen will, findet er wohl auch genug Leute, die bereit sind, ihm dabei zu helfen. Aber es soll ihm nicht gelingen. Ich werde euch einen Weg zeigen, auf dem eine Begegnung ausgeschlossen ist."

„Ich bin dir dankbar, kann mich aber nicht darauf einlassen."

„Warum? Es geschieht zu deiner Sicherheit."

„Wie könnte es mir einfallen, einem Menschen, den ich ergreifen will, aus dem Weg zu gehen! Ich weiche den Feinden nicht aus, sondern ich werde sie geradezu aufsuchen. Ich überlasse es dir, ob du dich dieser Gefahr aussetzen willst."

„Ich bleibe bei dir, Effendi! Sprich nicht mehr davon! Wir haben dir so viel zu verdanken. Wie könnte ich dich verlassen! Aber du sprichst vom Aufsuchen. Wie kannst du wissen, wo die Feinde stecken?"

„Hast du nicht selber vorhin gesagt, daß ich die Sklavenjäger gefunden habe, obgleich ich nicht wissen konnte, welchen Weg sie einschlagen würden? Hier ist das Finden noch viel leichter, denn ich habe einen Führer."

„Meinst du mich? Ich kann dir in dieser Sache nichts nützen. Ich ahne nicht, wo wir zu suchen hätten."

„Ich meine nicht dich, sondern den Djallâb."

„Den, den du einen Führer nennst? Das verstehe ich nicht. Er ist nach El Fascher, also nach Westen, während du im Osten suchen mußt."

„Der Mann hat gelogen. Er will gar nicht nach El Fascher. Sobald er aus dem Bereich unsrer Augen ist, wird er zu denen umkehren, die ihn auf Kundschaft ausgesandt haben. Da er keine Wasserschläuche bei sich hatte, müssen seine Gefährten in der Nähe sein. Sie werden in einer Linie, die die unsrige durchschneidet, Posten aufgestellt haben. Zu diesen Posten hat der Djallâb gehört. Er wird umkehren und sie zusammenholen. Die Gegner erwarten uns dann vereint an einem Ort, auf den unsre Richtung stoßen muß. Das hätte auf offner Fläche keine Gefahr für uns, denn wir würden die Anwesenheit der Feinde rechtzeitig bemerken. Darum werden sie sich eine Stelle, vielleicht ein Gebüsch, einen Wald, eine Felsgegend suchen, wo wir ihnen unvermutet in die Hände laufen. Nun fragt es sich, ob es im Lauf des heutigen Tagesritts und in unsrer Richtung einen solchen Ort gibt. Das mußt du als Führer wissen."

„Ich kenne die Strecke genau. Jetzt ist es Mittag. Wenn wir sofort aufbrechen, werden wir anderthalb Stunden vor Sonnenuntergang einen Cassiawald erreichen."

„So geb ich dir mein Wort, daß die Feinde in dem Cassiawald stecken werden."

Abdullah blickte mich erstaunt an und wiegte den Kopf.

„Das behauptest du so gewiß?"

„Allerdings, und du wirst erfahren, daß ich mich nicht irre. Wir werden erst der Spur des falschen Djallâb folgen, bis wir die Linie der Kundschafter oder Posten erreichen, und dann —"

„Wie willst du erkennen, daß wir uns an diesem Punkt befinden?" unterbrach er mich.

„Das werde ich dir zeigen. Dann aber schlagen wir unerwartet einen Bogen und kommen aus einer andern Richtung an den Wald, um den Posten, wenn sie westlich ausschauen, von Osten her in den Rücken zu fallen. Vorher aber muß ich wenigstens oberflächlich im Bilde sein. Wie groß ist dieser Cassiawald?"

„Er ist ebenso breit wie tief. Man muß über eine Stunde reiten, um hindurch zu kommen."

„Sind die Bäume hoch?"

„Mitunter sehr hoch."

„Gibt es Unterholz?"

„Stellenweise viel. Es ist ein Brunnen da, der viel Wasser spendet und zahlreiche Sträucher und Schlingpflanzen nährt."

„Kann man mit den Kamelen durch?"

„Ja, wenn man die offnen und lichten Stellen des Waldes aufsucht."

„So weiß ich einstweilen genug. Wir wollen aufbrechen."

„Wollen wir nicht erst nach Westen reiten und dem Djallâb folgen, um zu erfahren, ob er wirklich umkehrt?"

„Das ist überflüssig. Ich bin überzeugt, daß er es tut, und wir werden bald auf seine Fährte treffen."

Der Verdächtige war, da er schnell ritt, unsern Augen längst entschwunden. Wir sattelten, stiegen auf und hielten dem Osten zu. Ich, den Führer neben mir, voran und Ben Nil mit den Asakern in der bekannten, bei Karawanen gebräuchlichen Einzelreihe hinterdrein. Die Soldaten hatten in unsrer Nähe gesessen und alles gehört. Sie waren neugierig, ob sich meine Voraussetzungen bestätigen würden, und brannten darauf, im Ernstfall ihren Flinten Arbeit zu geben.

Wir verließen den Brunnen auf der Fährte, die der Djallâb bei seinem Kommen gemacht hatte. Schon nach einer halben Stunde sahen wir eine andre Fährte von rechts herüberkommen und sich mit der ersten vereinigen. Ich stieg ab, um sie zu untersuchen. Der Führer gesellte sich mir aus Wißbegierde zu. Ich hatte die Spur in gebückter Haltung betrachtet. Als ich mich aufrichtete, erklärte ich:

„Es war der Djallâb, ganz so, wie ich vermutet habe."

„Wie kannst du das behaupten, Effendi? Es kann doch auch ein anderer hier geritten sein."

„Nein, er ist es. Sieh auf der ersten Fährte das Gras an! Es sind einzelne Halme ausgerauft. Bei der zweiten Spur kannst du das gleiche beobachten."

„Das ist richtig, aber —"

„Es gibt kein Aber dabei. Das Kamel des Djallâb hat empfindliche Ballen und ‚rupft'. Die zweite Fährte zeigt deutlichere und rückwärts ausgeschleuderte Eindrücke. Daraus ist zu schließen, daß er jetzt viel schneller reitet als vorher. Er ist umgekehrt und hat Eile."

Wir stiegen wieder auf und ritten weiter, der doppelten Fährte nach. Als vielleicht eine Stunde vergangen war, kamen wir an eine Stelle, wo der Reiter gehalten hatte. Das Gras war in einem beträchtlichen Umkreis niedergetreten und niedergelagert. Geradeaus nach Osten führte eine alte Spur von drei Kamelen und eine neue von einem Tier. Rechts und links wich je eine Einzelfährte nach Süden und Norden ab. Als meine Begleiter die Sache nicht begreifen konnten, erklärte ich sie ihnen.

„Was ihr hier seht, ist der Beweis dafür, daß meine Vermutungen richtig waren. Da, weit vor uns im Cassiawald liegen unsre Gegner, und der Anführer hat eine Vorpostenlinie vorgeschickt. Drei Mann kamen hierher. Zwei von ihnen lagerten sich, während einer, nämlich der Djallâb, der am unternehmendsten war, auf Kundschaft weiterritt. Als er zurückkehrte, teilte er den Seinen mit, daß er uns gefunden habe, und ritt auf der dreifachen Fährte zum Wald zurück, um seinem Anführer diese Meldung zu machen. Die beiden andern aber eilten, einer nördlich und der andre südlich, davon, um die übrigen Posten in den Wald zu schicken. Wenn sich hier ein Posten von drei Männern befand, so steht zu erwarten, daß die andern Posten ebenso stark gewesen sind. Da der Haupttrupp stets größer ist als sämtliche Sicherungen zusammen, so können wir aus dem Ermittelten auf die Zahl der Männer schließen, mit denen wir es zu tun haben werden. Wir haben zahlreiche Feinde vor uns. Aus diesem Grund will ich euch um eure Meinung befragen. Wollt ihr den Kampf aufnehmen oder wollen wir ihm ausweichen, was nun, da sich die Gegner alle an einem Punkt versammelt haben, sehr leicht sein würde?"

„Kämpfen, kämpfen!" lautete die allgemeine Antwort.

„Gut, so gehen wir links ab, um von Norden her an den Wald zu kommen, während wir von Westen her erwartet werden. Da das einen Umweg ergibt, werden wir schneller reiten müssen als bisher."

Jetzt ging es weiter, und zwar so schnell, wie unsre Kamele laufen konnten. Die schwerfälligeren wurden mit den Stäben angetrieben. Nach einiger Zeit stießen wir abermals auf eine Fährte, dann auf eine zweite, dritte, vierte und fünfte. Die Spuren hatten alle eine mehr oder weniger südöstliche Richtung und liefen auf den Wald zu. Ich konnte, auch ohne abzusteigen, erkennen, daß jede einzelne aus den Hufeindrücken von drei Kamelen bestand.

„Ob das lauter Vorposten gewesen sind?" fragte Ben Nil, der jetzt an meiner Seite ritt.

„Sicher!" erwiderte ich. „Du siehst, daß ich recht gehabt habe. Angenommen, daß die Spur des Djallâb in der Mitte der Kundschafterlinie gelegen ist, so gibt es elf Fährten, jede von drei Reitern, das macht dreiunddreißig Mann. Wie viele mögen da im Wald geblieben sein? Es ist anzunehmen, daß wir es wenigstens mit der doppelten Anzahl, also mit sechzig Gegnern zu tun haben."

„Dann dürfen wir uns auf einen harten Kampf gefaßt machen."

„Auf gar keinen. Wir werden so klug sein, den Menschenjägern keine Zeit zur Gegenwehr zu lassen."

„Du meinst, daß wir sie umzingeln und niederschießen, ehe sie dazu kommen, ihre Waffen zu gebrauchen?"

„Umzingeln werden wir sie wahrscheinlich, töten aber nicht. Ich will sie möglichst schonen, um sie dem Reïs Effendina ausliefern zu können."

„Das ist schade!" ließ sich der Fessarah hören. „Wir müssen dir freilich gehorchen, aber wenn ich daran denke, was in unsern Dörfern geschehen ist, so erfaßt mich ein Grimm, der von Schonung nichts wissen will."

„Die Täter sind bestraft. Sie haben ihr Verbrechen mit dem Tod gebüßt, und du mußt bedenken, daß die Leute, die wir vor uns haben, nicht die Räuber eurer Frauen und Töchter sind."

„Gut, aber ich mache dich darauf aufmerksam, daß du uns durch deinen Entschluß in Gefahr bringst. Wie willst du dich der Feinde bemächtigen, ohne daß sie sich wehren und mehrere von uns töten oder doch wenigstens verwunden?"

„Was ich beschließen werde, kann ich jetzt noch nicht wissen. Ich muß mich nach den Verhältnissen richten, die wir vorfinden. Du weißt, daß ich im Wadi el Berd die Sklavenräuber gefangen habe, ohne daß einem von uns die Haut geritzt wurde."

Abdullah wiegte bedenklich den Kopf, verzichtete aber auf weitere Einwendungen.

Wir hielten zunächst nordöstlich, dann östlich und bogen nach ungefähr zwei Stunden nach Süden um, denn der Fessarah meinte, daß der Bogen uns nun auf den Wald zuführen würde. Bald erblickten wir am äußersten Gesichtsfeld einen dunklen Streifen, der mehr rechts von uns lag. Wir waren so schnell geritten, daß wir den Wald beinah halb umgangen hatten. Das brachte mich, da wir noch hinreichend Zeit bis zum Sonnenuntergang hatten, auf den Gedanken, nicht von der Seite, sondern vom Rücken her an die Feinde zu kommen. Aus diesem Grund hielten wir wieder mehr links, bis wir den Streifen, der den Wald bedeutete, westlich von uns hatten. Und da stießen wir denn auch, wie ich im stillen vermutet hatte, auf einen breiten Streifen, der sich von Osten her auf den Wald zu zog. Das Gras war niedergetreten gewesen und hatte sich wieder erhoben, stach aber mit seinen geknickten Spitzen noch deutlich gegen die andre Fläche der Chala ab. Das war die Gesamtfährte unsrer Feinde, der ich es ansah, daß sie heut am frühen Morgen hier vorübergekommen sein mußten. Sie hatten sich dann im Wald gelagert und gegen Westen hin ihre Späher ausgesandt.

Wir bogen in diese Richtung ein und erreichten den Wald an einer so lichten Stelle, daß auch ein größerer Zug als der unsrige leicht durchkommen konnte. Nun galt es, größte Vorsicht zu entwickeln. Ich stieg ab, um voranzugehen. Der Führer nahm mein Kamel am Halfter und folgte mit den Asakern eine Strecke hinterdrein. Er hatte mir gesagt, daß die Quelle ungefähr in der Mitte des Waldes läge, und ich nahm als selbstverständlich an, daß sich die Gesuchten in ihrer Nähe befanden.

2. In der eignen Falle gefangen

Der Wald bestand da, wo wir ihn durchquerten, aus hohen Cassien und Mimosen. Ich mußte ein Versteck für unsre Kamele suchen und bog darum zur Seite ab, wo dichte Büsche unter den Bäumen wucherten. Das Gesträuch bestand vorzugsweise aus Balsamodendron und stachelstämmigen Bauhinien, die die Bäume umrankten und dichte Gewinde von prächtig blühenden Zweigen niederhängen ließen. Hinter diesen Büschen konnte uns niemand sehen. Meine Gefährten stiegen davor ab, um die Kamele hineinzuführen und dort auf meine Rückkehr zu warten, da ich nun auf Kundschaft gehen wollte.

Der treue Ben Nil bot sich mir als Begleiter an, ich lehnte aber ab. Auch der Führer Abdullah wollte mit, und als ich ihn ebenso abwies, meinte er:

„Du kennst den Wald und den Weg zur Quelle nicht, Effendi. Ich muß ihn dir zeigen."

„Hab keine Sorge um mich! Übrigens irrst du dich, wenn du etwa meinst, daß die Feinde am Wasser lagern."

„Wo denn sonst?"

„Irgendwo, aber nur nicht dort. Ja, vorher haben sie sich jedenfalls dort befunden. Nach Rückkehr der Vorposten aber sind sie wohl auf den Gedanken gekommen, den Platz freizugeben."

„Weshalb denn nur?"

„Die Menschenjäger nehmen doch sicher an, daß wir den Brunnen aufsuchen. Dort ist die beste Gelegenheit, über uns herzufallen. Sie werden also warten, bis wir gelagert haben, und darum ist bestimmt anzunehmen, daß sie sich nicht mehr beim Wasser, sondern in seiner Nähe versteckt halten. Wie führt der Weg von hier aus zum Wasser? Macht er etwa viele Windungen?"

„Nein, er bildet fast eine gerade Linie."

„Das ist vorteilhaft für mich. Ich gehe jetzt, und ihr habt nichts zu tun, als euch so still wie möglich zu verhalten."

„Was tun wir aber, falls du nicht zurückkehrst?"

„Ich komme wieder!"

„Du sprichst sehr zuversichtlich, Effendi. Möge Allah dich geleiten!"

Da ich den hellen Haïk zurückließ, stach mein dunkelgrauer Anzug nicht von dem Grün des üppigen Pflanzenwuchses ab. Ich hütete mich, auf der breiten Fährte zu gehen. Dort konnte ich, da die Bäume weit auseinander standen, leicht bemerkt werden. Ich hielt mich vielmehr zur Seite, stets von Büschen gedeckt, der Fährte gleichlaufend.

Nach vielleicht einer Viertelstunde war es mir, als hätte links vorn jemand gesprochen. Rechts mußte der Brunnen liegen. Ich blieb stehen und horchte. Wirklich, das waren Stimmen! Man sprach nicht allzu laut, konnte sich also nicht weit von mir befinden. Ich legte mich nieder und kroch auf den Händen und Knien weiter. Die Stimmen wurden rasch deutlicher, und sonderbarerweise kam mir eine davon bekannt vor. Noch konnte ich keine einzelnen Worte verstehen, aber dem Schall nach mußten sich die redenden Personen hinter einem undurchdringlich scheinenden Sennesgebüsch befinden. Ich kroch hinzu und erkannte nun auch die andre Stimme. Sie gehörte dem angeblichen Djallâb und der, mit dem er sprach, war, wenn ich mich nicht täuschte, kein andrer als Abd Asl, der Vater des Sklavenjägers, der heilige Fakir, der mich im unterirdischen Brunnen bei Siut hatte verschmachten lassen wollen.

Das Sennesgestrüpp konnte nicht sehr breit sein, denn ich hörte und verstand die Worte jetzt so deutlich, daß ich die Entfernung zwischen mir und den beiden Genannten auf höchstens zwei Meter schätzte. Aus verschiedenen Geräuschen und Tönen, die an mein Ohr drangen, war zu vermuten, daß sich die zwei nicht allein hier aufhielten.

„Alle, alle müssen in die Hölle fahren, nur den Deutschen lassen wir leben!" grollte Abd Asl, als ich nun in bequemer Stellung lag und lauschte.

„Warum das?" fragte der Djallâb. „Grad er müßte der erste sein, den unsre Kugeln oder Messer treffen."

„Nein. Den Effendi will ich aufheben, um ihn meinem Sohn zu bringen. Kara Ben Nemsi soll lange, lange Qualen erdulden. Es fällt mir nicht ein, ihn eines schnellen Todes sterben zu lassen."

„Dann mußt du gewärtig sein, o Abd Asl, daß er dir wieder entwischt."

„Entwischen? Unmöglich! Ich weiß, daß er ein Teufel ist, aber es gibt genug Mittel, selbst einen solchen Satan zu bändigen. Ich werde ihn wie ein reißendes Tier einsperren. Nein, entkommen wird er mir nimmer! Ginge es nach mir, so ließe ich auch die Asaker leben, um sie langsam zu Tod zu martern. Aber da wir nicht viel Zeit zu verlieren haben, müssen wir sie schnell abtun. Wie wollte ich diese Halunken peinigen, die unsre Gefährten erschossen und meinen Sohn und uns alle um einen so großen Gewinn gebracht haben!"

„Ja, für die Fessarah-Sklavinnen wäre sehr viel bezahlt worden. Man sollte diesen Menschen die Hände und die Zunge abschneiden, daß sie weder sprechen noch schreiben und nichts verraten könnten. Dann müßte man sie an den grausamsten aller Negerfürsten verkaufen!"

„Der Gedanke ist nicht übel. Vielleicht führen wir ihn aus. Sie haben so etwas verdient, besonders dieser fremde Hundesohn, der alle unsre Absichten zu erraten, alle unsre Pläne zu durchschauen weiß und mit der Hilfe des Teufels stets dann entwischt, wenn man ihn am sichersten zu haben meint."

„Das ist es ja eben, was zur größten Vorsicht mahnt. Wenn er uns heut nun wieder entschlüpfen sollte!"

„Keine Sorge! Die Befehle, die ich gegeben habe, sind so sorgfältig ausgedacht, daß ein Mißerfolg ausgeschlossen ist. Den ersten Schuß gebe ich ab und ich ziele auf das Bein des Deutschen. Ist er da verwundet, so kann er uns nie mehr entfliehen. Ist mein Schuß gefallen, so drückt auch ihr andern ab. Gegen siebzig Kugeln sind jedenfalls hinreichend, alle Gegner niederzustrecken."

„Man sollte es denken. Eigentlich ist es eine Schande für uns, daß wir wegen zwanzig Asakern eine solche Anzahl von Kriegern aufgeboten haben."

„Das geschah nicht der Asaker, sondern des Effendi wegen. Unter seiner Führung sind zwanzig Männer so gut wie sonst hundert, und ich sage dir, daß wir nur durch das Unerwartete des Überfalls siegen können. Wenn wir es zum eigentlichen Kampf kommen ließen, so würde der Erfolg zweifelhaft sein."

Ich mußte heimlich lachen. Weder der Djallâb noch der Fakir besaßen die nötige Klugheit zur Ausführung ihres Vorhabens. Sie hatten jetzt nicht einmal eine Wache ausgestellt, um sich unsre Ankunft melden zu lassen, das vernahm ich aus ihren weitern Worten. Ich hörte, daß der Ort, an dem sie steckten, der Quelle so nahe lag, daß das Geräusch, das sie von uns erwarteten, uns ihnen ankündigen sollte.

Aus der Rede Abd Asls ging ferner hervor, daß sein Sohn, der Sklavenjäger, dem Reïs Effendina eine Falle gestellt hatte. Das erfüllte mich mit Besorgnis, und ich mahnte mir vor, hier schnell zu handeln und dann unsern Ritt zu beschleunigen, um möglichst rasch nach Khartum zu kommen und den Bedrohten zu warnen. Vor allen Dingen galt es, die Lage zu überschauen. Da, wo ich steckte, war das Gebüsch so dicht, daß ich nicht hindurchblicken konnte. Ich kroch nach links weiter und fand dort eine lichte Stelle, die mir die gewünschte Aussicht bot. Mein Blick fiel auf einen baumfreien Raum, auf dem die Männer lagerten, viele nur halb bekleidet, aber alle gut bewaffnet. Ich sah Gesichter aller Färbungen vom Hellbraun bis zum tiefsten Schwarz. Die Kamele ruhten eins neben dem andern links und mir gegenüber am Rand der Lichtung. Der Fakir saß mit dem Djallâb ein Stück von der Truppe entfernt am diesseitigen Rand, und es war günstig gewesen, daß ich auf diesen Punkt getroffen war.

Die Leute saßen oder hockten nicht eng beisammen, sondern zu zweien oder dreien in einzelnen kleinen Gruppen. Dieser Umstand mußte uns den Überfall erleichtern. Seitwärts von meinem Lauscherfleck war Platz genug, meine zwanzig Mann aufzustellen. Sie konnten da die Feinde sehen, und mir war es möglich, jedem einzelnen Soldaten seine besondere Unterweisung zu erteilen.

Da ich nun weiter nichts zu wissen brauchte, kehrte ich zu meinen Gefährten zurück, um ihnen den guten Erfolg meines Kundschaftergangs zu melden. Keiner freute sich mehr über die Anwesenheit des Fakirs als Ben Nil. Kaum daß ich geendet hatte, rief er mir zu:

„Hamdulillah, der Fakir Abd Asl ist da! Effendi, den mußt du mir überlassen. Auf den schieße ich!"

„Es wird nicht geschossen", wehrte ich ab. „Wir werden die Leute nicht töten, sondern dem Reïs Effendina ausliefern."

„Auch Abd Asl, der doch bestimmt mir verfallen ist?"

„Auch mir ist er verfallen. Ich verzichte aber auf die Rache."

„Und ich verzichte nicht!"

„So sprechen wir später darüber. Jetzt verbiete ich dir, ihn zu töten."

„Effendi, bedenke, daß du mich da in meinem Recht kränkst, das mir kein Mensch nehmen kann!"

„Das tu ich nicht, sondern ich wünsche nur einen Aufschub. Der Reïs Effendina befindet sich in einer Gefahr, die ich nicht kenne. Der Fakir kennt sie und soll mir Aufschluß geben. Wird er getötet, so erfahre ich nichts, und der Reïs ist verloren! Ich muß also unbedingt mit Abd Asl reden!"

„Gut, so will ich mich fügen. Später aber wirst du doch nicht so ungerecht sein, mich zu hindern, das Gesetz der Wüste zu vollstrecken. Nun aber, Effendi, wie wollen wir diese siebzig Krieger überwinden, wenn wir nicht schießen dürfen?"

„Wir schlagen sie mit den Gewehrkolben nieder. Stirbt einer der Menschenjäger an einem solchen Schlag, so ist es nicht zu ändern, und wir brauchen ihn nicht zu beklagen. Ich werde euch führen und jedem zeigen, gegen welche Gruppe er sich wenden soll, damit nicht einer den andern hindert. Ich selber nehme den Fakir und den Djallâb auf mich. Sobald ich durch das Gebüsch breche, folgt ihr mir. Es wird kein Befehlswort gegeben, und niemand darf rufen oder schreien. Es muß alles ganz lautlos geschehen, denn so wirkt die Überraschung viel mehr, als wenn der Feind durch unzeitiges Gebrüll gewarnt wird. Bedenkt, daß jeder von euch drei oder vier Gegner niederschlagen soll! Ihr müßt darum schnell arbeiten, und das ist

nur dann möglich, wenn ihr euch dabei ganz stumm verhaltet. Die
Kerle werden dann vor Schreck geradezu starr sein, während euer
Kampfgeschrei sie sehr beweglich machen würde."

Da unsre Kamele an den Beinen gefesselt waren, genügte ein einziger Mann zu ihrer Bewachung. Die andern gingen mit mir.

„Dein Plan gefällt mir, Effendi", meinte Abdullah, als wir aufbrachen. „Mit dem Schießen ist es bei mir nicht ganz sicher, nun aber
werden diese Hundesöhne den Kolben meiner Visionsflinte nachdrücklich zu kosten bekommen."

Wir gelangten unbemerkt auf dem von mir ausersehenen Platz an.
Es hatte sich dort nichts verändert. Nun verging eine Weile, bis ich
jedem einzelnen meiner Leute gezeigt hatte, wohin er sich wenden
solle. Dann stellte ich mich an die lichte Stelle im Gebüsch, durch die
ich vorhin geschaut hatte. Die Gefährten hielten, die Augen auf ihre
Opfer gerichtet, mir zur linken Hand, wo das Gesträuch nicht schwer
zu durchdringen war. Als ich sah, daß jeder Mann bereit war, tat
ich einen Sprung auf die Lichtung hinaus und wendete mich rechts.
Zwei Kolbenhiebe, und Abd Asl und der Kundschafter waren abgetan.

Hinter mir rauschte es wie Sturmwind im Gebüsch, denn meine
Asaker folgten mir. Einige Schritte von den beiden Anführern saßen
vier Männer, die über mein Erscheinen so entsetzt waren, daß sie mich
bewegungslos anstarrten. Ich hieb den ersten und den zweiten nieder.
Der dritte hob zur Abwehr die Arme, ich traf ihn dennoch. Der vierte
wollte aufspringen, kam aber nicht dazu. Ich holte mir auch noch ihn.
Ich hatte absichtlich mit der breiten Seite und nicht mit der Kante
des Kolbens zugeschlagen. Das betäubte nur, tötete aber nicht.

Sechs Mann — das war mein Anteil, und nun machte ich es mir zur
Aufgabe, etwaige Flüchtlinge zurückzuhalten. Darum wendete ich mich
gegen den Kampfplatz, dem ich bisher den Rücken zugedreht hatte,
und legte den vielschüssigen Henrystutzen schußbereit an.

Es war ein einzigartiger Anblick, der sich mir bot. Die Asaker hatten sich genau nach meiner Vorschrift verhalten. Sie ‚arbeiteten' stumm,
und die Wirkung blieb nicht aus. Grad dieses Schweigen vergrößerte
den Schreck der Überfallenen. Auch sie schienen stumm zu sein. Nur
hier oder dort schrie einer der Gegner auf oder es sprang einer
empor, um zu flüchten, was aber keinem gelang.

Gewiß, das Niederschmettern von Menschen ist kein Vorgang, über
den man entzückt sein kann, aber für ein kampfesfrohes Auge war es
doch eine Freude, die Asaker zu beobachten. Am gewandtesten benahm
sich Ben Nil. Ich glaube, er streckte sechs oder sieben Gegner nieder.
Von dem Augenblick an, in dem ich das Gebüsch durchdrang, bis
zum Zeitpunkt, da ich den letzten Feind hintenüber fallen sah, waren
wohl kaum anderthalb Minuten vergangen, und von seiten der Gegner
war nicht ein einziger Schuß oder Schlag gefallen. Das war die Folge
der Überraschung, einer so vollständigen, erstarrenden Überraschung,
wie ich sie bisher noch nicht beobachtet hatte.

Selbst jetzt, als wir den vollen Erfolg vor uns hatten, blieben die

Asaker still. Sie blickten alle zu mir her, um zu erfahren, was nun geschehen sollte.

„Bindet schnell alle!" rief ich ihnen zu. „Mit Riemen, Schnüren oder Fetzen, die ihr ihnen von den Kleidern reißt. Das Schweigen ist zu Ende, ihr dürft reden."

Reden? Wie kann man in einer solchen Lage einem afrikanischen Askari gegenüber von ‚Reden' sprechen! Hätte ich gesagt: „ihr dürft heulen", so wäre die Aufforderung noch lange nicht dem Erfolg nahegekommen, den ich jetzt zu hören bekam. Die zwanzig brachen in ein geradezu übermenschliches Gebrüll aus. Es war, als jauchzten hundert Teufel. Dabei versäumten die Leute aber nicht, meinen Befehl auszuführen.

Ich wendete mich zunächst zu Abd Asl und seinem Kundschafter. Sie hatten die Lippen offen und röchelten. Ich band ihnen hinten die Hände und auch die Füße zusammen, Brauchbares zum Fesseln war genug vorhanden. Jeder Beduine trägt während eines Ritts Schnüre bei sich, da er sie oft braucht. Außerdem ist jedes Keffije[1] mit einem Ikâl, einer Schnur versehen, mit der das Tuch befestigt wird, und so ein Ikâl ist ein zum Fesseln höchst brauchbarer Gegenstand.

Es gab Feinde, die nur halb betäubt waren. Sie waren an ihren Bewegungen zu erkennen und wurden zuerst dingfest gemacht. In höchstens zehn Minuten waren wir fertig und konnten nun daran gehen zu untersuchen, ob einer oder der andre erschlagen worden sei. Leider waren die Asaker nicht so glimpflich wie ich verfahren. Es ergab sich zu meinem Leidwesen, daß acht Personen tot waren. Drei von ihnen hatte Abdullah auf dem Gewissen. Er sagte:

„Effendi, mein Visionsgewehr hat seine Schuldigkeit getan, denn von den vieren, die ich traf, wird nur ein einziger sich erheben."

„War das deine Absicht?"

„Ja. Ich wollte auch den vierten töten."

„Das hatte ich dir doch verboten!"

„Darf ich mir verbieten lassen, meinen Stamm zu rächen? Oder habe ich dir versprochen, deinem Verbot zu gehorchen? Ich sah unsre Ermordeten im Sand des Bir es Serir liegen und habe jetzt eine Vergeltung geübt, die nichts ist gegen das, was dort geschah. Du hast kein Recht, mir das meinige zu nehmen!"

Ich zog vor, nicht zu antworten, und kehrte zu dem Fakir zurück, der die Augen geöffnet hatte und nun den entsetzten Blick auf seine Umgebung richtete. Auch der Djallâb war erwacht und schaute ebenso erschrocken umher wie der andre. Während die Asaker die Gefangenen und die Kamele wegen Beute untersuchten, was ich ihnen nicht verwehren konnte, setzte ich mich neben Abd Asl nieder. Er schloß die Augen, ob aus Schwäche, vor Wut oder Scham, war mir gleichgültig.

„Ssalâm, ja Weli el kebîr el maschhûr — sei gegrüßt, du großer, berühmter Heiliger!" sagte ich. „Ich freue mich, dich hier zu treffen,

[1] Kopftuch

23

und hoffe, daß auch du dich glücklich fühlst, mein Angesicht zu schauen."

„Sei verflucht!" knirschte der Alte halblaut, ohne die Augen zu öffnen.

„Du hast dich versprochen. ‚Sei gesegnet!' wolltest du sagen, denn ich weiß, wie groß deine Sehnsucht nach mir war. Leider aber sollte sie mir verderblich werden, denn du wolltest die Asaker des Reïs Effendina erschießen und mir die Zunge und die Hände abschneiden lassen, um mich dann an den grausamsten Negerfürsten zu verkaufen."

„Er ist allwissend!" entfuhr es Abd Asl, indem er die Augen öffnete und diesen Ausruf an seinen Gefährten richtete. Dessen Blick ruhte groß, offen und mit dem Ausdruck tödlichen Hasses auf mir. Ich winkte ihm freundlich zu.

„Du hattest vollkommen recht, als du mir sagtest, daß ich dich bald wiedersehen und kennenlernen würde. Wir sind, obgleich du nach El Fascher wolltest, schon nach so kurzer Zeit wieder beieinander. Ich bin entzückt darüber, denn es ist der Beweis, daß ich dich richtig beurteilt habe. Du hast den Gedanken, mir die Zunge und die Hände zu nehmen, erfunden und du täuschst dich nicht, wenn du die frohe Überzeugung hegst, daß ich dir meinen Dank dafür nicht vorenthalten werde."

„Ich verstehe dich gar nicht!" knirschte er. „Warum habt ihr uns überfallen? Was könnt ihr uns beweisen? Ich verlange, losgebunden zu werden."

„Diesen Wunsch wird man dir bereitwillig erfüllen und zwar in dem Augenblick, in dem man dich dem Henker übergibt."

Der angebliche Djallâb machte eine hastige Bewegung des Widerspruchs und öffnete die Lippen zu einer Entgegnung. Ich ließ es aber nicht dazu kommen.

„Ereifere dich nicht und gib dir keine Mühe! Du bist viel zu dumm, mich zu täuschen. Du warst, als du heut zu uns kamst, noch nicht vom Kamel gestiegen, so wußte ich schon, wes Geistes Kind du bist. Kennst du die Fabel von der Bakka[1], die den Bû hussain[2] überlisten wollte?"

„Was geht mich diese Fabel an, die jedem Kind bekannt ist!" fuhr er mich an.

„Sehr viel, denn du gleichst dieser Bakka, indem du auf den verrückten Gedanken kamst, mich übertölpeln zu wollen. Wie konntest du, dessen Kopf keine Spur von Gehirn enthält, annehmen, daß es dir gelingen würde, mich zu täuschen! Du und einen deutschen Effendi überlisten! Das ist genau so wie in der Fabel von der Bakka, die sich an den Bû hussain wagte."

Es war nicht etwa Überhebung von mir, daß ich den Mund so voll nahm, doch hätte eine weniger hochmütige Ausdrucksweise ihren Zweck nicht erreicht. Der Erfolg blieb nicht aus, denn er brach los:

„Wie kann sich ein Giaur einem wahren Gläubigen gegenüber in dieser Weise überheben! Wärst du so klug, wie du dich dünkst, so wärst du längst von deinem Irrglauben abgewichen. Nimm uns sofort die Fesseln ab, die durch deine Hände beschmutzt sind, sonst —"

[1] Wanze [2] Fuchs

24

„Schweig!" unterbrach ich ihn. „Wage nicht etwa, mir zu drohen, ich würde dir mit der Peitsche antworten! So hündisches Gezücht bekommt Hiebe, wenn es bellt. Und wenn du deine jetzige Lage so wenig begreifst, daß du es wagst zu fordern, anstatt demütig zu bitten, so werde ich sie dir auf eine Weise zur Erkenntnis bringen, daß dir der Hochmut schnell vergehen soll!"

„Das wirst du bleiben lassen, denn ich bin Scheik!" trotzte der bisherige Djallâb.

„Pah! Ein armseliger Beduinenscheik ist gegen mich gar nichts. Übrigens hast du behauptet, ein Händler zu sein, und bist nebenbei Mitglied einer Mörderbande. Danach wirst du behandelt."

„Dann wehe dir! Du wärst verloren, mein Stamm würde euch alle vernichten!"

„Was, dieser Mensch ist so frech, dich zu bedrohen, Effendi?" murrte Ben Nil, der hinzugetreten war und diese Worte gehört hatte. „Soll ich ihm den losen Mund stopfen?"

„Tu es!"

Ben Nil wendete ihn mit dem Fuß um, so daß sein Rücken hinauf zu liegen kam, und zog die Peitsche aus dem Gürtel. Ich kehrte mich ab. Mein Auge sträubte sich, Zeuge der Züchtigung zu sein. Das Ohr aber sagte mir doch, daß Ben Nil seinem Zorn in einer Weise, die nichts zu wünschen übrig ließ, Luft machte. Inzwischen erteilte ich den andern die Weisung, die Gefangenen und ihre Tiere zum Brunnen zu schaffen. Als das geschehen war, wurden auch unsre Kamele dorthin gebracht.

Der Brunnen lag an einer Stelle, von der man die Bäume und das Gesträuch entfernt hatte, um Platz zum Lagern zu bekommen. Es gab da genügend Raum, und auch Wasser war reichlich vorhanden.

Die Asaker hatten gute Beute gemacht und befanden sich infolgedessen in ausgezeichneter Stimmung. Es kamen auf jeden die Kamele, Waffen und sonstigen Habseligkeiten von wenigstens drei Gefangenen. Ich beanspruchte nichts. Ben Nil folgte meinem Beispiel, obgleich er ein armer Teufel war. Als ich ihn nach der Ursache dieses Verzichts fragte, antwortete er:

„Warum nimmst du selber nichts, Effendi? Ist es nur aus Güte gegen die Asaker, damit sie deinen Anteil mitbekommen? Oder ist es Stolz? Ich weiß von dir, daß die Krieger des Abendlandes keine Beute machen. Auch ich verschmähe es, Gegenstände zu besitzen, die sich in den schmutzigen Händen dieser Hundesöhne befunden haben."

Das zeugte von einer braven Gesinnung, und er verdiente es, daß ich seine Anhänglichkeit durch ein beinah freundliches Verhältnis erwiderte.

Es war dafür zu sorgen, daß uns die Gefangenen sicher blieben. Sie wurden in die Mitte genommen und scharf im Auge behalten. Für die Nacht waren Wachen vorgesehen. Jetzt war es noch Tag, doch durften wir den Anbruch des Abends in einer halben Stunde erwarten. Ich hielt es für geraten, noch vor dem Beginn der Finsternis die Umgebung des Brunnens abzuschreiten, um etwaige Spuren zu suchen und mich überhaupt über das Gelände zu unterrichten. Zugleich hatte ich einige Leute in den Wald um Brennholz geschickt. Da die Zahl der Gefangenen dreimal größer als die der Asaker war, mußten wir mehrere Feuer haben. Brennstoff hierzu wurde schnell und in genügender Menge zusammengetragen. Ich kehrte von meinem Gang zurück, ohne etwas Verdächtiges gefunden zu haben. Dafür aber brachte mir einer der Holzleser zwei Gegenstände, die unter einem Baum gelegen und seine Aufmerksamkeit erregt hatten.

„Sieh doch diese beiden Knochen an, Effendi“, sagte er. „Es scheinen die Überreste eines Kalbes zu sein, und da niemand ein lebendes Kalb mit in die Steppe nimmt, um es zu schlachten, so müssen hier Rinderdiebe gelagert haben.“

Ich nahm die Knochenstücke in die Hand, um sie zu betrachten. Das eine war ein halbes Schulterblatt und das andre der Fortsatz eines obern Schenkelknochens.

„Das sind nicht Kalbs-, sondern Menschenknochen!“ erklärte ich.

„Allah! So ist hier ein Mensch ermordet worden!“

„Nicht ermordet, sondern zerrissen und aufgefressen.“

Sofort war ich umringt, und alle riefen auf mich ein, daß ich mich da wohl geirrt hätte.

„Ich irre nicht, denn ich weiß die Knochen eines Menschen von denen eines Tiers genau zu unterscheiden. Dieses Schulterblatt und die Schenkelröhre sind von den Zähnen eines sehr starken, wilden Tiers zermalmt worden. Sollte es in der Steppe oder etwa gar hier im Wald Löwen geben?“

„Allah beschütze uns und segne uns mit seiner Gnade!“ schrie da unser Fessarah-Führer auf. „Das ist der Löwe von El Teitel gewesen!“

„Warum wird er nach diesem Ort genannt?“

„Weil er abwechselnd alle Brunnen besucht, die zwischen El Teitel und dem Nil liegen. Er ist schon länger als ein Jahr in dieser Gegend.“

„Hat man ihn denn nicht gejagt?“

„Gejagt? Was fällt dir ein! Allah behüte jeden Menschen vor diesem gewaltigen Fresser, der größer ist als ein Ochse und stärker als ein Elefant!“

„Kennt man seinen Lagerplatz? Hat man ihn vielleicht mit einer Löwin oder mit Jungen gesehen?“

„Nein. Er besitzt keine bestimmte Wohnung und ist immer von einem Brunnen zum andern unterwegs.“

„Ah, also ein Wahdâni[1]! Ich kenne diese einsamen, selbst gegen ihresgleichen feindseligen Tiere. Sie sind die allerschlimmsten. Wenn ein solcher Einsiedler einmal einen Menschen gefressen hat, bleibt er bei dieser Nahrung und schlägt Tiere nur im Fall des größten Hungers.“

„Das ist richtig, Effendi, und so ein Menschenfresser ist dieser Landstreicher von El Teitel. Es kommt sogar vor, daß er in einer Woche zwei Opfer verschlingt. Wann mag er hier gewesen sein?“

[1] Einsiedler

„Vor vier oder fünf Tagen, wie ich aus der Beschaffenheit dieser Knochenreste ersehe."

„O Allah, das ist schlimm! So kann der Löwe heute wieder hier sein. Wenn er gestern oder vorgestern dagewesen wäre, befände er sich heut sicher anderswo. Nach so langer Zeit aber kann er seine Runde schon wieder beendet haben."

„Das hängt davon ab, wie viele Brunnen er besucht und ob er inzwischen wiederum ein Opfer gefunden hat. Der Löwe zieht, wie jedes andre Raubtier auch, den Ort, an dem er einmal Fraß fand, den Stellen vor, die er bisher vergeblich aufsuchte. Er kann also bald zurückkehren."

„Das mögen sämtliche Kalifen verhüten!" zeterte der Fessarah. „Vielleicht befindet er sich gar noch hier und liegt in einem Hinterhalt!"

„In diesem Fall hätte ich seine Spur bemerkt. Dennoch müssen wir vorsichtig sein, da diese Einsiedler verschmitzt und hinterlistig sind und ihre Annäherung nicht wie andre Löwen durch Gebrüll verkünden. Sie schleichen vielmehr heimlich wie Panther an und springen lautlos auf ihr Opfer los. Ich habe einst einen solchen Sünder geschossen, der nur einmal kurz aufbrüllte vor Freude, als er auf unsre Fährte traf, sich aber dann völlig lautlos näherte."

„Was, Effendi, du hast auf einen Löwen geschossen?"

„Schon auf mehrere."

„Und hast Löwen getötet?"

„Ja."

„Mit wieviel Schüssen?"

„Mit einem. Nur ein einziges Mal waren zwei Kugeln nötig."

„Oh, Effendi, wie schön du lügst, nein, wie schön du lügst!"

Es fiel mir nicht ein, dem Führer diesen Ausruf übelzunehmen, denn ich kannte ja die Art und Weise, in der die Steppenbewohner den Löwen jagen, und hatte schon mehrmals Veranlassung, davon zu schreiben. Daß ein einzelner Europäer den König der Tiere aufsucht, um ihn durch einen Schuß zu erlegen, ist für diese Leute eine Fabel, eine völlige Unmöglichkeit. Das glauben sie einfach nicht, und so verargte ich es Abdullah auch nicht, daß er meinte, ich wolle ihn mit einer ‚schönen Lüge' unterhalten.

„Er hat Löwen getötet!" fuhr er lachend fort. „Mit einem Schuß! Und er war dabei ganz allein! O Allah, o Mohammed, welch ein gewaltiger Held doch Kara Ben Nemsi Effendi ist! Ich möchte ihn einmal so als Ssaijâd es Ssaba[1] sehen!"

„Wünsche dir das nicht", warnte ich, doch nicht etwa beleidigt. „Dein Wunsch könnte nur dadurch in Erfüllung gehen, daß der Löwe käme, und ich glaube nicht, daß du dich darüber freuen würdest."

„Sogar sehr würde ich mich freuen", lachte Abdullah. „Was ein Fremder vermag, kann auch ich, der ich ein Sohn dieses Landes bin. Ich biete dir eine Wette an, daß ich, wenn der Löwe kommt, das gleiche tue, was du unternimmst."

---

[1] Löwenjäger

„Ausnahmsweise bin ich einverstanden. Um was wetten wir?"

„Wirst du deine Uhr und dein Fernrohr gegen meine Visionsflinte setzen?"

„Ja, o verwegener Abdullah."

„Und du scherzt auch nicht?"

„Nein. Gehst du also die Wette ein?"

„Ja. Ich schwöre es bei Allah. Willst du etwa zurücktreten?"

„Nein. Du hast geschworen und kannst ebenfalls nicht zurück. Aber du irrst, wenn du glaubst, daß ich hübsch vorsichtig am Feuer sitzen werde, falls der Löwe erscheint. Ich werde ihm vielmehr entgegengehen."

Der Fessarah sah eine Weile vor sich nieder. Dann meinte er:

„Ich will dich nicht beleidigen, aber ich glaube es nicht."

„So bitte deinen Propheten, den Löwen fernzuhalten. Wenn er dir diesen Wunsch nicht erfüllt, ist es um die berühmte Visionsflinte geschehen. Jetzt wollen wir über unsern Gefangenen —"

Ich wurde unterbrochen, denn es erschien am westlichen Rand der Lichtung ein Kamelreiter, der bei unserm Anblick betroffen halten blieb und uns betrachtete. Er schien im Zweifel darüber zu sein, ob es besser sei, an uns vorüber zu reiten oder zum Brunnen einzubiegen. Endlich trieb er sein Tier auf uns zu und stieg bei uns ab.

„Ehe ich den Ssalâm über meine Lippen gehen lasse, sagt mir, wer euer Anführer ist!"

„Ich bin es", antwortete ich.

„Das sind Askar. Du aber scheinst kein Askari zu sein. Wie soll ich es mir da erklären, daß du dich ihren Anführer nennst?"

„Macht die Uniform den Askari?"

„Nein. Ich will dir glauben. Warum habt ihr die Leute gefesselt, die hier auf dem Boden liegen?"

„Sie sind gefangene Sklavenjäger."

„Das ist doch kein Verbrechen?"

„Nun, dann Menschenraub!"

„Sklaven, überhaupt Schwarze, sind keine eigentlichen Menschen. Du wirst die Männer wieder freilassen!"

Der Fremde war wohl etwas über dreißig Jahre alt, hager und trug einen dunklen, nicht sehr dichten Vollbart. Sein Gewand war von weißer Farbe, jetzt aber nicht mehr allzu reinlich. Der Ausdruck seines Gesichtes war streng, düster asketisch. Er stand stolz aufgerichtet vor mir, und seine Augen blickten mich drohend an, als sei er es, der hier zu befehlen habe. Ich ahnte nicht, daß dieser Mann später als Mahdi eine so hervorragende Rolle spielen sollte.

„Werde ich?" fragte ich ihn. „So! Mit welchem Recht erwartest du denn das von mir?"

„Weil ich es sage, Mohammed Achmed, der Fakir el Fukara!"

„Schön! Und ich bin der Askari el Asaker und tue nur das, was mir beliebt."

Fakir el Fukara ist Fakir der Fakire, also der beste, der vorzüglichste Fakir. Darum nannte ich mich den Soldaten der Soldaten, also den vorzüglichsten der Soldaten. Er schien diesen Widerstand nicht erwartet zu haben, denn er fragte:

„Kennst du mich denn nicht? Hast du noch nichts von dem Fakir el Fukara gehört?"

Indem er das sagte, sah ich, daß er mit Abd Asl, dem ‚ehrwürdigen' Fakir, der gebunden auf dem Boden lag, einen Blick des Einverständnisses wechselte. Sie kannten sich also, und danach richtete ich meine Antwort ein.

„Nein, aber meine Gefangenen kennen dich."

„Woher weißt du das?"

„Dein Auge sagt es mir. Du gabst Abd Asl ein Versprechen, das du nicht halten kannst."

„Ich werde es halten. Frage deine Gefangenen, so werden sie dir sagen, wer ich bin."

„Wer und was du bist, ist mir gleichgültig. Ich stehe hier an Stelle des Reïs Effendina, also an Stelle des Khedive. Das wird dir genügen."

„Das genügt mir keineswegs. Der Vizekönig ist ebenso wie der Reïs Effendina in meinen Augen nichts, und es fällt mir nicht ein, mich nach ihnen zu richten."

Im Augenblick kannte ich seine Verhältnisse nicht. Später erfuhr ich freilich, weshalb Mohammed Achmed sich dieses unehrerbietigen, geringschätzenden Ausdrucks bedient hatte. Er war einige Zeit Steuerbeamter gewesen, hatte sich gezwungen gesehen, sein Amt niederzulegen, und war Sklavenhändler geworden. Das wußte ich jetzt alles nicht und antwortete ihm mit überlegenem Lächeln:

„Du wirst dich dennoch nach ihnen richten, indem du dich nach mir richtest, der ich ihre Befehle ausführen muß."

„Du wirst sogleich sehen, wie ich diese Befehle achte."

Der Mann zog sein Messer und bückte sich zu Abd Asl nieder.

„Halt!" gebot ich. „Was willst du tun?"

„Meinen Freund von seinen Fesseln befreien."

„Das erlaube ich nicht."

„Was frage ich nach deiner Erlaubnis!"

Mohammed Achmed legte das Messer an den Riemen, ich aber legte beide Hände von hinten an seine Hüften, hob ihn aus seiner gebückten Haltung empor und warf ihn mehrere Schritte weit über die Gruppe der Gefangenen, bei denen Abd Asl lag, hinüber. Mohammed Achmed hatte sein Messer festgehalten, raffte sich rasch wieder auf, erhob die Hand zum Stoß und drang auf mich ein:

„Du wagst, dich an dem Fakir el Fukara zu vergreifen? Da, nimm!"

Es fiel mir gar nicht ein, mich einer Waffe zu bedienen. Auch keinem Askari fiel es ein, mir beizuspringen, nur Ben Nil fuhr mit der Hand in den Gürtel, blieb aber stehen. Meine Leute wußten, daß ich mit dem Angreifer fertig werden würde. Ich gab ihm mit der Faust von unten her einen Stoß in die Achselhöhle des erhobenen Arms, und dieser Gegenstoß war so kräftig, daß er den Angreifer zu Boden warf.

Jetzt zog ich den Revolver. Als Mohammed Achmed wieder aufsprang, um mich von neuem anzugreifen, hielt ich ihm die Waffe entgegen.

„Noch einen Schritt weiter, und ich schieße dich nieder!"

„Bleib stehen, sonst schießt er wirklich, denn er ist ein Giaur!" warnte ihn Abd Asl.

Der Fakir el Fukara zog den schon erhobenen Fuß wieder zurück, ob aus Furcht vor meiner Waffe oder aus Betroffenheit darüber, mich einen Giaur nennen zu hören, weiß ich nicht.

„Ein Giaur?" fragte er. „Er ist kein Muslim?"

„Nein, sondern ein christlicher Effendi", antwortete der Alte.

„Und dieser Hundesohn wagt es, mich —"

Im Nu stand Ben Nil mit der Peitsche hinter ihm.

„Effendi, soll ich ihm die Haut in Fetzen schlagen?"

„Dies eine Mal soll ihm verziehen sein, weil er in der Aufregung gesprochen hat", erklärte ich. „Wenn er mich aber noch ein einziges Mal beleidigt, so erhält er die Bastonnade, daß er hier liegenbleibt und elend verkommen muß!"

„Allah! Mir die Bastonnade!" knirschte der Mann. „Von einem Christen! Welch ein Frevel, welche Kühnheit!"

„Von Kühnheit kann dir gegenüber keine Rede sein", lachte ich ihm ins Gesicht. „Ich würde mich nicht fürchten, wenn ich allein zehn Personen deinesgleichen gegenüberstände."

„Aber die andern sind doch Muslimin und müssen für mich und nicht für dich sein! Wie kann ein Muslim dulden, daß einem andern Rechtgläubigen von einem Christen mit der Bastonnade gedroht wird?"

Da stellte Ben Nil sich vor ihn hin und antwortete an meiner Stelle:

„Höre, wir haben Kara Ben Nemsi Effendi von Herzen lieb und sind bereit, für ihn gegen jedermann zu kämpfen. Zehn und hundert Fakire el Fukara wiegen ihn in unsrer Achtung nicht auf, und ich sage dir, daß du nicht der erste wärst, der die Peitsche bekommen hat, weil er ihn beleidigte. Nimm dich in Acht! Die Bastonnade schwebt über deinem Haupt, und bei Allah, wenn du deinen Mund nicht hältst, senkt sie sich augenblicklich auf dich nieder!"

„Knabe!" fuhr ihn der Fakir an. „Hüte du selber deine Zunge! Was bist du und was sind zwanzig Asaker gegen die Anhänger, die zu mir eilen, wenn ich meine Stimme erhebe!"

„Erhebe sie! Wir werden schon sehen, ob der Wald lebendig wird!"

„Das darfst du sagen, weil ich heut niemand bei mir habe. Später aber kann ich euch zerquetschen, wie man Würmer mit dem Fuß zertritt!"

Die Soldaten ließen ein zorniges Murmeln hören. Der Fanatiker aber kehrte sich nicht daran und fuhr fort:

„Indem ihr einem Christen gegen diese Muslimin dient, verleugnet ihr den Propheten. Habt ihr ein Recht, diese Rechtgläubigen gefangen-zuhalten? Wenn sie Sklaven gefangen haben, wo steht denn im Koran, daß der Sklavenhandel verboten ist?"

Seine Absicht war, die Asaker gegen mich aufzuwiegeln, und er glaubte vielleicht, daß es ihm gelingen würde. Ich hatte gar nicht nötig, ihn durch Zwischenreden an der Ausführung dieses Vorhabens zu hindern, denn Ben Nil, der das Wort für die andern ergriffen hatte, antwortete ihm auch weiterhin:

„Du kennst die Lage nicht. Ibn Asl, der Sohn dieses alten Fakirs, hat die Beni Fessarah überfallen, viele von ihnen getötet und die jungen Frauen und Töchter davongeführt, um sie in die Sklaverei zu verkaufen. Wir aber haben sie ihm abgenommen und wieder in ihre Heimat geleitet. Aus Zorn und Rache darüber hat er uns seinen Vater mit diesen Männern entgegengesandt. Sie sollten uns hier auflauern und uns ermorden. Dem Effendi aber sollten Zunge und Hände abgeschnitten werden. Ist es erlaubt, Rechtgläubige zu rauben und zu Sklaven zu machen?“

„Nein“, gestand Mohammed Achmed.

„Sind die Beni Fessarah Rechtgläubige oder nicht?“

„Rechtgläubige.“

„So hat sich Ibn Asl also einer Todsünde schuldig gemacht, und diese Menschen hier sind seine Mitschuldigen. Sie müssen dafür bestraft werden, gar nicht davon zu sprechen, daß sie Mörder sind, da sie uns umbringen wollten.“

Diese Mitteilung des Jünglings verfehlte ihren Eindruck nicht. Der Fakir el Fukara wandte sich an Abd Asl.

„Ist das wirklich so, wie ich jetzt gehört habe?“

„Man mag uns beweisen, daß wir diese Asaker töten wollten“, trotzte der Gefragte. „Es ist eine schändliche Lüge!“

„Leugne nicht!“ herrschte ich ihn an. „Ich habe es mit meinen Ohren gehört. Ich lag, um euch auszukundschaften, hinter dem Gesträuch, vor dem du mit deinem angeblichen Djallâb im Gespräch saßest.“

„Du hast dich geirrt“, meinte der Fakir el Fukara zu mir.

„Ich habe richtig gehört, und es sind auch noch andre Beweise gegen meine Feinde vorhanden.“

„Welche? Ich muß sie hören.“

„Du mußt? Wer hat dich zum Richter über mich gesetzt? Ich muß bloß das, was ich will, und meinen Willen werde ich dir sofort mitteilen. Ich will nämlich, daß du dich nicht weiter um die Angelegenheit kümmerst. Du hast dir dabei die Hände schon so verbrannt, daß ich dir rate, dich vom Feuer fernzuhalten. Zieh deines Wegs weiter oder lagere bei uns am Brunnen, mir ist beides recht. Aber sobald du fortfährst, dich in meine Obliegenheiten zu mischen, werde ich dir beweisen, daß ich auf Grund meiner Vollmachten der augenblickliche Gebieter an diesem Brunnen bin.“

„Wie willst du das beweisen?“

„Indem ich dich nicht länger dulde, sondern dich fortjage. Und nun kein weiteres Wort darüber! Tritt zurück! Du magst bei den Asakern lagern, bei den Gefangenen aber hast du nichts zu schaffen.“

Mohammed Achmed sah es mir wohl an, daß ich Widerspruch nun

wirklich nicht mehr dulden würde, und gehorchte. Aber der Ingrimm lag wie eine wetterdrohende Wolke auf seinem Gesicht. Er sattelte sein Kamel ab und ließ es laufen, damit es weiden könnte. Dann holte er sich Mundvorrat und einen Becher aus der Satteltasche und ließ sich an dem Wasser nieder, um sein Abendbrot einzunehmen. Vorher aber verrichtete er sein Abendgebet, das er versäumt hatte, da zwischen seiner Ankunft und jetzt die Sonne untergegangen und die Zeit des Moghreb, des vorgeschriebenen ersten Abendgebetes, unbenützt verflossen war. Auch die Asaker beteten, da sie das gleiche Versäumnis begangen hatten.

3. Der ‚Herr mit dem dicken Kopf‘

Es waren viele Feuer angebrannt worden. Im Raum zwischen ihnen lagen die Gefangenen in voller Beleuchtung, damit wir die Bewegungen jedes einzelnen leicht sehen konnten, und um sie herum bildeten die Asaker eine Kette, die wieder von unsern an den Vorderbeinen gefesselten und in einem Kreis liegenden Kamelen eingefaßt wurde.

Auch ich setzte mich an den Brunnen, um zu essen. Ben Nil und Abdullah gesellten sich zu mir. Der Fakir el Fukara saß so nah bei uns, daß er unser Gespräch hören konnte. Ich hatte keine Veranlassung, heimlich gegen ihn zu tun. Er hätte sonst vielleicht gar geglaubt, ich scheute mich vor ihm. Ich vermutete, daß Ben Nil nun die Gelegenheit ergreifen würde, seine Forderung in betreff des alten Abd Asl wieder vorzubringen, und richtig, kaum hatte ich den letzten Bissen verschluckt, so sagte er:

„Effendi, ich mußte die Mahlzeit ehren. Nun du aber fertig bist, hoffe ich, daß ich reden darf. Du hast mir den alten Fakir versprochen."

„So ganz endgültig, wie du zu meinen scheinst, doch wohl nicht."

„Jawohl! Du wolltest etwas von ihm erfahren, und dann sollte ich ihn bestrafen dürfen."

„Ich habe es aber noch nicht erfahren, und es hat noch Zeit."

„Nein. Bedenke, daß du die Auskunft, die du von ihm haben willst, leicht zu spät bekommen könntest. Ich weiß, du willst nicht seinen Tod, und darum zögerst du."

„Allah wird ihn strafen!"

„Ja, aber durch mich!"

„Sieh hin! Er ist ein Greis, ein schwacher, wehrloser Mann. Kannst du es übers Herz bringen, ihm das Messer in die Brust zu stoßen?"

„Abd Asl hat es übers Herz gebracht, dich und mich in den Brunnen einzusperrren, damit wir umkommen sollten. Und heut wieder war er zu einem dreiundzwanzigfachen Mord bereit. Wenn du ihn begnadigst, versündigst du dich gegen Allah, der doch auch dein Gott ist."

„Das ist richtig", stimmte der Fessarah bei. „Auch ich schwebte in

Todesgefahr, jeder Askari ebenso. Wir alle haben das Recht, das Blut dieses Massenmörders zu fordern!"

„Richtig! So ist es! Ganz genau so!" ertönten die zustimmenden Rufe der Asaker.

„Hörst du es, Effendi?" fragte Abdullah. „Willst du uns allen unser gutes Recht verkümmern? Dann mußt du gewärtig sein, daß wir es uns nehmen."

Daran hatte ich auch schon gedacht. Die Soldaten waren wütend auf die Gefangenen. Nur die Achtung, in der ich bei ihnen stand, hatte sie vermocht, meinem Befehl zu gehorchen und die Überrumpelten zu betäuben, anstatt sie zu töten. Ich konnte ihnen keine Sicherheit dafür bieten, daß die Schuldigen ihre Strafe wirklich in Khartum finden würden, und wenn meine Leute gegen meinen Willen Rache nahmen, was konnte ich dagegen tun? Sie mit Gewalt, durch Drohungen abhalten? Da wäre es mit meinem Ansehen sofort vorüber gewesen. Besser, ich opferte einen einzelnen, als daß viele unter den Rächerstreichen fielen, und dieser eine mußte der alte Fakir sein. Schon war ich halb entschlossen, ja zu sagen, da trat der älteste Asaker zu mir heran und meldete:

„Effendi, ich bin von meinen Kameraden beauftragt worden, dir eine Bitte vorzutragen."

„So sprich!"

„Sag vorher, ob wir dir gehorsam gewesen sind, und ob du mit uns zufrieden bist?"

„Ich kann vor dem Reïs Effendina jedem einzelnen von euch ein gutes Zeugnis geben."

„Ich danke dir! Ja, es ist wahr, daß wir stets taten, was du fordertest, obgleich dein Wille uns öfters unbegreiflich war. Wir haben uns dann immer überzeugen müssen, daß du das Richtige getroffen hattest, und darum hast du dir unsre Ehrerbietung erworben. Einen Fehler aber müssen wir an dir tadeln, wenn du uns das erlaubst. Du bist als Christ zu nachsichtig gegen unsre Feinde. Feinde muß man vernichten, um sich selber zu erhalten. Wir waren dem Tode geweiht. Deine Umsicht hat uns gerettet. Die Feinde sind in unsre Hand gegeben, aber du willst nicht, daß wir uns an ihnen vergreifen. Gut, wir gehorchen dir auch dieses Mal. Wir wollen sie nach Khartum schaffen und dem Reïs Effendina übergeben. Einer aber soll sterben, nämlich Abd Asl. Darauf bestehen wir. Wenn du uns diese kleine Bitte nicht erfüllst, kannst du nicht hindern, daß hier und da irgendein Messer in irgendein Herz gestoßen wird und viele von denen, die du retten willst, am Morgen nicht mehr am Leben sind. Entscheide dich!"

Das war allerdings deutlich gesprochen! Was sollte ich antworten? War ich als Christ denn wirklich verpflichtet, Abd Asl, das Scheusal, zu retten und dadurch viele andre in Gefahr zu bringen? Aber vielleicht konnte ich meinen Zweck durch List doch noch erreichen, indem ich mich auf das gute Herz Ben Nils verließ! Nur so lange

2

kein Blut, wie ich noch zu befehlen hatte! Was später geschah, kam nicht auf meine Verantwortung. Darum ging ich scheinbar auf die Forderung ein.

„Du hast nach euern Anschauungen ganz verständig gesprochen, aber wie kann ich über das Leben des Fakirs verfügen, da es mir nicht mehr gehört? Ben Nil ist es, der das erste Recht zur Rache hat."

„Aber du willst es ihm doch verkümmern, wie wir hören?"

„Nein. Er soll sein Recht haben, wenn ihr einverstanden seid und auf das eurige verzichtet."

„Dann sind wir sofort einverstanden, Effendi."

„Ihr legt also das Leben des Fakirs in Ben Nils Hände?"

„Ja."

„So sind wir einig. Sag das den andern!"

Der Askari entfernte sich befriedigt.

„Ich danke dir, Effendi!" erklärte der Jüngling eifrig. „Nun wird dem Gesetz der Wüste Genüge geschehen und zu den Schandtaten dieses Ungeheuers keine neue kommen."

„So geh hin und stoße dem gefesselten Greis das Messer in die Brust! Das ist eines tapferen Mannes würdig!"

Ben Nil senkte den Kopf und blickte vor sich nieder. Ich sah, daß er mit sich selber kämpfte. Dann hob er den Kopf und fragte:

„Der Alte gehört also wirklich **mir,** und ich kann mit ihm nach meinem Belieben verfahren?"

„Ja."

„Gut, so werde ich Rache nehmen."

Er stand auf und zog sein Messer. Da sprang auch der Fakir el Fukara auf und hielt ihn beim Arm zurück.

„Halt! Das würde ein Mord sein, den ich nicht zugeben darf!"

Ben Nil schüttelte den Mann mit einer Kraft, die ich ihm gar nicht zugetraut hatte, von sich ab.

„Schweig! Was hast du hier zu befehlen! Ich kehre mich an deine Worte ebensowenig wie an das Summen einer Mücke!"

„Schweig du selber, du armseliger Knabe! Wenn es mir beliebt, zerdrücke ich dich zwischen meinen Händen!"

„Versuch es doch!"

Ben Nil hatte, wie erwähnt, sein Messer gezogen, und der Fakir el Fukara zückte das seinige. Ich schnellte mich zwischen beide, riß Mohammed Achmed die Waffe aus der Hand und gebot ihm:

„Zurück, sonst hast du es mit mir zu tun!"

„Du aber auch mit mir!" rief er wütend.

„Pah! Du hast ja schon gesehen, was du gegen mich vermagst."

„Das war einmal. Willst du etwa mehr Mut und Geschicklichkeit besitzen als ich? Ein Fakir el Fukara fürchtet keinen Feind, auch den stärksten nicht."

Eben wollte ich antworten, da erklang ein Ton in der Ferne; infolgedessen blieb mir die Entgegnung auf der Zunge liegen. Es klang wie das ferne Rollen des Donners. Ich kannte diesen Ton. Ich hatte ihn wiederholt gehört, und dann hatte es sich regelmäßig um Leben oder Tod zwischen mir und dem König der Tiere gehandelt.

„Fürchtest du auch diesen Feind nicht?" fragte ich Mohammed Achmed, indem ich mit der Hand in die Gegend deutete, aus der das Rollen erklungen war.

„Nein, überhaupt keinen."

„Und du bist bereit, es mit ihm aufzunehmen?"

„Ja", lachte er. „Ich stelle aber die Bedingung, daß du mich zu ihm führst."

„So komm!"

Ich nahm meinen Bärentöter und sah die Ladung nach.

„Welch ein Held du bist!" rief er höhnisch. „Mit einer Hyäne zu kämpfen!"

„Eine Hyäne? Bist du taub oder hast du die Stimme des ‚Herrn mit dem dicken Kopf' noch nicht gehört?"

„Des ‚Herrn mit dem dicken Kopf'? Du meinst —"

Er hielt inne. Das Rollen erklang von neuem, nicht viel deutlicher als das erste Mal. Ein Beweis, daß sich das Tier nur langsam näherte. Aber etwas besser war es doch zu hören gewesen, denn die Kamele begannen zu schnauben, und der Fessarah-Führer rief voll Schreck:

„Allah kerîm — Gott ist gnädig! Das war der große Löwe von El Teitel. Er wird uns fressen und verschlingen."

„Ja, er hat unsre Spur gefunden und auch die Fährte dieses kühnen Fakir el Fukara. Darum hat er zweimal gebrüllt", antwortete ich. „Nun wird er schweigen und sich heimlich nähern, um sich einen von uns zur Speise zu holen."

„Allah bewahre uns vor den Listen dieses geschwänzten Teufels!"

„Ah, du hast Angst, Abdullah! Wie steht es mit unsrer Wette?"

„O Effendi, diese Wette!"

„Du wolltest tun, was ich tue!"

„Ja, das werde ich auch", raffte sich Abdullah auf, aber ich sah die Visionsflinte in seinen Händen beben.

„So komm! Dem Löwen entgegen!"

„Bist du toll?"

„Nein. Wenn ich ihm entgegengehe, finde und töte ich ihn. Bleibe ich aber hier, so fällt ein Mensch dem Würger zur Beute."

„Aber doch nicht grad du und ich! Ich bitte dich, hierzubleiben! Wenn sich jeder hinter ein Kamel versteckt, sind wir sicher."

„Der Löwe holt sein Opfer auch hinter dem Kamel hervor. Ich gehe, und dieser vortreffliche Fakir el Fukara wird mich gleichfalls begleiten."

„Ist es dein Ernst, Effendi?" fragte Mohammed Achmed.

„Du wolltest ja mit mir zum Löwen gehen! Oder sollte ich, was du so stolz bezweifeltest, doch mehr Mut und Geschicklichkeit besitzen als du? Prahlen kann jeder Feigling, aber ein Fakir el Fukara sollte doch —"

2*

„Schweig!" unterbrach er mich. „Ich gehe mit."

„So komm! Und du, Abdullah?"

„Ich bleibe."

„Das wußte ich. Nur mit dem großen Maul bist du tapfer. Ich werde deine Visionsflinte gewinnen."

„O Allah! O Mohammed! O Abu Bekr und Osman! Meine schöne, berühmte Visionsflinte", jammerte er.

„Wenn du zurückbleibst, ist sie verloren!"

„So — so — so gehe ich mit, Effendi, immer hinter dir her. Geh nur voran, ich komme, ich komme!"

Abdullah zitterte am ganzen Leib, kam aber doch hinterdrein, ständig genau hinter mir, damit der Löwe nicht ihn, sondern mich erwischen sollte. Er dauerte mich, und ich hätte ihn gern zurückgelassen, aber er hatte eine Strafe verdient. Außerdem war ich überzeugt, daß er schon nach wenigen Schritten irgendwie abhanden kommen würde.

„Mehr Holz in die Feuer, damit die Flammen hoch lodern!" gebot ich noch, dann hatte ich den Kreis der Menschen und Kamele hinter mir.

Von den Asakern und den Gefangenen war kein Laut zu hören. Die Angst machte sie verstummen. Sie drängten sich, um Schutz zu suchen, jeder eng hinter den Leib eines Kamels. Innerlich war ich wohl der ruhigste von allen. Wenn der Augenblick der Gefahr da ist, muß jede Bangigkeit aufhören, sonst ist man verloren. Den Fakir el Fukara trieb die Angst, für einen Feigling gehalten zu werden, hinter mir drein. Abdullah hatte ihm Platz gemacht und bildete den letzten in der Reihe. Als wir die Lichtung vielleicht halb überschritten hatten, sah er an ihrem Rand eine Bewegung im Gebüsch, duckte sich entsetzt hinter einen einzelnen Busch, an dem wir vorüber kamen, und schrie:

„Dort ist er, dort! O Allah, o Gnädiger, o Barmherziger! Ich bleibe mutig hier. Lauft fort, um euch zu retten!"

Ja, wir sollten weitergehen, um vom Löwen gesehen und angesprungen zu werden, während er ‚mutig' hinter dem Strauch versteckt lag!

Auch ich hatte die Bewegung bemerkt, durch die er so in Schreck versetzt worden war, doch konnte sie unmöglich vom Löwen verursacht worden sein. Darum rief ich dem Feigling zu:

„Komm nur weiter mit, sonst ist deine Flinte verloren! Du mußt doch tun, was ich tue!"

„Nein, nein. Ich bleibe hier und schieße ihn über den Haufen. Lauft nur, lauft! Und schreit recht laut, damit er Angst vor euch bekommt!"

Abdullah forderte uns jedenfalls nur deshalb zum Schreien auf, weil wir die Aufmerksamkeit des Löwen auf uns ziehen sollten. Das Raubtier konnte aber noch gar nicht hier sein. Als der Löwe zum erstenmal gebrüllt hatte, war er gewiß drei Kilometer entfernt gewesen. Darum hatte ich mir zu meinen spöttischen Aufforderungen an die beiden Begleiter Zeit genommen. Jetzt mochte das Tier vielleicht drei Viertel dieser Entfernung zurückgelegt haben.

Da das Gebrüll aus Westen erklungen war, hatte ich mich gegen den in dieser Richtung liegenden Rand der Lichtung gewendet und blieb nun stehen, um mir einen günstigen Platz auszusuchen. Es war vorauszusehen, daß der anschleichende Löwe, um kein Geräusch zu machen, das Unterholz meiden würde. Hier auf dieser Seite gab es nur eine von Büschen freie Stelle, dort mußte er hervorbrechen. Dort hatte ich mich aufzustellen.

Es gab da zwei sehr starke Thalhabäume[1], deren Stämme dicht nebeneinander standen. Ein üppiges Sunutgesträuch hielt den Schein der Feuer ab und warf einen tiefen Schatten auf die Stelle.

„Hier legen wir uns nieder", gebot ich leise. „Das ist der beste Platz."

„Warum hier?" flüsterte Mohammed Achmed, indem er sich zu mir niederkauerte.

„Weil der Löwe da, ungefähr zehn Schritt von uns, durchbrechen wird."

„Allah kerîm! Warum so nah? Wir müssen mehr zurück! Vielleicht auf fünfzig oder sechzig Schritt."

„Nein. Je näher, desto besser und sicherer der Schuß."

„Effendi, du hast den Verstand verloren!"

„Nein, aber ich habe mehr Mut als du. Ich höre deine Zähne klappern."

„Kann ich dafür? Mein Kinn ist plötzlich ganz locker geworden."

„Zittert auch deine Hand?"

„Ja, es geht eine große Kälte durch meine Arme."

„So schieß nicht, wenn der Löwe kommt, sondern überlaß ihn mir! Du würdest schlecht oder gar nicht treffen und dadurch die Gefahr für uns verzehnfachen."

„Wollte doch Allah, ich wäre nicht mitgegangen! Ich bin unverzagt, aber die Aufmerksamkeit des Menschenwürgers absichtlich auf sich zu lenken, das ist denn doch zu verwegen. Sprechen wir nicht mehr! Er könnte es hören."

„Wir flüstern ja nur. Übrigens ist er noch gar nicht da."

Der Fakir el Fukara hatte schreckliche Angst. Ich hörte deutlich seine Zähne aufeinanderschlagen, und als ich ihm jetzt die Hand auf den Arm legte, stieß er einen lauten Schreckensruf aus. Er hatte meine leichte Hand für die schwere Tatze des Löwen gehalten.

Abdullah schien inzwischen irgend etwas vorzuhaben. Ich sah ihn deutlich hinter seinem Strauch kauern. Von mir aus waren es vierzig Schritt bis zu ihm, achtzig bis zum Brunnen, so daß ich bis dorthin, falls der Löwe da einbrach, einen sichern Treffer senden konnte. Der Fessarah hatte erst auf dem Boden gelegen, jetzt kauerte er und machte sich mit seiner Visionsflinte zu schaffen. Dabei legte er den Kopf zur Seite, um hinter dem Busch hervorzulugen. Nun hob er das Gewehr und richtete den Lauf auf die Stelle, an der wir vorhin die Bewegung bemerkt hatten. Was beabsichtigte er? Wollte er etwa schießen? Durfte

---

[1] Rotstämmige Mimose — Acacia gummifera

ich Abdullah durch einen lauten Zuruf daran hindern? Wenn ich das auch hätte wagen wollen, es wäre zu spät gewesen, denn schon drückte er ab. Das Visionsrohr krachte wie eine alte Donnerbüchse und schlug ihm den Kolben so an den Kopf, daß er niederstürzte. Er fuhr aber schnell wieder auf und schrie, indem er mit beiden Armen freudig um sich windmühlte, in jubelndem Ton:

„Hamdulillah! Ich habe ihn! Ich habe ihn geschossen und getroffen! Dort stürzte er zusammen, dort liegt er in seinem Blut, der Fresser, der Mörder, der Menschenverwüster und Herdentöter! Jubelt, ihr Männer, ruft, schreit und singt zu seinem Ende, einem Ende ohne Ruhm und Ehre, einem Ende der Feigheit und der Schande! Effendi, komm, komm schnell herbei, damit ich ihn dir zeige!“

Der unvorsichtige Mensch war wie aus dem Häuschen. Er machte Gebärden wie ein Verrückter. Dort im Lager erhoben sich die Asaker, die seinen Worten glaubten. Auf was hatte er denn nur geschossen? Auf alles mögliche, aber nur nicht auf den Löwen, denn eben jetzt trug die Luft mir jenen untrüglich scharfen stechenden Geruch zu, der den großen, wilden Arten der Katzenraubtiere zehnmal stärker zu eigen ist als den in Tierbuden und zoologischen Gärten lebenden halbzahmen.

„Er hat ihn erschossen. Wir müssen hin, Effendi!“ meinte Mohammed Achmed.

„Unsinn! Der Löwe kommt aus der entgegengesetzten Richtung. Wir haben ihn grad vor uns. Ich rieche ihn schon.“

„O Allah, o Erbarmen, o Zuflucht und Trost der Gläubigen! Du irrst! Abdullah ist der Sieger, und ich begebe mich zu ihm.“

Der Mann sprang auf und fort. Ich hätte ihn nicht halten können, selbst wenn ich gewollt hätte, denn ich hatte keine Zeit mehr dazu. Der Löwe war da! Ich sah ihn unter den vordersten Bäumen der lichten Stelle erscheinen, fast taghell von den hochflackernden Feuern beschienen, ein über einen Meter hohes, sicher zweieinhalb Meter langes, ungewöhnlich starkes Tier mit dichter, dunkel gefärbter Mähne.

Ich lag im Anschlag. Der Löwe stand aber schlecht zum Schuß und einen Fehlschuß durfte ich nicht wagen. Zu langen Erwägungen gab es keine Zeit, denn das Tier sah den fortrennenden Fakir el Fukara und machte eine Wendung, um ihm nachzuspringen. Ich schrie aus Leibeskräften, um die Aufmerksamkeit des Löwen auf mich zu lenken. Drehte das Raubtier sich zu mir um, so hatte ich besseres Ziel. Aber es schien meinen Schrei nicht zu hören, wenigstens nicht zu beachten und schnellte hinter dem Fakir her, einen Satz, zwei Sätze, drei Sätze. Der Löwe wurde vom Lager aus erblickt. Die Asaker heulten auf vor Entsetzen. Auch Abdullah zeterte, als müßte er im Höllenfeuer brennen, und der Fakir el Fukara, dadurch aufmerksam gemacht, blieb stehen und sah sich um. Als er das Raubtier dicht hinter sich erblickte, brach er vor Todesangst in die Knie und hob die gefalteten Hände empor, unfähig, einen Laut von sich zu geben. Noch drei Sprünge und der Löwe hätte ihn erreicht.

Das waren nur Augenblicke, aber ich hatte sie benutzt. Meinen

Bärentöter in der Rechten, war ich aus dem Versteck dem Herden-würger nachgerannt, hatte mit der Linken den Revolver gezogen, und drückte, unaufhörlich brüllend, die sechs Schüsse einzeln ab. Das half. Der Löwe hörte sie und warf sich herum. Ich ließ mich gedankenschnell auf das Knie nieder und legte das Gewehr an. Nun war den beiden an-dern geholfen. Das wußte ich, denn der Löwe wirft sich unbedingt auf die Person, die ihn angreift.

Der riesige Löwe maß die Entfernung mit den Augen. In einem Sprung konnte er mich nicht erreichen. Er mußte zwei tun, und sobald er nach dem ersten den Boden berührte, mußte meine Kugel treffen, sonst fand ich im Notfall keine Zeit mehr zu einem zweiten Schuß. Es waren höllische Augenblicke, zumal die gewaltige Katze keinen Laut von sich gab. Jetzt schnellte sie sich in die Höhe, die Vorderpranken weit auseinander gestreckt. Zwölf Schritt vor mir kam sie zur Erde nie-der und erhielt den ersten Schuß. Ein Ruck ging durch den Körper des Löwen, als hätte er einen Stoß von vorn bekommen. Das Tier war gut getroffen. Aber die einmal angespannte Kraft des Willens und der Muskeln wirkte noch fort: der mächtige Körper flog wieder empor und auf mich zu, mußte mich also genau erreichen. Aber bevor das geschehen konnte, traf meine zweite Kugel in der Luft, und ich warf mich weit zur Seite, indem ich das Gewehr fallen ließ und das Messer aus dem Gürtel zog. Die Waffe zum Stoß zückend, drehte ich mich blitzschnell wieder um und sah, daß eine solche Verteidigung glücklicherweise nicht notwendig war. Der Löwe lag auf dem Rücken, bewegte sich, die Beine krampfhaft an den Leib gezogen, einmal auf die rechte und ein-mal auf die linke Seite, blieb da liegen und streckte dann, blutigen Schaum im halbgeöffneten Rachen, in einer letzten Bewegung die vier Pranken weit von sich. Die gewaltige Bestie war tot! Es bedurfte keiner Bestätigung durch eine lange Untersuchung. Ich sah, daß die beiden Kugeln da saßen, wohin ich sie bestimmt hatte, nämlich die erste durch das Auge im Hirn und die zweite von unten herauf im Herzen. Den-noch wagte ich es noch nicht, das Tier zu berühren. Ich hob meine Büchse wieder auf, lud sie und stieß dann den Löwen mit den Läufen an. Hätte er noch Leben verraten, so konnte ich ihm auf diese Weise noch zwei Kugeln geben, ehe er aufzuspringen vermochte. Aber er zuckte nicht, er war wirklich tot.

Das war alles so schnell geschehen, daß Mohammed Achmed noch kniete und Abdullah noch immer schreiend an seinem Busch stand. Die Asaker hatten ihr Heulen eingestellt, da sie sich nicht mehr bedroht sahen. Ich ging auf den Fakir el Fukara zu und faßte ihn am Arm, um ihn aufzurichten.

„Was kniest und betest du noch? Der Menschenfresser ist tot."

„Tot?" ahmte er wie geistesabwesend das letzte Wort nach.

„Ja, tot. Du hast nichts mehr zu befürchten."

„Hamdulillah!"

Diese Lobpreisung Allahs sprach Mohammed Achmed noch aus. Dann stand er auf und ging fort, in den Wald hinein, ohne sich um den Löwen zu kümmern, gewiß eine sonderbare Weise, sich mit seinem Lebensretter abzufinden. Der Fessarah hatte meine Worte gehört und fragte:

„Ist es wirklich gewiß, daß er tot ist?"

„Ganz gewiß."

„So kann man ihn besehen und befühlen?"

„Warum denn nicht?"

„So werde ich die Asaker rufen, damit sie unsre Siege preisen."

‚Unsre Siege' hatte Abdullah gesagt. Nun, ich war neugierig, den von ihm erlegten Löwen zu sehen! Zunächst wurde der meinige in Augenschein genommen. Aber nicht eilig und in stürmischer Freude kamen die Gefährten herbei, sondern zögernd und still. Die Ausmaße des Löwenkörpers waren selbst noch im Tod so achtunggebietend, daß es meiner wiederholten Versicherung bedurfte, ehe ein Askari es wagte, den Kopf der Tierleiche zu fassen und von einer Seite auf die andre zu legen. Als man sich auf diese Weise überzeugt hatte, daß wirklich keine Gefahr mehr vorhanden war, verwandelte sich die zaghafte Stille in übermütige Lebhaftigkeit. Abdullah machte den Anfang dazu, indem er sich zum Redner aufwarf, den Körper des Löwen bestieg und folgendermaßen begann:

„Preis sei Allah und Heil dem Propheten! Dieser Tag ist ein Tag des Sieges. Bestätigt es, ihr Gläubigen!"

„Ja, Heil, Preis, Sieg!" schrien die Asaker, die alle herbeigekommen waren. Nur Ben Nil, der Pflichtbewußte, befand sich bei den Gefangenen, um sie zu bewachen.

„Ihr hörtet", fuhr der Sprecher fort, „vom Löwen von El Teitel, der sein Maul aufsperrte und in jeder Woche einen Anhänger des Propheten verschlang. Bestätigt es, ihr Freunde und Gefährten der beiden Helden des Tages!"

„Wir bestätigen es!" erklang die Antwort.

Unter den ‚beiden Helden' waren jedenfalls er und ich gemeint. Er sprach weiter:

„Im Bauch des ‚Herrn mit dem dicken Kopf' liegen viele hundert Muslimin begraben. Heut kam er zu diesem Brunnen, um seine Verbrechen fortzusetzen. Da entbrannte der Zorn der Kämpfer und der Grimm der berühmtesten Recken in Afrika. Sie, nämlich Kara Ben Nemsi Effendi, und ich, Abdullah Ben Kalaun es Ssaijad, machten sich auf, dem Fresser entgegen. Ruft ihnen Heil und Ruhm zu, ihr Zeugen ihrer Taten!"

„Heil, Ruhm, Heil!" ertönte es rundum.

„Der Würger der Lebendigen kam nicht allein, sondern er brachte sich einen gottlosen Gefährten seiner Schandtaten mit. Dieser Gefährte, dessen Seele Allah in den Körper eines lahmen Hundes fahren lassen möge, hatte die Verwegenheit, sich mir gegenüberzustellen. Mich überkam die tapfere Begierde der Vertilgung dieses Ungeheuers, und ich vertrieb es aus dem Land der Lebenden, denn ich legte meine Visionsflinte an und schoß es über den Haufen. Es liegt dort am Rand des

Gebüsches, umleuchtet von den Strahlen meines Heldentums, und ich werde es euch nachher zeigen, damit ihr rufen könnt: Schmach und Schande über ihn! Mich aber, den Sieger, preiset mit einem dreimaligen Triumphgeschrei!"

Seiner Aufforderung wurde Folge geleistet. Dann aber fand der Großsprecher es angemessen, sich auch mit meiner Person zu beschäftigen:

„Da ich das lebendige Grab so vieler Rechtgläubiger erschossen habe, sind mir die Uhr und das Fernrohr zuzusprechen, denn ich habe sie gewonnen. Ich tat, wie verlangt, das gleiche wie der Effendi. Ich erlegte ebenso wie er einen vierfüßigen Herrn mit der Stimme, die dem Donner gleicht. Ja, ich erlegte den meinigen sogar noch eher als er den seinigen. Dieser liegt hier unter meinen Füßen, hingestreckt in seiner eignen Haut, die ihm lebendig hätte vom Leib gezogen werden sollen. Der Effendi brauchte zwei Schüsse, um ihn zu töten, während bei mir nur eine Kugel nötig war. Dennoch soll auch diesem Sieger die Belohnung werden. Ruft auch ihm ein dreimaliges Heil zu!"

„Heil, Heil, Heil!" wurde auch mir gebracht.

„Nun sind die Helden und Sieger geehrt, und es ist das Schicksal der Besiegten, verhöhnt und angespien zu werden. Schlagt diesen Mörder des Menschengeschlechts! Stoßt ihn, kneipt und zwickt ihn! Zerrt ihn am Schweif und bei den Ohren, sagt ihm alle Namen, die ihm gebühren, damit seine feige Seele in unendlicher Scham versinke und ersticke! Macht euch über ihn her, rauft ihm die Haare aus, zerreißt sein Fell, damit seinesgleichen sich ein warnendes Beispiel nehme und sich nicht mehr an die Anhänger des Propheten wage, sondern sich mit dem Fleisch der Kamele, Schafe und Ziegen begnüge! Ich habe gesprochen. Preis sei den Siegern! Heil, Heil, Heil!"

Abdullah stieg, während die Asaker in seinen Ruf einstimmten, vom Löwen herab, auf den sich nun alle warfen. Das tote Tier wurde mit Händen und Füßen so bearbeitet, daß ich gezwungen war, Einhalt zu gebieten, um das schöne Fell zu retten. Ich erreichte das am schnellsten dadurch, daß ich das allgemeine Geschrei mit meiner Stimme übertönte:

„Auf, auf, ihr Rechtgläubigen! Diesem Würger von El Teitel ist nun der Schande genug getan. Laßt uns nun den berühmten Löwen aufsuchen, dem Abdullah das Leben nahm! Meine Seele ist begierig, sich an seinem Anblick zu ergötzen."

„Oh, du wirst dich unendlich freuen, Effendi", versicherte der Genannte. „Mein Löwe ist fast noch einmal so groß wie der deinige, denn sein Kopf ragte noch über die Büsche empor, in denen er steckte. Ich habe meine Wette gewonnen, und du wirst mich nicht um den Gewinn betrügen, wie ich dir umgekehrt auch den deinigen sofort ausgehändigt hätte. Ich stelle mich an eure Spitze, ihr Männer. Folgt hinter mir und bildet den Siegeszug zum Platz des Kampfs, an dem mein Ruhm den ersten Preis gewonnen hat!"

Ich war um den Ausgang unsrer Wette gar nicht bang. Ich erriet

jetzt, wer sein Löwe war, dessen Kopf noch über die Büsche empor-
geragt hatte. Unsre Kamele lagerten am Brunnen, aber das Tier des
Fakir el Fukara, das frei gegrast hatte, war nicht mehr zu sehen. Es
war, die jungen Zweige von den Büschen fressend, zwischen sie eingedrungen, und von dem einen ‚Helden dieses Tages‘ für den Löwen gehalten und wenigstens angeschossen worden.

Der Zug setzte sich still in Bewegung. Man mußte jetzt wieder vorsichtig sein, da man noch nicht wußte, ob der zweite Löwe auch tot
oder nur verwundet sei. Je mehr man sich der Stelle näherte, desto
langsamer schritt Abdullah voran. Endlich blieb er stehen und wandte
sich zu mir zurück.

„Effendi, du bist doch überzeugt von meiner Heldenhaftigkeit?"

„Völlig, denn du hast das größte und berühmteste Tier der Wüste
erlegt. Leider aber befürchte ich, daß Mohammed Achmed dir dafür
nicht danken wird."

„Das erwarte ich auch gar nicht, da er nicht von meinem Löwen,
sondern von dem deinigen bedroht wurde. Er mag seinen Dank also an
dich richten. Jetzt aber komm und schreite du voran! Ich weiß, daß
du schärfere Augen hast als ich."

„Du irrst. Ich sehe zu Zeiten sehr schlecht, und da kann es mir
leicht geschehen, daß ich einen Löwen für ein Kamel halte. Welch
eine Kränkung für dich, wenn mir grad ein solcher Irrtum wider-
führe! Du bist der Sieger, geh nur voran!"

Abdullah mußte sich fügen. Aber mit seinem Mut schien es ‚Kap
Finisterre‘ zu sein, denn er bewegte sich in einer Weise vorwärts, als
ginge er auf Eiern. Schon nach sechs oder sieben Schritten blieb er
wieder stehen, deutete vorwärts und meldete mit unterdrückter Stimme:

„Allah kerîm! Dort liegt er. Ich sehe zwei seiner Füße, die sich bewegen. Effendi, was ist da zu tun?"

„Nur immer drauf."

„Aber der Löwe beißt! Er ist noch nicht tot, sondern nur verwundet."

„So tritt hinzu und gib ihm noch eine Kugel! Freilich verkürzt das
deinen Ruhm, da du dann nicht mehr behaupten kannst, ich hätte
eine Kugel mehr gebraucht als du."

„Auf diesen Ruhm kommt es mir gar nicht an. Das will ich dir
beweisen. Ich habe nur eine Kugel in meiner Flinte. Dein Gewehr
aber ist zweiläufig. Du bist also weit besser als ich imstande, dem
Fresser vollends den Garaus zu machen. Tu es, Effendi, ich räume dir
den Vorteil ein!"

„Meine Bescheidenheit gestattet mir nicht, deinen Wunsch zu erfüllen."

„Das ist sehr schön von dir, Effendi, aber — o Allah, er bewegt die
Beine wieder, und hörst du das Schnauben? Er ist zornig. Ich stelle
mich hinten an!"

Unser ‚Held des Tages‘ huschte an mir und den Asakern vorüber
und suchte hinter ihnen Sicherheit vor dem vermeintlichen Löwen.
Dieser hatte allerdings ein hörbares Lebenszeichen von sich gegeben,

doch war es nicht das zornige Schnauben eines angegriffenen wilden Tiers, sondern das schmerzliche Röcheln eines verwundeten Kamels. Auch die Asaker wichen erschrocken zurück. Ich aber blieb stehen und sagte zu dem Fessarah:

„Nun, so will ich dir zeigen, wie groß die Gefahr ist, die es dabei gibt. Das sind nicht die Hinterpranken eines Löwen, sondern die Füße eines Kamels."

„Du irrst, Effendi, du irrst dich! Deine Augen sind schlecht. Du hast selber gesagt, daß du zuweilen einen Löwen für ein Kamel hältst!"

„Und du ein Kamel für einen Löwen. Du sollst sofort den Beweis dafür haben. Ja, dieses Tier war bedeutend höher als der Löwe, den ich erlegt habe. Es war nämlich überhaupt kein Löwe, sondern das Kamel des Fakir el Fukara! Da, schaut her!"

Ich ging hin und schob mit der Büchse die Zweige auseinander. Da sahen meine Gefährten das Kamel liegen. Es war in das rechte Hinterbein getroffen. Nun war es mit der Angst der Asaker plötzlich vorüber. Sie drängten sich herbei und brachen in ein schallendes Gelächter aus.

„Welch ein Löwe, welch ein grausiges Untier!" rief einer von ihnen. „Abdullah hat uns aus einer entsetzlichen Gefahr befreit! Er ist der berühmteste Löwenjäger im ganzen Land! Erhebt eure Stimmen, ihr Männer, um ihn zu preisen! Ruft dreimal Heil, Heil, Heil über ihn!"

„Heil, Heil, Heil!" lachten und jubelten sie.

Der Gepriesene antwortete nicht und entzog sich den weiteren Huldigungen, indem er davonrannte und sich im Gebüsch versteckte. Das Kamel konnte nicht auf, denn der rechte Schenkelknochen war ihm zerschmettert. Es mußte getötet werden. Eben kehrte sein Besitzer aus dem Wald zurück. Er kam zu mir, gab mir die Hand und sagte, so daß alle es hören konnten:

„Effendi, verzeih mir, daß ich dich stehen ließ, ohne dir zu danken. Es war zu schrecklich. Der Fresser hatte es auf mich abgesehen, und ohne dich wäre ich von ihm zerrissen worden. Das Entsetzen hatte mir die Sprache geraubt, so daß ich dir kein Wort sagen konnte. Ich entwich ins Dunkel des Waldes, um im stillen Allah zu preisen. Nun kann ich wieder reden und sage dir Dank. Du bist mein Freund und Bruder! Die Feindschaft, mit der ich dich betrachtete, ist verschwunden. Willst du mir verzeihen?"

„Gern", erwiderte ich, indem ich ihm die Hand schüttelte.

„So sag mir, wie ich dir dienen und meine große Schuld wenigstens einigermaßen abtragen kann."

„Es ist von keiner Schuld die Rede. Ich werde mir das Fell des Löwen nehmen und bin mit diesem Lohn zufrieden."

„Ich verstehe, du verschmähst aus Stolz den Dank eines Mannes, der dich beleidigt hat. Aber auch ich habe mein Ehrgefühl, das mir verbietet, mich gänzlich abweisen zu lassen. Ich werde nachdenken und hoffe, eine Gelegenheit zu finden, dir einen Dienst zu leisten, den du anzunehmen gezwungen bist. Später, wenn du weiteres von mir hörst, wirst du erkennen, daß dir All-Islam und das ganze Morgenland verbunden ist. Da liegt mein Kamel. Was ist mit ihm geschehen?"

„Der Fessarah hat es angeschossen, weil er es für einen Löwen hielt."

„Dieser Dummkopf! Die Angst hat ihn blind gemacht. Ist es schwer verwundet?"

„Ja, es kann nicht auf, und wenn du erlaubst, werde ich es durch einen Schuß von seinen Qualen erlösen."

„Meinetwegen. Aber was fange ich nun ohne Reittier an?"

„Ich werde dir eins von den erbeuteten Kamelen schenken. Jetzt wollen wir den Löwen zum Brunnen schaffen, damit ich ihm das Fell nehmen kann."

Ich gab dem Kamel den Gnadenschuß. Dann gehörten acht Asaker dazu, den mächtigen Körper des Löwen fortzuschleifen. Er wurde zu einem der Feuer geschafft, wo ich ihm den gelbbraunen ‚Rock' auszog, wie Ben Nil sich ausdrückte. Man sprach nur vom Löwen. Abdullah kam in sehr niedergeschlagener Haltung herbei und wurde mit spöttischen Lobpreisungen überschüttet. Er ließ sie über sich ergehen, ohne ein Wort zu erwidern, und das war das beste, was er tun konnte. Seufzend legte er seine berühmte Flinte weg.

„Hier liegt sie, Effendi. Geben kann ich sie dir nicht, denn das wäre eine Versündigung an dem Urvater meiner Urahnen. Bist du wirklich so grausam, mich ihrer zu berauben, so nimm sie weg!"

„Ja, ich nehme sie, denn sie ist mein rechtmäßiges, wohlverdientes Eigentum."

Abdullah hatte auf meine Nachsicht gerechnet. Als er aber die Flinte jetzt in meinem Besitz sah, schlug er die Hände über dem Kopf zusammen und jammerte:

„O Allah, o Himmel, o tiefes Herzeleid meiner Seele! Nun bin ich des Ruhms meiner Ahnen, des Vermächtnisses meiner Vorfahren beraubt und darf mich nie wieder in den Dörfern meines Stammes sehen lassen. Mir bleibt nichts übrig, als in Tränen zu zerlaufen und mich in Zähren aufzulösen. Mein Herz schwimmt in der Flut des Grams, und mein Leben taucht unter in das Wasser des Seelenschmerzes, o Allah, Allah!"

Es fiel mir nicht ein, die Flinte behalten zu wollen. Ich nahm sie ihm nur einstweilen weg, um den Fessarah für seine Prahlereien ein wenig büßen zu lassen. Er streckte sich auf dem Boden aus, verhüllte sein Gesicht mit dem Kopftuch und verhielt sich von jetzt an völlig schweigend. Desto lauter und lebhafter waren die Asaker, die nicht müde wurden, das Löwenabenteuer immer von neuem zu besprechen.

4. Der Mahdi

Als endlich gegen Mitternacht im Lager größere Ruhe eingetreten war, hielt es Ben Nil für angebracht, auf sein Vorhaben zurückzukommen. Er verlangte die Bestrafung des alten Abd Asl. Er war durch den

Angriff des Löwen unterbrochen worden und drang nun darauf, die Angelegenheit zu erledigen. Als Mohammed Achmed das hörte, stand er auf und sagte zu mir:

„Effendi, vorhin trat ich auf, um das Leben dessen, den ihr richten wollt, zu verteidigen, denn er ist mein Freund. Wir kennen uns noch viel näher, als du ahnst. Ich sehe aber ein, daß ich gegen euch zu schwach bin. Ferner hast du mich vom Löwen errettet, und ich bin dir Dank schuldig. Darum will ich dir nicht widerstehen. Ich mische mich also nicht in diese Angelegenheit. Aber meine Augen dürfen nicht den Tod meines Freundes erblicken; darum werde ich mich zurückziehen, bis es vorüber ist."

Der Fakir el Fukara ging fort, über den Kreis der Kamele hinaus, und setzte sich dort so nieder, daß er uns den Rücken zukehrte. Ben Nil stand, grad so wie vorhin, mit dem Messer in der Hand vor mir.

„Also du erlaubst, daß ich jetzt Rache nehme, Effendi?"

„Ja. Ich antworte dir so, wie ich dir schon geantwortet habe: Wenn du es für deiner würdig hältst, einen schwachen, wehrlosen Greis niederzustechen, so tu es!"

„Ich weiß, was ich meiner Ehre schuldig bin, und werde dir zeigen, daß ich danach handle."

„Tu, was du willst! Der Alte ist in deine Hand gegeben. Aber ehe du Rache nimmst, habe ich noch mit ihm zu sprechen."

Ich ging mit Ben Nil zu Abd Asl, der alles gehört hatte und wohl wußte, was ihm drohte. Die Züge seines Gesichts waren unbewegt, so daß man nicht erraten konnte, was in ihm vorging.

„Du weißt, was dir bevorsteht", sagte ich. „Mach deine Rechnung mit dem Leben und mit Allah!"

„Wer mich tötet, ist ein Mörder", zischte er.

„Denke und sage, was du willst, es kann dich nicht retten. Du wirst in wenigen Augenblicken über Es Ssiret, die Brücke des Todes, gehen. Erleichtere dein Gewissen. Vielleicht wird dir Allah gnädig sein."

„Ich bedarf keiner Gnade. Ungläubige und ihre Anhänger auszurotten, ist keine Sünde, sondern ein Verdienst, das Allah belohnt."

„Bleib meinetwegen bei dieser Ansicht! Wenn du den Tod durch das Messer für einen Lohn hältst, so kann ich nichts dagegen haben. Du hast nicht nur mir, dem Christen, sondern auch meinen Gefährten nach dem Leben getrachtet, und diese sind Muslimin. Ferner weißt du, daß der Reïs Effendina vernichtet werden soll. Das kannst du nicht vor Allah verantworten, und ich gebe dir Gelegenheit, diese Schuld von dir fernzuhalten, indem du mir sagst, in welcher Gefahr er schwebt."

Da ging ein höhnisches Grinsen über sein Gesicht. Er spuckte vor mir aus.

„Ich speie dich und den Tod an, denn ich fürchte weder dich noch ihn. Meine Tage sind bei Allah verzeichnet, und ohne seinen Willen kannst du mir nicht eine Minute meines Lebens rauben. Es wird mir also nicht einfallen, dir ein Wort von dem zu sagen, was du wissen willst. Tötet mich, ihr Hundesöhne! Ich werde schweigen!"

„Gut, Abd Asl soll seinen Willen haben", warf Ben Nil finster ein. „Zu erfahren, was dem Reïs Effendina droht, sind wir auch ohne die Mitteilung dieses alten Mannes klug genug. Er mag also zur Hölle fahren."

Der Jüngling kniete neben ihm nieder, öffnete ihm vorn das Gewand und setzte ihm die Spitze des Messers auf die Brust. Abd Asl schien nicht erwartet zu haben, daß man doch Ernst machen würde, und schrie erschrocken auf.

„Halt ein! Bedenke, daß ich ein heiliger Fakir bin, an dem sich niemand vergreifen darf! Allah würde diesen Mord mit den ewigen Qualen der Hölle an dir rächen."

„Ein Heiliger willst du sein?" höhnte Ben Nil. „Ein Ungeheuer bist du, tausendmal schlimmer als der Löwe, den wir erlegt haben! Es bleibt dabei. Fahre hinab in die Hölle, wo dich alle Millionen Teufel mit Freuden erwarten!"

Ben Nil stach ihm die Spitze des Messers, langsam, langsam — nur durch die Haut, wie ich sah. Der Alte wälzte sich auf die Seite, heulte und zeigte nun seine bisher verhaltene Todesangst.

„Nein, nein! Ich mag nicht sterben. Ich will, ich kann nicht sterben. Verschone mich, verschone mich!"

„Schau, alter Feigling, wie du dich verstellen konntest! Jetzt bricht das Entsetzen über dich herein", spottete Ben Nil.

„Gnade, Gnade! Laß mich leben!"

„Vielleicht schenke ich dir das Leben. Nenne mir die Gefahr, die dem Reïs Effendina droht!"

„Ich sage es dir — ich sag es!"

„Dann schnell, heraus damit, sonst stoße ich zu!"

„Er wird in Khartum vergiftet."

„Von wem?"

„Von — von — vom Muza'bir Nubar."

„Von dem Gaukler also, der Kara Ben Nemsi Effendi wiederholt nach dem Leben trachtete? Wie will er die Tat ausführen?"

„Nubar hat einen Askari, der bei den Leuten des Reïs Effendina Farrân[1] ist, bestochen. Er gibt ihm Gift, das der Farrân in den Teig tut, wenn er für den Reïs Effendina Kißra[2] bäckt."

„Willst du schwören, daß du damit die Wahrheit sagst?"

„Bei Allah, beim Propheten und bei dem Leben und den Lehren aller Kalifen."

„Sieh, wie schnell ich erfahren habe, was du uns nicht sagen wolltest! Nun werden wir sofort einen Eilboten absenden, um den Gebieter zu warnen. Die Todesangst hat dir den Mund geöffnet. Aber ich will dir nun zu deinem Ärger sagen, daß du mir dieses Geständnis eigentlich gar nicht zu machen brauchtest, da es mir nicht einfällt, meine Ehre zu beschmutzen, indem ich einen alten gefesselten Mann, der noch dazu ein solcher Feigling ist, ersteche. Ja, ich will Rache nehmen, aber den Gegner nicht abschlachten. Allah soll entscheiden zwischen dir

[1] Bäcker [2] Brötchen aus Negerhirsemehl

46

und mir. Ich will kämpfen, doch nicht mit dir, denn ich bin jung und kräftig. Wähle einen deiner Männer aus! Ich werde ihn losbinden und ihm ein Messer geben. Auch ich bewaffne mich mit dem Dolch, dann kämpfen wir auf Leben und Tod. Besiegt er mich, so bist du gerettet. Stoße aber ich ihn nieder, so sterbt ihr beide, denn er kämpft für dich, und du wirst sein Schicksal teilen. Effendi, ich hoffe, daß du deine Erlaubnis zu diesem Zweikampf nicht versagst."

Das war sehr brav von dem wackern Jüngling! Mir gefiel die Sache trotzdem nicht. Ben Nil war mutig und für seine Jahre auch ungewöhnlich stark und gewandt. Ob ich ihm aber den Sieg zutrauen durfte, wußte ich nicht. Es verstand sich von selber, daß der Alte den besten Krieger auswählen würde. Es fragte sich nur, ob ich mich weigern durfte, meine Zustimmung zu erteilen. Wohl schwerlich. Ben Nil konnte tun, was ihm beliebte. Ich machte ihm zwar eine halblaute Vorstellung, doch er wehrte ab.

„Sorge dich nicht um mich, Effendi! Ich weiß, was ich tue. Du hast mich noch nicht in einem solchen Kampf gesehen und magst also für mich fürchten. Aber ich sage dir, daß ich keine Angst empfinde."

„Man wird dir den kräftigsten Mann gegenüberstellen. Bedenke das!"

„Das ist mir lieber, als wenn ich mich mit einem Schwächling messen soll. Also, du stimmst zu?"

„Ja, halte dich wacker! Sei nicht voreilig und blicke ja nicht auf das Messer, sondern in das Auge deines Gegners! Suche dich auch so zu stellen, daß das Licht ihn vorn, dich aber hinten trifft!"

Was ich nicht erwartet hatte, der Alte wählte den angeblichen Djallâb. Es gab unter den Gefangenen Männer, die länger und stärker gebaut waren als er. Vielleicht besaß der Auserwählte eine größere Gewandtheit und Erfahrung im Einzelkampf. Vielleicht auch hatten sie irgendeine Hinterlist verabredet. Sie lagen nebeneinander, und es war mir nicht entgangen, daß sie heimlich miteinander gesprochen hatten. Ich nahm mir vor, mich auf alle Fälle bereit zu halten.

Als dem Djallâb die Fesseln abgenommen worden waren, bekam er ein Messer in die Hand. Er reckte und dehnte sich und rieb sich die Beine, um die Muskeln wieder geschmeidig zu machen.

„Wir entkleiden uns und kämpfen nur in der Hose und mit nacktem Oberkörper", sagte ihm Ben Nil.

„Warum? Bleiben wir doch, wie wir sind!"

„Nein. Wie ich sagte, so wird es gemacht."

Der Djallâb widersprach noch einigemal, mußte sich aber fügen. Warum wollte er sich des Obergewandes nicht entledigen? Ohne dieses war doch leichter zu kämpfen. Hm, wollte er fliehen?

„Also wenn du mich tötest, erhält Abd Asl das Leben", fuhr Ben Nil fort. „Töte ich aber dich, so stirbt auch er sofort unter meinem Messer. Du hast also nicht nur dein Leben, sondern auch das seinige in der Hand. Und nun sag, ob du bereit bist."

„Ich bin bereit, es kann beginnen."

Sie standen mitten in unserm Kreis einander gegenüber. Bestimmte Regeln waren nicht gegeben worden, doch erteilte ich dem Djallâb noch eine kurze Warnung.

„Nimm deine Beine in acht!"

„Das zu sagen, ist überflüssig", lachte er. „Das Leben wohnt im Herzen. Ben Nil wird mich also nicht in die Beine stechen wollen."

Er beachtete es nicht, daß ich meinen Henrystutzen so an mich zog, daß ich ihn augenblicklich anlegen konnte.

„Also jetzt", meinte Ben Nil. „Komm heran!"

Das fiel dem andern aber gar nicht ein. Keiner wollte den ersten Stich versuchen. Sie bewegten sich einigemal im Kreis, indem sie sich fest in den Augen behielten. Da sprang der Djallâb auf Ben Nil ein, und dieser wich zur Seite, um dem Messerstich zu entgehen. Aber der Angriff war nur eine Scheinbewegung gewesen, denn kaum war Ben Nil zur Seite gewichen, so schnellte der Djallâb an ihm vorüber, sprang über die Köpfe zweier Asaker, die ihm im Weg saßen, weg und rannte zwischen den Kamelen hindurch, um den Wald zu erreichen. Meine Vermutung war also richtig gewesen. Aber schon hatte ich das Gewehr angelegt und drückte ab, noch ehe er drei Viertel des Wegs zurückgelegt hatte. Er stürzte vornüber, raffte sich schnell auf, brach aber wieder zusammen. Ich hatte auf das Bein gezielt und getroffen.

Die Asaker, und Ben Nil ihnen voran, waren ihm nachgesprungen, während ich ruhig sitzenblieb. Sie brachten den heftig Blutenden geschleppt, wobei sie freilich nicht sehr rücksichtsvoll mit ihm verfuhren. Als er vor mir niedersank, erklärte ich:

„Du lachtest mich aus, als ich dich warnte. Und doch hatte ich recht, als ich dich aufforderte, auf deine Beine zu achten. Du erkennst daraus von neuem, daß es nicht möglich ist, einen christlichen Effendi zu überlisten."

Ich untersuchte sein Bein. Die Kugel steckte nicht in der Wunde, sie hatte das Schienbein verletzt. Ich gab ihm einen Notverband.

„Wir müssen den Hundesohn doppelt festbinden und ihn in unsrer Mitte behalten", meinte Ben Nil.

„Nein", erwiderte ich. „Bald wird er das Wundfieber bekommen, und wenn er dann zu schwatzen beginnt, stört er uns im Schlaf. Tragt ihn da hinüber zur den beiden Kafalah-Bäumen[1], setzt ihn an dem einen nieder, und bindet ihm so mit dem Rücken daran fest, daß er auch den Kopf nicht bewegen kann! Indessen mag Abd Asl einen andern Mann bestimmen, der mit dir kämpfen kann."

Dieser Befehl kam meinen Leuten wohl sonderbar vor, doch führten sie ihn aus, ohne eine Gegenbemerkung zu machen.

Die Flucht dieses Mannes war mir begreiflich. Er hatte Ibn Asl, den Sohn des Alten, aufsuchen sollen, um ihn zu benachrichtigen, daß der Angriff auf uns mißglückt sei und Ibn Asl deswegen kommen und die Gefangenen befreien solle. Abd Asl war ergrimmt über das Mißlingen dieses Plans, das sah ich seinen Augen an. Er wählte

---

[1] Boswellia papyrifera

einen andern Mann zum Kampf aus, und dieser schien allerdings als Gegner mehr zu fürchten zu sein als der Djallâb, der vorhin nur erwählt worden war, weil er wahrscheinlich ein guter Läufer war.

Der jetzige Gegner Ben Nils hatte die tiefdunkle Farbe eines Negers. Seine Brust war breit und sein Knochenbau sehr kräftig. Trotzdem zeigte Ben Nil sich nicht beunruhigt. Sie standen ungefähr fünf Schritte voneinander, ganz still und bewegungslos. Keiner ließ den Blick vom Auge des andern. Da plötzlich tat der Schwarze einen weiten, tigerhaften Sprung auf Ben Nil zu und holte zum Stoß aus. Er hatte ihn überrumpeln wollen. Der Jüngling aber wich blitzschnell zur Seite, tat einen kurzen Quersprung, kam dadurch, ehe sein Gegner sich umdrehen konnte, hinter den Schwarzen und stieß ihm das Messer bis an das Heft in den Rücken. Der Getroffene stürzte da, wo er stand, nieder. Die Klinge war ihm, wie sich nachher zeigte, von hinten ins Herz gefahren.

„Afârim 'alêk — bravo, bravo!" schrien die Asaker laut vor Freude. „Das war herrlich, das war prächtig! Gleich der erste Stoß hat ihn gefällt. Wer konnte das dir, Ben Nil, du Sohn der Tapferkeit, zutrauen!"

Der Jüngling wendete sich ruhig an mich.

„Effendi, siehst du nun, daß du keine Angst um mich zu haben brauchtest? Ich hätte diesen Mann besiegt und wenn er doppelt so stark gewesen wäre. Mein Auge ist scharf, meine Hand ist sicher, und mein Herz kennt keine Unruhe, die den Blick verdunkelt. Gehört mir nun Abd Asl auch?"

„Ja", antwortete ich, begierig, was er nun machen würde.

Im Fall, daß Ben Nil den Greis erstechen wollte, mußte ich um Aufschub bitten. Er beugte sich zu dem Schwarzen nieder und zog ihm das Messer aus dem Rücken. Die blutige Klinge betrachtend, schüttelte er leise den Kopf.

„Du hast recht, Effendi, es schließt eine große Verantwortung in sich, einen Menschen zu töten. Dieses Blut ist mir widerwärtig. Glaubst du, daß der Reïs Effendina den Alten, dessen Leben mir gehört, wirklich streng bestrafen würde?"

„Auf das allerstrengste!"

„So möchte ich ihm das Leben schenken. Dieser Schwarze hat für den Alten gekämpft und ist für ihn gestorben. Darum will ich mich mit dem, was geschehen ist, begnügen. Bist du einverstanden?"

„Ich freue mich sehr, solche Worte von dir zu hören. Dein Entschluß macht dir mehr Ehre, als du vom Tod des Greises haben würdest."

„Aber ich verlange, daß er später auf das strengste bestraft wird!"

„Ich werde dafür sorgen, daß es geschieht. Und damit er jetzt nicht wieder einen Fluchtversuch veranlassen kann, schafft ihn hinüber zu dem Djallâb und bindet ihn an den zweiten Kafalah-Baum!"

Der Alte wurde von einigen Asakern fortgeschafft, Ben Nil aber fragte verwundert:

„Warum läßt du die beiden dorthin bringen? Hier hätten wir sie doch sicherer."

„Das ist wahr. Wir werden sie auch wieder holen. Vorher aber will ich erfahren, was man gegen den Reïs Effendina vorhat."

„Das weißt du doch!"

„Nein, denn das mit dem Gift und dem Bäcker war eine Lüge. Geh jetzt hin und setze dich als Wächter zu ihnen. Ich werde hinter die Gefesselten schleichen, und wenn ich dann in ihrem Rücken liege, entfernst du dich hierher. So glauben sie, allein zu sein, und werden miteinander sprechen."

Ben Nil ging und setzte sich bei den beiden nieder. Die Kafalah-Bäume standen seitwärts von unserm Lager eng nebeneinander, und die zwei Gefangenen waren so, daß sie zu uns blickten, an die Stämme gebunden. Sie konnten jeden, der aufstand, deutlich sehen, nicht aber, wenn wir saßen, entscheiden, ob einer von uns fehlte oder nicht. Darauf baute ich meinen Plan.

Mehrere Asaker mußten um die Leiche des Schwarzen einen dichten Kreis bilden und so tun, als unterhielten sie sich über den Toten. Diese Gruppe bot mir Deckung, mich unbemerkt zu entfernen. Als sich die Leute aufgestellt hatten, ging ich fort. Die beiden Gefangenen saßen rechts unter den Bäumen. Ich huschte nach links, und grad in der Mitte standen die Asaker, so daß die beiden Gefesselten mich unmöglich sehen konnten. Erst als ich den Wald erreicht hatte, setzten die Soldaten sich nieder, um bei meiner Rückkehr die Bewegungen zu wiederholen.

Ich ging, gedeckt von Bäumen und Sträuchern, am Waldrand hin, bis ich einen Halbkreis beschrieben hatte und den zu Belauschenden in den Rücken gekommen war. Dann schlich ich auf sie zu und legte mich hinter ihnen nieder. Ben Nil hatte mich kommen sehen, denn er saß mit dem Gesicht mir entgegen. Als ich auf meinem Lauscherposten lag, stand er auf, ging hin und her und entfernte sich dann langsam wie einer, der aus Langeweile einen kurzen Gang unternehmen will. Das fiel nicht auf und brachte die gewünschte Wirkung hervor, denn der Djallâb sagte zu Abd Asl:

„Schnell, schnell, ehe er wiederkommt! Was haben wir zu besprechen?"

„Nichts", knurrte der Alte ingrimmig.

„Aber wir müssen doch einen Plan fassen!"

„Ich weiß keinen. Allah verdamme diesen siebenmal verfluchten Effendi in den tiefsten Abgrund der Hölle hinab! Wenn du nur entkommen wärst! Wie schnell konntest du bei der Dschesîre[1] Hassanieh sein und meinen Sohn benachrichtigen. Er wäre mit seinen Leuten nilabwärts gefahren und uns vom Makaui oder Ketena aus, wo er das Schiff zurückgelassen hätte, entgegengekommen, um uns zu befreien. Jetzt ist die Gelegenheit verpaßt."

„Sollte es denn keine andre Rettung geben? Denke doch an

[1] Insel

50

Mohammed Achmed, den Fakir el Fukara! Er hat Geschäfte mit uns gemacht und großen Gewinn dabei gehabt. Daß er hier am Wasser eintraf, ist vielleicht ein Glück für uns. Er wird alles mögliche tun, um uns zu retten."

„Das ist vorbei. Der Christenhund hat ihm das Leben gerettet, und so wird er ihn in Ruhe lassen."

„Persönlich wird Mohammed Achmed diesem Kara Ben Nemsi nichts tun, aber auf mittelbare Weise kann er uns helfen. Wenn er wüßte, daß dein Sohn sich auf der Dschesîre befindet, ist zu erwarten, daß er ihn benachrichtigen würde. Du solltest mit ihm sprechen!"

„Man wird es nicht erlauben, und wenn es erlaubt wird, so steht der Effendi jedenfalls dabei, um alles zu hören."

„Was tut das? Zwei oder drei Worte in der Schilluksprache sind schnell gesagt. Der Effendi kennt diese Sprache jedenfalls nicht, der Fakir el Fukara aber kennt sie und weiß dann, woran er ist."

„Das ist richtig. Ich werde den Versuch machen. Gelingt er, so ist Rettung möglich, aber der Reïs Effendina wird meinem Sohn entgehen."

„Wieso?"

„Ibn Asl hat ihn zur Dschesîre gelockt. In ihrer Nähe gibt es tiefe, dunkle Sunutwälder, die der Reïs Effendina nicht wieder verlassen soll. Gelingt dieser Anschlag und wäre uns der Überfall geglückt, so würden wir diese beiden Menschen los sein und ebenso ungestört wie früher jagen und handeln können. Die Anführer sind es, nicht aber die Asaker, die wir fürchten müssen."

„Wenn uns kein Rettungsweg offen bleibt, was erwartet uns dann nach deiner Meinung in Khartum?"

„Nun, sehr schlimm wird es wohl nicht werden. Wir sollen dem Reïs Effendina ausgeliefert werden. Er wird sich aber dort nicht befinden, sondern unter den Streichen meines Sohnes gefallen sein. Allzu strenge Richter haben wir also nicht zu erwarten, zumal unser Hauptankläger ein Franke, ein Christ ist. Wenn wir alles ableugnen, wird man uns hoffentlich mehr glauben als ihm."

Die beiden sprachen noch weiter. Aber ich nahm an, daß ihre ferneren Worte für mich von keiner Bedeutung mehr sein würden, und zog mich darum zurück. Als Ben Nil das sah, kehrte er zu den Kafalah-Bäumen zurück, und die Asaker stellten sich wieder in eine Gruppe zusammen, um mir Deckung zu geben. Ich erreichte meinen Platz, ohne daß die beiden Belauschten ahnten, daß ich in ihr Geheimnis eingedrungen war. Kurze Zeit darauf kam Ben Nil, um mir zu melden, daß Abd Asl mit mir zu sprechen verlange. Der Versuch, mich zu überlisten, sollte also schon jetzt gemacht werden. Ich ging hinüber und fragte den Alten, was er mir mitteilen wolle.

„Du hattest mein Leben in die Hand Ben Nils gegeben", sagte er. „Dieser hat es mir geschenkt. Wird es mir nun erhalten bleiben?"

„Die Entscheidung liegt jetzt beim Reïs Effendina."

„Und du wirst uns nach Khartum bringen?"

„Ja. Warum fragst du?"

„Einer Angelegenheit wegen, die mir am Herzen liegt. Wenn du mich dem Reïs Effendina auslieferst, bin ich verloren. Du hast dir Mühe gegeben, mir wenigstens das Leben zu retten. Er aber ist unerbittlich, und ich weiß, daß er mich ohne Gnade und Barmherzigkeit erschießen oder hängen lassen wird."

„Das ist sehr wahrscheinlich", bestätigte ich.

„Du sagst es selber und so ist es also sicher. Ich muß mich also auf den Tod vorbereiten, und du wirst mir dazu behilflich sein, denn ich weiß, daß euer christlicher Glaube lehrt, von dieser Vorbereitung hänge die ewige Seligkeit ab."

„Das ist richtig. Wer ohne Reue und Buße in seinen Sünden von hinnen fährt, der ist ewig verloren."

„Ich bereue und möchte besonders eine Tat, die mir schwer auf dem Gewissen liegt, von meiner Seele wälzen. Du bist kein Diener der Rache. Willst du mir dazu behilflich sein?"

„Gern", erklärte ich, neugierig darauf, was er vorbringen würde, um mich zu übertölpeln. Abd Asl fing die Sache sehr fromm und scheinbar in sein Schicksal ergeben an, was meinen Widerwillen gegen ihn nur verstärken konnte. Er machte ein betrübtes Gesicht und fuhr im weichsten Ton, dessen seine Stimme fähig war, fort:

„Ja, eine große, schwere Sünde lastet auf meinem Gewissen. Ich möchte sie gern abwälzen und bin doch überzeugt, daß mir der Reïs Effendina keine Gelegenheit dazu geben wird. Darum wende ich mich an dich. Es ist ein Glück, daß der Fakir el Fukara jetzt anwesend ist, denn nur er kennt die Verhälnisse so genau, wie es nötig ist, und darum ist er es allein, an den ich mich wenden kann. Würdest du mir erlauben, mit ihm zu sprechen?"

„Hm!" machte ich mit bedenklichem Gesicht. „Du verlangst da etwas, was ich eigentlich nicht gestatten darf."

„Du kannst dabeistehen und alles hören!"

„Das beruhigt mich nicht. Wie nun, wenn du mich täuschen und dem Fakir el Fukara gewisse Winke geben willst, die darauf abzielen, daß er dich befreien soll?"

„Es ist doch unmöglich, wenn du dabei bist!"

„Oh, es ist leicht möglich. Du brauchst ja nur die Worte so zu setzen, daß ich sie nicht verstehe, er aber ihren Sinn begreift."

„Ein solcher Wortkünstler bin ich nicht, Effendi. Ich werde so langsam und deutlich sprechen, daß du jedes einzelne Wort wie auf einer Waage wiegen und abmessen kannst. In Bezug auf List und Umsicht kommt dir niemand gleich. Meinst du, daß du dich jetzt auf diese Vorzüge nicht verlassen kannst? Hätte ich Hintergedanken, so würdest du sie viel eher merken als der Fakir el Fukara, dem du ja an Scharfsinn weit überlegen bist."

Abd Asl schmeichelte mir, um meine scheinbaren Bedenken zu besiegen. Ich erwies ihm nicht den Gefallen, so zu tun, als machte dieses Lob Eindruck auf mich.

„Was du da redest, ist überflüssig, denn ich kenne mich und meine Eigenschaften selber am besten. Es würde allerdings weder dir noch Mohammed Achmed gelingen, mich zu betrügen. Dazu seid ihr beide viel zu dumm. Ich will dir deinen Wunsch, der für mich ungefährlich ist, erfüllen."

„Ich danke dir!" meinte der Greis bescheiden, obgleich ich ihn dumm genannt hatte. „Du hast recht. Es ist für euch keine Gefahr dabei, denn du wirst alles hören."

„Ich werde nichts hören. Ich will die gewünschte Unterredung nicht durch meine Gegenwart entweihen."

„So darf ich ohne Zeugen und ohne Aufsicht mit ihm sprechen?" fragte Abd Asl, der seine Freude nicht vollständig zu verbergen vermochte.

„Ja, wenigstens wird keiner von uns euch stören. Ob dieser sogenannte Djallâb hier mit zuhören darf, das ist deine Sache. Ich werde dir jetzt den Fakir el Fukara senden und gebe dir volle zehn Minuten Zeit, mit ihm zu sprechen. Du siehst, wie großzügig ich bin. Mißbrauche das nicht, denn es würde dir schlecht bekommen. Ich würde es ganz sicher merken, wenn du mich hintergehen wolltest."

„Sorge dich nicht, Effendi! Ich meine es ehrlich, und deine Güte rührt mich so, daß ich, wenn ich schon eine Heimtücke geplant hätte, jetzt davon absehen würde."

„Gut, wenn es wirklich so ist! Hast du einmal vom frommen Marabut gehört, dem ein Geist die Zungen von zwölf sprechenden Raben und die Ohren von zwölf jungen Adlern brachte?"

„Ja. Er mußte sie essen und redete dann die Sprachen aller Menschen und Tiere und hörte bis in die weiteste Entfernung alles, was seine Feinde gegen ihn berieten."

„Nun wohl. Ich sage dir, daß auch ich solche Zungen und Ohren gegessen habe. Nimm dich also in acht! Ich höre alles!"

Ich ging und bekam dabei den Beweis, daß ich gar keine verzauberten Adlerohren zu essen brauchte, denn die meinigen waren scharf genug, noch zu verstehen, daß Abd Asl seinem Spießgesellen schadenfroh zuraunte:

„Welch ein Glück! Es wird gehen!"

Mohammed Achmed war nicht wenig verwundert, als ich ihm sagte, der Alte wolle mit ihm reden und dürfe ohne Beaufsichtigung mit ihm sprechen. Er ging hinüber und setzte sich bei den beiden nieder. Auch die Asaker konnten sich mein Verhalten nicht erklären, und Ben Nil machte mir Vorhaltungen. Ich wies sie mit dem Bemerken zurück, ich wüßte sehr wohl, was ich tun dürfe.

Nach Verlauf der zehn Minuten sah ich, daß der Fakir el Fukara aufstand, um an seinen Platz zurückzukehren. Er hatte von seiner Dankbarkeit gesprochen, und nun konnte ich mich überzeugen, ob er es damit aufrichtig meinte. Wenn er es mir vergelten wollte, daß ich ihm das Leben gerettet hatte, so mußte er mich über den Anschlag Abd Asls unterrichten. Doch hütete ich mich, ihm schon jetzt eine Gelegenheit dazu zu geben. Der Alte sollte sehen, daß ich mit seinem Vertrauensmann nicht sprach und um so mehr darüber erschrecken, daß ich alles wußte. Darum ließ ich Mohammed Achmed von rechts her an seinen Platz zurückkehren und begab mich linker Hand wieder zu den beiden Kafalah-Bäumen.

„Nun, ist der Fakir el Fukara auf deine Bitte eingegangen?" fragte ich den Alten.

„Ja, Effendi. Er hat mir versprochen, den Fehler, den ich begangen habe, gutzumachen. Wie sehr, wie herzlich danke ich dir!"

„Und nun ist dir das Herz leicht geworden?"

„So leicht, wie es seit langer, langer Zeit nicht gewesen ist!"

„Das glaube ich. Ich kenne auch den Grund."

„Wie könntest du ihn wissen? Du hast doch keine Ahnung von der Tat, um die es sich handelt."

„Irre dich nicht! Ich habe dich gewarnt. Ihr habt einen Anschlag gegen mich ausgesonnen."

„Das ist nicht wahr. Welcher Anschlag könnte das sein?"

„Mohammed Achmed soll euch befreien helfen, indem er deinen Sohn Ibn Asl holt."

„Kein Mensch hat daran gedacht, Effendi! Der Fakir el Fukara weiß ja nicht, wo sich mein Sohn befindet."

„Du hast es ihm mitgeteilt."

„Nein. Wir haben nicht von ihm gesprochen."

„Auch nicht vom Reïs Effendina?"

„Nein."

„Denke doch an die Adlerohren! Du hast ihm gesagt, daß der Reïs Effendina in die Sunutwälder bei der Dschesîre Hassanieh gelockt werden soll."

„Allah, Allah!" rief Abd Asl erschrocken, indem er mich anstarrte wie einer, vor dem plötzlich bei heiterm Himmel ein Blitz in den Erdboden gefahren ist.

„Du erschrickst? Ja, dein Sohn befindet sich bei der Dschesîre Hassanieh, und der Fakir el Fukara soll schleunigst hin, um ihn zu benachrichtigen, daß euer Angriff auf uns verunglückt ist und daß ihr euch in unsern Händen befindet."

„Ich — weiß — kein — Wort, kein — Wort — davon!" stammelte er.

„Die Hauptsache ist, daß ich es weiß", lächelte ich. „Ich habe übrigens noch mehr gehört. Ibn Asl soll mit seinen Leuten und seinem Schiff bis Makaui oder Ketena nilabwärts fahren und dann links in die Steppe marschieren, um uns zu überfallen und euch zu befreien. Du siehst, daß meine Adlerohren mir sehr gute Dienste leisten."

„Du bist ein Teufel, ja, du bist der richtige und wirkliche Scheïtan!" rief der Greis jetzt in höchster Wut. „Gehört hast du nichts, das weiß ich genau. Dennoch bist du von allem unterrichtet, und das kann nur die Folge davon sein, daß du mit der Hölle im Bund stehst!"

„Oder mit Allah. Du bist ein schauderhafter Bösewicht, also muß die Macht, die mir gegen dich beisteht, gut sein. Deine Anschläge sind entdeckt, und ich werde dafür sorgen, daß sie zunichte werden. Deinem Sohn werde ich einen Besuch abstatten, ohne zu fragen, ob ich ihm willkommen bin, und wehe ihm, wenn ich finde, daß er dem Reïs Effendina auch nur ein Haar gekrümmt hat! Euch beide werde ich jetzt wieder hinüber zum Feuer schaffen lassen. Ihr habt zu wenig Gehirn um zu erraten, weshalb ich euch von den andern absonderte."

Als die beiden wieder in der Nähe des Feuers lagen, nahm ich mich der Wunde des Djallâb sorgfältiger an, als es vorhin geschehen war.

Nun war ich neugierig, wie sich der Fakir el Fukara verhalten würde. Teilte er mir den Plan des Alten mit, so war alles gut. Andernfalls mußte ich Mohammed Achmed hindern, den Auftrag Abd Asls auszuführen. Mohammed Achmed hatte sich wieder abseits von den übrigen gesetzt und gab mir, als die an der Wache nicht beteiligten Asaker sich zum Schlaf niederlegten, einen Wink, zu ihm zu kommen. Als ich dieser Aufforderung gefolgt war, sagte er:

„Setze dich für einige Augenblicke zu mir, Effendi! Ich möchte über eine Angelegenheit, die mir sehr wichtig ist, mit dir sprechen."

Ich nahm in der Erwartung neben ihm Platz, daß er mir sein Gespräch mit dem Alten mitteilen würde, aber schon der Anfang zeigte, daß ich mich geirrt hatte, denn er begann:

„Du bist ein Christ. Kennst du euer Kitab el mukaddas[1] genau?"

„Ja. Ich habe es mit besonderem Fleiß studiert."

„Und kennst du auch die Erklärungen, die eure Schriftgelehrten dazu gegeben haben?"

„Ja."

„So sage mir, ob ihr Mohammed für einen Propheten haltet!"

„Nach unsrer Überzeugung ist er kein Prophet, sondern ein gewöhnlicher Mensch."

„So gibt es bei euch wohl gar keine Propheten?"

„O doch! Wir verstehen unter Propheten die vom Heiligen Geist erleuchteten Männer, die Gott zu seinem Volk sandte, um es über die ewigen Wahrheiten zu belehren und auf den Weg des Heils zu leiten."

„Das hat Mohammed doch auch getan!"

„Nein. Der Weg, auf den er seine Anhänger wies, ist ein Irrweg."

„So haltet ihr seine Lehre für durchaus falsch?"

„Ich möchte diese Frage nicht mit einem kurzen Ja beantworten. Euer Prophet hat Richtiges und Falsches zusammengeworfen. Da, wo er lebte, gab es Juden und Christen. Von ihnen lernte er den Inhalt unsrer Bibel kennen und setzte sich aus ihr und aus allerlei heidnischen Anschauungen, die er vorfand, die Lehre zusammen, die ihr Islam nennt. Was davon aus unsrer Heiligen Schrift stammt, ist richtig, das übrige aber falsch. Da nun selbst die reinste Wahrheit, wenn sie mit der Lüge verquickt wird, verfälscht ist, so muß der Koran, trotz vieler Stellen, mit denen wir einverstanden sind, verworfen werden."

[1] Heiliges Buch = Bibel

„Effendi, ihr begeht den großen Fehler, den Koran zu verurteilen, ohne ihn zu kennen."

„Das ist nicht wahr. Ich kann vielmehr deine Behauptung mit vollem Recht umdrehen. Gibt es eine einzige mohammedanische Medresse[1], an der die Schüler unsre Bibel kennenlernen?"

„Nein, denn es ist Lehrern und Schülern verboten, sich mit den Lehren Andersgläubiger zu beschäftigen. Sie würden eine große Sünde begehen, wenn sie es täten."

„An unsren Medressen aber gibt es sehr gelehrte und berühmte Männer, die mit ihren Schülern den Koran studieren und ihn wenigstens, ich sage wenigstens, ebenso genau kennen wie eure Lehrer. Ihr kennt die Bibel gar nicht und nennt uns urteilslos Giaurs. Wir aber kennen den Koran und sind also imstande, über den Islam ein Urteil zu fällen."

„Bist du auch der Schüler eines solchen Lehrers gewesen?"

„Ja, und zwar des berühmtesten. Er hat Abu 'l feda, Beidhawi, Alis hundert Sprüche, Samachschari und andre eurer Gelehrten übersetzt. Ich lernte bei ihm eure Sprache, den Koran, die Sunna und die Erläuterungen eurer Religionslehrer kennen und bin bereit, dir über den Islam jede gewünschte Aufklärung zu geben. Versuch es!"

„Nein. Ich werde mich hüten, mit einem Christen einen gelehrten Streit über den Islam zu führen. Du läßt dich doch nicht bekehren. Es waren nur einige Fragen, die du mir beantworten solltest. Selbst dem weisesten der Weisen ist es unmöglich, ein endgültiges Urteil über unsern Glauben zu fällen, denn Mohammed hat das Werk nur begonnen. Zu Ende führen wird es ein andrer."

„Wer?"

„Das fragst du? Und doch behauptest du, den Koran und alle seine Erläuterungen zu kennen! Durch diese Frage hast du bewiesen, daß du sie noch nicht kennst."

„Du irrst abermals. Ich weiß, daß du den Paraklet, den Mahdi, meinst, den viele von euch erwarten."

In diesem Wort wird das ‚h' deutlich ausgesprochen. Es kommt vom arabischen Zeitwort ‚hadaja' her, das führen heißt, und bedeutet: der auf den rechten Weg Geführte, der Helfer, der Vermittler.

„Du weißt das also doch?" fragte er. „Hast du gehört, daß ein Mahdi kommen wird?"

„Gehört und auch gelesen. Der Koran erwähnt nichts von ihm, und auch den Erklärern ist die Sendung eines Mahdi unbekannt. Er lebt nur in der mündlichen Überlieferung, auf die ich nichts gebe."

„Ich desto mehr. Allah wird einen Propheten senden, der das von Mohammed begonnene Werk vollenden soll. Dieser Prophet wird die Ungläubigen entweder bekehren oder, wenn sie sich nicht bekehren lassen, sie vernichten und dann die Güter dieser Erde so verteilen, daß jeder nach seiner Frömmigkeit erhält, was ihm gebührt."

„Das sind mehr weltliche als religiöse Hoffnungen und Wünsche.

[1] Universität

56

„Wäre ich Muslim, ich würde mich nur an den Koran halten, nach dessen Lehren ein solcher Mahdi nicht erwartet werden kann."

„Wieso? Wenn der Koran nicht von einem Mahdi redet, so ist das doch kein triftiger Grund anzunehmen, daß es keinen geben kann und geben wird."

„O doch, denn die ‚Prophetologie' des Koran ist vollständig abgeschlossen. Nach Mohammeds eignen Worten ist er der letzte Prophet, den Allah gesandt hat und senden wird. Seine Lehre, der Islam, ist in sich vollendet und kann nicht durch Zusätze ergänzt oder gar verbessert werden, und nach ihm wird, wie Mohammed sagt, nur einer kommen, nämlich Isa Ben Marryam[1], und zwar am Jüngsten Tag, an dem er sich auf die Moschee der Omaijaden in Damaskus niederlassen wird, um zu richten die Lebendigen und die Toten. Ganz abgesehen davon, daß Mohammed hier den Heiland der Christen als Weltenrichter hoch über sich selber stellt, macht er damit eure Mahdihoffnung kurzer Hand zuschanden."

„Du sprichst als Ungläubiger."

„Nein, sondern als Kenner des Islam, der sich in die Anschauung eines Muslim hineingedacht hat. Wenn jetzt ein Mahdi erstände, der beabsichtigte, die sogenannten Ungläubigen, falls sie sich nicht von ihm bekehren ließen, zu vernichten, so wäre das einfach lächerlich. Es gibt weit über tausend Millionen Menschen, die nicht Mohammedaner sind. Ich will aber nur von uns Christen sprechen. Wie wollte euer Mahdi es anfangen, uns zu vernichten?"

„Mit Feuer und Schwert!"

„Er mag kommen! Zu uns kommen! Das ist es eben, daß er gar nicht zu uns kommen kann! Kann eine Quelle der Wüste sich vermessen, zum Nil zu kommen, um ihn zu verschlingen? Kann sie die Wüste überwinden und dann die Felsenberge, durch die sie vom Nil getrennt wird? Sie muß, sobald sie sich aus der Oase hervorwagt, nutzlos im Sand versickern."

„Allah wird ihre Wellen mehren und ihre Kräfte stärken, daß sie tausendmal breiter wird als der Nil!"

„Gott ist allmächtig, aber er läßt nicht der Überhebung eines Muslim zuliebe ein Meer aus dem dürren Boden quellen und die Höhen der Gebirge überfluten."

„Ihr kennt uns nicht. Wir sind unwiderstehlich, wenn wir uns im Krieg über eure Länder ergießen!"

„Pah! Euer Strom würde elend versiegen, noch lange ehe er unsre Grenzen erreichte. Kennt ihr unsre Länder? Kennt ihr unsre Völker, unsre Einrichtungen, unsre Heere? Ein Wüstenfloh hat den Gedanken, mit den Elefanten und Flußpferden des Sudan, den Büffeln und Bären Amerikas, den Löwen und Tigern Indiens anzubinden! Wahnsinn! Und kämt ihr zu Hunderttausenden, es nützte euch nichts. Du hast keine Ahnung, wie schnell wir mit euch aufräumen würden."

„Allah! Wir würden euch im Augenblick zermalmen!"

[1] Jesus, Mariens Sohn

„Nein! Vielmehr würde euch aus den Mündungen unsrer Gewehre und Kanonen der Tod anspringen. Zähle die Millionen Krieger, die wir haben. Und was sind das für Männer! Was sind zehn von euch gegen einen von ihnen! Dein Mahdi mag kommen, um uns zu vernichten. Meinst du, daß wir uns gegen ihn zu wehren brauchten? O nein! Wir würden lachen, nur lachen, und vor dem Schall dieses Spottgelächters würde er samt seinen Helden Hals über Kopf davonlaufen."

„Du nimmst den Mund sehr voll, Effendi! Aber wenn du ihn kommen sähest, würden deine Zähne vor Entsetzen aufeinanderklappern."

„So! — Hat er denn ein fürchterliches Aussehen?"

„Ja, du hast keine Ahnung, wie schrecklich er sein kann."

„Aber du hast diese Ahnung? Du kennst ihn?"

„Ja, ich kenne den Mahdi. Er ist schon da und hat von Allah bereits die Weisung empfangen, sich auf die Eroberung der Erde und die Vernichtung der Ungläubigen vorzubereiten."

„Willst du ihm einen guten Rat von mir überbringen?"

„Welchen?"

„Der Mahdi mag in Frieden seine Herden weiden oder sein Feld bebauen, aber in Allahs Namen auf seine eingebildete Berufung verzichten. Er ist in einer gewaltigen Selbsttäuschung befangen, in einem Selbstbetrug, den seine Anhänger, falls er überhaupt welche fände, mit ihrem Eigentum und mit ihrem Leben bezahlen würden."

„Seine Sendung ist ihm von Allah geworden, und er wird dem Befehl, der vom Himmel kam, gehorchen."

„So will ich dir sagen, was der Mahdi zu erwarten hat. Er wird sich zunächst gegen den Vizekönig empören. Vielleicht gelingt der Aufstand. Khartum ist weit von Kahira entfernt, und ehe der Khedive Truppen sendet, kann dem Mahdi die an den Nilarmen liegende Gegend zugefallen sein, aber nur für kurze Zeit. Er wird sie bald wieder räumen müssen."

„Gewiß nicht! Er verachtet den Khedive und wird ihn unterjochen. Dann wird er Mekka nehmen und endlich nach Stambul ziehen, um den Sultan abzusetzen und sich als den wahren Beherrscher der Gläubigen ausrufen zu lassen."

„Das wird dieser Mann bleibenlassen! Du hast ja nicht die mindeste Ahnung von den Verhältnissen, mit denen er zu rechnen hätte, und von den Hindernissen, auf die er stoßen würde. Hier am obern Nil, ja, da könnte er ein wenig Krieg spielen. Aber sobald er die Nase über die nubische Grenze steckte, würde man ihm daraufklopfen."

„Wie aber nun, wenn er im Heer des Khedive einen Freund hätte, auf den er sich verlassen kann?"

„Da meinst du jedenfalls einen hohen Offizier, der bereit ist, sich in Kahira zu empören, sobald der Mahdi sich in Khartum erhebt?"

„Ja."

„Selbst wenn dieser Offizier zunächst Glück hätte, es würde ihn bald verlassen, denn es würden europäische Truppen landen, denen er mit seinen Anhängern nicht gewachsen wäre."

„Wenn er sie nun aber nicht landen ließe?"

„Was kann er dagegen tun? Sie landen unter dem Schutz der Schiffe." — „Die zerstört er!"

„Wie denn? Das sind keine hölzernen Nilbarken, sondern Riesenpanzer aus Stahl. Eure Kugeln prallen davon ab, ihre Geschosse aber, die fast bis nach Kahira fliegen, säubern in einer Viertelstunde die ganze Gegend. Wollte dein Mahdi den Sudan erobern, um die heidnischen Schwarzen zum Islam zu bekehren, so hätte er es mit Menschen und Verhältnissen zu tun, die er kennt, und es wäre am Ende ein Gelingen möglich. Ein Mahdi, der den Erdkreis erobern will, müßte die Summe aller europäischen Bildung nicht nur in sich tragen, sondern sie sogar noch überragen. Wo gibt es hier einen solchen Mann?"

„Es gibt einen!" antwortete er selbstbewußt. „Einen, der zehnmal gescheiter ist als ihr Europäer alle miteinander."

„Hm! Meinst du etwa dich selber? Fast klingt es so."

„Wen ich meine, werde ich nicht sagen. Aber Allah hat ihm den Geist, die Kenntnisse und alle Eigenschaften gegeben, die zu einer so heiligen Sendung gehören, und es wird bald die Zeit kommen, in der die Kunde von ihm in allen Ländern erschallt und alle Kaiser, Könige und Fürsten Boten zu ihm senden, um ihm Geschenke zu bringen und ihn um Frieden zu bitten. Darauf kannst du dich bei meinen heiligsten Schwüren verlassen."

„Was das betrifft, so habe ich oft und auch heut wieder erfahren, was die Schwüre eines Muslim gelten. War das alles, was du mir zu sagen hattest?"

„Ja. Ich wollte die Ansicht eines unterrichteten Christen über die Sendung des Mahdi hören."

„Du hast sie gehört. Nun aber möchte auch ich dich um etwas fragen. Wovon hast du mit Abd Asl gesprochen?"

„Von einem großen Fehler, den er einmal begangen hat. Er bat mich, ihn gutzumachen."

„Darf ich mehr davon erfahren?"

„Warum, Effendi? Es war die Beichte eines Sterbenden, und du selber bist so zartfühlend gewesen, sie nicht hören zu wollen. Willst du diese Großmut jetzt wieder bereuen?"

„Nein, aber ich befürchte, daß diese Angelegenheit mir nicht gleichgültig sein kann."

„Sie geht dich gar nichts an."

„Es wird nichts gegen mich geplant?"

„Wie kommst du zu dieser Frage? Du hast mir das Leben gerettet, und ich bin dir Dankbarkeit schuldig. Darum würde ich dich sicher warnen, wenn Abd Asl etwas gegen dich vorhätte."

„Aber er ist dein Freund!"

„Meine Dankbarkeit gegen dich steht mir höher als diese Freundschaft. Ich bitte dich, mir zu vertrauen!"

„Ich traue nur dem, den ich vollständig kenne. Dich aber habe ich heute zum erstenmal gesehen."

„So tut es mir leid, daß du keine Zeit finden wirst, mich besser kennenzulernen. Ich habe ausgeruht und werde jetzt meine Reise nach Khartum fortsetzen. Ich bitte dich, mir eins der Kamele auszuwählen."

„Das werde ich tun, doch erst bei Tagesanbruch."

„Jetzt nicht? Du hast es mir doch versprochen!"

„Allerdings, und ich werde mein Versprechen auch halten."

„So kann es dir gleich sein, wann du mir das Kamel gibst."

„Dir ebenso."

„Nein, denn ich muß sogleich fort."

„Und ich bin überzeugt, daß du erst am Morgen abreisen wirst."

„Ich sage dir aber, daß —"

„Und ich sage dir", unterbrach ich ihn scharf, „daß mir das, was du sagst, sehr gleichgültig ist. Ich weiß ganz bestimmt, daß du hier bleibst, bis wir auch aufbrechen."

„Effendi, was fällt dir ein? Ich weiß, was ich will. Oder sollte etwa ich nicht mehr Herr meines Willens sein?"

Ich war aufgestanden. Auch er sprang auf und stellte sich mir drohend gegenüber.

„Ich lasse dich nicht fort. Ich bin Gebieter an diesem Brunnen und zu allem, was hier geschehen soll, habe ich meine Erlaubnis zu geben."

„Effendi, mit welchem Recht behandelst du mich als deinen Gefangenen?" fuhr er auf.

„Mit dem Recht, das ein jeder besitzt, der auf seine Sicherheit bedacht sein muß."

„Bedrohe ich etwa, indem ich fortgehe, deine Sicherheit?"

„Ja."

„Allah, Allah! Mir das! Mir, dem Mahdi, vor dem Millionen im Staub liegen werden!"

„Ah, jetzt bekennst du Farbe! Du also bist der Auserwählte, zu dem Allah gesprochen hat! Du willst den Khedive und den Sultan absetzen? Du willst die Erde erobern und die Christen vernichten? Du willst die unvollendete Sendung des Propheten vollenden und das Schwert des Islam von einem Ende der Welt zum andern tragen?"

Bei jeder dieser Fragen ließ ich den Blick von oben herab und dann wieder von unten herauf über seine Gestalt schweifen, betonte das Wort du und fügte schließlich hinzu:

„Aufrichtig gestanden, du hast mir gar nicht das Aussehen eines Mannes, der auch nur zehn Asaker zu befehligen versteht, und du willst die Gläubigen, ja sogar den ganzen Erdkreis beherrschen?"

„Spotte nicht, denn es könnte dir schlecht bekommen. Ich bin vom Geist erleuchtet und weiß alle Dinge. Ich weiß, was geschehen ist und was geschehen wird, und sehe die Scharen aller Sterblichen schon im voraus um mich versammelt."

„So, du weißt alles, was geschehen ist, und kannst auch die Zukunft voraussahnen? Da hast du ja ganz die gleichen scharfen Augen wie ich! Wir wissen also beide, daß du nicht nach Khartum, sondern zur Dschesîre Hassanieh willst, um Ibn Asl aufzusuchen. Weißt du denn auch, daß ich eher dort sein werde als du? Deine Dankbarkeit gegen mich ist wirklich groß, so groß, daß ich dich aus lauter Liebe gar nicht von mir lassen werde. Du wirst bei uns bleiben und —"

Ich kam nicht weiter, denn er drehte sich plötzlich um und sprang davon, dem Rand der Lichtung zu. Ich war schnell hinter ihm her, ereilte ihn und faßte ihn am linken Arm. Er hatte die Flinte in der rechten Hand und holte aus, um mir den Kolben vor die Brust zu stoßen. Da riß ich ihn nieder und kniete auf ihm, um ihn festzuhalten. Der Mann schäumte förmlich vor Wut und erging sich in Schimpfreden, die eines zukünftigen Mahdi durchaus nicht würdig waren. Ich hatte überhaupt seine ganze Rede von der ‚Sendung' nicht für ernst genommen.

Die Asaker waren nicht wenig erstaunt darüber, daß ich den Fakir el Fukara so plötzlich als Feind behandelte. Als ich sie aber über seine Absicht, uns an Ibn Asl zu verraten, aufklärte, hätten sie den Undankbaren am liebsten umbringen mögen.

Unser Reiseplan wurde durch das, was ich erfahren hatte, völlig geändert. Es galt jetzt, dem Reïs Effendina beizustehen. Er mußte, falls noch Zeit dazu war, gewarnt, und wenn es zu spät war, aus den Händen Ibn Asls gerettet werden. Eile tat not, und da die Beförderung der Gefangenen nicht so schnell vor sich gehen konnte, beschloß ich, sofort voranzureiten.

Es war nicht geraten, allein zu reiten. Aber wen sollte ich mitnehmen? Einen Askari? Nein. Ich ging ungewissen Verhältnissen entgegen. Ihnen zu begegnen, war List, wohl auch Entschlossenheit und Mut erforderlich, und so bedurfte ich eines Begleiters, auf den ich mich in jeder Beziehung verlassen konnte. Zwar hätte ich gern Ben Nil den Befehl über die Asaker gegeben. Ihm traute ich es zu, den Zug glücklich ans Ziel zu bringen, aber mir war er noch notwendiger. Besser, die Gefangenen entkamen, als daß dem Reïs Effendina ein Unglück geschah. Darum forderte ich Ben Nil auf, mit mir zu reiten, und übergab dem ältesten der Asaker, namens Ismail, den Befehl über den Trupp. Er hatte einen erfahrenen Gehilfen an dem Fessarahführer, der die Karawane zum Dorf Hegasi in der Nähe der Insel Hassanieh bringen sollte. Dort wollte ich sie erwarten. Ich gab ihm seine berühmte Visionsflinte zurück, worüber er in helle Freude geriet.

„Effendi", jubelte Abdullah, „deine Seele quillt über vor Gnade und deine Barmherzigkeit erquickt mein Herz. Verlaß dich auf mich und hab keine Sorge. Ich werde die Asaker samt den Gefangenen glücklich nach Hegasi führen. Reite getrost, und Allah segne deine Pfade und beschütze dich!"

5. Ibn Asl, der Sklavenjäger

Vom Brunnen im Cassiawald bis zur Dschesîre Hassanieh ist eine Strecke von fast dreißig geographischen Meilen zurückzulegen. Unsre vortrefflichen Kamele, machten diesen Weg in zwei Tagen, waren aber dann, als wir uns dem Ziel näherten, so ermüdet, daß wir sie langsam gehen lassen mußten. Ich glaubte die Richtung genau genommen zu haben, war aber doch etwas zu weit nach links geraten, denn es stieg grad vor uns der Dschebel Arasch Kol auf, der ziemlich weit nördlich von Hegasi liegt.

Es war gegen Abend, als wir dort ankamen. Hegasi ist eine armselige Helle[1], die nur aus wenigen Hütten besteht, und liegt auf dem hohen Ufer des Nil, ziemlich gut gegen die Überschwemmungen des Flusses geschützt. Von der Helle führt ein Weg hinab zum Strom an die Stelle, wo die Fahrzeuge landen und die Tiere getränkt werden. Ein solcher Weg sowohl wie auch die Tränk- oder Landestelle wird am obern Nil Mischra genannt.

Ich freute mich beim Anblick des Flusses, den ich seit dem Zug zu den Fessarah nicht wieder gesehen hatte. Die Dorfbewohner kamen herbei, um uns nach dem Woher und Wohin und nach unserm Begehr zu fragen. Ich hütete mich, ihnen sofort Auskunft zu erteilen, und wich ihren Erkundigungen durch Gegenfragen aus.

Zunächst führten wir unsre Kamele zum Wasser, um sie trinken zu lassen. Dann brachten wir sie hinauf zu einer grasigen Stelle, deren Eigentümer uns gegen geringes Entgelt die Erlaubnis gab, sie da weiden zu lassen.

Auf der Höhe der Mischra saß ein Mann, der nicht in das Dorf zu gehören schien. Er war vollständig bewaffnet und besser gekleidet als die Bewohner der Helle. Als ich mich bei einem der Dorfleute nach ihm erkundigte, hieß es:

„Wir kennen ihn nicht. Er ist schon seit gestern hier und sitzt auf der gleichen Stelle, um flußabwärts zu blicken."

„Erwartet er vielleicht ein Schiff?"

„Wahrscheinlich. Aber er hat uns nicht geantwortet, als wir ihn danach fragten. Vor dem Dorf hält ein gesatteltes Pferd, das er sich von Ibrahim, unserm Scheik el Beled[2], geliehen hat."

„Wann hat er es geritten?"

„Noch gar nicht, aber es steht bereit, so lang er sich hier befindet."

„Wohin will er reiten?"

„Das wissen wir nicht. Dem Scheik el Beled wird er es wohl gesagt haben, da Ibrahim ihm sonst sein Pferd nicht gegeben hätte."

Der Fremde war mir auffällig. Es war klar, daß er nach irgend etwas ausschaute und dann, wenn er Bescheid wußte, sofort davonreiten wollte, um Meldung zu machen. Gern hätte ich gewußt, wohin er die Botschaft bringen wollte. Aber den Scheik zu fragen, wäre wohl zu auffällig gewesen. Darum erkundigte ich mich weiter bei dem Mann, der mir bisher Auskunft gegeben hatte.

„Wann ist das letzte Schiff stromaufwärts hier vorübergekommen?"

„Gestern früh." — „Und wann kam der Mann ins Dorf?"

„Zur selben Zeit, denn er kam von dem Schiff. Er wurde in einem Boot an die Mischra gebracht."

[1] Dorf   [2] Dorfschulze. Man beachte die andre Aussprache des „Scheik" im Sudan!

„Das Boot blieb nicht hier?"

„Nein. Es wurde wieder zum Schiff gerudert."

„Wem gehörte das Schiff?"

„Das weiß ich nicht."

„Was hatte es geladen?"

„Auch das kann ich nicht sagen."

„Kannst du mir auch seinen Namen nicht nennen?"

„Es hieß ‚Hirdaun'[1] und war keine Dahabijeh, sondern ein Noqer."

„Wann kam das vorhergehende Schiff vorüber?"

„Einen Tag vorher, also vorgestern. Es war auch ein Noqer. Er war leer und ging nach Süden, um Waren zu holen."

„Ist nicht ein Schiff mit zwei Masten vorübergekommen, das weder eine Dahabijeh noch ein Noqer war und ein fremdartiges Aussehen hatte?"

„Nein."

Diese Antwort beruhigte mich, denn sie sagte mir, daß der Reïs Effendina an dem gefährlichen Ort noch nicht vorbeigefahren war. Sein ‚Falke' war so ungewöhnlich gebaut und getakelt, daß er hier jedem auffallen mußte.

Ben Nil hatte sich ins Gras gelegt und sah dem Tun und Treiben der Dorfbewohner zu. Ich schritt langsam auf den Fremden zu, der mich scharf beobachtet hatte, setzte mich an seiner Seite nieder und grüßte:

„Allah jimaßig bilchêr — Gott schenke dir einen glücklichen Abend!"

„Mißalchêr — glücklichen Abend", antwortete er kurz.

Ich hatte den Gruß vollständig ausgesprochen, was man nur dann tut, wenn man besonders höflich sein will. Mit seiner Kürze wollte er mir jedenfalls andeuten, daß ihm an meiner Gesellschaft nichts lag. Ich tat aber, als hätte ich das nicht herausgefühlt, und fuhr fort:

„Ich habe kein Netz bei mir, um mich gegen die Mücken des Flusses zu schützen. Darum kann ich nicht im Freien schlafen. Gibt es hier in deinem Dorf eine Hütte, in der ich Obdach finden kann?"

„Ich weiß nicht. Ich bin nicht von hier."

„So bist du auch fremd? Allah sei mit dir auf deiner Reise!"

„Sein Segen sei auch mit der deinigen! Woher kommst du?"

„Von Khartum", antwortete ich, gezwungen, die Unwahrheit zu sagen.

„Wo steht dein Zelt?"

„Ich bewohne kein Zelt, sondern ein Haus. Es steht in Sues."

„Was bist du?"

Nun machte ich ein möglichst pfiffiges Gesicht.

„Ich handle mit allem möglichen, am liebsten aber mit —"

Ich hielt inne und machte eine Handbewegung, die sagen sollte, es sei nicht geraten, den angefangenen Satz zu vollenden.

„Mit verbotener Ware?" sagte er an meiner Stelle.

[1] Eidechse

„Wenn es so wäre, dürfte ich es eingestehn?"

„Mir könntest du es sagen. Ich würde dich gewiß nicht verraten."

„Das Schweigen ist auf alle Fälle besser als das Reden."

„Nicht auf alle Fälle. Wenn ein Kaufmann ein Geschäft machen will, muß er doch davon sprechen."

„In einem solchen Fall rede ich auch. Jetzt aber liegt kein Geschäft vor."

„Vielleicht doch, falls ich dich nämlich recht verstanden habe. Ihr seid auf Kamelen gekommen. Wohin wollt ihr?"

„Einkaufen."

„Was?"

„Das", lächelte ich, ihn im unklaren lassend.

Er war nicht bloß freundlicher, sondern, wie man sich ausdrückt, warm geworden. Er hielt mich für einen Sklavenhändler, und ich war überzeugt, in ihm einen Untergebenen des Sklavenjägers Ibn Asl, den ich suchte, vor mir zu haben. Es galt, ihn in seiner Ansicht zu bestärken, ohne doch sofort Farbe zu bekennen, denn ein Sklavenhändler sagt nicht dem ersten besten Menschen, was er ist und was er treibt. Jedenfalls hatte der Mann die Aufgabe, das Erscheinen des Reïs Effendina hier abzuwarten und dann weiterzumelden. Der Noqer ‚Eidechse' gehörte in diesem Fall Ibn Asl und konnte nicht weit entfernt von hier liegen, wahrscheinlich an der Dschesîre Hassanieh.

„Du bist verschwiegen und das freut mich", meinte der Mann. „Nur mit verschwiegenen Leuten kann man sich auf Geschäfte einlassen."

„Ah, auch du treibst also diese Dinge, die nicht jedermann zu wissen braucht?"

„Wenn es nun so wäre? Ich meine fast, dann paßten wir zusammen", sagte der Wächter und blinzelte mir zu.

„Wirklich? Weißt du auch, daß es ein sehr gefährliches Geschäft ist, Reqiq[1] zu machen?"

„Pah! Ich möchte wissen, wieso gefährlich. Man zieht zu einem Dorf der Schwarzen, umzingelt es, steckt es in Brand und nimmt die Neger in Empfang, wenn sie aus den brennenden Hütten gesprungen kommen. Die Alten und Schwachen sticht oder schießt man nieder, und mit den andern zieht man fort. Wo ist da die Gefahr?"

„Dabei allerdings nicht", meinte ich. „Die Gefahr beginnt erst mit der Abbeförderung. Man darf sich nicht erwischen lassen und tut klug, die Sklaven gleich an Ort und Stelle zu verkaufen."

„Das kann man nicht, denn es ist kein Käufer da."

„So nimmt man einen mit, der die Schwarzen sofort nach der Jagd kauft und bezahlt und dann die Gefahren der Beförderung auf sich nimmt."

„Wo wäre jetzt ein solcher Mann zu bekommen?"

„Wo? Hm!" brummte ich bedeutungsvoll.

„Wer ist er?" fragte er.

„Das wird dich wohl nicht viel kümmern, denke ich."

[1] Sprich: Rekik = Sklaven

„Mehr als du glaubst. Ist der Mann reich?"

„Er besitzt soviel, wie er braucht."

„Auch mutig muß er sein!"

„Das ist er. Er war mehreremal in Abessinien, um dort Sklaven zu kaufen. Dazu gehört doch schon etwas."

„Allerdings. Wo befindet er sich jetzt?"

„Am Weißen Nil, vielleicht gar nicht weit von hier."

„Du bist wirklich vorsichtig. Meinst du etwa dich selber?"

„Das sage ich nicht."

„Mir darfst du es sagen, denn —"

„Denn —? Warum redest du nicht aus?"

„Weil ich auch vorsichtig sein muß. Aber wenn ich mich nicht in dir irre, so könnte ich dir vielleicht sagen, bei wem du Reqiq kaufen kannst."

„Nun, bei wem?"

„Bei Ibn Asl."

„Allah! Bei dem berühmten Sklavenjäger? Wo befindet er sich?"

„Wo sich dein Händler befindet, nämlich am Weißen Nil."

„In welcher Gegend?"

„Vielleicht gar nicht weit von hier", lächelte er, indem er meine vorigen Worte wiederholte.

Ich tat, als sei ich freudig überrascht.

„Das ist gut, das ist sehr gut! Ich hörte von ihm sprechen. Ein türkischer Händler, den ich kenne, sagte mir, daß er viel von ihm gekauft habe."

„Meinst du vielleicht Murad Nassyr? Kennst du ihn?"

„Sehr gut sogar. Ich habe schon oft Reqiq von ihm gekauft."

„Ah, endlich gestehst du ein, daß du es selber bist, von dem du sprachst."

„Allah! Es ist mir so herausgefahren."

„Sei unbesorgt! Es schadet nichts, denn nun kann auch ich offen sein. Ich sage dir, daß ich bei Ibn Asl im Dienst stehe."

„Ist das wahr? Oder willst du mich nur zum Sprechen bringen?"

„Es ist die Wahrheit. Welchen Grund könnte ich haben, mich fälschlicherweise für einen Diener des Sklavenjägers auszugeben?"

„Um mich zu fangen. Du könntest leicht im Dienst des Khedive stehen."

„Selbst wenn das der Fall wäre, könnte ich dir jetzt nicht schaden. Dazu müßte ich dich auf frischer Tat ertappen. Also, aufrichtig! Sage mir, ob du Reqiq kaufen willst?"

„Nun gut, ich will es wagen und dir Vertrauen schenken, obgleich ich dich noch nie gesehen habe. Ja, ich kaufe Sklaven, sobald ich sie bekommen kann."

„Wohin wolltest du von hier?"

„Nilaufwärts, noch weit über Faschodah hinaus, bis ich auf irgendeiner Seriba finde, was ich suche."

Unter Seriba versteht man eine Niederlassung von Handelsleuten oder Sklavenjägern. Diese Niederlassungen sind nach dortigen Begriffen festungsartig angelegt. Sie bestehen aus Hütten, die teils zur Unterkunft der Sklavenjäger, teils als Vorratshäuser dienen und mit einer dichten Stachelhecke umgeben sind.

„Du hast gar nicht nötig, so aufs Geratewohl zu reisen", meinte der Mann zutraulich. „Hast du Geld mit?"

„Genug."

„So will ich dich zu Ibn Asl bringen."

„Dafür würde ich dir herzlich dankbar sein und dir später ein gutes Bakschisch geben. Aber hat Ibn Asl jetzt Sklaven?"

„Noch nicht. Wir wollen jetzt eine Fahrt um Reqiq unternehmen. Murad Nassyr will Sklaven haben, und wenn uns das Glück wie immer begünstigt, so bleiben für dich mehr übrig, als du brauchen kannst."

„So ist der Türke bei Ibn Asl?"

„Nein. Er ist nach Faschodah voraus."

Das war mir sehr lieb. Ich hegte den kühnen Gedanken, Ibn Asl aufzusuchen, mich kurzweg in die Höhle des Löwen zu begeben. Er kannte mich ja nicht, denn am Wadi el Berd hatte er mich nur von weitem gesehen. Wäre aber Murad Nassyr bei ihm gewesen, so hätte ich mich unmöglich blicken lassen dürfen. Es wäre einfach um mich geschehen gewesen. Freilich konnten auch der Mokkadem und der Muza'bir bei dem Sklavenjäger sein. Die beiden Schurken kannten mich ebenso genau wie Murad Nassyr. Es galt also, unauffällig hierüber eine Erkundigung einzuziehen.

„Weißt du, weshalb der Türke jetzt eigentlich gekommen ist?" fuhr der Mann fort, der jetzt ganz zutraulich geworden war.

„Nein."

„Kennst du seine Familie?"

„Ich weiß nur, daß er zwei Schwestern hat."

„Das stimmt. Und daraus ersehe ich auch, daß du die Wahrheit redest und wirklich der bist, für den du dich ausgibst. Er hat Ibn Asl eine dieser Schwestern zum Weib gebracht. Auf einer Seriba am obern Weißen Nil wird die Hochzeit sein. Wenn du mit uns ziehst, kannst du das Fest mitmachen. Ibn Asl ist bei solchen Gelegenheiten außerordentlich freigebig. Auch sein Vater ist dabei."

„Er hat einen Vater?" fragte ich, indem ich mich unwissend stellte.

„Ja, sein Vater Abd Asl lebt noch. Er zieht als frommer Fakir am Nil auf und ab, um unter dieser Maske die Geschäfte seines Sohnes zu fördern."

„Ist er schon jetzt bei ihm?"

„Abd Asl ist nur für kurze Zeit abwesend, ist mit einer Schar unsrer Sklavenjäger in die Steppe gezogen, um Gericht zu halten."

„Gericht?"

„Ja, um einen fremden Giaur, der uns großen Schaden bereitet hat, zu bestrafen."

„Du machst mich neugierig."

„Ibn Asl mag es dir selber erzählen, wenn es ihm beliebt. Ich weiß nicht, ob ich zu dir davon sprechen darf. Der Christ ist ein Schurke, ein Teufel, den wir vernichten müssen."

Wenn der Wachtposten gewußt hätte, daß ich selber dieser Schurke, dieser Teufel, war!

„Er ist von Kahira aus verfolgt worden bis hierher, aber vergebens", schwatzte der Mann weiter. „Selbst dem Mokkadem ist er entgangen, als er —"

„Dem Mokkadem?" fragte ich. „Welchen Mokkadem meinst du?"

„Den der heiligen Kadirine."

„Abd el Barak? Ah, den kenne ich sehr gut. Ich habe ihn in Kahira getroffen."

„Wirklich? So freue ich mich um so mehr, daß ich dir hier begegnet bin. Du wirst Freunde finden. Der Mokkadem ist nämlich auch mit Murad Nassyr nach Faschodah. Er hat den Muza'bir Nubar bei sich, und beide wollen unsern Sklavenzug mitmachen."

Da wußte ich ja schon, was ich wissen wollte. Es befand sich kein Bekannter von mir bei Ibn Asl, und so konnte ich es wagen, zu ihm zu gehen. Eben jetzt berührte die Sonne den westlichen Himmelsrand, und es galt, das Moghreb, das Gebet des Sonnenuntergangs, vorzubereiten. Da ich für einen Muslim gelten wollte, war ich gezwungen, wenigstens die äußern Bewegungen mitzumachen. Ich ging also zu Ben Nil und kniete neben ihm nieder.

Ich hätte bei dem Fremden bleiben können, hatte aber meinen guten Grund, das Scheingebet bei meinem Gefährten zu verrichten. Dieser mußte doch erfahren, was ich mit dem andern gesprochen und verhandelt hatte. Mein Gefährte hätte sonst leicht einen Fehler begehen und durch irgendeine Äußerung das Gelingen meines Plans zunichte machen können. Eine lange Rede durfte ich da freilich nicht halten. Der Fremde konnte sich uns nähern, und dann mußte Ben Nil schon unterrichtet sein. Darum sagte ich ihm, als das Gebet beendet war:

„Merke auf! Ich bin ein Sklavenhändler aus Sues und heiße Amm Selad. Du bist mein Diener und nennst dich Omar. Wir kennen Murad Nassyr, von dem ich Sklaven gekauft habe, und auch den Mokkadem Abd el Barak. Wir sind nilaufwärts gefahren und kommen jetzt von Khartum."

„Schön, Effendi!" lächelte der Jüngling.

„Um Allahs willen, sag das Wort Effendi jetzt nicht wieder, außer wenn du ganz sicher weißt, daß wir allein sind. Du hast Herz. Ich habe etwas vor, wozu Mut gehört. Es ist ein großes Wagnis. Willst du nicht mittun, so bin ich dir nicht gram darüber, und du kannst hier im Dorf die Ankunft der Asaker abwarten."

„Gehe, wohin du willst, ich gehe mit! Und wenn es in den Tod wäre. Wenn es sich um eine Gefahr handelt, werde ich dich um so weniger verlassen."

„Gut! Du bist brav und treu! Ibn Asl befindet sich nämlich hier,

und ich gehe zu ihm, um seine Pläne gegen den Reïs Effendina auszukundschaften und zu durchkreuzen. Ich tue, als wollte ich mich
einem Sklavenzug, den er bald antreten wird, anschließen, um von
ihm Schwarze zu kaufen."

Ich konnte nicht weitersprechen, denn der Fremde trat zu uns.

„Du fragtest mich, ob du in einer Hütte des Dorfs schlafen könntest", sagte er. „Du wirst nicht hier schlafen, denn ich werde dich
nach dem Abendgebet zu Ibn Asl führen."

„Warum erst dann?"

„Ich erwarte noch ein Schiff. Du weißt, daß Schiffe des Nachts gewöhnlich nicht fahren, sondern am Ufer anlegen. Im höchsten Fall
fährt man bis eine Stunde nach Sonnenuntergang. Bis dahin muß ich
also hier warten. Ist das Fahrzeug dann noch nicht gekommen, so
weiß ich, daß es heute überhaupt nicht mehr kommt, und kann meinen Posten verlassen."

„Was für ein Schiff ist es?"

„Darf dieser junge Mann alles hören?" fragte er dagegen, indem
er auf Ben Nil deutete.

„Ja. Omar ist der treueste und verschwiegenste meiner Diener, und
ich habe kein Geheimnis vor ihm."

„Du hast vom Reïs Effendina gehört?"

„Ich habe ihn in Kahira sogar gesehen."

„Du weißt auch, welche Ziele er verfolgt?"

„Das weiß jedermann. Reïs Achmed soll den Sklavenjägern und
Sklavenhändlern nachspüren und sie fangen. Ich hörte, daß er dazu
außerordentliche Vollmachten bekommen hat."

„So ist es. Allah verdamme diesen Hundesohn! Dieser Reïs hat
schon viel Unheil über die Jäger gebracht und erst kürzlich im Wadi
el Berd eine ganze Schar unsrer Kameraden hingemordet."

Wenn der Späher gewußt hätte, daß ich nicht nur dabei gewesen
war, sondern sogar diese Schar aufgespürt und festgenommen hatte!

„Das wird dieser Reïs Effendina nicht Mord, sondern Strafe nennen", meinte ich.

„Willst du ihm das Wort reden?"

„Nein. Ich als Sklavenhändler kann doch unmöglich sein Freund
sein. Wenn er so fortfährt, wie er es bisher getrieben hat, wird bald
kein Sklave mehr zu kaufen sein."

„Der Giaur, von dem ich vorhin sprach, ist sein Freund und Gehilfe. Bald wird dem einen wie dem andern das Handwerk gelegt sein.
Der Giaur wird sich jetzt wohl schon in den Händen der Unsrigen
befinden, und auf den Reïs Effendina warten wir stündlich."

„Es ist also sein Schiff, das du hier auskundschaften willst?"

„Ja. Er kommt, und Ibn Asl liegt im Hinterhalt."

„Will dein Gebieter das Schiff des Reïs Effendina angreifen?"

„Das kann ihm nicht einfallen. Das Schiff ist so gebaut und bewaffnet, daß wir dabei trotz unsrer Überzahl leicht den kürzern ziehen
könnten. Wozu überhaupt kämpfen, wobei es selber auf der Seite

des Siegers Verwundete und Tote gibt! Man kann einen Feind auch auf andere Weise unschädlich machen."

„Wie denn zum Beispiel?"

„Man nimmt zum Beispiel —"

Ich war außerordentlich gespannt, das Folgende zu hören. Wenn der Mann den begonnenen Satz zu Ende sprach, erfuhr ich alles, was ich wissen wollte, und brauchte mich gar nicht zu Ibn Asl und in Gefahr begeben. Leider aber hielt er schon beim vierten Wort inne und legte sich, wie erschrocken, die Hand auf den Mund.

„Fast hätte ich da mehr gesagt, als ich verantworten kann. Du hast ein so vertrauenerweckendes Gesicht, daß ich dir alles sagen könnte, ohne zu fragen, ob ich auch das Recht dazu habe. Ich will aber lieber schweigen. Ibn Asl mag es dir selber mitteilen, und ich bitte dich, ihn ja nicht merken zu lassen, daß ich so gesprächig gegen dich gewesen bin."

„Du kannst ruhig sein. Ich schwatze nicht. Aber sag! Weißt du denn gewiß, daß der Reïs Effendina kommen wird? Der Mann soll nicht nur schlau, sondern auch sehr vorsichtig sein."

„Was das betrifft, so ist der Giaur, der christliche Effendi, noch weit mehr zu fürchten, wie uns gesagt wurde. Ibn Asl hat dem Reïs Effendina eine Falle gestellt, in die er sicher gehen wird."

„Kennst du diese Falle?"

„Ja. Eigentlich sollte ich nicht davon sprechen. Du bist aber ein Sklavenhändler und wirst mit uns ziehen, und da du schon so viel weißt, kannst du auch das noch erfahren. Wir haben dem Reïs Effendina nämlich auf durchaus glaubhafte Weise weisgemacht, daß ein großer Sklavenzug bei der Dschesîre Hassanieh über den Nil gesetzt werden soll. Er kommt also ganz gewiß, um ihn abzufangen, und wird dabei in sein Verderben laufen."

Damit war das Gespräch zu Ende, wenigstens soweit es für mich Wichtigkeit hatte. Ich hätte zwar gar zu gern noch erfahren, auf welche Weise der Reïs Effendina unschädlich gemacht werden sollte, denn wußte ich das, so wußte ich eben alles, und brauchte ihm nur entgegenzugehen, um ihn zu warnen. Aber ich durfte nicht weiter in den Mann dringen, er hätte leicht mißtrauisch werden und Verdacht schöpfen können.

Wir saßen noch eine Stunde lang beisammen, unsre Blicke nilabwärts gerichtet. Ich erfuhr nur mehr, daß der Mann Idris heiße, sonst wurden nur gleichgültige Dinge besprochen. Ich war vielleicht noch mehr gespannt als der Wächter, denn wenn Achmed Abd el Insaf jetzt vorüberkam, ohne daß ich ihn auf irgend eine Weise zu warnen vermochte, so war er verloren. Glücklicherweise aber blieb er noch aus.

Nun kam das Aschia, das Abendgebet, eine Stunde nach Sonnenuntergang, und dann konnten wir aufbrechen. Ich hatte nicht gefragt, in welcher Weise das geschehen sollte, erfuhr es aber jetzt von selber.

„Wir werden reiten", erklärte Idris. „Wir gehn zum Scheik el Beled, um uns für euch Pferde geben zu lassen."

„Wird Scheik Ibrahim sie uns geben, da er uns doch nicht kennt?"

„Der Scheik würde sich auch so nicht weigern, da ja eure Kamele hier bleiben, und das sind, wie ich gesehen habe, keine wertlosen Tiere. Aber er tut es auch Ibn Asl zuliebe." — „Kennt er ihn?"

„Ibrahim ist unser heimlicher Verbündeter. Du weißt, daß wir Sklavenjäger überall Helfer haben müssen, die uns beraten oder warnen. Er ist einer von ihnen. Ich werde ihm, wenn ich vor Tagesanbruch zurückkehre, die Pferde wiederbringen."

Der Scheik el Beled war in der Tat bereit, uns die Tiere zu borgen. Er wies sogar die Bezahlung zurück, die ich ihm bot. Wir stiegen auf und ritten davon, in die finstre Nacht hinein, denn der Schein der Sterne leuchtete vorerst noch matt.

Es ging wohl eine Stunde lang südwärts, wie ich merkte, in die Steppe hinein. Dann bogen wir östlich zum Fluß ab. Einzelne Bäume erschienen. Sie wurden nach und nach dichter, bis wir uns im Wald befanden. Ben Nil und ich mußten da unter einem großen Baum halten bleiben, während Idris sich entfernte, um Ibn Asl von unsrer Ankunft zu benachrichtigen und ihn zu fragen, ob er uns ihm bringen dürfte. Wir stiegen ab.

„Hast du Angst, Effendi?" flüsterte Ben Nil mir zu.

„Nein, aber gespannt bin ich sehr."

„Ich auch. Wenn man uns erkennt, ist's um uns geschehen."

„Es ist ja niemand da, der uns gesehen hat. Dennoch müssen wir äußerst vorsichtig sein. Auf keinen Fall dürfen wir uns auseinanderbringen lassen, damit nötigenfalls einer dem andern helfen kann."

„Ob Ibn Asls Lagerplatz weit von hier ist?"

„Wohl nicht. Wir werden nicht allzulang warten müssen."

Das war richtig, denn schon nach zehn Minuten vielleicht kehrte Idris zurück.

„Mein Herr ist bereit, euch zu empfangen. Nehmt die Pferde und folgt mir langsam und vorsichtig! Ihr werdet nun gleich abwärts steigen müssen."

Es war stockdunkel um uns, aber die Bäume standen nicht nahe beisammen. Schon nach wenigen Schritten senkte sich das Gelände, und dann sahen wir mehrere Feuer brennen, deren Schein uns trefflich zustatten kam. Sie flammten hart am Ufer des Stroms, dessen Wasser sie golden färbten.

Dort stand kein Baum. Es war eine Om-Sufah-Strecke gewesen, aber das Gras war abgeschnitten worden und lag nun in mehreren Haufen oberhalb des Platzes. Om Sufah ist nämlich Sumpfgras, eine Sacharum-Art, die am obern Nil in ungeheuren Mengen vorkommt. Es wächst am Ufer, im seichten, sumpfigen Wasser, wird von den Wellen losgerissen und von einer Stelle zur andern getragen. Es sammelt sich in den Buchten, wird da wieder fortgespült und bildet dann Inseln, die abwärts schwimmen. Oft ist die ganze Breite des Stroms mit Om Sufah bedeckt, und dann müssen die Schiffer mühsam arbeiten, um mit den Fahrzeugen durchzukommen.

Als wir unter den Bäumen hervortraten, sah ich gegen hundert Männer um die Feuer lungern, ganz oder halb bekleidet, viele auch nur mit dem Lendenschurz. Es waren da alle Gesichtsfarben bis zum tiefsten Mohrenschwarz vertreten, innerlich war aber jedenfalls einer so schwarz wie der andre. Da, wo die Om-Sufah-Haufen lagen, standen sechs große Fässer, und oberhalb dieser Stelle erhob sich die Gestalt des Noqer aus dem Wasser, das hier so tief war, daß das Fahrzeug sich mit der ganzen Breitseite dicht an das Ufer schmiegte. Dort brannte, abgesondert von den andern, ein kleines Feuer, an dem drei Männer saßen. Zu ihnen wurden wir geführt. Sie standen bei unserm Näherkommen auf.

Der eine war von mittlerer, aber breiter Gestalt, hatte einen schwarzen Vollbart und trug einen weißen Haïk. Ich erkannte ihn augenblicklich. Das war der Mann mit dem weißen Dschebel-Gerfeh-Kamel, den ich am Wadi el Berd verfolgt hatte, ohne ihn einholen zu können, Ibn Asl, der berüchtigste der Sklavenhändler. Er musterte uns mit scharfem Blick und auch die beiden andern ließen ihre Augen streng auf uns ruhen.

„Euer Abend sei gesegnet!" grüßte ich und wollte weiter sprechen, er aber winkte mir mit der Hand Schweigen und fragte: „Dein Name?"

„Amm Selad aus Sues."

„Dieser junge Mann?"

„Omar, mein Gehilfe."

Diener wollte ich doch nicht sagen, weil Ben Nil sonst nicht hätte bei mir bleiben dürfen.

„Wieviel Sklaven willst du kaufen?"

„Soviel ich bekommen kann."

„Und wohin lieferst du?"

Sollte ich mich in dieser Weise ausfragen lassen? Je bescheidener ich mich verhielt, desto geringer war jedenfalls meine Sicherheit. Er durfte nicht denken, einen unterwürfigen Menschen vor sich zu haben. Darum gab ich diesmal kurz und abweisend Bescheid.

„Dahin, wo ich Geld bekomme. Meinst du, daß ich jedermann sofort meine Geschäftsgeheimnisse offenbare?"

„Amm Selad, du trittst sehr zuversichtlich auf!"

„Hast du es von einem Mann meines Berufs anders erwartet? Wie ist denn dein Auftreten? Fragt man einen Gast, ohne ihm einen Platz anzubieten, sogleich in dieser Weise aus?"

„Wer hat gesagt, daß du mein Gast sein sollst?"

„Niemand. Aber ich halte es für selbstverständlich."

„Das versteht sich nicht so ganz von selbst. Unsereiner muß vorsichtig sein."

„Ich ebenso. Wenn ich dir nicht gefalle, brauche ich mich auch nicht zu bemühen, Wohlgefallen an dir zu finden, und kann wieder gehen. Komm, Omar!"

Ich drehte mich um und Ben Nil ebenso. Da trat Ibn Asl schnell zu zu mir und legte mir die Hand an den Arm.

„Halt! Du verkennst deine Lage. Wer hier an diesem Ort zu mir kommt, der darf nicht wieder fort."

Ich sah ihm lächelnd ins Gesicht.

„Und wenn ich dennoch gehe?"

„So werde ich dich festzuhalten wissen."

„Versuch es!"

Mit diesen Worten ergriff ich Ben Nil bei der Hand, zog ihn hinter mich und sprang unter die Bäume. Glücklicherweise war er so geistesgegenwärtig, mir rasch zu folgen. Das hatte Ibn Asl nicht erwartet. Wir waren fort, ehe er eine Bewegung gemacht hatte, mich festzuhalten. Dann aber schrie er laut:

„Haltet sie fest, ihr Männer! Auf, hinter ihnen her!"

Was Beine hatte, rannte in den Wald, Ibn Asl selber und die beiden andern auch. Ich hatte nur zwanzig Schritte gemacht und mich dann in einem kurzen Bogen wieder zurückgewendet, dahin, wo die Om-Sufah-Lichtung aufhörte. Dorthin drang der Schein des Feuers nicht, und dort zog ich Ben Nil mit mir ins Schilf hinein, wo wir uns niederduckten. Hinter uns klangen die Rufe der uns vergeblich Suchenden.

„Warum liefst du nicht weiter?" fragte mich Ben Nil. „Sie hätten uns nicht eingeholt!"

„Weil ich gar nicht fort will!"

„Du willst hier versteckt bleiben?"

„Nein. Ich wollte Ibn Asl nur zeigen, daß ich mir nichts befehlen lasse. Jetzt sind sie alle unter den Bäumen verschwunden. Komm!"

Wir krochen aus dem hohen Schilf heraus und schnellten uns an das Feuer, an dem Ibn Asl gesessen war. Dort hockten wir uns nieder. Drei Flinten und drei Tabakspfeifen lagen da. Daneben stand ein tönernes Gefäß mit Rauchtabak. Wir stopften uns schnell jeder eine Pfeife und steckten sie in Brand. Da erscholl hinter uns ein Ruf der Verwunderung: „Dort sitzen sie ja, dort am Feuer!"

Dieser Ruf ging von Mund zu Mund, und man kehrte ebenso schnell, wie man davongelaufen war, zurück. Wir saßen ruhig da und rauchten. Die Männer wußten nicht, was sie dazu sagen sollten. Sie riefen, schrien und lachten durcheinander. Ibn Asl mußte sich Bahn brechen, um zu uns zu gelangen.

„Allah akbar — Gott ist groß!" staunte er. „Was fällt euch ein? Wir suchen euch und ihr sitzt hier!"

„Ich wollte dir nur zeigen, daß ich mich entfernen kann, wenn ich will. Ihr hättet uns gewiß nicht eingeholt. Aber ich bin gekommen, um ein Geschäft mit dir zu machen, und werde nicht eher fortgehen, als bis es zustande gekommen ist."

Ich sagte das so zuversichtlich, daß sich sein vorher so finsteres Gesicht zu einem Lächeln verzog.

„Amm Selad, einen Mann wie dich habe ich noch nicht gesehen. Du bist außerordentlich keck. Da mir das aber grad gefällt, so will ich dir den Schabernack, den du uns gespielt hast, nicht anrechnen. Kehrt an eure Plätze zurück!"

Dieser Befehl galt seinen Leuten, die ihn sofort befolgten. Ibn Asl setzte sich zu meiner Rechten nieder und die beiden andern folgten diesem Beispiel. Ja, keck war ich gewesen, und nun galt es abzuwarten, ob es gute Folgen haben werde. Wir waren weder gegrüßt noch willkommen geheißen worden, und solange das unterblieb, durften wir uns nicht sicher fühlen. Ibn Asl nahm die dritte Pfeife, stopfte sie, zündete sie an und blies mir den Rauch ins Gesicht.

„Was soeben geschehen ist, habe ich wirklich noch nicht erlebt. Entweder bist du ein leichtsinniger Spaßvogel oder ein vielerfahrener Händler."

„Das erste nicht, sondern das zweite", lächelte ich. „Ich bin durch viele Gefahren gegangen und fürchte mich nicht, wenn mich jemand empfängt, ohne mich sofort willkommen zu heißen."

„Kann ich dir ‚Marhaba'[1] sagen, ohne daß ich dich kenne?"

„Ja und nein. Jeder tut nach seiner Art. Ich heiße jeden willkommen, der mich aufsucht."

„Und wenn er ein schlechter Mensch ist?"

„So habe ich stets noch Zeit, ihn wieder fortzujagen."

„Nachdem du den Schaden erlitten hast! Nein, erst die Prüfung und dann die Entscheidung!"

„So prüfe! Mir soll es angenehm sein. Aber ich sage dir, daß ich sehr ermüdet bin. Wir sind heute weit geritten und bedürfen des Schlafs. Habe also die Gewogenheit, deine Prüfung nicht etwa über die ganze Nacht auszudehnen!"

Der Sklavenjäger sah die beiden andern an, und diese blickten wieder ihn an. Sie wußten nicht, ob sie lustig oder grimmig dreinschauen sollten, bis Ben Nil mit ernsthafter Miene hinzufügte:

„Und Hunger haben wir auch!"

Da lachte Ibn Asl laut auf.

„Bei Allah, ihr seid sonderbare Menschen! Aber ich will einmal von meinen Gewohnheiten abweichen und euch Vertrauen schenken."

„Das kann dir doch nicht schwer fallen", sagte ich. „Eigentlich ist es viel schwerer für mich, Vertrauen zu dir zu hegen. Wir haben das Wagnis unternommen, dich aufzusuchen. Ist das nicht der beste Beweis, daß wir es ehrlich meinen?"

„Ich sollte das eigentlich denken!"

„Denke es, so wirst du dich nicht irren! Ich war erfreut, als ich hörte, daß du hier bei der Dschesîre zu finden seist. Ich wollte hinauf zum Bahr el Ghasal oder Bahr el Dschebel, um dort irgend eine Seriba aufzusuchen. Das wäre eine weite Reise ins Ungewisse gewesen. Jetzt kann ich mich, wenn du es erlaubst, zu dir halten, und bin überzeugt, daß wir in Geschäftsverbindung bleiben werden."

„Es fragt sich, welche Preise du zahlst."

„Wie die Ware, so der Preis. Ich kaufe die Reqiq gleich frisch vom Fang weg und befördere sie selber."

„Du hast aber doch keine Leute dazu, Amm Selad!"

[1] Willkommen

„Die werbe ich später an. Ich denke, daß ich bei den Schilluk oder Nuehr genug Krieger bekommen kann."

„Das erfordert viel Geld, das heißt Ware, denn da oben wird nur mit Ware bezahlt."

„Die kaufe ich in Faschodah. Geld habe ich."

„Dann wagst du freilich viel", lächelte Ibn Asl. „Wie nun, wenn ich dich töte, um dir das Geld abzunehmen?"

„Dazu bist du zu klug."

„Nennst du es Klugheit von mir, dir dein Geld zu lassen?"

„Ja. Beraubtest du mich jetzt, so hättest du einen einmaligen Gewinn. Bist du aber ehrlich, so kannst du oft und viel mehr von mir verdienen!"

„Du rechnest richtig. Bei mir wird dir nichts geschehen."

„So freut es mich, daß ich mich in dir nicht getäuscht habe. Was mich betrifft, so wird Murad Nassyr für mich bürgen."

„Das hat mich bewogen, dich zu mir kommen zu lassen. Du kennst ihn, du hast von ihm gekauft, und so will ich annehmen, daß ich mit dir zufrieden sein werde. Ich habe nichts dagegen, daß du mit mir ziehst."

„Wohin wird dein Zug gerichtet sein?"

„Davon später. Jetzt wollen wir uns nur erst kennenlernen. Ich heiße dich willkommen, dich und deinen Gehilfen. Ihr sollt bei mir schlafen und jetzt auch mit uns essen."

Von den andern Feuern drang ein einladender Bratenduft herbei. Man hatte ein Rind geschlachtet. Es war in Streifen geschnitten worden, die man jetzt röstete. Wir erhielten unsern Anteil und aßen wakker mit. Dabei wurde gesprochen, das heißt, ich mußte sprechen. Ibn Asl fragte mich aus. Er wollte soviel wie möglich von mir hören, mich, meine Vergangenheit, meine Verhältnisse eingehend kennenlernen. Hierzu mußte ich alles erfinden. Ich dachte mir einen Sklavenhändler in Sues, malte mir seine Lage aus, überlegte die möglichen Geschäftsverbindungen, dachte nach, welche Reisen er gemacht haben könne, und brachte, da ich die betreffenden Gegenden zur Genüge kannte, mit leidlichem Glück ein Bild fertig, für das sich Ibn Asl mehr und mehr zu erwärmen begann. Der Mann taute auf und teilte mir später verschiedenes aus seinem Leben mit.

Was ich da hörte, machte mich grauen. Dieser Mensch hatte nie ein Herz, ein Gewissen gehabt. Seine Seele schien gar nichts Menschliches zu besitzen. Er hatte eine teuflische Lust am Bösen, und je mehr und je länger er erzählte, desto größer wurde der Abscheu, den er mir einflößte. Er hingegen schien immer mehr Wohlgefallen an mir zu finden. Seine Aufrichtigkeit wuchs. Ibn Asl erzählte mir schließlich von mir selber, vom Schaden, den ich ihm durch die Befreiung der Frauen und Mädchen der Fessarah bereitet hatte. Er schilderte mich, natürlich von seinem Standpunkt aus, und aus jedem seiner Worte sprach ein Haß, ein Grimm gegen mich, der einen andern vielleicht zum Zittern gebracht hätte. Er teilte mir mit, daß er mir Leute entgegengesandt habe, die mich in der Steppe ausheben sollten, und schloß mit den Worten:

„Diesen Leuten habe ich meinen Vater zum Anführer gegeben, und ich bin sicher, daß nichts versäumt wird, des Franken habhaft zu werden."

„Man kann ihn aber doch leicht versehentlich umgehen", meinte ich. „Kennt man denn die Richtung, aus der er kommt?"

„Ziemlich genau. Er wird sich ganz gewiß von den Fessarah einen Führer mitgeben lassen, und wir wissen, welchen Weg die Fessarah einschlagen, wenn sie nach Khartum reisen. Diesmal ist es ihm unmöglich, uns zu entkommen, und dann sollst du an ihm sehen, wieviel hundert Schmerzen und Qualen ein Mensch zu ertragen vermag, bevor er stirbt."

„So willst du ihn zu Tode martern?"

„Ja. Er soll jedes Glied einzeln verlieren. Ich werde ihm nacheinander die Nase, die Ohren, die Lippen, die Zunge, die Augen nehmen."

„Und was geschieht mit den Asakern, die ihn begleiten?"

„Ich habe den Befehl erteilt, sie einfach über den Haufen zu schießen. Man wird mir also den Fremden allein bringen. Mein Vater kann jeden Augenblick zurückkehren."

Also jedes Glied, jedes Sinneswerkzeug sollte mir einzeln abgeschnitten, ausgestochen oder herausgerissen werden! Das war ein ungemütlicher Gedanke für mich, für den Fall, daß man entdeckte, wer ich war! Die Haare hätten mir zu Berge stehen mögen! Dennoch wagte ich es, eine Erkundigung einzuziehen, die mir leicht verderblich werden konnte. Ich nannte nämlich den Fakir el Fukara.

„Freilich kenne ich ihn", bemerkte Ibn Asl. „Er ist doch auch Sklavenjäger gewesen."

„Gewesen? Jetzt also nicht mehr?"

„Nein. Mohammed Achmed ist fromm geworden und bereitet sich auf die Zukunft vor."

„Verfolgt er irgendeinen besonderen Plan dabei?"

„Das ist möglich. Mohammed Achmed redet nicht davon. Er liest viele Bücher, weltliche und geistliche, und es gehen bei ihm Leute aus und ein, die man nicht kennt, und mit denen er lange und geheime Unterredungen hält. Vielleicht will er ein großer Wanderprediger des Islam werden. Vielleicht aber ist das auch nur eine Maske, unter der er ganz andere Absichten verbirgt. Er haßt den Vizekönig, der ihn aus dem Amt gejagt hat, und wird sich wohl auf irgendeine Weise an ihm rächen wollen."

Jetzt begann ich klarer zu sehen. Sollte es diesem Mann mit seiner Mahdischaft wirklich ernst sein? Wenn das der Fall war, so hatte ich eigentlich die Verpflichtung, die Regierung zu warnen. Mohammed Achmed hatte davon gesprochen, der Mahdi würde sich mit einem höhern ägyptischen Offizier verbünden. Vielleicht hatten die Besuche, die er empfing, unter anderem auch den Zweck, eine solche Verbindung anzuknüpfen oder gar schon zu pflegen. Ich nahm mir vor, zuerst dem

Reïs Effendina Mitteilung zu machen, der diese Angelegenheit besser zu beurteilen vermochte als ich. Erst viel später, als der Aufstand im Sudan bereits im Gang war, hörte ich, daß mit jenem Offizier wohl Arabi Pascha gemeint gewesen sei, doch ist sehr zu bezweifeln, daß der nachmalige Mahdi damals schon zu Arabi Pascha in irgendeiner Beziehung gestanden hatte.

Leider konnte ich noch immer nicht das erfahren, was zu wissen mir am notwendigsten war. Ibn Asl brachte das Gespräch nicht wieder auf den Reïs Effendina. Ich hütete mich zwar, die Rede unmittelbar auf ihn zu lenken, aber ich gab mir alle Mühe, Ibn Asl auf Umwegen auf diesen Gegenstand zu leiten, doch vergeblich. Es verging Viertelstunde um Viertelstunde bis nah an Mitternacht, und dann erklärte der Sklavenjäger, schlafen zu wollen, und forderte mich auf, ihn zu begleiten.

„Wohin?" fragte ich.

„Auf das Schiff. Dort haben wir mehr Schutz vor den Mücken. Ich werde dir ein Mückennetz geben. Du schläfst bei mir. Daraus kannst du ersehen, daß ich Wohlgefallen an dir gefunden habe."

Ich glaubte es ihm, obgleich er auch nur die Absicht verfolgen konnte, mich unter seiner besonderen Aufsicht zu behalten.

„Ich möchte dir nicht lästig fallen", wandte ich ein. „Ich bin gewöhnt, auf meinen Reisen mit Omar, meinem Gehilfen, zu schlafen. Erlaube, daß er bei mir bleibt!"

„Ich habe nur Platz für dich und mich. Er soll auch eine gute Unterkunft erhalten, denn er wird bei meinen Offizieren schlafen, die ebenfalls eine Kajüte haben."

Eine weitere Einwendung durfte ich nicht machen, da Ibn Asl ein Beharren auf meinem Willen leicht stutzig machen konnte. Darum mußte ich mich fügen. Übrigens glaubte ich, keinen Grund zu haben, auf das Beisammensein mit Ben Nil zu dringen. Es war bisher alles sehr gut abgelaufen, und ich hatte nicht die mindeste Ursache, anzunehmen, daß uns bis zum Morgen irgendeine Gefahr drohe.

Im Verlauf unsres Gesprächs hatte ich beobachtet, daß viele der Sklavenjäger an Bord gegangen waren, um im Schiff zu schlafen, jedenfalls der lästigen Mücken halber. Das Innere des Fahrzeuges schien also leer zu sein, da es so viele Schläfer fassen konnte.

Eine Leiter führte vom Ufer auf Deck. Dort wendeten sich die beiden andern, die er als seine Offiziere bezeichnet hatte, zum Bug. Sie nahmen Ben Nil mit, und ich fand keine Zeit, ihm irgendwelche Verhaltungsmaßregeln zu erteilen. Ibn Asl ging mit mir zum Heck.

Der Unterschied zwischen einer Dahabijeh und einem Noqer besteht darin, daß dieser ein offnes Verdeck hat; wenigstens ist der mittlere Teil des Fahrzeuges frei. Vorn befindet sich gewöhnlich die Schiffsküche, die einige Sklavinnen bedienen, und hinten gibt es ein kleines Verdeck, einen Verschlag, in dem der Herr des Schiffs oder der Reïs wohnt.

Ob die ‚Eidechse' diese Einrichtung auch besaß, konnte ich trotz des hellen Sternenlichts nicht erkennen. Daß sich hinten eine Kajüte befand, erfuhr ich allerdings, denn Ibn Asl führte mich hinein. Sie bestand aus zwei Abteilungen, einer vordern, kleinern, und einer hintern, größern. Er blieb in der ersten stehen und brannte eine Lampe an. Bei ihrem Schein sah ich, obgleich ich wenig Zeit zur Umschau hatte, daß rechter Hand ein Sitzkissen lag, während zur Linken ein Holzkasten stand, in dem allerlei Handwerkzeuge steckten, wie sie auf einem Schiff zu jeder Zeit gebraucht werden. Dieser Umstand wurde mir später sehr wichtig.

„Tritt schnell ein, damit keine Mücken hereinkommen!" forderte mich Ibn Asl auf, indem er eine Matte, die die beiden Abteilungen voneinander schied, zur Seite schob. Ich folgte seiner Aufforderung, und als er dann die Lampe an einer an der Decke befestigten Schnur aufgehängt hatte, konnte ich die Einrichtung der Kajüte überblicken. Sie bestand nur aus einigen Kissen, die an den Holzwänden lagen, und einer einfach bemalten Truhe, die seinen Kleiderbehälter bilden mochte. Er nahm daraus zwei Mückennetze, von denen er mir das eine gab. Ich wickelte mich kunstgerecht hinein, und er tat mit dem seinigen dasselbe.

War ich der Meinung gewesen, daß wir nun schlafen würden, so hatte ich mich geirrt. Der Sklavenjäger sagte mir vielmehr, er hätte Lust, sich weiter zu unterhalten, bis das Öl der Lampe ausgebrannt sei. Das war mir gar nicht unlieb, denn auf diese Weise konnte ich vielleicht doch noch erfahren, was ich bis jetzt vergeblich hatte wissen wollen.

„Du hast zwar gesagt, daß du müde seist", meinte er, „aber du kannst ja in den Tag hinein schlafen, so lang es dir beliebt."

Mit diesen Worten gab Ibn Asl mir eine vortreffliche Handhabe, die ich auch sofort benutzte.

„Wenn du noch nicht schläfrig bist, will ich gern noch mit dir plaudern", bemerkte ich. „Aber ausschlafen werde ich wohl nicht können."

„Warum?"

„Weil du den Reïs Effendina erwartest, mit dem es doch vermutlich zum Kampf kommen wird."

„Fürchtest du dich davor?"

„Fällt mir nicht ein! Ich habe schon sehr oft Pulver gerochen, bin kein schlechter Schütze und will mit dabei sein, wenn es losgeht."

„Es wird nicht viel Pulver zu verknallen geben, denn die Sache soll in aller Stille vor sich gehen. Aber wenn du Lust hast, die Schädel einiger Asaker einzuschlagen, so habe ich nichts dagegen."

„Also nicht geschossen, sondern geschlagen und gestochen soll werden? Mir gilt das gleich. Ich bin auf alle Fälle gern dabei. Aber wie kommen wir von deinem Noqer auf das Schiff des Reïs Effendina?"

„Das zu besteigen, werden wir uns sehr hüten. Feuer ist besser als Pulver."

„Ah! Du willst das Schiff des Reïs Effendina verbrennen? Das wird dir schwer werden. Hast du vielleicht einen Mann bei ihm an Bord, der es anzündet?"

„Nein. Auf diese Weise könnte ich meinen Zweck nicht erreichen, denn der Brand würde bald bemerkt und gelöscht werden, und ich hätte das Nachsehen. Ich fange die Sache ganz anders an, und zwar so, daß kein einziger Mann entkommen kann und auch kein Span des Schiffs übrig bleibt."

„Mir unerklärlich."

„Ja, du hast schon sehr viel erlebt und manches erfahren, was andre nicht kennenlernen, aber der richtige Schick und Kniff, der fehlt dir noch. Ein Sklavenjäger darf keine Schonung kennen. Es handelt sich hier um Sein und Nichtsein. Es muß entweder der Reïs Effendina oder ich zugrunde gehen, und da ich keine Lust dazu habe, so mag es ihn treffen, aber gleich so, daß Rettung für ihn die reine Unmöglichkeit ist."

„Recht hast du. Nach allem, was ich von dir erfahren habe, würde ich an deiner Stelle ebenso zielbewußt handeln. Nur sehe ich nicht ein, durch welches Mittel du so sicher und schnell fertig werden willst."

„Du könntest es eigentlich erraten. Hast du nicht die Om Sufah-Haufen gesehen?"

„Gewiß, sie sind ja groß genug."

„Ich habe die Om Sufah abschneiden lassen, um erstens Platz zum Lagern und zweitens Brennstoff für das Feuer zu bekommen. Hast du die Fässer bemerkt, die in der Nähe stehen?"

„Ja."

„Sie sind mit dem Mittel gefüllt, das den Reïs vernichten wird. Es ist nämlich Gaz[1] darin."

„Gaz? Ah, ich beginne zu begreifen. Aber wie bringst du dieses gefährliche Öl auf sein Schiff?"

„Hinauf? Ich brauche es doch nicht auf, sondern nur an das Schiff zu bringen. Die Sache ist viel leichter, als du denkst. Ich bin überzeugt, daß der Reïs Effendina in Hegasi halten wird. Dadurch gewinne ich Zeit zu meinen Vorbereitungen. Du weißt, daß ich in Hegasi einen Wächter habe. Der Mann kommt, sobald der Reïs dort anlangt, hierher geritten, um es mir zu melden. Der Nil wird durch die Insel in zwei Arme geteilt, von denen der, auf dem wir uns befinden, der ruhigere und sichere ist. Der Reïs wird also auf unsre Seite steuern lassen. Ich bilde aus meinen Leuten drei Abteilungen. Die erste bleibt bei den Fässern, die zweite besetzt das Ufer möglichst weit hinab und die dritte drüben den Rand der Insel. Auf diese Weise wird der Flußarm, den der Reïs benutzen muß, an beiden Seiten von meinen Kriegern eingefaßt, die sich nicht sofort sehen lassen dürfen. Wenn das Schiff sich soweit genähert hat, daß es nicht mehr entfliehen kann, werfen die Leute bei den Fässern das Petroleum in den Fluß und die dürre, schnell brennende Om Sufah dazu. Das Öl wird sich über

[1] Petroleum — das ‚z‘ ist hier wie das ‚s‘ in Säge auszusprechen!

das Wasser verbreiten und um das Schiff ein Feuermeer bilden, aus dem es nicht zu entkommen vermag. Was sagst du zu diesem Plan?"

Mich schauderte vor diesem Mann, doch zwang ich mich zu einer bewundernden Antwort.

„Er ist herrlich, einzig! Entstammt er deinem eignen Kopf?"

„Ich selber habe ihn mir ausgedacht", meinte Ibn Asl hörbar stolz.

„So bewundere ich dich. Ich wäre niemals auf einen solchen Gedanken gekommen. Höchstens hätte ich dem Reïs irgendwo aufgelauert, um ihm heimlich eine Kugel zu geben."

„Und sein Anhang wäre leben geblieben? Nein, sie müssen alle zur Hölle!"

„Wie aber nun, wenn sie Zeit finden, das Schiff ans Ufer zu steuern?"

„Sie mögen es versuchen! Bedenke doch, daß sie sich binnen wenigen Augenblicken mitten in Flammen befinden, so daß sie unbedingt ersticken. Das Schiff wird sofort lichterloh brennen. Dennoch habe ich auch an den Fall gedacht, daß sich einige ins Wasser werfen, um das Ufer zu erreichen. Sollten sie, was ich jedoch für eine Unmöglichkeit halte, dem Feuer entgehen, so stehen meine Leute hüben und drüben am Wasser. Von ihnen werden sie mit dem Gewehrkolben erschlagen. Du siehst wohl ein, daß kein einziger entkommen kann."

„Kann das Feuer nicht deinem eignen Noqer gefährlich werden?"

„Nein, denn er steht stromaufwärts."

„Aber welche Folgen wird das alles für dich haben! Du wirst von den Soldaten des Vizekönigs gehetzt werden, bis sie dich haben, und dann dreimal wehe dir!" — „Wird man erfahren, wie das Feuer entstanden ist?" lächelte Ibn Asl hämisch.

„Vielleicht. Es ist doch möglich, daß es sich bis Hegasi hinab verbreitet. Man wird erkennen, daß es von schwimmendem Öl stammt, und wird sich fragen, wer das in den Fluß gegossen hat."

„Mag man das immerhin fragen. Niemand wird darauf antworten!"

„Bist du deiner eignen Leute sicher?"

„Ja. Keiner von ihnen wird plaudern."

„Dann mache ich dich, da ich es gut mit dir meine, noch auf eins aufmerksam. Wie nun, wenn außer dem Reïs Effendina noch ein andres Schiff erscheint?" — „So geht es mit zugrunde."

„Oder wenn von oben herab ein Fahrzeug kommt. Es würde anhalten und Zeuge des Schauspiels sein. Damit wärst du verraten."

„Hoffentlich tritt dieser Fall nicht ein. Sollte es aber doch geschehen, nun, so kann ich es nicht ändern. Ich würde dieses Schiff auf irgendeine Weise zum Anlegen bewegen, und dann doch tun, was ich mir vorgenommen habe. Ich kann nicht dafür, wenn mein Petroleum sich durch eine Unvorsichtigkeit entzündet und der Reïs Effendina so dumm ist, sich mit seinem Fahrzeug ins Feuer zu wagen. Wer kann mich deshalb bestrafen?"

„Hm! Wir wollen wünschen, daß lieber gar keine Störung dazwischen kommt!"

„Und wenn sie käme, ich mache mir nichts daraus. Bin ich nicht schon jetzt verfolgt wie ein Raubtier? Darf ich mich in Khartum sehen lassen? Ich bin vogelfrei. Niemand als ich allein weiß, wo ich eigentlich wohne. Ich bin gegen die Gesetze, und sie sind gegen mich. Ich habe hier noch mehreres auszuführen, dann werde ich verschwinden. Es kann mir also sehr gleichgültig sein, ob man es erfährt, daß der Reïs Effendina durch mich umgekommen ist. Schade nur, daß sein Schiff verbrennt, ohne daß ich die geringste Beute machen kann! Aber was mir da entgeht, wird mir mein Sklavenzug einbringen. Ich werde eine Ghasuah[1] unternehmen, wie es noch keine gegeben hat, das sollst du erfahren. Sprechen wir jetzt nicht davon. Die Lampe verlischt, und wir wollen nun schlafen.“

Es war nicht viel Öl in dem kleinen Behälter gewesen. Das Flämmchen wurde schwächer und schwächer und verlosch endlich ganz. Es wurde dunkel in dem Raum.

6. Ein teuflischer Anschlag vereitelt

Ich überdachte, was ich erfahren hatte. War es denn möglich, daß ein Mensch auf einen so teuflischen Gedanken kommen konnte! Die Ausführung dieses schrecklichen Plans mußte verhindert werden. Aber wie? Das einfachste und beste war, mit Ben Nil vom Schiff zu schleichen und nach Hegasi zurückzukehren, um den Reïs Effendina zu warnen. Aber wo war Ben Nil, und lag es im Bereich der Möglichkeit, ihn von seinen beiden Mitschläfern fortzulocken, ohne daß man es bemerkte? Es mußte versucht werden, konnte aber nicht eher geschehen, als bis Ibn Asl eingeschlafen war.

Ich wartete mit Schmerzen auf diesen Augenblick. Minuten vergingen, lange Minuten. Endlich hörte ich seinen leisen, regelmäßigen Atemzügen an, daß er schlief. Ich wickelte mich aus dem Netz und kroch zu ihm. Das Ohr seinem Gesicht nähernd, horchte ich. Ja, das war das Atmen eines Schlafenden. Er verstellte sich nicht. Ich kroch hinaus in den vordern Raum. Dort hatte ich abgelegt, ließ aber meine Sachen liegen, da sie mich beim heimlichen Suchen nach meinem Gefährten nur behindert hätten.

Als ich das offne Verdeck erreichte, blieb ich zunächst im tiefen Schatten der Kajüte halten, um mich umzusehen. Die meisten Sklavenjäger hatten den Schiffsraum aufgesucht. Dort war die Luft zwar schwüler als im Freien, aber man hatte da nicht soviel unter den lästigen Stechmücken zu leiden. Ein einziges Feuer, das vom Schiff am weitesten entfernte, brannte noch. An ihm lagen einige Schläfer, durch den Rauch gegen die Mücken geschützt.

Hatte man Wachen ausgestellt? Ich sah und hörte keine. Auf Deck, das im Halbdunkel des Sternenscheines dalag, gab es keine Bewegung. Ich kroch auf allen vieren weiter. Ich kam an der hinunter-

[1] Zug zum Zweck des Sklavenraubs, Sklavenjagd

führenden Luke und am Mast vorüber, ohne jemand zu erblicken. Auch fernerhin sah ich keinen Menschen.

So gelangte ich zum Bug und bemerkte, daß es da auch eine Kajüte gab. Die Küche stand in der Mitte des Vorderteils und nicht, wie es bei Nilschiffen üblich ist, im Winkel des Schiffsschnabels. Hier war vielmehr auch ein Verschlag errichtet worden, aus dem ich halblaute Stimmen klingen hörte. Ich kroch an die dünne Bretterwand heran und lauschte. Die beiden Offiziere und Ben Nil schliefen noch nicht. Sie sprachen miteinander, und ich konnte ihre Worte ziemlich deutlich verstehen und erkannte daraus, daß Ben Nil sich bestrebte, die beiden auszufragen. Der Eifer des Jünglings, mir nützlich zu sein, war so groß, daß er den Schlaf opferte und seine Gesellschaft auch munter zu erhalten suchte. Das machte mir einen dicken Strich durch die Rechnung. Sie konnten noch lange sprechen. War es dann noch möglich, uns heimlich zu entfernen? Die Vogelwelt des Nil erwacht schon vor Tagesanbruch. Wurden die kleinen Störenfriede laut, so erwachten die Schläfer, und es war zur Flucht zu spät.

Übrigens hörte ich es am Schall der Stimmen, daß die drei Sprechenden für meinen Zweck nicht günstig lagen. Ben Nil hatte seinen Platz nämlich hinten, und der Raum war so klein, daß er sich, selbst wenn die andern geschlafen hätten, nicht entfernen konnte, ohne über sie hinwegzusteigen. Dabei mußte er sie wecken. Wenigstens war das wahrscheinlich.

Was also tun? Ben Nil war nicht herauszubekommen. Ohne ihn konnte ich unmöglich fort, denn das wäre der sichere Tod des braven Jünglings gewesen. Ich mußte also auch bleiben. Aber die fürchterliche Gefahr, der der Reïs Effendina ahnungslos entgegenging! Sie mußte unbedingt abgewendet werden. Er konnte schon am frühen Morgen angesegelt kommen, und dann war es zu spät. Ja, wenn es sich um einen Angriff, um einen Überfall, nicht aber um dieses höllische Petroleum gehandelt hätte! Ich mußte es unschädlich machen. Wenn dann der 'Schahin' kam, so verbrannte er wenigstens nicht und konnte sich, falls er angegriffen wurde, verteidigen.

Sollte ich hinabsteigen und die Fässer ins Wasser wälzen? Nein, denn das hätte Geräusch verursacht. Ich konnte auch gar nicht wissen, wie weit sie fortschwammen. Wurden sie bald wieder ans Ufer gespült und da vom Schilf festgehalten, so ließ Ibn Asl sie holen und führte seinen Plan dann trotzdem aus. Sie mußten also stehenbleiben und doch sollte das Petroleum fort. Anbohren? Ah! Mir fiel der Werkzeugkasten ein. Vielleicht lag ein Bohrer darin. Das war der einzige Weg, auf dem ich das Verderben vom Reïs Effendina und seinen Asakern abwenden konnte.

Aber was würde Ibn Asl sagen, wenn er früh bemerkte, daß die Fässer leer seien? Mir war es gleichgültig. Ich durfte nicht an mich denken und mußte es eben darauf ankommen lassen, daß ich als Täter beschuldigt wurde.

Ich kehrte so rasch als möglich in die hintere Kajüte zurück. Ibn

Asl atmete ruhig wie vorher. Nun langte ich in den Kasten und nahm ein Werkzeug nach dem andern heraus. Das hatte seine Schwierigkeiten, da ich auch das kleinste Geräusch vermeiden mußte. Es gelang. Ich fand einige Bohrer. Mehrere waren zu stark. Das Loch oder vielmehr die Löcher sollten nicht so groß sein, daß man sie sogleich bemerkte. Fast ganz unten auf dem Boden des Kastens lag ein Bohrer, der die Dicke eines Bleistifts hatte. Dieser paßte mir. Ich steckte ihn ein und legte die Werkzeuge leise wieder zurück. Dann lauschte ich abermals auf den Atem des Schläfers und huschte endlich hinaus und über das Deck hinüber zu der Stelle, wo die Leiter lehnte.

Dort lugte ich erst vorsichtig über Bord, ob vielleicht ein Posten stände, und stieg dann hinab. Die kurze Strecke bis zu den Fässern war bald zurückgelegt, und ich begann die Arbeit. Jedes Faß mußte zwei Löcher bekommen, eins oben, um der Luft den Zutritt zu ermöglichen, und eins unten zum Abfluß des Öls. Ich brachte sie möglichst unauffällig an. Dabei mußte ich mich hüten, mit dem ausfließenden Öl in Berührung zu kommen. Durch Ölgeruch oder gar Ölflecke wäre ich verraten worden.

Die Fässer standen, um schnell aufgeschlagen und in den Fluß geworfen zu werden, unmittelbar am Ufer. Die Flüssigkeit hatte nur einen Meter zu rinnen, um das Wasser zu erreichen. Nach einer Viertelstunde war ich fertig, spülte den Bohrer im Fluß rein, wischte ihn im Schilf sorgfältig ab und stieg dann wieder an Bord. In der Kajüte legte ich ihn in den Kasten und kroch dann wieder in mein Moskitonetz.

Das Herz war mir unendlich leicht. Ich hatte vielen Menschen das Leben erhalten und einen Bubenstreich verhütet, wie er nichtswürdiger gar nicht gedacht werden kann. Aber die Folgen für mich! Nun, die konnte ich unter den gegebenen Umständen nicht von mir abwenden, und mußte eben ruhig abwarten, was geschehen würde. Die Aufregung, in der ich mich denn doch befunden hatte, legte sich, und ich schlief ein.

Ich erwachte nicht von selber, sondern Ibn Asl weckte mich.

„Steh auf, Amm Selad!" sagte er. „Du wirst ausgeschlafen haben, denn es ist spät am Morgen, und es wird bald zu tun geben. Der Reïs Effendina kommt."

Ich war sofort munter und sprang auf. Mein erster Blick galt dem Gesicht des Sklavenjägers. Es war nichts darin, was mich hätte vermuten lassen, daß meine Tat bereits entdeckt worden sei. Seine Augen glänzten unternehmend, er lächelte mir sogar freundlich zu.

„Ja, ja, du staunst? Die Stunde ist gekommen. Geh hinaus, der Kaffee steht für dich bereit!"

Draußen vor der Kajüte lag ein Polster, auf das ich mich setzen sollte. Eine alte Negerin brachte mir den Morgentrunk. Die Sklavenjäger lagerten am Ufer, ganz so, wie ich sie gestern angetroffen hatte. Darum wendete ich mich an Ibn Asl.

„Reïs Achmed kommt, sagst du? Aber deine Leute befinden sich noch nicht auf ihren Posten."

„Das ist jetzt noch nicht notwendig. Ich erhielt soeben erst die Nachricht, daß der ‚Schahin‘ in Hegasi angekommen sei und dort bei der Mischra angelegt habe. Nun weiß man nicht, wie lange er da liegen bleibt. Es können Stunden vergehen, ehe er abfährt. Darum habe ich wieder einen Posten ausgesandt, der auf halbem Weg zwischen hier und Hegasi aufpassen soll. Erst wenn dieser Mann zurückkehrt, ist es Zeit, daß jeder seine Stelle einnimmt.“

„Es wird doch kein andres Schiff dazukommen?“

„Aufwärts nicht, sonst hätte es mein Wächter gesehen. Und abwärts — bei der Hölle, es wäre Pech, wenn da jetzt eins käme!“

„Du würdest es vorüber lassen?“

„Ganz gewiß nicht. Die Bemannung würde im Vorüberfahren uns und den Noqer sehen und dem Reïs Effendina davon Meldung machen.“

„Das ist nicht so gewiß. Die Leute würden vielleicht bei ihm vorübersegeln, ohne mit ihm zu reden.“

„Da kennst du diesen Hundesohn nicht. Er hält jedes Schiff an und zwingt es, sich nach Sklaven durchsuchen zu lassen. Der Reïs Effendina würde sicher erfahren, daß hier ein Noqer hält, und das müßte ihm auffallen. Er würde Verdacht schöpfen, sich in acht nehmen, und mit meinem schönen Plan wäre es aus. Nein, kommt jetzt ein Fahrzeug stromab, so wird es angehalten und muß warten, bis die Sache vorüber ist. Um für alle Fälle gesichert zu sein, werde ich auch stromaufwärts einen Posten aufstellen. Die Zeit zum Handeln ist da, und ich lasse mich durch keine Störung irremachen.“

Ibn Asl ging an Land, um einen Mann fortzusenden. Während dieser Zeit kam Ben Nil zu mir. Es befand sich niemand in unsrer Nähe, darum konnten wir ungestört miteinander sprechen.

„Du hast sehr lange geschlafen, Effendi“, sagte er. „Fast wollte es mir bange werden. Hast du denn nicht daran gedacht, was auf dem Spiel steht?“

„Ich habe nicht nur gedacht, sondern auch gehandelt, mehr als du denkst.“

„Und ich habe gar nicht geschlafen. Ich konnte vor Angst um unsern Reïs Effendina kein Auge schließen. Die beiden Offiziere wurden gestern noch gesprächig und erzählten mir, daß der ‚Schahin‘ verbrannt werden soll. Denke dir!“

„Mit dem Petroleum da unten in den Fässern?“

„Du weißt es?“

„Ja. Ich erfuhr es von Ibn Asl.“

„Effendi, was tun wir? Reïs Achmed naht, und dort ist das Petroleum. Es ist schrecklich! Und dabei hast du geschlafen und dich um nichts gekümmert!“

„Zanke nicht! Es ist nicht so schlimm, wie du denkst. Ich habe die Fässer während der Nacht angebohrt. Das Öl ist ausgelaufen.“

„Maschallah! Ist das wahr?“

„Ja. Es ist mir nicht leicht geworden. Ich wollte fliehen und dich mitnehmen, hörte euch aber reden. Du lagst rückwärts im Verschlag und konntest nicht vor. Da mußte ich auf dich verzichten und allein handeln."

„Darum roch es, als ich aufstand, so nach Petroleum! Die Leute schrieben das der Ausdünstung der Fässer zu. Und im Schilf lagen einige tote Fische."

„Weiter unten wird es jedenfalls noch mehr abgestandene Fische und anderes Getier geben. War das Wasser etwa gefärbt?"

„Nein."

„So ist das Öl entweder sehr rein gewesen oder der kräftige Morgenwind hat die Rückstände hier fortgespült. Das ist vortrefflich für uns."

„Ich sehe darin gar nichts Vortreffliches, Effendi. Wenn man es entdeckt, wird der Verdacht auf uns fallen."

„Sehr wahrscheinlich. Aber wer kann uns etwas beweisen?"

„Nach Beweisen fragen solche Menschen nicht. Wir müssen augenblicklich fort."

„Es wäre allerdings am allerbesten für uns, aber es gibt einige Bedenken dagegen."

„Welche denn?"

„Erstens können wir es nicht unbemerkt tun. Und sieht man, was wir vorhaben, so hält man uns fest, und wir haben verlorenes Spiel."

„Wir machen es wie gestern abend. Wir laufen davon."

„Da ruft man uns an, und wenn wir nicht gehorchen, schickt man uns Kugeln nach."

„Das hat man gestern auch nicht getan!"

„Da war es Abend und dunkel, jetzt aber ist es Tag und hell. Das ist ein Unterschied, bedenke das! Gestern abend hätten wir entkommen können. Jetzt aber hätten wir bald einige Kugeln im Leib. Und wohin wollen wir die Flucht richten? Nach Hegasi, durch die offne Steppe, wo jeder Verfolger uns weithin bemerkt und leicht auf uns zielen kann?"

„Wir schießen doch auch!"

„Ja, aber wenn wir schießen wollen, müssen wir stehnbleiben und geben dadurch den Verfolgern Zeit, in Masse an uns zu kommen. Nein, nein, damit ists nichts! Und unsre Flucht soll doch einen doppelten Zweck haben, nämlich uns aus der Schlinge zu ziehen, in die wir die Köpfe freiwillig gesteckt haben, und zugleich dem Reïs Effendina zu Diensten zu sein. Reißen wir jetzt aus, so kommt er ahnungslos herbei. Man kann ihn nun zwar nicht mehr durch Feuer vernichten, ihm aber doch irgendeinen Hinterhalt, eine Falle legen, die ihm zum Verderben wird. Bleiben wir aber da, so können wir das durch List verhüten oder wenigstens warnen."

„Warnen? Sobald wir ihm zurufen, sind wir verloren."

„Pah! Die Warnung kann durch ein Gewehr geschehen, das wie durch ein Versehen losgeht."

„Aber in diesem Augenblick, da man entdeckt, daß die Fässer leer sind, wäre es für uns doch am besten, weit vom Schuß zu sein."

„Das gebe ich gern zu. Laß mich überlegen! Vielleicht kommt mir ein Gedanke."

„Der müßte aber schnell kommen, sonst geht kostbare Zeit verloren."

Ben Nil setzte sich zu mir, um auf die ‚Ankunft' meines Gedankens zu warten. Leider aber geschieht es sehr oft, daß der Mensch grad dann, wenn er einen Gedanken notwendig braucht, keinen finden kann. So ging es mir auch jetzt. Ich sann und sann vergebens. Es vergingen fünf, zehn, fünfzehn Minuten. Ibn Asl stand unten bei seinen Leuten und sprach eifrig mit einem von ihnen. Es schien, als blickten sie dabei oft zu uns herauf. Dann kam er an Bord. Sein Gesicht war so freundlich wie vorher, als er zu mir sagte:

„Amm Selad, du hattest recht, als du meintest, daß das Petroleumfeuer mein eignes Schiff in Gefahr bringen könne. Ich werde das Fahrzeug eine Strecke weiter hinaufziehen lassen. Hoffentlich kommt der Reïs Effendina inzwischen nicht."

Also deshalb hatten die Leute ihre Augen so auf das Schiff gerichtet! Die Blicke hatten nicht uns gegolten. Es kam eine Anzahl Männer an Bord, um den Mast aufzurichten.

Das befremdete mich, da das Zugseil doch auch recht gut anderwärts angebracht werden konnte. Bei dieser Veranlassung näherten sich die Männer uns und — warfen sich plötzlich auf uns. Das geschah so unerwartet und schnell, daß ich, als mir die Ellbogen auf dem Rücken und auch die Beine zusammengebunden waren, noch keine Zeit gefunden hatte, ein Glied zu meiner Verteidigung zu rühren. Ich lag neben Ben Nil auf dem Boden. Was war geschehen? Warum hatte man uns so feindselig überrumpelt? Es mußte irgendein Verdacht gegen uns entstanden sein.

Ibn Asls Gesicht war plötzlich ganz anders geworden. Während seine Leute zwei oder drei Schritt zurückgewichen waren, trat er nahe an mich heran und sagte drohend:

„Das hattest du wohl nicht erwartet! Du scheinst ein schlauer Kopf zu sein, und darum mußte auch ich es klug anfangen. Ich mußte dich täuschen und schnell über dich kommen."

„Ich staune!" entgegnete ich. „Aus welcher Veranlassung sind wir in dieser Weise überfallen worden?"

„Ja, du weißt allerdings nichts davon, daß alles, was ihr vorhin miteinander gesprochen habt, gehört worden ist."

„Das konnte gehört werden", erklärte ich schnell gefaßt. „Wir haben nichts gesprochen, was dir Veranlassung zu diesem feindseligen Verhalten geben könnte."

„So! Meinst du denn wirklich Ibn Asl täuschen zu können? Dazu bist du viel zu dumm. Dieser Mann" — dabei deutete er auf den Menschen, der mich zuerst gepackt hatte — „lag auf dem Dach der Kajüte, ohne daß ihr es wußtet. Er hörte alles und kletterte, um von euch nicht gesehen zu werden, hinten an dem Tau herab, an dem das Boot hängt, um es mir mitzuteilen. Willst du etwa leugnen?"

„Fällt mir nicht ein! Aber sag, wovon haben wir gesprochen?"

Ich verließ mich darauf, daß der Mann wohl nicht alles genau verstanden hatte. Wir hatten zwar nicht leise, aber auch nicht lauter gesprochen als zwei Personen, die beieinander sitzen und von Dingen reden, die nicht jedermann zu hören braucht.

„Von vielerlei", erwiderte Ibn Asl, „zumeist aber von Falschheit und Verrat."

„Beweise uns das!"

„Beweise verlangst du? Ist es denn an dir, Beweise zu fordern? Habt ihr etwa nicht vom Petroleum gesprochen?"

„Allerdings. Warum sollte ich das leugnen? Du hast mir ja selber davon gesagt."

„Aber du hast behauptet, es sei keins drin. Wie kommst du dazu, eine solche Dummheit auszusprechen?"

„Es war doch nur ein Scherz", antwortete ich erfreut darüber, daß ich zur Hälfte falsch und zur andern gar nicht verstanden worden war.

„Du wirst bald erfahren, daß es ernst ist! Und dann habt ihr von Flucht gesprochen. Warum wollt ihr fliehen, wenn ihr ein gutes Gewissen habt?"

„Wir haben von Flucht vor dem Feuer gesprochen, falls es dein eignes Schiff ergreifen sollte. Sind wir gestern abend geflohen? Habe ich dir nicht vielmehr bewiesen, daß ich bei dir bleiben will, daß mir gar nichts daran liegt, von hier fortzukommen?"

„Du scheinst ein Meister der Ausrede zu sein! Was aber wirst du mir antworten, wenn ich dich frage: Warum soll dein Gewehr losgehen, wenn der Reïs Effendina erscheint?"

„Soll? Es soll eben nicht! Und mein Gewehr, das meinige? Ich habe von allen Gewehren, von den Gewehren im allgemeinen gesprochen. Ich befürchtete eine Unvorsichtigkeit, durch die der Reïs Effendina gewarnt werden könnte. Du stellst deine Leute weit am Ufer hinab auf, und da sagte ich: ‚Wenn nur nicht etwa aus Versehen irgendein Gewehr losgeht.' Dieser Mann hat zwar gelauscht, aber unvollständig oder verkehrt gehört. Ich rate ihm, ein andres Mal die Ohren besser zu öffnen."

Ibn Asl ließ seinen Blick prüfend zwischen mir und dem Lauscher hin und her schweifen. Meine edle Dreistigkeit machte Eindruck auf ihn. Es war klar, daß er irre wurde und mir Glauben zu schenken begann.

„Ihr hattet aber doch Angst um den Reïs Effendina?" forschte er freilich immer noch.

„Da hat mich dein wackerer Berichterstatter wieder falsch verstanden. Nicht um, sondern vor dem Reïs Effendina hatte ich Angst."

„Wie stimmt das damit überein, daß du gestern zu mir sagtest, du hättest keine Angst."

„Da wußte ich noch nicht, was geschehen soll. Jetzt aber kenne ich deine Absichten, und als ich mit meinem Gehilfen darüber sprach, hatte ich Sorge, daß sie vereitelt werden könnten. Das habe ich gemeint."

„Vereitelt? Wer könnte sie vereiteln?"

„Der Reïs Effendina. Er ist in Hegasi an Land gegangen. Ihr habt ihn hierhergelockt, indem ihr ihn fälschlicherweise wissen ließt, daß hier ein Sklavenzug über den Nil setzen werde. Er muß also darüber im Bild sein, daß sich Händler oder gar Jäger hier befinden. Meinst du, daß er nun in aller Gemütlichkeit gefahren kommt, wie einer, der spazieren segelt?"

„Was sonst?"

„Ich halte es für möglich, daß der Reïs Effendina sein Schiff in Hegasi läßt und seine Asaker auf dem Landweg hierher und euch in den Rücken führt. Während wir die Augen zum Fluß richten, schleicht er von der Steppe herbei und fällt über uns her. Darum hatte ich Angst vor ihm, keineswegs aber um ihn."

„Allah, das ist sehr richtig! Daran habe ich nicht gedacht. Wir müssen unsre Aufmerksamkeit auch landeinwärts richten und —"

Ibn Asl wurde unterbrochen. Der stromaufwärts stehende Posten kam herbeigerannt und meldete ein Schiff, das von dorther nahe. Sofort wurde das Boot bemannt und unter der Führung eines der beiden Offiziere diesem Fahrzeug entgegengeschickt, um es zum Anlegen zu veranlassen.

Ich hatte Hoffnung, jetzt wieder losgebunden zu werden. Da fragte mich der Sklavenjäger:

„Woher weißt du denn, was wir dem Reïs Effendina haben sagen lassen?"

Leider hatte mich Idris, der Posten in Hegasi, gestern gebeten, ihn nicht zu verraten. Ich war dem Mann für seine Mitteilungen zu Dank verpflichtet und wollte ihm keinen Schaden bereiten. Darum griff ich zu einer Ausflucht.

„Es wurde gestern am zweiten Feuer erwähnt. Wir saßen am ersten, ich hörte es aber doch."

Diese Unwahrheit entsprang einer guten Absicht, fand aber sofort ihre Strafe.

„Das ist eine Lüge", erklärte Ibn Asl. „An dem Feuer konnte das nicht gesagt werden. Es wissen nur vier Personen darum, nämlich ich, die zwei Offiziere und der Posten von Hegasi. Von ihnen hat es dir keiner gesagt. Von wem kannst du es wissen? Etwa gar vom Reïs Effendina selber? Ich wollte dir mein Vertrauen wieder schenken, jetzt aber sehe ich ein, daß deine Worte nur spitzfindige und zweideutige Ausreden waren. Ehe ich dich freilasse, werde ich diese Sache genau untersuchen, und wehe dir, wenn ich nur den geringsten verdächtigen Flecken an dir finde! Jetzt habe ich keine Zeit dazu. Ihr bleibt unter Bewachung hier liegen."

Ibn Asl wendete sich von uns ab, denn seine Aufmerksamkeit wurde oberhalb unsrer Ankerstelle, wo jetzt das gemeldete Fahrzeug erschien, in Anspruch genommen. Es wurde von dem entgegengesandten Boot angesprochen und trat in Unterhandlung mit ihm. Dann sahen wir einen Mann über Bord und hinab in das Boot steigen. Es kehrte mit ihm zurück. Das Schiff aber wurde gegen das Ufer gesteuert, um dort anzulegen.

Bei mir und Ben Nil stand ein Wächter, der uns scharf im Auge hielt. Mir war nicht etwa bang. Ich meinte, annehmen zu dürfen, daß meine Ausreden doch noch die beabsichtigte Wirkung haben würden. Beweisen konnte man uns nichts. Belastend war nur das, was der Lauscher gegen uns vorgebracht hatte, und ihm war der wirkliche Zusammenhang entgangen. Er hatte nur Einzelheiten aufgeschnappt, aus denen keine Schuldbeweise herzuleiten waren. Bedenken konnte mir eigentlich nur der Augenblick erregen, wenn entdeckt wurde, daß die Fässer leer seien. Da man mißtrauisch geworden war, stand zu erwarten, daß der Verdacht dann auf uns fallen würde. Doch war es auch hier unmöglich, uns die Schuld zu beweisen. So dachte ich. Leider sollte es aber anders kommen.

Das Boot legte an, und die Leute stiegen mit dem Mann, den sie brachten, an Bord. Man denke sich meinen Schreck, als ich in ihm Abu en Nil erkannte, den Steuermann der Dahabije ‚Es Samak‘, auf der ich das nächtliche Abenteuer in Giseh erlebt hatte! Diese Dahabije war für den Sklavenhandel bestimmt gewesen und in der Nacht vom Reïs Effendina beschlagnahmt worden. Ich hatte den Steuermann aus Mitleid entfliehen lassen, ihm einiges Reisegeld gegeben und von ihm die Versicherung erhalten, er wolle sich nordwärts in seine Heimat wenden. Und nun begegnete ich ihm hier oberhalb Khartums im tiefen Süden!

Der Mann mußte mich ja kennen. Das war schon schlimm. Noch schlimmer aber war der Umstand, daß dieser Steuermann Abu en Nil der Großvater meines Begleiters Ben Nil war. Es war vorauszusehen, daß er bei unserm Anblick sogleich zu uns eilen und uns verraten würde.

Ben Nil lag nicht wie ich auf dem Rücken, sondern auf der Seite, von dem Bord, an dem die Leute heraufgestiegen waren, abgewendet. Darum hatte er seinen Großvater nicht bemerkt. Ich mußte ihn vorbereiten und wendete mich daher flüsternd zu ihm.

„Erschrick nicht und bleib so, wie du liegst! Dein Großvater ist gekommen.“

Ich sah, daß der Jüngling eine Bewegung der Überraschung machen wollte, aber er beherrschte sich doch. Es dauerte eine kleine Weile, dann fragte er:

„Ich habe beide Großväter noch. Du meinst doch den Steuermann?“

„Ja, Abu en Nil, den frühern Steuermann der Dahabijeh ‚Es Samak‘.“

„O Allah, welche Freude!“

„Nein, welches Unglück für uns! Er wird uns verraten.“

„Himmel! Das ist allerdings wahrscheinlich. Wie kommt Abu en Nil hierher? Was tut er hier?“

„Er befand sich auf dem Schiff, das Ibn Asl gezwungen hat, anzuhalten. Der Offizier hat ihn mitgebracht, jedenfalls damit er Verhaltungsmaßregeln bekommen soll."

„Wo steht mein Großvater?"

„Dort rechts an Bord des Schiffs. Der Alte hat uns noch nicht gesehen. Ibn Asl spricht mit ihm."

„Können wir ihm nicht ein Zeichen geben, daß er schweigen soll?"

„Wenn wir nicht gefesselt wären, wäre das möglich. So aber müssen wir das Unglück über uns ergehen lassen. Wie mag er zum Weißen Nil gekommen sein? Er wollte doch nach Gubatar gehen!"

„Ursprünglich, ja, aber es ist anders geworden. Habe ich dir denn nicht erzählt, daß ich ihn in Siut traf?"

„Ah, daran habe ich jetzt nicht gedacht!"

„Ich verlor ihn dort wieder, denn ich wurde von dem alten Abd Asl in den unterirdischen Brunnen gelockt, wo ich verschmachten sollte. Wenn Abu en Nil um Allahs willen vorsichtig wäre und nicht sagte, daß er uns kennt!"

„Meinst du, daß ihm eine solche Geistesgegenwart zuzutrauen ist?"

„Wohl nicht. Die Freude, mich zu treffen, und dabei der Schreck darüber, daß ich gefesselt bin, wird so auf ihn einwirken, daß er wohl die Unvorsichtigkeit begeht, unsre Namen zu nennen. Dreh dich auf die Seite, damit er dein Gesicht nicht sieht!"

Ich folgte dieser Aufforderung, obgleich ich nicht glaubte, daß diese Vorsichtsmaßregel die beabsichtigte Wirkung haben würde. Der alte Steuermann hatte sich damals auf der Dahabijeh nicht so verhalten, daß ich ihm soviel Selbstbeherrschung, wie hier nötig war, hätte zutrauen können.

Unser Wächter hatte nicht darauf geachtet, daß wir miteinander sprachen. Seine Aufmerksamkeit war mehr auf Abu en Nil als auf uns gerichtet. Ibn Asl unterhielt sich laut mit dem Alten, und ich hatte, weil ich mit Ben Nil redete, den Inhalt des Gesprächs nicht verstehen können. Jetzt, da wir schwiegen, hörte ich den alten Steuermann sagen:

„Aber ich sehe noch immer keinen Grund für uns, die Fahrt zu unterbrechen. Wir sind euch doch nicht im Weg!"

„Doch! Wartet nur kurze Zeit, höchstens einige Stunden, so könnt ihr weiterfahren."

„Warum nicht jetzt?"

„Das brauche ich euch nicht zu sagen."

„Du wirst es uns doch wohl sagen müssen, sonst gehen wir sofort wieder unter Segel."

„Das wirst du bleiben lassen, denn sobald ich sehe, daß du nicht gehorchen willst, behalte ich dich einstweilen hier!"

„Dazu hast du kein Recht."

„Meinst du? Ich bin der Reïs Effendina, von dem du wohl gehört haben wirst."

„Nein, der bist du nicht. Ich habe nicht nur von ihm gehört, sondern sogar mit ihm gesprochen."

„So! Nun, dann will ich dir sagen, daß ich sein Leutnant bin. Du hast zu gehorchen."

„Beweise mir, daß du die Wahrheit sagst! Die Leute des Reïs Effendina tragen Uniform, die deinigen aber nicht. Ich habe gesehen, daß dein Schiff ‚Eidechse' heißt. Das Schiff des Reïs Effendina aber heißt ‚Falke'. Deine Worte sind Lügen."

„Lügen? Hüte dich, mich zu beleidigen! Der Reïs Effendina befehligt allerdings den ‚Falken'. Da aber dieses Schiff für seine Zwecke nicht ausreichte, hat er die ‚Eidechse' dazugemietet und mir den Befehl über sie übergeben. Es ist dir wohl erklärlich, daß gemietete Leute keine Uniformen tragen."

„Wenn es ist, wie du sagst, mußt du eine schriftliche Vollmacht vom Reïs Effendina haben. Ich bin dir nicht eher Gehorsam schuldig, als bis ich sie geprüft habe."

„Und mir fällt es nicht ein, sie dir zu zeigen. Du mußt mir auf mein Wort glauben und mir gehorchen."

„Und ich werde zu meinem Schiff zurückkehren und weiterfahren!"

„Halt, Alter, nicht so schnell! Ohne meine Erlaubnis kommst du nicht von Bord. Du bist der Steuermann des angehaltenen Schiffs. Wie ist dein Name?"

„Himjad el Bahri."

Himjad el Bahri! Abu en Nil nannte sich also jetzt anders als früher, jedenfalls weil er dem Reïs Effendina entflohen war und sich nun unter einem falschen Namen sicherer wähnte. Das war mir lieb, denn nun konnte er Ben Nil nicht als seinen Enkel bezeichnen. Kaum aber hatte ich diese Hoffnung geschöpft, so wurde sie mir von unserm Wächter wieder zuschanden gemacht. Der Mann trat nämlich, als er den Namen hörte, einige Schritte vor und rief Ibn Asl zu:

„Das ist nicht wahr! Dieser Name ist falsch. Ich kenne den Alten. Ich habe ihn früher in Kahira und auch anderswo gesehen. Er ist ein bekannter Steuermann und wird, weil er den Fluß wie kein andrer kennt, Abu en Nil genannt."

„Abu en Nil?" wiederholte Ibn Asl überrascht. „Ist das wahr? Kennst du ihn wirklich?"

„Ganz genau, ich kann mich gar nicht irren."

„Alter, du hast mich täuschen wollen! Du bist ein Betrüger! Gibst du zu, daß du der Steuermann Abu en Nil bist?"

„Nein. Ich heiße Himjad el Bahri und habe nie einen andern Namen gehabt."

„Das ist eine Lüge!" beharrte der Wächter. „Ich kenne ihn genau und kann noch zwei Zeugen bringen, die ihn auch kennen."

Er nannte zwei Namen, und ihre Träger, zwei Untergebene von Ibn Asl, die sich an Land befanden, wurden herbeigerufen. Sie bestätigten sofort die Aussage des Wächters. Sie sagten dem Alten sogar ins Gesicht, wo und wann sie ihn gesehen hatten. Ich konnte nicht recht begreifen, warum der Umstand, daß der Alte einen falschen Namen tragen sollte, eine solche Wirkung auf Ibn Asl hervorbrachte. In jenen

Gegenden und bei den unsichern Verhältnissen des Schiffsvolks kommt es nicht selten vor, daß ein Mensch seinen Namen ändert. Aber ich sollte den Grund zu Ibn Asls Verhalten sofort erfahren, denn ich hörte ihn drohen:

„Du bist überführt. Du gibst dich für einen andern aus, als du wirklich bist. Das muß gerächt werden!"

„Ich habe nicht gelogen. Vielleicht sehe ich diesem Abu en Nil ähnlich. Es kann dir übrigens gleichgültig sein, welchen Namen ich trage. Wenn ich wirklich dieser Abu en Nil wäre, so könntest du doch auch nichts dagegen haben!"

„Allerdings nichts! Ich würde mich im Gegenteil freuen, diesen Mann gefunden zu haben. Und da du es wirklich bist, wie diese drei Männer bezeugt und bewiesen haben, freue ich mich jetzt außerordentlich. Hast du einen Enkel, der Ben Nil heißt?"

„Nein."

„Leugne nicht, Alter, sonst werde ich dich zwingen, die Wahrheit zu sagen! Es gibt einen jungen Menschen, einen Matrosen, der Ben Nil heißt, und wenn sich jemand Abu en Nil nennt, so muß dieser Jemand der Vater oder Großvater des Ben Nil sein!"

„Meinetwegen! Da ich aber nicht Abu en Nil heiße, sondern Himjad el Bahri, und weder einen Sohn noch einen Enkel habe, so laß mich mit deinem Ben Nil ungeschoren!"

„Komm mir nicht in diesem Ton, Alter!" drohte Ibn Asl. „Es könnte dich reuen!"

„Wieso? Ich brauche keine Furcht vor dir zu haben."

„Das denkst du jetzt. Aber wenn du wüßtest —!"

„Was? Wenn ich was wüßte?"

„Daß ich — ein ganz andrer bin", entfuhr es Ibn Asl.

„Ein ganz andrer? So habe ich also doch richtig gedacht! Nun, so brauche ich erst recht keine Furcht zu haben!"

„Meinst du? Ich bin Ibn Asl, der Sklavenjäger."

„Allah! Ist das wahr? Ibn Asl, der berühmte Negerfänger?"

„Ja. Wie wird dir nun zumute?"

Wenn er der Meinung gewesen war, der Alte würde bei Nennung dieses Namens erschrecken, so hatte er sich geirrt. Der Steuermann hatte Grund, sich vor dem Reïs Effendina zu fürchten, weil er ihm entflohen war. Ibn Asl zu scheuen, hatte er als früherer Sklavenhändler keine Ursache. Das zeigte sich auf der Stelle, denn er rief froh aus:

„Ibn Asl! Nun wird mir sogar sehr wohl zumute, vorausgesetzt, daß du mich nicht abermals täuschst."

„Ich sage dir die Wahrheit. Allah und der Prophet können mir bezeugen, daß ich Ibn Asl bin."

„Wenn du so schwörst, kann ich es glauben. Und nun hast du gar keinen Grund mehr, mich feindlich zu behandeln. Ich werde dir jetzt gern meinen wirklichen Namen nennen."

Der gute Alte hatte keine Ahnung, daß er nun im Begriff stand, einen ungeheuren Fehler zu begehen. Hätte ich ihm doch winken können!

„Es ist doch der, den du vorhin verleugnet hast?" fragte Ibn Asl.

„Ja. Ich bin Abu en Nil."

„Also doch! Mann, weißt du auch, was du da gesagt hast?"

„Ja. Ich habe dir damit bewiesen, daß ich nicht ein Feind, sondern ein Freund von dir bin."

„Wunder über Wunder! Ein Freund von mir! Wieso?"

„Hast du vielleicht von einer Dahabijeh gehört, die ‚Es Samak' hieß?"

„Ja. Der Reïs Effendina hat sie weggenommen."

„Der Reïs Effendina, dein größter Feind! Ich aber war der Steuermann dieses Schiffes. Ich war dabei, als er sie durchsuchte und entdeckte, daß die Dahabijeh ein Sklavenschiff sei. Er beschlagnahmte sie und setzte die ganze Bemannung gefangen."

„Dich auch mit?"

„Ja, aber es gelang mir zu entkommen. Es war ein fremder Effendi auf dem Schiff —"

„Ah, ein fremder Effendi!" unterbrach ihn Ibn Asl.

„Ja. Dieser Mann hatte Erbarmen mit mir, gab mir Geld und verhalf mir zur Flucht."

„Warum grad dir?"

„Weil — das weiß ich nicht."

Abu en Nil wußte es wohl, wollte aber dem berüchtigten Sklavenjäger nicht sagen, daß er auf meine Aufforderung ein aufrichtiges Geständnis abgelegt hatte.

„Jedenfalls ist es aus Freundschaft für dich geschehen. Das macht dich verdächtig!"

„Freundschaft? Davon kann nicht die Rede sein, da ich ihn vorher noch nie gesehen hatte."

„Aber später hast du ihn jedenfalls wieder gesehen?"

„Nein."

„Lüge nicht! Du hast zugegeben, daß du Abu en Nil bist. Du gestehst nun wohl auch ein, daß du einen Enkel hast, der Ben Nil heißt?"

„Ja."

„Sehr gut! Wo hast du ihn zuletzt gesehen?"

„In Siut."

„Das stimmt genau! Du brauchst nun nur noch einzugestehen, bei wem dein Enkel sich als Diener befindet."

„Das weiß ich nicht. Er ist niemals der Diener eines Menschen gewesen."

„Nicht? Nun, so ist er es jetzt, und zwar der Diener eines Menschen, der für mich von ganz besonderer Wichtigkeit ist."

„Das verstehe ich nicht. Warum sagst du das so zornig?"

Ibn Asl war überzeugt, Abu en Nil wüßte alles. Darum freute er sich, den Alten in seine Hände bekommen zu haben. Er lachte höhnisch.

„Gut, ich werde es dir sagen, nur um dir zu zeigen, daß dir deine Verstellung nichts nützen kann. Allah hat dich zu mir geführt, und bald wirst du auch deinen Enkel bei mir sehen und diesen fremden

Effendi, dem, das schwöre ich dir zu, alle Glieder einzeln vom Leib faulen werden!"

„Allah kerîm! Was hat er dir getan?"

„Hundesohn, glaube nicht, daß du mich täuschen kannst! Du stehst mit ihm im Bund. Du weißt alles, du kennst alle seine Taten und wirst sein Schicksal mit ihm teilen. Meinst du wirklich, daß ich dir sagen soll, was geschehen ist? Ich habe jetzt weder Zeit noch Lust dazu. Bindet ihn und werft ihn zu den beiden andern, die schon dort bei der Kajüte liegen!"

„Was, mich binden?" rief der Alte. „Ich weiß von nichts. Ich bin in Faschodah gewesen und —"

„Schweig, sonst bekommst du die Peitsche!" donnerte Ibn Asl ihn an. „Ich mag nichts mehr hören. Später wirst du erfahren und auch — fühlen, was geschieht!"

Abu en Nil wurde von mehreren Männern gepackt und trotz seiner Gegenwehr niedergerissen und gebunden. Dann brachte man ihn zu uns geschleift. Schon glaubte ich, das gefürchtete Wiedersehen würde ohne Gefahr für uns vorübergehen, denn er schien nur mit sich beschäftigt zu sein und vor Zorn nur seine Gegner zu bemerken. Da fiel sein Blick auf mich und sein Auge nahm einen ganz andern Ausdruck an.

„Effendi, du?" rief er laut. „Ist's möglich, du bist auch gefangen?"

Ibn Asl hatte sich schon abgewendet. Er hörte diese Worte und drehte sich schnell wieder um. Da erblickte der Alte auch seinen Enkel und schrie auf:

„Ben Nil, Sohn meines Sohnes! O Allah, Allah! Was ist geschehen? Was ist's mit dir, daß du gefesselt bist?"

Da hatten wir es! Da war das Unglück fertig! Ich gestehe, daß ich in diesem Augenblick sehnlich wünschte, ich hätte in Giseh diesen alten Plauderhans seinem Schicksal überlassen. Der Eindruck, den seine Worte machten, war ganz so, wie ich erwartet hatte. Ibn Asl kam wie ein Tiger herbeigesprungen.

„Effendi? Ben Nil? Allah akbar! Was höre ich?"

„Schweig, Schwätzer! Du bringst dich und uns ins Verderben!" hatte ich dem Steuermann noch zuraunen können, dann standen alle, die sich auf Deck befunden hatten, vor uns.

„Sag das noch einmal! Wiederhole es!" gebot Ibn Asl dem Alten. „Wer sind diese beiden Menschen?"

Meine Warnung hatte doch gefruchtet. Der Gefragte schwieg. Ich sah ihm an, daß er überlegte.

„Sprich! Wer sind sie?" wiederholte der Sklavenjäger.

„Wer?" fragte Abu en Nil, um Zeit zu gewinnen.

„Die beiden, deren Namen du nanntest?"

„Die? Die zwei hier? Die kenne ich nicht!"

„Und soeben hast du den einen als Effendi und den andern als deinen Enkel Ben Nil bezeichnet! Ich habe es mit meinen eignen Ohren gehört."

„Die Namen habe ich genannt, habe aber diese beiden Männer nicht damit gemeint."

„Das redet dir der Teufel vor! Wie kämst du sonst dazu, vom Effendi und von Ben Nil zu sprechen, wenn sie es nicht wären!"

„Das war nur ein Ausruf des Schmerzes und der Reue. Weil ich von dem Effendi und von meinem Enkel gesprochen habe, hast du mich binden lassen. Darum wiederholte ich ihre Namen."

„Du hast aber gefragt: Was ists mit dir, daß du gebunden bist! Wie kämst du zu solchen Worten?"

„Damit habe ich eben mich selber gemeint."

„Hältst du mich für wahnsinnig, du Sohn eines Hundes und Enkel eines Hundesohnes? Holt die Peitsche! Wir wollen ihm den Mund öffnen!"

In diesem Augenblick erklang vom Ufer ein lauter, erschrockener Ruf.

„O Wunder, o Schreck, die Fässer sind leer!"

Ibn Asl sprang an den Schiffsbord und sah hinab. Da ich lag, war mir kein Blick hinunter möglich.

„Die Fässer sind leer", wiederholte man von unten herauf.

„Seid ihr toll!" rief er hinab. „Sie waren doch voll!"

„Jetzt aber sind sie leer!"

Ich hörte einen hohlen Ton, als wenn leere Fässer umgeworfen würden.

„Maschallah!" schrie Ibn Asl. „Sie sind wirklich leer! Wer hat das getan? Wartet, ich komme hinab!"

Ich sah ihn vom Deck verschwinden, aber im nächsten Augenblick erschien er mit dem Kopf wieder, um unserm Wächter einen Befehl zuzurufen:

„Laßt die Hundesöhne nicht miteinander sprechen! Schlag sie auf die Mäuler, wenn sie es trotzdem wagen sollten!"

Dann stieg er vollends hinab. Der Mann, dem diese Weisung gegolten hatte, ergriff ein starkes Tau und ließ es vor unsern Gesichtern schwingen als nicht mißzuverstehende Andeutung, daß er den löblichen Auftrag gegebenenfalls wörtlich erfüllen würde. Wir schwiegen also. Ich hätte überhaupt nicht gewußt, was ich sagen sollte, um den Fehler, den der Alte begangen hatte, wieder gutzumachen.

Die Leute schienen sich unten bei den Fässern zu versammeln, wie aus einem Gewirr von vielen Stimmen zu entnehmen war. Dann wurde es still. Man schien zu untersuchen, zu beraten. Nach einiger Zeit kehrte Ibn Asl zurück. Ihm folgten alle seine Leute, so daß das ganze Deck sich füllte. Aller Augen waren auf uns gerichtet, drohend, haßerfüllt und auch, wenn ich mich nicht irrte, bewundernd neugierig. Er trat zu mir, stieß mich mit dem Fuß und blitzte mich wütend an.

„Rede die Wahrheit, du räudiger Schakal, sonst reiße ich dir die Zunge aus! Wo bist du während der Nacht gewesen?"

Nicht zu antworten wäre dumm gewesen. Hätte ich auch nur eine Hand frei gehabt, so hätte ich ihm die Entgegnung mit der Faust gegeben. So aber mußte ich reden, um Mißhandlungen zu entgehen.

„Natürlich bei dir in der Kajüte."

„Du bist aber einmal fortgewesen, am Ufer bei den Fässern."

„Das müßte im Traum geschehen sein."

„Die Fässer haben Löcher."

„Das weiß ich auch. Ich habe noch nie ein Faß ohne Loch gesehen."

Ibn Asl versetzte mir wieder einen Fußtritt und schrie:

„Willst du etwa gar Witze machen! Du bist es gewesen, der die Löcher in die Fässer gebohrt hat. Kein andrer kann es gewesen sein!"

„Laß mich in Ruh mit deinen Fässern! Ich möchte wissen, weshalb ich mich mit ihnen hätte beschäftigen sollen!"

„Um den Reïs Effendina zu retten. Nun ist mein ganzer herrlicher Plan zuschanden gemacht! Gestehe auf der Stelle, sonst zertrete ich dich unter meinen Füßen!"

Der Wütende holte mit dem Bein zum Stoß aus. Es ist keine angenehme oder gar ehrenvolle Lage, vor so vielen Augen auf dem Boden zu liegen und widerstandslos allen möglichen Mißhandlungen ausgesetzt zu sein. Diesen Menschen hatte ich haben wollen und nun hatte er mich! Ich war in seiner Hand in viel schlimmerer Lage, als er in meiner Gewalt gewesen wäre. Er war nicht nur ein Verbrecher, ein Unmensch, sondern er war gemein. Hatte ich denn gar keine Waffe gegen ihn? Gibt es überhaupt gegen Gemeinheit eine Waffe, wenn man nicht eben auch gemein sein will? Und wenn ich der geschickteste Fechter bin, kann ich mich mit einem anständigen Degen gegen einen Menschen wehren, der mich mit einer Düngergabel angreifen will? Mein Selbstgefühl bäumte sich gegen den Gedanken auf, mich nun doch durch Leugnen zu retten. Ja, vielleicht konnte es gelingen, Ibn Asl durch List von mir abzubringen oder wenigstens Zeit zu gewinnen. Ihn zu übertölpeln, wäre keine Schande gewesen, aber er hätte doch wenigstens jetzt, in diesem Augenblick, gedacht, daß ich Angst vor ihm hätte, und das sollte er sich nicht einbilden. Angst! Meine Lage war schlimm, aber noch keineswegs verzweifelt. Es fiel mir nicht ein, mich schon verloren zu geben, und selbst auf die Gefahr hin, daß es mich sofort mein Leben kosten sollte, wagte ich es, offen zu sein.

„Gestehen? Nur Verbrecher, nur Sünder haben Geständnisse abzulegen. Was ich tat, war keine Sünde, kein Verbrechen."

„So gibst du zu, es getan zu haben?"

„Ja."

Der Sklavenjäger sah mir starr ins Gesicht. Das hatte er nicht erwartet.

„Ah, hört ihr's?" rief Ibn Asl dann. „Dieser Mann ist's gewesen. Er gibt es zu! Weißt du, daß du damit dein Todesurteil gesprochen hast? Warum hast du das Gaz auslaufen lassen?"

„Diese Frage hast du selbst schon beantwortet."

„Um den Reïs Effendina zu retten?"

„Ja. Ich bin sein Freund."

„Kara Ben Nemsi Effendi?"

„Ja."

„Und dieser da, den du deinen Gehilfen Omar nanntest, ist Ben Nil?"

„Er ist es."

Ibn Asl trat, betroffen über solche Offenheit, zwei Schritte zurück. Er war überzeugt, daß jeder andre an meiner Stelle fortgeleugnet hätte, denn seiner Meinung nach konnte für mich Rettung nur im Leugnen liegen. Er wendete sich von mir ab und wieder seinen Leuten zu.

„Hört ihr auch das? Er bekennt, daß er der Franke ist. Ah, wir haben ihn, wir haben ihn! Allah sei Preis und Dank!"

Das benutzte Ben Nil, mir zuzuraunen:

„O Effendi, warum hast du gestanden! Nun ist alles, alles verloren!"

„Noch nicht. Sei nur guten Mutes und laß mich machen!"

Die Leute drängten sich näher herbei, um mich genau in Augenschein zu nehmen. Ibn Asl trat wieder zu mir heran und lachte mich höhnisch an.

„Du bist ein verwegener Mensch, o Kara Ben Nemsi Effendi, ein höchst verwegener Mensch. Aber du hast wohl nicht gewußt, was es heißt, dich in meine Nähe zu wagen!"

„Pah! Was soll das weiter heißen! Ich habe noch ganz andre Dinge gewagt. Wenn dir nicht das Glück günstig gewesen wäre, hättest du nicht entdeckt, wer ich bin. Oder bildest du dir etwa ein, daß du die Entdeckung deinem Scharfsinn, deiner Klugheit zuzuschreiben hast?"

„Ungeziefer, wagst du mich zu schmähen!" rief der Sklavenjäger, indem er mir abermals einen Fußtritt versetzte.

„Jetzt magst du mich treten. Ich bin gefesselt, aber ich sage dir, daß du mir jeden Fußtritt bezahlen wirst!"

„Dir? Wann denn? Du willst dich rächen? Bist du toll?"

„Ich spreche mit vollster Überzeugung. Wie lange glaubst du, mich wohl bei dir zu haben?"

„Bis du vermodert bist!"

„Darüber lache ich. Bedenke, daß der Reïs Effendina sich hier befindet!"

„Verläßt du dich auf den? Hoffst du, daß er dich retten werde?"

„Allerdings."

„So hoffe, bis du verendest! Ich kann diesen Hundesohn nun freilich nicht verbrennen, aber —"

Ibn Asl wurde unterbrochen. Es entstand vom Schiffsbord her ein Gedränge. Zwischen den Leuten hindurch schob sich der Posten, den er gegen Hegasi hin ausgestellt hatte. Der Mann war ganz außer Atem und meldete:

„O Herr, mit dem Petroleumfeuer wird es nichts, denn der Reïs Effendina kommt nicht auf dem Fluß."

„Wo denn?"

„Allah sei Dank dafür, daß er mir den Gedanken eingab, weiter vorzugehen, als du mich geheißen hattest! Ich stand an einer Stelle

96

des Ufers, die so hoch war, daß ich nicht nur den Fluß überschauen, sondern auch über die Bäume hinweg in die Steppe blicken konnte. Und da sah ich den Reïs Effendina kommen."

„Weißt du denn, daß er es war?"

„Wer könnte es sonst gewesen sein? Die Nahenden waren sehr weit entfernt von mir, aber ich erkannte doch, daß sie Uniformen trugen."

„So sind es die Soldaten des Reïs Effendina gewesen. Wie viele Köpfe zählten sie?"

„Das weiß ich nicht. Sie gingen zu zweien, und es war eine lange Reihe."

„Und wann können sie hier sein?"

„Sie müssen Vorsicht üben und werden mehr Zeit brauchen als unter gewöhnlichen Verhältnissen. Ich bin sehr schnell gelaufen, aber in einer halben Stunde können sie hier eintreffen."

„So müssen wir fort. Dieser Hundesohn hat uns das Gaz genommen, das uns nun freilich auch nichts nützen könnte. Wollten wir kämpfen, so würden wir siegen, aber gewiß viele unsrer Kameraden verlieren. Das müssen wir vermeiden. Ich werde, um den Reïs Effendina durch List in meine Gewalt zu bringen, einen andern Plan erdenken. Also auf, ihr Männer, an die Arbeit! Richtet den Mast auf und öffnet die Segel! Der Wind ist günstig und wird uns rasch stromaufwärts führen."

Was sich am Ufer befand, wurde schnell an Bord geschafft. Die leeren Petroleumfässer warf man ins Wasser. Dann richtete man die Masten auf. Der Noqer hatte nämlich außer dem Hauptmast vorn noch einen kleineren Mast. Das Fahrzeug war überhaupt anders eingerichtet, als es die Noqer gewöhnlich sind. Der Wind begann die Segel zu blähen, wir stießen vom Land und wurden aufwärts gegen den Strom geführt.

Da jedermann beschäftigt war, hatte man auf uns wenig acht. Auch unser Wächter hielt seine Aufmerksamkeit mehr auf die Bewegung des Schiffs als auf uns gerichtet. Darum konnten wir es wagen, wenn auch nur leise, miteinander zu sprechen. Wir kamen eben an dem Schiff vorüber, das Ibn Asl zum Anlegen gezwungen hatte. Da flüsterte Abu en Nil: „Meinst du, Effendi, daß ich jetzt meine Leute anrufe?"

„Um Allahs willen, nein! Du würdest unsre Lage dadurch nur verschlimmern, ohne deinen Zweck zu erreichen."

„Aber ich muß doch auf meinen Posten zurück und kann unmöglich mit diesem entsetzlichen Ibn Asl fahren!"

„Dem fällt es nicht ein, dich zu fragen, ob du kannst oder willst. Du mußt!"

„Aber was soll aus mir werden?"

„Du wirst unser Schicksal teilen."

„Und was wird das sein?"

„Allah weiß es, ich nicht. Du allein trägst die Schuld, daß du dich in dieser Lage befindest."

„Ich war so erschrocken und konnte doch nicht wissen, daß ich eure Namen nicht nennen durfte."

„Wir waren gefangen. Das mußte dir doch genug sagen."

Noch hatten wir die Insel Hassanieh zur Linken. Rechts am Ufer traten die Bäume weit auseinander. Es gab da eine freie Stelle, und man konnte hinaus auf die Steppe sehen. Obwohl ich lag, erblickte ich einen Reiter, der auf einem Kamel saß und im scharfen Gang durch diese Lichtung zum Nil strebte. Als er das Schiff sah, richtete er seinen Oberkörper auf, wie einer tut, der etwas scharf ins Auge fassen will. Dann winkte er, indem er sein Gewehr schwang, und schlug auf sein Tier ein, um das Ufer schnell zu erreichen. Eben stand Ibn Asl in unsrer Nähe.

„Seht!" hörte ich ihn sagen. „Das ist Oram, der uns als Bote gesendet wird! Wir können ihn nicht an Bord nehmen, denn wir dürfen nicht halten, sonst werden wir vom Reïs Effendina eingeholt."

Ibn Asl legte beide Hände hohl an den Mund und rief durch dieses Sprachrohr zu dem Reiter hinüber:

„Maijeh es Saratin, Maijeh es Saratin!"

Der Mann hatte ihn verstanden, lenkte sein Kamel um und ritt schnellstens wieder davon.

7. *An Bord des Sklavenschiffs*

Ein Maijeh ist ein sumpfiger Nebenarm eines Flusses, die Einbuchtung eines Stroms, deren Wasser stillsteht, also gleich dem, was der Anwohner des Mississippi einen Bayou nennt. Im weitern Sinn wird Maijeh auch jeder Sumpf genannt. Es Saratin heißt ‚der Krebse'. Der Mann war also zum Krebsarm oder Krebssumpf gewiesen worden, jedenfalls einer Einbuchtung des Nil, in der es viele Krebse gab und an deren Ufer er das Schiff erwarten sollte. Er war ein Bote. Von wem? Ich hatte sein Gesicht nicht deutlich sehen können, und dennoch war er mir bekannt vorgekommen.

Doch, was kümmerte mich dieser Mann! Ich hatte jetzt genug mit mir zu tun. Es verstand sich von selber, daß ich mich freute, den Reïs Effendina gerettet zu wissen. Nun aber steckte ich selber im Pech. Konnte ich Hilfe von ihm erwarten? Möglich, aber nicht wahrscheinlich. Achmed Abd el Insaf wußte jedenfalls nicht genau, wo er die Vögel, die nun ausgeflogen waren, suchen sollte. Fand er das verlassene Lager, so forschte er wahrscheinlich weiter nach ihnen. Und erfuhr er von Abu en Nils Schiffsleuten, daß der Noquer aufwärts gefahren sei, so kehrte er nach Hegasi zu seinem Schiff zurück, um ihn zu verfolgen. Dabei mußte kostbare Zeit verloren gehen und Ibn Asl erhielt einen Vorsprung, der nicht rasch einzuholen war. Der ‚Falke' des Reïs Effendina war zwar ein Schnellsegler und der ‚Eidechse' weit überlegen, aber wenn sie sich in einen versteckten Maijeh verkroch, so segelte der ‚Falke' vorüber, ohne sie zu finden.

Auf den Reïs Effendina konnte ich mich also nicht verlassen. Ich mußte Rettung einzig und allein bei mir selber suchen. Das erklärte ich meinen beiden Mitgefangenen. Ben Nil hatte volles Vertrauen zu mir, sein Großvater aber wollte alle Hoffnung sinken lassen. Abu en Nil erzählte uns in Kürze, daß er, als er von Ben Nil getrennt worden war, ein Schiff gefunden hatte, das nach Faschodah bestimmt gewesen war. Der Reïs, der ihn kannte, hatte ihn mitgenommen und ihm später die Stelle des Steuermanns anvertraut. Auf der Rückfahrt waren sie heut früh von dem Boot des Sklavenjägers angehalten worden. Ibn Asl hatte sagen lassen, daß eine gewaltige, neu angeschwemmte Om Sufah-Insel den Nilarm unschiffbar gemacht habe. Der Kapitän hatte sein Schiff zum Ufer gelenkt und den alten Steuermann im Boot des Sklavenhändlers vorangehen lassen, um die Strecke zu untersuchen. Anstatt einer Om Sufah-Insel aber hatte Abu en Nil die Gefangenschaft gefunden. Nun klagte er alle Welt und Allah an, und fragte, wie es gekommen sei, daß Ibn Asl eine solche Rache gegen uns habe. Als sein Enkel ihm diese Frage kurz beantwortet hatte, jammerte er:

„O Allah, o Himmel! Wer hätte das gedacht! Nun sind nicht mehr meine Jahre und Tage, sondern meine Stunden gezählt, denn dieser Sklavenjäger wird uns ermorden. Ich werde die Meinen nicht wiedersehen und ein Ende mit tausend Schrecken finden."

„Jammere nicht!" mahnte Ben Nil. „Du fällst dem Effendi mit deinen Klagen beschwerlich. Sei still und gib ihm Ruhe zum Nachdenken, so wird er sicher einen Weg aussinnen, der uns zur Freiheit führt! Übrigens können nur wir beide verloren sein. Du hast Ibn Asl nichts getan, und so kann er nicht grausam gegen dich sein."

„Hast du denn nicht gehört, was er sagte? Er glaubt, ich sei euer Verbündeter, und hat mir das gleiche Schicksal bestimmt wie euch."

Der alte Mann erschien mir als recht selbstsüchtig. Er dachte nur an sich und sprach nur von sich, nicht aber von seinem Enkel, der sich doch in viel größerer Gefahr befand als er. Aber ich hatte mich geirrt. Er war, wie ich schon damals in Giseh gesehen hatte, kein Held, und daß er plötzlich in eine so unglückliche Lage gekommen war, hatte ihn völlig verwirrt. Denn als sein Enkel ihm jetzt vorwarf:

„Merkst du denn nicht, daß du Kara Ben Nemsi Effendi belästigst? Deine Klagen müssen ihn doch beleidigen!" wendete er sich zu mir.

„Verzeih, Effendi! Ich weiß vor Schreck nicht, was ich tue. Man warf mich so plötzlich nieder und band mir die Arme und Beine. Das hat mich so angegriffen, daß ich mich selber kaum mehr kenne. Ich weiß, was ich dir zu verdanken habe, und möchte dir beweisen, daß ich dir gern danken will. Sage mir, was ich tun soll!"

„Klage nicht, sondern füge dich still in dein Schicksal! Das ist alles!"

Wir waren an der Insel vorübergekommen und segelten im ungeteilten Strom. Kein Schiff war vor oder hinter uns zu sehen. Da ließ Ibn Asl die beiden Bretter wegnehmen, die vorn am Bug in einem spitzen Winkel aufeinander stießen und den Namen des Schiffs trugen, ließ sie umdrehen und wieder dort befestigen. War da erst ‚Eidechse‘ zu lesen gewesen, so stand nun auf der andern Seite der Name ‚Karnuk‘ geschrieben. Karnuk heißt Kranich, besonders der Kronkranich. Er wird nach seiner Stimme so genannt. Das „Kar-nuk-nuk-nuk" der Kronkraniche verkündet am obern Nil das Nahen des Morgens.

Ibn Asl hatte also mehrere Namen für sein Schiff. Zu welchem Zweck, läßt sich leicht denken. Es stand zu erwarten, daß der Reïs Effendina die ‚Eidechse‘ verfolgen würde. Unter dem Namen ‚Kranich‘ konnte sie Hoffnung haben, ihm zu entkommen. Vielleicht bedienten auch andre Sklavenschiffe sich der gleichen List.

Ich sah zu meinem Leidwesen, daß der ‚Kranich‘ ein sehr guter Segler war. Dennoch ließ Ibn Asl auch noch mit Stoßbäumen arbeiten, und um die Schnelligkeit des Schiffs immer zu vermehren, wurde das Boot an einem Tau vorgespannt. Es saßen zwölf Männer drin, die aus Leibeskräften ruderten und halbstündlich abgelöst wurden. Das geschah, um einen möglichst großen Vorsprung vor dem ‚Falken‘ des Reïs Effendina zu bekommen.

Da die Fahrt nun glatt im Gang war, hatte Ibn Asl wieder Zeit, sich mit uns zu beschäftigen. Er kam mit seinen beiden Offizieren, von denen der eine Oberleutnant und der andre Leutnant genannt wurde, zu uns. Sie standen längere Zeit da, um uns schweigend mit höhnischen Blicken zu betrachten. Dann fragte Ibn Asl mich:

„Wer war der Mann, der mich am Wadi el Berd verfolgte?"

„Ich war es", gestand ich.

„Du? Ah, du selbst? Hast du mich erwischt?"

„Blähe dich nicht auf! Daß ich dich nicht einzuholen vermochte, hast du nicht einem Vorzug deiner Person, sondern der Schnelligkeit deines Dschebel-Gerfeh-Kamels zu verdanken. Du hast nicht mich, sondern dein Tier hat das meinige besiegt."

„Meinst du, daß ich dich nicht auch besiegen würde, elender Wurm, der du bist!"

„Tritt frei vor mich hin und nimm ein Messer in die Hand. Mir aber binde die Hände vorn zusammen, ohne daß ich ein Messer habe. So wollen wir kämpfen. Dann wird es sich zeigen, wer ein Wurm ist, du oder ich!"

„Schweig! Du hast Glück gehabt, das macht dich übermütig, aber dieser Übermut soll sich bald ins Gegenteil verkehren. Ich habe mich bisher vergeblich gesehnt, dich in meine Gewalt zu bekommen. Nun es endlich geschehen ist, sollst du erfahren, wie ein Gläubiger mit einem räudigen Christenhund verfährt. Dir wäre besser, wenn du nicht geboren wärst! Ich werde —"

„Erspare dir die Drohungen! Ich weiß schon, was du mit mir tun willst."

„Nun, was?"

„Zunächst die Zunge herausreißen, dann die Augen, die Ohren, die Nase und alle Glieder einzeln abschneiden."

„Wirklich, du weißt es! Wer hat es dir gesagt?"

„Einer, der wiederholt erfahren hat, daß ich keine Furcht kenne, und mich selbst aus der schlimmsten Lage zu retten weiß."

„Wer ist das?"

„Abd Asl, dein Vater."

„Ja, ihm bist du schon einigemal entgangen. Der Scheïtan hat dich beschützt. Aber das war mein Vater, nicht ich. Mir wirst du nicht entkommen. Eher fällt der Himmel ein, als daß ich dich aus den Händen lasse!"

„Das bilde dir nicht ein! Wenn mir je ein Mensch Angst zu machen vermöchte, du ganz gewiß nicht."

„Hundesohn, du wirst mich schon in einigen Minuten um Gnade und Erbarmen anheulen!"

„Versuch es!"

„Meinst du, daß ich scherze?"

„Nein, aber du drohst nur, hast jedoch nicht den Mut zur Tat."

„Daß dich der Scheïtan fresse! Ich will dir zeigen, daß ich wohl den Mut habe. Herbei, ihr Männer! Ihr sollt sehen, wie dieser Christenhund im ersten Grad gemartert wird."

Die Menschen alle, die nichts zu tun hatten, kamen herbei. Er trat in die Kajüte.

„Effendi, was fällt dir ein!" meinte Ben Nil. „Du reizt ihn. Ich kenne dich, den vorsichtigen Mann, nicht mehr. Du verschlimmerst unsre Lage!"

„Nein. Ich will ihm nur zeigen, daß wohl ich ihn in Furcht setzen kann, nicht aber er mich."

Jetzt kam Ibn Asl zurück. Er hatte eine Zange geholt, hielt sie empor und rief:

„Diesem Sohn einer verfluchten Hündin sollen jetzt zunächst die Nägel von den Fingern gerissen werden, zuerst an den Daumen. Wer will das tun?"

„Ich, ich, ich, ich!" schrien mehrere.

Ein kräftiger Kerl drängte die andern zurück, langte zur Zange und bat:

„Gib sie mir, o Herr! Du weißt, daß ich es verstehe. Es ist nicht das erstemal, daß ich jemand dadurch zum Singen bringe."

„Ja, tu es, Taha! Du hast Übung darin!"

Der Mann erhielt die Zange, stellte sich zähnefletschend vor mich hin und klappte sie abwechselnd auf und zu, um mir zunächst einen Vorgeschmack der späteren Schmerzen zu geben. Dann beugte er sich über mich, um mich umzuwenden, da ich die Hände auf dem Rücken hatte. Darauf hatte ich gewartet. Taha rühmte sich, schon viele durch Schmerz zum ‚Singen' gebracht zu haben! Ihm konnte eine Lehre nicht schaden. Ich zog also schnell meine Knie an mich und schnellte dann Taha beide Füße so gegen den Leib, daß er kopfüber unter die andern flog, mehrere von ihnen niederriß und dann wie tot liegenblieb. Das Blut drang ihm aus dem Mund. Ich nahm an, daß er sich durch den Fall in die Zunge gebissen habe.

Alles schrie, fluchte und drohte. Ibn Asl gebot Ruhe und untersuchte den Getroffenen, der kein Lebenszeichen von sich gab. Er ließ Taha forttragen, ballte die Faust gegen mich und knirschte:

„Das sollst du büßen, zehnfach, hundertfach büßen! Nun sollen deine Qualen noch ganz anders sein, als ich vorher beschlossen hatte. Haltet ihn fest, damit er sich nicht bewegen kann, und dann herunter mit den Nägeln!"

Sechs, acht Männer warfen sich auf mich. Ich wehrte mich nicht. Einer holte die Zange, die weit fortgeflogen war, und schickte sich an, den Eingriff zu vollziehen.

„Halt, vorher noch ein Wort, Ibn Asl!" rief ich jetzt. „Tu mit mir, was du willst. Du wirst keinen Laut des Schmerzes von mir hören. Aber was mit mir geschieht, genau das gleiche wird mit Abd Asl, deinem Vater, geschehen!"

„Mit — meinem — Vater?" dehnte er erstaunt.

„Ja. Und nicht nur mit ihm allein, sondern mit jedem seiner Leute."

„Was weißt du von meinem Vater? Wo ist er?"

„Mir entgegengezogen, um mich zu fangen".

„Das ist richtig! Du bist ihm abermals entgangen. Er hat dich nicht getroffen."

„Allerdings. Abd Asl hat mich nicht getroffen. Aber ich habe ihn getroffen, und zwar in der Weise, daß er wohl nicht wieder wünschen wird, mir zu begegnen." — „Scheïtan! Sagst du die Wahrheit?"

„Glaube es oder glaube es nicht! Mir ist es gleich."

„Wo hast du ihn getroffen?"

„Am Brunnen."

„An welchem?"

„Das sage ich nicht."

„Ich muß es wissen!"

„Fällt mir nicht ein! Zunächst bleibt es mein Geheimnis. Binde uns los, so werden wir dich zu deinem Vater führen. Wo nicht, so hast du ihn und seinen ganzen Trupp auf deinem Gewissen!"

„Das will ich gern", lachte Ibn Asl. „Du willst dich durch eine Lüge retten."

„Lüge? Woher könnte ich wissen, daß er mir entgegengezogen ist?"

Er sah ein, daß dieser Einwand begründet war, denn er fragte:

„Sie waren zu Fuß?"

„Nein, zu Kamel."

„Wieviel Mann?"

„Pah, meinst du, daß ich Lust habe, mich wie ein Kind ausfragen zu lassen? Es ist genug, daß du erfährst: Sie sind alle gefangen und werden das erleiden, was du mit uns tust."

„So sind sie in der Nähe?"

„Nein. Wir sind auf Eilkamelen weit voran."

„Warum bliebst du nicht bei ihnen?"

„Sie befinden sich in sichern Händen. Ist dir der Fakir el Fukara bekannt?"

„Freilich ist er mir bekannt. Wir haben ja schon gestern abend von ihm gesprochen. Was willst du mit ihm?"

„Mohammed Achmed kam dazu und wollte sie retten."

„Ist es ihm gelungen?"

„Wäre ich dann hier? Er hat sein Unternehmen büßen müssen, denn er ist nun selber gefangen. Ich begreife nicht, wie es dir einfallen kann, Leute auszusenden, die mich fangen sollen. Es ist euch noch nicht gelungen und wird euch auch niemals gelingen."

„Allah! Redest du irr? Du bist ja eben jetzt mein Gefangener!"

„Nein, denn du wirst mich wieder frei geben. Das weiß ich genau."

„Eher soll mich der Scheïtan —"

„Halt! Fluche und schwöre nicht! Du weißt nicht, was du tust."

„Und du bist listiger als der Fuchs. Niemand darf dir trauen. Du ahnst nur, daß wir dich fangen wollten, und tust nun so, als wüßtest du alles genau."

„Kann ich auch ahnen, daß dein Vater der Anführer ist?"

„Nein. Aber warum bist du zur Insel Hassanieh gekommen?"

„Um mit dir zu unterhandeln."

„Wer hat dir gesagt, daß ich dort zu finden sei?"

„Dein Vater. Das ist der allerbeste Beweis dafür, daß ich mit ihm gesprochen habe."

„Worüber wolltest du mit mir verhandeln?"

„Über die Freigabe meiner Gefangenen."

„Wieso? Wolltest du ein Lösegeld haben?"

„Darüber sprechen wir später."

„So begreife ich nicht, daß du nicht schon gestern abend davon gesprochen hast."

„Da hätte ich dir sagen müssen, wer ich bin, und es wäre mir unmöglich gewesen, den Reïs Effendina zu retten."

„Wußtest du denn, daß ich auf ihn wartete?"

„Ja, von deinem Vater."

„Das ist unmöglich! Mein Vater wird dir doch nicht solche Dinge mitgeteilt haben!"

„Er hat es getan, ohne es zu wissen."

„Das begreife ich nicht."

„Du wirst, wenn du mir auch fernerhin nach dem Leben trachtest, noch manches andre nicht begreifen!"

„Du sprichst sehr stolz und liegst doch hilflos vor mir!"

„Hilflos? Irre dich nicht! Wenn ich nicht bis zu einer gewissen Zeit zu meinen Leuten zurückgekehrt bin, ergeht es allen unsern Gefangenen und auch deinem Vater grad so wie denen, die der Reïs Effendina im Wadi el Berd erschießen ließ. Sogar der Fakir el Fukara muß sterben."

Es trat eine Pause ein, während der Ibn Asl den Eindruck meiner Worte verarbeitete.

„Wie viele von meinen Leuten sind euch entkommen?" fragte er dann.

„Keiner."

„Du lügst, trotz der Bestimmtheit, mit der du sprichst, und trotz des ehrlichen Gesichts, das du zeigst."

„Ich sage die Wahrheit!"

„Und ich kann dir beweisen, daß du gelogen hast! Hast du vielleicht den Reiter gesehen, der vorhin an das Ufer kam?"

„Ja."

„Es war Oram, einer meiner Leute. Er befand sich bei meinem Vater."

„Dann aber sicher nicht zu der Zeit, in der ich deinen Trupp überfiel. Vielleicht wurde er vorher irgendwohin gesandt, fand bei seiner Rückkehr seine Kameraden gefangen und ritt schleunigst weiter, dir das zu melden."

„Kann ich erfahren, wie es dir gelang, meine Leute zu fangen?"

„Ich habe nichts dagegen, daß du es hörst, aber es selber zu erzählen, habe ich keine Lust."

„So mag dieser alte Abu en Nil es erzählen!"

„Er weiß nichts davon, denn er war nicht dabei. Seit ich ihm damals in Giseh zur Flucht verhalf, habe ich ihn nicht wiedergesehen bis zum heutigen Tag, da er dein Schiff bestieg."

„Ist das wahr?"

„Frage mich nicht immerwährend, ob das, was ich sage, wahr ist! Du wirst wohl einsehen, daß das eine Beleidigung für mich ist."

„So! Eine Beleidigung! Und wer nannte sich denn gestern Amm Selad aus Sues und entpuppte sich heute als Kara Ben Nemsi Effendi? War das etwa keine Lüge?"

„Nein, eine Kriegslist."

„Ihr Christen scheint nicht zu wissen, was man unter Lüge zu verstehen hat!"

„Und ihr Muslimin gebt euch gar nicht erst mit Kriegslisten ab, sondern ihr mordet lieber gleich. Und nun zur Sache! Ben Nil war dabei. Er mag dir erzählen."

Die Leute drängten sich noch näher heran. Jeder wollte den spannenden Bericht hören und kein Wort davon verlieren. Da ich vorhin den Schauplatz der Ereignisse verheimlicht hatte, war Ben Nil so klug, auch darüber zu schweigen. Als er davon sprechen wollte, daß ich gelauscht hatte, verbot ich es ihm. Daß ich alles wußte und doch niemand sagen konnte, wie ich es erfahren hatte, gab der Sache einen rätselhaften, geheimnisvollen Anstrich, der mir nur nützlich sein konnte. Man hörte mit atemloser Spannung zu, bis der Erzähler geendet hatte. Dann rief Ibn Asl:

„Soll man es wirklich glauben! Den Löwen von El Teitel hast du getötet, Effendi?"

„Wie du gehört hast!"

„Du hast nicht gewußt, was du dabei wagtest!"

„Mein Leben wagte ich. Was sonst?"

„Ist das nicht genug? Kann ein Mensch mehr verlieren als sein Leben?"

„Jawohl, viel mehr.“

„Was wäre das?“

„Das, was du schon längst verloren hast, nämlich die Ehre, den guten Namen, das Wohlgefallen bei Gott und den Menschen.“

„Kara Ben Nemsi!“ brauste er auf. „Denke ja nicht, daß ich plötzlich langmütig geworden bin! Bedenke, daß ich jetzt dein Herr bin! Dein Leben steht in meiner Hand!“

„Allerdings. Aber mit dem meinigen auch das deines Vaters, des Fakirs el Fukara und deiner Leute.“

„Du bist gekommen, dieser Leute wegen mit mir zu verhandeln. Gib sie frei! Was verlangst du dafür?“

„Deinen Schwur, vom Sklavenhandel abzulassen, meine Freiheit und die Ben Nils und seines Großvaters.“

„Würde mein Schwur dir genügen?“

„Vielleicht, vielleicht auch nicht. Es ist möglich, daß ich Sicherstellung verlange.“

„Warum nimmst du an, ich könnte falsch schwören?“

„Weil ich mehrere Muslimin kenne, die falsch geschworen haben.“

„Dann sind sie keine wahren Anhänger des Propheten.“

„Nun, ich kann dir beweisen, daß der Fakir el Fukara und auch dein Vater, der für einen heiligen Fakir gehalten wird, bei Allah und beim Bart des Propheten geschworen und dabei doch gelogen haben.“

„Warst du es, dem sie den Schwur leisteten?“

„Ja.“

„So taten sie keine Sünde, denn du bist ein Ungläubiger.“

„Ah, ist es so? Also wenn ein Muslim einem Christen einen falschen Eid schwört, so ist das erlaubt, so ist das kein Meineid?“

„Es ist, als hätte er nichts gesagt.“

„Und da verlangst du, daß ich dich schwören lassen und dir glauben soll? Damit hast du dich selber gefangen, und ich verzichte nun darauf, den menschenfreundlichen Vorschlag auszusprechen, den ich dir machen wollte.“

„So sind wir fertig?“

„Noch nicht. Ich mache dir ein andres Anerbieten.“

„Laß es hören!“

„Du gibst uns drei hier frei, und ich gebe dir dafür deinen Vater und den Fakir el Fukara. Die andern Gefangenen liefere ich an den Reïs el Effendina aus.“

„Welch eine Verwegenheit!“ lachte Ibn Asl grimmig auf. „Dieser Giaur befindet sich in unsrer Gewalt und redet genau so, als könnte er uns Befehle erteilen! Warum erhebe ich nicht die Hand, um dich zu zerschmettern?“

„Weil du nicht kannst. Sie ist dir gebunden. Sterbe ich, so stirbt dein Vater auch, und zwar vielleicht eines schlimmeren Todes als ich.“

„Das weißt du so genau?“

„Ja. Abd Asl ist so unvorsichtig gewesen zu erwähnen, in welcher Weise ich von dir gemartert werden soll. Kehre ich nun zur bestimmten Stunde nicht zurück, so wird man ohne allen Verzug ihn genau den gleichen Martern unterwerfen, und nicht nur ihn, sondern alle Gefangenen. Laß die kostbare Zeit nicht verstreichen."

„Wann mußt du zurück sein?"

„Das brauchst du nicht zu wissen. Je schneller du dich entschließt, desto weniger läuft dein Vater Gefahr."

„Also euch drei Personen soll ich gegen zwei ausliefern! Ist das richtig gerechnet?"

„Ja, denn Abu en Nil zählt nichts, da er euch nichts getan hat."

„Und wie hoch schätzest du dich?"

„Bei diesem Handel bin ich nur eine Ziffer. Zwei Männer gegen zwei Männer. Der Steuermann hier geht nebenbei."

„Ist das dein letzter Vorschlag?"

„Ja", erklärte ich entschieden.

„So will ich dir auch den meinigen sagen. Ihr gebt alle eure Gefangenen frei, und ich liefere dafür Abu en Nil und Ben Nil aus."

„Und ich?"

„Du bleibst bei uns."

„Danke! Allah ist groß. Er hat dich mit einer Klugheit begnadet, vor der ich staunend stehe."

„Und deine Weisheit ist grenzenlos, denn sie hat noch gar keinen Anfang gehabt! Wie kann ich dich freigeben! Denke zurück an alles, was du gegen uns begangen hast! Und dort liegt Taha, den du vorhin ermordet hast!"

„Ermordet?"

„Ja. Er bewegt sich noch immer nicht."

„Taha wird besinnungslos sein. Untersucht ihn nur!"

„Wir haben keinen Hekim an Bord. Doch halt — du bist ein Fremder. Alle fremden Effendis sind Ärzte. Bist du auch einer?"

„Ja."

„So untersuche Taha."

„Ich bin ja gefesselt."

„Wenn ich dir die Hände frei gäbe, so würdest du einen Fluchtversuch machen!"

„Nein."

„Wer kann dir trauen? Du bist stark, verwegen und flink."

„Meinst du, ich hätte Lust, in den Nil zu springen und mich von den Krokodilen fressen zu lassen? Und selbst wenn ich so tollkühn sein wollte, so gebe ich dir doch mein Wort, daß ich ohne meine Mitgefangenen das Schiff auf keinen Fall verlasse. Gib mir also getrost die Hände frei! Sobald ich den Mann untersucht habe, lasse ich sie mir ruhig wieder fesseln."

„Gut! Aber ich nehme meine Pistole in die Hand und schieße dich bei der geringsten falschen Bewegung über den Haufen."

Man brachte den Regungslosen zu mir und löste mir die Hände. Die Füße blieben zusammengebunden. Hätte ich mein Wort brechen wollen, so wäre es mir leicht gewesen, einen Streich auszuführen, der uns gewiß von Nutzen gewesen wäre. Taha, der ohne Bewegung vor mir lag, hatte das Messer im Gürtel. Es herausziehen und meine Fußfessel durchschneiden, wäre ein einziger Augenblick gewesen. Ein zweiter hätte genügt, Ibn Asl zu packen. Er hatte zwar die Pistole in der Hand, aber den Hahn nicht gespannt. Er hielt sie auch nicht auf mich gerichtet, sondern niederwärts. Hätte ich ihn gefaßt und mit in die Kajüte nebenan gerissen, so wäre ich Herr der Lage gewesen und hätte ihm vorschreiben können, was mir beliebte. Aber ich hatte mein Wort gegeben und mußte es halten, obgleich ich überzeugt war, daß jeder dieser Menschen, von Asl an bis zum letzten seiner Leute, nicht gezaudert hätte, mir den heiligsten Schwur zu brechen.

„Nun?" fragte der Sklavenjäger, als er sah, daß ich fertig war. „Hat er nur die Besinnung verloren?"

„Ja, Taha hat sie verloren, wird sie aber auch nicht wieder bekommen. So geht es, wenn man sich darauf freut, einem Menschen die Nägel auszureißen!"

„Was? Taha ist tot?"

„Ja. Er wird nie wieder einen Menschen zum ‚Singen' bringen. Mein Fußtritt hat ihm innere Teile verletzt oder gesprengt. Ferner hat er sich die Zunge zerbissen und endlich ist er so gefallen, daß ihm das Genick gebrochen ist."

„Allah kerîm! Du bist sein Mörder!"

„Ich nicht. Zwei andre sind es, nämlich du und Taha selber."

„Nein, du warst es, denn du hast ihm den Fußtritt versetzt. Du hast von Stunde zu Stunde immer mehr zu büßen. Denke ja nicht daran, daß ich dich frei geben kann!"

„Nein, sterben muß er!" rief der Oberleutnant.

„Sterben, sterben!" stimmten zwanzig, dreißig, fünfzig andre ein.

„Bedenke, daß dann auch dein Vater stirbt!"

„Bedenke", lachte Ibn Asl ingrimmig, „daß ich bis jetzt nur dich gehört habe und auch noch Oram hören muß! Wahrscheinlich gibt das, was er mir zu sagen hat, der Sache eine Wendung, die dich entwaffnet. Mag es aber kommen, wie es will, dich gebe ich nicht frei!"

„So willst du deinen Vater opfern?"

„Mag er sterben! Er hat lange genug gelebt. Dir habe ich nachgestrebt, ohne dich fassen zu können. Jetzt bist du mir freiwillig in die Hände gelaufen, und sie werden dich festhalten und erst dann wieder loslassen, wenn der letzte Seufzer deines Atems vergangen ist. Bringt die drei räudigen Hunde fort, mir aus den Augen, hinunter in den Raum! Riegelt sie dort ein und stellt einen Wächter zu ihnen!"

Wir wurden gepackt und über das Deck zur Luke geschleift. Dort ließ man uns über die Stiege hinabfallen, ohne zu fragen, ob wir mit heilen Gliedern unten ankämen oder nicht. Unten war es dunkel. Man nahm uns auf und trug uns fort, wohin, konnte ich nicht beurteilen. Ich hörte einen Riegel gleiten. Er war aus Holz. Wir wurden niedergeworfen, eine Tür fiel zu, der Riegel klapperte wieder. Dann sagte einer der Männer:

„Viel zuviel Rederei mit diesen Hundesöhnen! So kurz wie möglich. Das Messer ins Fleisch, das ist das beste. Allah verbrenne sie! Wer bleibt da?"

„Ich!" antwortete eine Stimme, die mir bekannt vorkam.

„Gut! Dann löse ich dich ab. Aufzupassen gibt es eigentlich nichts. Sie sind gebunden und wie wollten sie auch vom Schiff kommen!"

Schritte entfernten sich, dann wurde es draußen still. Ich fühlte, daß wir auf einer Holzdiele lagen, und horchte auf das Geräusch des Wassers, um beurteilen zu können, ob wir uns im Vorder- oder Hinterteil des Schiffs befanden. Es war nichts zu unterscheiden. Da man den Sog[1] unbedingt gehört hätte, war anzunehmen, daß wir im Vorderteil lagen. Es war hier ganz trocken, folglich hatte man uns nicht in den eigentlichen Kielraum gebracht.

Abu en Nil wollte sprechen. Ich verbot es ihm. Jetzt war die Hauptsache, sich ein Bild unsrer Lage zu machen. Es mußte auf jedes, selbst das geringste Geräusch geachtet werden. Draußen hörte ich ein leises Tappen und Schleichen. Es entfernte sich und kam dann wieder zurück. Hierauf wurde an unsre Tür gekratzt[2], so vorsichtig, daß man es nur wenige Schritte weit hören konnte. Wir antworteten nicht. Es kratzte wieder, diesmal etwas stärker, und als wir auch jetzt schwiegen, erklang es leise: „Effendi, hörst du mich?"

„Ja", antwortete ich.

„Ich bin absichtlich als Wächter dageblieben. Wirst du mich verderben?"

„Verderben? Wer bist du denn?"

„Idris, mit dem du gestern in Hegasi gesprochen hast."

Ah, Gott sei Dank! Da begann uns ja ganz unerwartet ein Stern zu leuchten! Zwar kaum wahrnehmbar jetzt, aber wenn man es richtig anfing, konnte er zu einem hellen Rettungsstern werden. Der Mann hatte Angst. Er glaubte, ich würde in der Verzweiflung vielleicht mein Versprechen vergessen und plaudern. Diese Sorge kam mir sehr gelegen. Wenn Ibn Asl erfuhr, was mir Idris alles gesagt hatte, so stand ihm jedenfalls eine harte Strafe bevor.

Ich hätte mich, falls alles andre mißglückte, auf meine Körperkraft verlassen. Wahrscheinlich war es mir möglich, den Palmfaserstrick, der meine Hände hinten vereinigte, zu zerreißen oder an einer scharfen Ecke oder Kante zu zerscheuern. Das übrige hätte sich dann gefunden. Bequemer aber war es jedenfalls, die Gelegenheit zu benutzen, die sich hier bot. Idris konnte uns nicht nur ein scharfes, schneidendes Werkzeug liefern, sondern uns auch alle die Auskünfte erteilen, ohne die eine Flucht schwer oder gar unmöglich war. Ich kroch nahe zur Tür hin und flüsterte weiter:

„Hast du gehört, daß mir die Nägel herausgerissen werden sollten?"

„Ja, Effendi."

„So weißt du, was man gegen mich vorhatte, und wie es uns noch ergehen soll."

[1] Kielwasser [2] Statt unserem „Anklopfen"

„Ihr werdet wohl sterben müssen!"

„Dann aber stirbt Abd Asl auch mit allen seinen Leuten!"

„Oh, Ibn Asl läßt seinen Vater sterben, nur um dich martern zu können."

„Was sagen seine Leute dazu?"

„Viele sind dafür. Viele wollen auch, daß ihr freigegeben werden sollt, falls dadurch unsre Kameraden, die ihr gefangen habt, ihre Freiheit erhalten."

„Welche Partei ist zahlreicher?"

„Das kann ich jetzt nicht sagen. Aber ich bitte dich um Allahs willen, nichts von dem, was du von mir erfahren hast, an Ibn Asl zu verraten! Er würde mich sonst einfach niederschießen oder den Krokodilen vorwerfen lassen!"

„Dann tut es mir leid, daß ich dich nicht schonen kann."

„Nicht? Allah kerîm! Willst du nicht auch Gnade üben, da du ein Christ bist?"

„Ein Christ liebt sein Leben nicht weniger als ein Muslim."

„Aber du kannst es dir doch dadurch, daß du plauderst, auch nicht retten!"

„Da irrst du, Idris. Du hast mir manches gesagt, was ich zu meinem Vorteil benutzen kann."

„Aber du hast mir Schweigen gelobt!"

„Soviel ich mich erinnere, nur in Beziehung auf einen einzigen Punkt. Und auch dieses Gelöbnis ist hinfällig, denn ich habe es nur unter der Voraussetzung gegeben, daß ich für den gehalten wurde, für den ich mich ausgeben wollte. Das ist nun aber anders geworden. Deine Mitteilungen liefern mir die letzte und wichtigste Waffe der Gegenwehr."

„O Allah, o Prophet! So bin ich verloren!"

Idris schwieg, und ich sagte auch nichts. Es galt, zunächst die Wirkung meiner Drohung abzuwarten. Sie fiel weit günstiger aus, als ich hatte erwarten können. Nach einer Weile kratzte er wieder leise und fragte:

„Effendi, höre, wenn du fliehen könntest!"

„Das wäre freilich gut, auch für dich, denn so wäre ich nicht gezwungen, von dir zu sprechen."

„Es ist aber vollständig unmöglich! Du bist gefesselt, und es wird stets eine Wache hier stehen. Und drittens, wenn das alles nicht wäre, wie wolltet ihr vom Schiff kommen?"

„Hast du noch andre Bedenken?"

„Nein, nur diese drei, und das ist jedenfalls mehr als genug."

„O nein! Diese drei Punkte hindern mich gar nicht. Nur würde ich einen brauchen, der mir zur Flucht behilflich ist."

„Das ist gefährlich, Effendi!"

„Ganz und gar nicht. Kein einziger Mensch würde etwas davon merken oder erfahren."

„Was hätte der Mann zu tun?"

„Zweierlei, wovon das eine ebenso leicht und ungefährlich ist wie das andre. Er müßte mir zunächst ein scharfes, spitzes Messer hereingeben."

Es trat eine Pause ein. Idris überlegte. Dann erklärte er zu meiner Freude:

„Du sollst ein Messer haben."

„Wann?"

„Sobald unser Gespräch zu Ende ist. Dort hinten steht eine offne Kiste mit Messern und andern Werkzeugen, die man immer braucht. Und was ist das zweite, was du verlangst?"

„Auskunft, weiter nichts. Gibst du uns auch die, so hast du alles getan, was ich verlange, und ich verspreche dir, kein Wort von dir zu reden."

„So frage! Ich werde dir antworten, denn es ist — halt, still, man kommt!"

Die Stiege knarrte. Es kam jemand herabgestiegen, blieb unten stehen und brannte ein Licht an. Ich sah den Schein durch viele Ritzen in der Wand unsres Gefängnisses. Die Hitze des Sudans hatte die Bretter ausgedörrt. Sie waren zurückgegangen und hatten Lücken gezogen, von denen mehrere breiter waren als ein starker Messerrücken. Sofort kam mir der Gedanke an den Riegel. Ich suchte ihn mit dem Auge und fand ihn leicht. Er war in der Mitte der Tür angebracht. Er lag grad zwischen zwei Brettern und verdeckte eine breite Spalte.

Das Herz schlug mir vor Freude. Wenn man die Messerklinge durch die Spalte schob und mit der Spitze in den Riegel stieß, konnte man ihn bewegen, konnte also von innen öffnen. Zu dieser Beobachtung hatte ich kaum drei Sekunden gebraucht, da stand der Mann auch schon an der Tür und öffnete sie.

Ibn Asl wars. Er hatte ein Tonlämpchen in der Hand und leuchtete herein. Ich lag auf dem Rücken und hielt scheinbar die Augen geschlossen, doch hatte ich die Lider ein klein wenig geöffnet, um unser gegenwärtiges ‚Tuskulum' zu betrachten. Es war niedrig wie ein Taubenschlag, anderthalb Meter hoch, zwei Meter breit und ein wenig mehr lang. Außer uns Insassen beherbergte es nichts. Nicht einmal ein Haken oder Nagel war zu sehen.

„Nun, wie gefällt es euch hier?" höhnte der Sklavenjäger. „Zeig deine Fesseln! Wollen sehen, ob sie etwa zu locker sind."

Ibn Asl setzte die Lampe nieder und untersuchte meine Stricke. Nun, er konnte zufrieden sein. Man hatte mich so fest gebunden, daß an den betreffenden Stellen das Blut stocken wollte.

„Hast du weiter über deinen prächtigen Vorschlag nachgedacht?" fragte er.

Ich schwieg.

„Oder willst du mir wohl sagen, wann die Zeit abgelaufen ist, nach der man dich zurückerwartet?"

„Gerade dann, wenn ich komme", lautete mein Bescheid.

„Dann ist's eine Ewigkeit, denn die Hunde, die zu dir gehören, werden dich niemals wiedersehen. — Halte gute Wache, und wenn diese struppigen Schakale etwa miteinander sprechen, so nimm die Peitsche und hau sie ihnen um die Köpfe!"

Diese Worte galten dem Wächter. Ibn Asl nahm die Lampe wieder auf, spuckte mich an und verschloß die Tür. An der Stiege verlöschte er die Lampe, um sie dort irgendwohin zu setzen, und stieg dann empor. Unser Verbündeter wagte erst nach einer Weile wieder, sich zu melden.

„Er ist fort, und wir sind sicher, Effendi", flüsterte er. „Was hast du mich zu fragen?"

„Sag zunächst, was für ein Raum das ist, in dem wir uns befinden?"

„Es ist das Sidschn el Bahrijîn[1], in dem die von uns, die diese Strafe verdient haben, krumm geschlossen werden."

„Wo schlaft ihr des Nachts?"

„Hier in diesem Raum und auch unten im Kielraum, wenn wir keine Menschenladung haben."

„So müßten wir mitten durch die Schlafenden hindurch?"

„Ja."

„Das ist freilich schlimm!"

„Die Mannschaft befindet sich des Abends am Ufer und legt sich erst spät im Schiff nieder, gewöhnlich um die gleiche Zeit wie gestern."

„Kennst du den Maijeh es Saratin?"

„Sehr genau. Wir sind schon oft dort gewesen, um uns zu verstecken."

„Wo liegt diese Bucht des Nil?"

„Am linken Ufer, jenseits des Dorfs El Kaua. Ihr Eingang ist so verwachsen, daß ihn ein Fremder gar nicht findet. Wenn man hineinkommt, so kann sich der Schiffsrumpf unter den überhängenden Ästen, Zweigen, Büschen und Schlingpflanzen vollständig verstecken."

„Dort wird Oram, der Kamelreiter, euch heut erwarten?"

„Ja."

„Wann erreichen wir den Maijeh?"

„Wohl noch vor Mitternacht, da wir uns solche Mühe geben, schnell vorwärts zu kommen. Wir fahren nach Mittag an der Insel Mohabileh und, wenn es Abend geworden ist, an El Kaua vorüber."

„Kannst du es nicht so einrichten, daß du, wenn wir den Maijeh erreichen, wieder die Wache hast?"

„Sehr leicht. Aber sag, wollt ihr etwa da entweichen?"

„Nein. Dadurch würden wir ja dich ins Unglück bringen. Wir gehen erst später, wenn du fort bist. Aber das muß sein, solang die Leute sich noch am Ufer befinden. Wenn sie sich hier im Raum zum Schlafen niedergelegt haben, ist es zu spät. Gibt es einen unter deinen Kameraden, einen recht bösen, schlechten Halunken, den du nicht leiden magst?"

„Oh, mehrere!"

„Könnte nicht ein solcher Mann nach dir die Wache bekommen?"

„Wenn ich es schlau anfange, kann ich es vielleicht fertigbringen."

[1] Matrosengefängnis

111

„Versuche es wenigstens! Je schlimmer dieser Mensch, desto lieber ist es mir, da er, wenn uns die Flucht gelingt, jedenfalls bestraft wird. Und nun die Hauptsache: Du mußt uns sagen können, wo sich unsre Waffen befinden. Ohne sie möchte ich nicht gehen."

„Ibn Asl hat sie in seiner Kajüte. Er betrachtet sie als seine Beute."

„So paß genau auf, ob sie dort bleiben oder vielleicht an einen andern Ort geschafft werden. Ich muß das unbedingt wissen. Machst du deine Sache zu meiner Zufriedenheit, so werde ich dich nicht nur nicht verraten, sondern dir noch ein Geschenk geben. Man hat uns gelassen, was sich in unsern Taschen und Gürteln befindet, weil man uns ganz sicher zu haben glaubt. Im letzten Augenblick, wenn ich überzeugt bin, daß die Flucht glückt, werde ich dir deine Belohnung an eine Stelle legen, die du mir jetzt bezeichnen magst."

„Wenn du mir etwas als Geschenk hinterlegen willst, Effendi, so gibt es keinen bessern Ort dafür, als dort unter der Stiege. Da liegen einige alte Palmenmatten, unter die du es stecken kannst."

„So hole es sofort, wenn wir fort sind, damit es nicht etwa ein andrer findet."

„Wie aber weiß ich denn, daß ihr fort seid? Es darf ja kein Mensch eure Flucht hören oder sehen."

„Ich werde dir ein Zeichen geben. Es gibt in den hiesigen Wäldern kleine Meerkatzen. Hast du das zornige Kreischen eines solchen Affen schon gehört, wenn er von einem andern in seiner Nachtruhe gestört wird?"

„Sehr oft."

„Gut! Das ist ein Geräusch, das hier nicht auffallen kann. Damit du aber weißt, daß ich es bin, der es verursacht, und nicht ein wirklicher Affe, werde ich es dreimal wiederholen, erst mit einer längeren und dann mit einer kurzen Pause. Sobald du das gehört hast, gehst du an Bord, wo du unter den Matten das Geschenk finden wirst."

„Effendi, ich wünsche von ganzem Herzen, daß ich es finde, einesteils, um es zu bekommen, und andernteils, weil es mir die Gewißheit geben soll, daß eure Flucht geglückt ist. Was soll ich noch tun?"

„Ich möchte gern wissen, was der Kamelreiter euch zu berichten hat. Es ist aber unmöglich für uns, es zu erfahren, weil wir schon fort sein müssen, wenn das Gespräch mit ihm zu Ende ist."

„Vielleicht könnte ich euch wenigstens etwas davon mitteilen."

„Auf welche Weise denn und wo?"

„Hier unten."

„In Gegenwart des Wächters?"

„Ja, denn ich werde tun, als wollte ich es ihm berichten. Ihr könnt doch nicht sogleich fort, wenn wir an Land anlegen, Oram aber wird sofort erzählen. Ich höre zu. Euer Wächter kann diese Neuigkeit nicht erfahren, weil er sich im Schiff befindet, und so gehe ich zu ihm, um sie ihm zu bringen. Ihr hört, was ich mit ihm spreche, und wißt, woran ihr seid."

„Das ist ein vortrefflicher Gedanke! Mein Geschenk wird um so größer sein, je mehr ich mit dir zufrieden bin. Jetzt habe ich dir nichts mehr zu sagen. Ich weiß genug und will mit dem übrigen dein Gewissen nicht in Unruhe versetzen."

Das Gespräch war zu Ende, und unser Verbündeter holte mir das Messer. Es war scharf und spitz, so wie ich es brauchte, scharf zum Durchschneiden der Stricke, und spitz, um es als Stichwaffe zu gebrauchen.

Welch ein Glück, daß Idris solche Angst hatte, von mir verraten zu werden! Ich war beinah überzeugt, daß wir um Mitternacht frei sein würden. Idris hatte eine Stunde Wache zu halten und wurde dann abgelöst. Im Lauf des Nachmittags kam mir der Gedanke, nachzusehen, ob nur die Innenwände unsers Gefängnisses Ritzen und Lücken aufwiesen. Dazu mußte ich mich aufrichten, was mir nach einiger Mühe auch gelang.

Ich hatte alle Ursache, mit dieser Untersuchung zufrieden zu sein. Das Schiff tauchte, da es nicht beladen war, nicht tief im Wasser. Die Teile der äußern Wand, die gewöhnlich unter Wasser, jetzt aber darüber lagen, waren von den Sonnenstrahlen ausgetrocknet worden. Das Pech war aus den Plankenritzen gelaufen, und indem ich den Griff des Messers zwischen die Zähne nahm, konnte ich mit der Spitze so viel Werg hinausstoßen, daß an einigen Stellen Öffnungen entstanden, groß genug, um dem Auge einen Blick ins Freie zu gestatten. Das konnte, besonders am Abend, von großem Vorteil für uns sein. Jetzt sah ich das Boot noch immer vorgespannt. Man hatte darauf sogar, um die Ruderer zu unterstützen, einen kleinen Mast errichtet, der ein Segel trug. Das war allerdings nur durch den steifen Luftzug vom Heck her ermöglicht worden, der zur Zeit wehte, sonst hätte das Boot, da es am Schlepptau zog, leicht kentern können.

Gegen Abend kam Ibn Asl abermals, um meine Fesseln nachzusehen. Er schien nur mich für gefährlich zu halten, da er die Stricke der andern nicht untersuchte. Das Messer bemerkte er nicht. Es lag in der hintersten Ecke bei dem alten Steuermann. Da ich im Besitz dieses Werkzeugs war, hätte ich uns leicht die Fesseln lockern können, aber ich verzichtete darauf, da ich annahm, daß Ibn Asl nochmals kommen und wenigstens die meinigen wieder untersuchen würde.

Ich lehnte mich an die Außenwand und sah durch die Löcher hinaus auf den Nil. Wir waren längst an der Insel Mohabileh vorüber und mußten bald an dem Dorf El Kaua vorbeikommen. Die Schatten des linken Ufers lagen über der ganzen Breite des Flusses, ein Zeichen, daß die Sonne im Sinken sei. Bald wurde es Abend, und da ich nun nichts mehr zu sehen vermochte, legte ich mich wieder hin.

Es mochte nach abendländischer Zeitrechnung gegen acht Uhr sein, als unser Verbündeter die Wache übernahm. Er sprach nur kurze Zeit mit uns. Idris teilte uns mit, daß nach ihm einer kommen würde, dem es zu gönnen sei, wenn er wegen unsrer Flucht bestraft würde.

„Und wann werden wir den Maijeh erreichen?" fragte ich.

„Kurze Zeit nachdem meine Wache zu Ende ist", erklärte Idris.

5

113

„Das paßt vortrefflich für unsere Absichten. Ich werde da gleich mit an Land gehen, und wenn etwas Unerwartetes geschehen sollte, kann ich euch warnen. Übrigens liegen eure Waffen noch bei Ibn Asl in der Vorkajüte."

Die Zeit verging, und Idris wurde abgelöst. Wir sprachen leise miteinander. Sein Nachfolger hörte es, öffnete die Tür und schlug mit der Peitsche herein, die er sich zu diesem Zweck mitgebracht hatte. Dabei ließ er es an „Giaurs" und „Christenhunden" nicht fehlen. Nun, dem Mann sollte meine Anerkennung recht bald werden. Kurze Zeit später ertönten laute Befehlsrufe über uns. Wir hörten Taue über das Deck streifen. Man nahm die Segel ein. Der Maijeh mußte sich also in der Nähe befinden. Dann vernahmen wir das Knarren der Stemmbäume gegen die Bordkanten. Man schob das Schiff aus dem Fluß in den Maijeh.

Ich erhob mich und sah hinaus. Es war völlig dunkel. Ich konnte den Himmel nicht erkennen. Das Schiff befand sich also schon unter den Baumwipfeln des Maijeh. Dann wurde es hell. Ein Feuer brannte am Ufer, und dabei stand ein Mann. Er rief herüber:

„Hierher! Werft das Tau herab, ich winde es um den Baum."

Man hielt es für überflüssig, den Anker fallen zu lassen. Es wurde vielmehr vom Vorder- und Hinterteil je ein Tau ausgeworfen, mit denen man das Fahrzeug ganz ans Ufer ziehen und dort an zwei Bäumen befestigen konnte. Zu diesem Zweck wurde, als der Bug angehängt war, die Leiter hinabgelassen. Mehrere Männer stiegen so ans Land.

Die Wand, an der ich lehnte, lag dem Ufer zu, so daß ich, wenigstens so weit mein enger Gesichtskreis reichte, sehen konnte, was dort geschah. Das übrige mußte ich erraten. Als das Schiff festlag, gingen auch die andern ans Land. Es stand zu erwarten, daß Ibn Asl ihnen folgen, uns aber vorher noch einen Besuch abstatten würde. Darum ließ ich mich wieder niedergleiten. Kaum war das geschehen, so knarrte die Stiege, die Lampe wurde angesteckt und ich hörte seine Stimme:

„Nun, ist alles in Ordnung?"

„Alles", meldete der Wächter. „Die Hunde bellten miteinander, da habe ich sie mit der Peitsche zur Ruhe gebracht."

„Recht so! Hau nur tüchtig zu!"

Ibn Asl öffnete die Tür, leuchtete herein, untersuchte meine Fesseln und grinste mir höhnisch zu.

„Jetzt werde ich mit Oram sprechen, und euer Schicksal wird sich entscheiden. Mach dich gefaßt! Deine Martern beginnen schon am heutigen Abend."

„Du redest wie ein Kind", spottete ich. „An meinem Schicksal kannst du nichts ändern. Es hat sich schon entschieden. Du vermagst uns nichts anzuhaben."

Er schlug ein lautes Gelächter auf.

„Die Angst hat dich verrückt gemacht! In einer Stunde wirst du anders singen."

„Du hast heute schon einmal erfahren, wie es denen geht, die mich singen machen wollen."

„Das konnte nur einmal geschehen, zum zweitenmal wird es dir nicht gelingen."

Ibn Asl verriegelte die Tür, löschte die Lampe aus und ging. Ich stand auf und blickte wieder hinaus. Man schnitt das Schilf am Ufer ab, um Lagerplätze zu gewinnen, und brannte noch einige Feuer an. Ich konnte sie zwar nicht sehen, vermutete es aber aus der vermehrten Helligkeit und daraus, daß die Baumstämme nicht nur einen, sondern mehrere Schatten warfen.

Jetzt war die Zeit gekommen, uns von den Fesseln zu befreien. Ich schob das Messer mit dem Fuß aus dem Winkel vor, wälzte mich um und nahm es in die Hand. Ben Nil mußte sich mit seinem Rücken gegen den meinigen legen, so daß ich die Klinge in die Fesseln seiner Hände stecken und die Stricke durchschneiden konnte. Ich mußte vorsichtig sein, um ihn nicht zu verletzen. Es ging nicht leicht, aber es ging. Bald hatte der Jüngling die Hände frei. Nun nahm er das Messer, um zunächst seine Füße frei zu bekommen und dann auch uns von den Stricken zu erlösen. Das geschah alles so geräuschlos, daß der Wächter es nicht hören konnte.

Nun warteten wir auf unsern Verbündeten. Erst nach einer halben Stunde knarrte die Stiege wieder, und wir hörten seine Stimme:

„Wenn du heraufkommen könntest! Es gibt soviel zu hören."

„Willst du mich ärgern?" knurrte der Wachthabende. „Der Teufel hat es dem Leutnant eingegeben, grad mich jetzt hierher zu stellen. Was gibt es denn?"

„Der ungläubige Effendi hat wirklich die Wahrheit gesagt. Unsre Kameraden sind gefangen und acht von ihnen mit dem Kolben erschlagen worden!"

„Allah vernichte die Brut des Reïs Effendina. Um diesen verdammten christlichen Effendi aber ist es nun ganz gewiß geschehen! Wie ist denn Oram entkommen! Er hat sich wohl gar nicht ergreifen lassen?"

„O doch! Aber die Asaker haben ihn nicht fest gebunden gehabt. Gegen Morgen ist es ihm gelungen, sich loszumachen. Er ist davon geschlichen und hat sogar ein Kamel mitgenommen. Nun ist er sofort zur Insel Hassanieh geritten, um uns zu benachrichtigen, aber einige Minuten zu spät gekommen."

„Warum kam Oram nicht bei unserm Lagerplatz, sondern weiter oben an den Nil?"

„Weil er nicht anders konnte. Er sah, daß die Asaker des Reïs Effendina sich zu dem Platz wendeten. Unsre gefangenen Kameraden werden nicht nach Khartum, wie eigentlich beschlossen war, sondern nach Hegasi gebracht, wo die Asaker von dem Kara Ben Nemsi Effendi erwartet werden sollen."

„Er wird sie niemals wiedersehen, und sie werden von uns in der gehörigen Weise empfangen werden, denn ich hoffe doch, daß Ibn Asl alles tun wird, unsere Gefährten zu retten!"

„Das ist selbstverständlich."

„Aber es ist keine Zeit zu verlieren! Wenn ich nur unten sein könnte. Willst du nicht die Wache für mich tun? Ich gebe dir dafür —"

„Fällt mir gar nicht ein!" unterbrach ihn Idris. „Ich bin soeben erst zwei Stunden hier gestanden."

Die Stiege knarrte wieder. Idris ging. Er hatte Wort gehalten, und das, was er mir auf diese Weise mitgeteilt hatte, war von hohem Wert für uns. Darum sollte er die versprochene Belohnung erhalten. Er war zwar unser Feind und außerdem ein schlechter Mensch, aber ich mußte Wort halten. Er sollte nicht mich, den Christen, einen Betrüger nennen können.

Übrigens war das Gespräch auch noch von anderm Vorteil für uns gewesen. Das Öffnen des Riegels mit Hilfe des Messers mußte nämlich ein Geräusch, wenn auch ein geringes, verursachen, das den Wächter leicht aufmerksam machen konnte. Außerdem hatte der Mann an der Angelseite gestanden, so daß, wenn wir die Tür öffneten, er uns im Weg stand. Es wäre also nicht möglich gewesen, so schnell an ihn zu kommen, wie es nötig war, wenn man ihn unschädlich machen wollte, ohne daß er um Hilfe rufen oder gar Widerstand zu leisten vermochte.

Diesen Übelständen war nun abgeholfen. Der Mann war nämlich, um den andern besser verstehen zu können, mehrere Schritte der Stiege zugegangen und hatte die Tür freigegeben. Während sie laut miteinander sprachen, hatte ich die Spitze des Messers durch die Ritze in das Holz des Riegels gesteckt und ihn zurückgeschoben. Das hatte ein Geräusch gegeben, das der Wächter aber nicht hörte. Ich hatte die Tür aufgestoßen und war hinausgekrochen. Die beiden andern waren gefolgt. Um ihnen Platz zu machen, hatte ich einige Schritte vorwärts getan und war hart hinter den Wächter zu stehen gekommen, als er eben seinen Kameraden aufforderte, für ihn die Wache zu übernehmen. Als dieser nun ging, drehte er sich um und stieß an mich. Im Nu hatte ich ihn mit beiden Händen am Hals. Er brach unter meinem Griff zusammen, wurde mit seinem Gürtel gebunden und bekam den Fes, den er auf dem Kopf hatte, in den Mund gesteckt.

Nun ging ich zur Stiege und kletterte vorsichtig hinauf, um mich zunächst umzuschauen. Was ich sah, erfüllte mich mit großer Freude, denn die Umstände konnten uns gar nicht günstiger sein. Die am Ufer brennenden Feuer konnte ich zwar nicht erblicken, aber sie verbreiteten einen Schein, der sogar das Deck hinreichend erleuchtete. Ich sah, daß sich kein Mensch darauf befand, und stieg wieder hinab.

Dort nahm ich von meinem Geld soviel heraus, wie ich für angezeigt hielt, und legte es unter die unterste Palmenmatte. Dann kehrte ich, von meinen beiden Gefährten begleitet, an Deck zurück. Aufrichten durften wir uns nicht, da wir sonst möglicherweise gesehen werden konnten. Wir krochen zur Kajüte, um unsre Waffen zu holen. Das war die Hauptsache. Es war zwar dunkel im Vorraum, aber mit Hilfe des Tastsinns fanden wir schnell, was wir suchten.

„Was nun?" flüsterte Ben Nil. „Es ist gefährlich, die Leiter hinab-zusteigen."

„Da hat man uns fest, noch ehe wir mit den Füßen den Boden er-reichen", stimmte sein Großvater bei.

„Aber es gibt keinen andern Weg! Am besten ist's, wir steigen nicht, sondern wir springen hinab, mitten unter die Sklavenjäger hinein. Sie werden erschrecken, und ehe sie sich besinnen, sind wir fort."

„Werden meine alten Beine einen solchen Sprung aushalten?"

„Sorge dich nicht!" tröstete ich ihn. „Wir werden weder steigen noch springen, sondern klettern. Wir steigen in das Beiboot, das dem Fluß zu hängt, und rudern davon."

„Allah! Das ist ein prächtiger Gedanke! Aber — es wird dennoch nicht gehen."

„Warum?"

„Weil das Boot hinten am Schiff hängen wird. Da liegt es im Schein der Feuer. Wir können also nicht hinein."

„Ich vermute, daß es am Bug hängt. Es ist ja vorgespannt gewesen, und so wird man, als zum Maijeh eingelenkt wurde, das Schlepptau, an dem es hing, einfach eingezogen haben. Man mußte die Segel ein-nehmen und die Masten niederlegen. Da gab es, zumal es dunkel war, soviel zu tun, daß man sich nicht die Zeit nehmen konnte, das Boot nach hinten zu bringen. Kommt, ihr werdet sehen, daß meine Be-rechnung stimmt."

Wir krochen vor, an der dem Wasser zugewendeten Seite des Schiffs. Da unsre Feinde sich auf der andern Seite befanden, konnten wir uns, ohne von ihnen bemerkt zu werden, aufrichten und über die Reling blicken. Ja, da hing das Boot an einem Tau, das so stark war, daß sich der schwerste Mann ihm getrost anvertrauen konnte. Es lag im Schatten, und wir konnten nicht erkennen, ob die Ruder sich darin befanden. Jedenfalls aber hatte man sie nicht mit an Bord genommen, wenigstens sahen wir sie nicht hier oben liegen. Etwas Helles lag im Boot.

„Was mag das sein?" fragte Ben Nil.

„Wahrscheinlich das Segel, das ich heut während der Fahrt auf-gerichtet sah. In diesem Fall liegt auch der Mast dabei, und das ist sehr gut, da wir uns auf diese Weise nicht mit Rudern anzustrengen brauchen."

Wir befanden uns in der Nähe des kleinen Vordermastes. Dort hatte ich heute früh ein Bündel Palmfaserfackeln liegen sehen, wie sie in jenen Gegenden bei verschiedenen Gelegenheiten im Gebrauch sind. Ich kroch hin. Sie lagen noch da. Ich nahm einige davon und kehrte an die Reling zurück.

„Wozu willst du Fackeln mitnehmen?" fragte Ben Nil.

„Davon später. Jetzt haben wir genug gesprochen und gezögert. Nun wollen wir über Bord. Steig du zuerst hinab, dein Großvater wird fol-gen, und ich mache den letzten."

Ben Nil warf seine Flinte am Riemen über den Rücken und stieg leise über die Reling, um am Tau hinabzuturnen. In diesem Augenblick hörte ich die Stimme Ibn Asls rufen:

„Bringt auch einen Krug Raki mit!"

Raki ist Schnaps, den die Mohammedaner trinken dürfen. Die Worte sagten mir, daß mehrere, wenigstens zwei Männer heraufkamen. Ich drehte mich um. Wirklich, da kam einer gestiegen, hinter ihm ein zweiter.

„Schnell, schnell!" raunte ich Abu en Nil zu. „Noch haben sie uns nicht bemerkt!"

Ich kauerte mich nieder, um nicht sofort aufzufallen. Aber der alte Steuermann mußte über die Reling, ihn mußten sie bemerken. Und da kam auch noch ein dritter hinterher gestiegen. Der vorderste sah den Alten und daher auch mich. Er begriff die Lage sofort und schrie:

„Auf, herbei, ihr Männer! Die Gefangenen sind los! Sie wollen fort!"

Er stürzte herbei, die beiden andern folgten. Ich blieb kauern, um nicht erraten zu lassen, was ich beabsichtigte. Als der erste noch drei Schritte bis zu mir hatte, schnellte ich mich auf und rannte ihm den Büchsenkolben so gegen den Leib, daß er zurückprallte. Den zweiten, der eben den Arm nach mir ausstreckte, schlug ich über den Kopf. Der dritte war mir auch schon nahe. Er war klüger als die beiden vorigen, denn er zog seine Pistole und drückte auf mich ab. Ich sprang zur Seite und wurde nicht getroffen, desto sicherer aber warf ich ihn in der nächsten Sekunde mein Kolben nieder.

Die drei Kerle hatten aus Leibeskräften gebrüllt. Jetzt lagen sie lautlos da. Unten antwortete man. Es schrie, wer schreien konnte. Alles eilte herbei. In wenigen Augenblicken konnte es für mich zu spät sein. Gleich nach dem ersten Kolbenhieb hatte ich mich umgewendet. Der alte Abu en Nil war weg. Ein Sprung zur Reling hinauf, hinüber, die aufgerafften Fackeln ins Boot schleudern, das Tau fassen, hinunter, das Messer ziehen und das Tau zerschneiden — da erklang oben die brüllende Stimme Ibn Asls:

„Wo sind sie? Sucht, sucht! Sie haben uns diese drei erschlagen. Ich sehe sie nicht. Sie werden in der Kajüte stecken, die räudigen Hunde. Greift sie! Schnell, schnell!"

Schon hatte ich das Boot vom Schiff abgedrängt und das Steuer ergriffen. Die Ruder lagen da.

„Setzt euch!" gebot ich mit leiser Stimme. „Ibn Asl ahnt nicht, wo wir sind. Nur erst aus dem Bereich seiner Augen, dann mag er meinetwegen schießen. Nehmt die Ruder! Macht aber leise und im Takt!"

Meine Gefährten gehorchten. Der Bug des Bootes richtete sich im rechten Winkel vom Schiff ab. Ich durfte nicht anders steuern. Ich mußte im tiefen Schatten bleiben, den der Noqer auf das Wasser warf. Als wir uns in guter Entfernung befanden, ließ ich halten. Kein Mensch stand mehr am Ufer. Alle waren an Bord geeilt, um uns zu suchen. Das gab ein Schreien und Brüllen, daß kein einzelnes Wort verständlich war. Jedenfalls hatte man den Wächter gefunden, uns aber nicht. Dann trat plötzlich Stille ein. Unser Verschwinden war den Leuten unerklärlich. Sie berieten, wie es schien, denn während sie vorher bunt durcheinandergerannt waren, standen sie jetzt ruhig beisammen. Wir waren nur ungefähr dreißig Bootslängen entfernt und konnten ihre Gestalten erkennen.

„Jetzt kannst du die Stimme des Affen nachahmen", meinte der Steuermann. „Wir sind frei."

„Ich werde auf diese Nachahmung verzichten", antwortete ich, „und unmittelbar mit Ibn Asl reden."

„Dann hören sie, wo wir uns befinden. Viele seiner Leute haben ihre Gewehre in den Händen. Es ist zwar dunkel, aber wenn sie schießen, können wir doch getroffen werden."

„Ich führe sie irre, und das wird wohl einen Spaß geben."

Mich nicht gegen das Schiff, sondern wasseraufwärts wendend, hielt ich die hohlen Hände an den Mund und rief durch dieses Sprachrohr, indem ich die Silben dehnte:

„Ibn Asl, Ibn Asl, komm, hol uns!"

Der hohe, dichte Wald, der das Wasser einfaßte, machte, daß es so klang, als würden die Worte weit oben im Maijeh gerufen. Meine Stimme war deutlich zu erkennen.

„Da ist der Hundesohn!" schrie Ibn Asl. „Da droben sind sie, auf dem Wasser! Sie müssen unser Boot haben!"

Wir bemerkten, daß man sogleich nach dem Boot sah.

„Ja, wir haben es!" antwortete ich in gleicher Weise. „Jetzt laß mich doch singen!"

„Hört ihr's, hört ihr's?" brüllte er wütend. „Sie sind mit dem Boot fort. Da oben, vielleicht achtzig Schritt von hier. Schießt, schießt, ihr Männer!"

Viele Schüsse krachten westwärts, während wir uns in südlicher Richtung befanden. Auf die gegebene Örtlichkeit rechnend, wendete ich jetzt das Gesicht nach Osten und lachte schallend auf.

„Fehlgeschossen! Wo sucht ihr uns denn?"

Das klang von der entgegengesetzten Seite her. Alle drehten sich um, und Ibn Asl gebot:

„Nicht da oben, sondern dort unten sind sie. Schießt dorthin, dorthin!"

Man gehorchte ihm, aber ohne Erfolg. Ich wendete mich wieder in die vorige Richtung und ließ ein höhnisches Gelächter hören. Sofort drehten sie sich wieder um.

„Der Giaur hat den Teufel!" schrie Ibn Asl. „Ich hab's gewußt, daß er den Teufel hat! Nun ist er wieder dort oben!"

Meine Absicht, die Sklavenjäger irre zu führen, war geglückt, und wir konnten nun ohne Sorge vor ihren Kugeln die Flucht fortsetzen. Das war durchaus nichts Leichtes. Keiner von uns kannte den Maijeh. Wo befand sich der Eingang, der, wie wir gehört hatten, durch Pflanzenwuchs verdeckt war? Ich hatte keine Ahnung, und den beiden andern ging es ebenso. Wir konnten uns nur ungefähr die Richtung denken.

Dazu kam, daß diese stehenden Flußarme gewöhnlich von Krokodilen, weiter südwärts auch von Nilpferden bevölkert sind. Der Maijeh es
Saratin lag am linken Nilufer. Das war alles, was wir wußten. Glücklicherweise kannte Abu en Nil den Fluß sehr genau.

„Welche Richtung hat der Nil oberhalb des Dorfes El Kaua?" fragte
ich den Alten.

„Er fließt nach Nordnordwest."

„So wollen wir versuchen, ihn zu finden. Rudert langsam!"

Ich hielt noch mehr von dem Schiff ab, fast bis ans andre Ufer
hinüber, und wendete dann nach links. Wir sahen die Sterne über uns.
Der Himmel bildete einen schmalen Streifen, dem wir folgen mußten.
Dieser Streifen wurde immer schmäler, bis er vor uns zu Ende ging.
Das Laubdach des Waldes nahm uns auf.

„Zieht die Ruder ein!" rief ich. „Wir müssen in der Nähe des Ein-
gangs sein. Vielleicht gibt es hier eine, wenn auch nur geringe Strömung. Wir wollen das Boot treiben lassen."

„Das ist gefährlich", warnte der Steuermann. „Wenn wir anstoßen
und kentern, werden wir von den Krokodilen gefressen."

„Wir werden nicht anstoßen."

Ich zog das Feuerzeug, brannte eine Fackel an und gab sie Ben Nil,
um sie am Bug des Bootes zu befestigen. Ob Ibn Asl das Licht sah,
mußte uns gleichgültig sein.

Beim Schein der Fackel bemerkten wir, daß wir uns unter Sunut-
bäumen befanden, die, wie wir mit dem Ruder maßen, über einen
Meter unter Wasser standen. Das war kein Eingang zum Maijeh. Wir
legten an einem Stamm an, und ich warf einige Blätter ins Wasser.
Sie wurden fortgeführt. Wir folgten langsam nach, links ab von der
bisher verfolgten Richtung. Da wurde das Wasser so tief, daß wir den
Grund selbst mit unserm Mast nicht erreichen konnten. Es bewegte
sich auch schneller, aber im Kreis.

„Wir fahren irre", behauptete Ben Nil. „Wir müssen zurück."

„Nein", widersprach sein Großvater. „Wir sind richtig. Das Wasser
läuft hier im Kreis, weil in der Nähe der Nil vorüberfließt. Er ist durch
die Pflanzen verdeckt. Wir müssen hindurch."

Hindurch! Ja, aber wo? Jedenfalls geradeaus. Zu beiden Seiten
gab es Bäume. Das sahen wir. Ihre Wipfel waren von Schlingpflanzen
durchwuchert, die sich von Gipfel zu Gipfel zogen und eine bis ans
Wasser niederhängende Pflanzenbrücke bildeten. Da, wo sich links von
uns diese Brücke aus der Flut erhob, waren die Ranken vielfach zerrissen. Auf diese Stelle deutete ich.

„Dort muß es sein! Dort sind von dem Noqer, als er hindurch geschoben wurde, die Pflanzen zerrissen worden. Nehmt die Ruder wieder! Wir wollen es wenigstens versuchen."

Wir hielten auf die Stelle zu. Die Ranken hingen viel höher über
uns, als es vorhin den Anschein gehabt hatte. Wir kamen leicht hindurch, und plötzlich lag der Wald hinter uns, der offne Fluß vor uns
und der sternenübersäte Himmel über uns.

„Allah sei Dank!" seufzte der Steuermann. „Es wollte mir beinahe bange werden. Hätten wir den Ausgang nicht entdeckt, so wären wir vielleicht doch noch von Ibn Asl aufgegriffen worden."

„Unmöglich!" entgegnete ich. „Hätten wir den Fluß nicht gefunden, so wären wir ans Ufer gegangen, und es sollte Ibn Asl wohl schwer werden, uns da zu finden und gar zu fangen. So aber ist es freilich besser. Wir sind frei und haben freie Fahrt zum Reïs Effendina."

„Wo suchst du ihn? Meinst du, daß er sich noch unten an der Insel Hassanieh befindet?"

„Um das zu wissen, müßte ich allwissend sein. Zunächst gilt es, möglichst schnell zu sein. Welchen Wind haben wir?"

„Des Nachts hier meist aus Süd."

Wir prüften den am Ufer kaum fühlbaren Luftzug und fanden, daß er günstig war. Darum richteten wir den Mast auf und befestigten das Segel daran. Da der Steuermann der älteste von uns war und sich nicht so sehr anstrengen sollte, übergab ich ihm meinen Platz und griff mit Ben Nil zu den Rudern.

„Soll ich in die Mitte des Stroms halten?" fragte der Alte.

„Nicht ganz."

„Warum nicht? Wir haben dort doch vollern Wind."

„Das ist wahr, aber wir könnten da den Reïs Effendina verfehlen."

„So meinst du also doch, daß er jetzt aufwärts kommt?"

„Nein. Aber Reïs Achmed kann irgendwo am Ufer liegen. Mag er sich befinden, wo er will, jedenfalls hält er scharfe Wache. Darum habe ich die Fackeln mitgenommen. Er soll uns bemerken und anrufen, damit wir nicht an ihm vorüberfahren."

„So bitte ich dich, mich nach meiner Erfahrung steuern zu lassen. Ich kenne den Kurs, den die Schiffer einhalten, und auch die Stellen, wo man anlegen und den Fluß beobachten kann."

Ich konnte nichts Klügeres tun, als ihm seinen Willen zu lassen. Hätte ich nur gewußt, wo der Reïs Effendina zu suchen war! Er hatte die Vögel ausgeflogen gefunden. Er hatte jedenfalls mit den Leuten des Schiffs, das angehalten worden war, gesprochen und da genug erfahren, um wissen zu können, in welcher Richtung er die Gesuchten finden könne. Ich nahm an, daß er mit seinen Asakern schleunigst nach Hegasi zurückgekehrt war und dort seinen ‚Falken‘ bestiegen hatte, um südwärts zu segeln. Traf dies zu, so mußten wir ihm entweder unterwegs begegnen, oder er hatte beim Anbruch des Abends irgendwo angelegt, und zwar an einer Stelle, wo er jedes vorüberkommende Fahrzeug sehen konnte.

Unsre Nachtfahrt ging freilich schneller als die Bergfahrt am Tag. Wir hatten drei Triebkräfte: das Gefälle des Flusses, den Wind und die Ruder. Leider war das Boot sehr groß. Mit einem kleineren wären wir noch viel rascher vorwärts gekommen. Dennoch war seit dem Augenblick, da wir den Maijeh verlassen hatten, noch nicht eine Stunde vergangen, als wir an die Helle Kaua gelangten. Dieses Dorf war damals die Regierungsniederlassung am Weißen Nil. Es lagen da bedeutende Vorräte an Getreide und andern Dingen, und jedes südwärts segelnde Schiff versah sich da mit den notwendigen Sachen, die von hier an um so teurer werden, je weiter man nach Süden kommt.

Wir legten hier für kurze Zeit an, um uns bei dem Hâris el Mischra[1] zu erkundigen, ob das Schiff des Reïs Effendina gesehen worden sei. Die Antwort lautete verneinend, und so segelten und ruderten wir weiter.

Eine Nacht auf dem Nil! Welch ein Vorwurf für einen Dichter! Mir aber war gar nicht dichterisch zu Mut. Ich hatte eine Reihe von Nächten nur wenig geschlafen, war infolgedessen sehr abgespannt und mußte doch rudern. Ben Nil erging es nicht anders. Ich glaube, er ruderte zuweilen, ganz so wie ich, mit geschlossenen Augen, halb oder gar dreiviertel im Schlaf. Abu en Nil war ebenso einsilbig wie wir. Er hatte keine solchen Anstrengungen hinter sich, und so vermutete ich, daß seine Schweigsamkeit einen besonderen Grund haben müsse. Auf mein Befragen meinte er:

„Müde bin ich nicht im geringsten, Effendi. Die Sorge ist's, die mir die gute Laune raubt. Ich bin ein Flüchtling."

„Ah, du hast Angst vor dem Reïs Effendina?"

„Gewiß! Ich wurde damals von ihm auf dem Sklavenschiff ergriffen und wäre sicherlich streng bestraft worden, wenn du mich nicht hättest entfliehen lassen. Und jetzt soll ich diesem strengen Herrn geradezu in die Hände segeln. Es wird mir schwer, die Bitte auszusprechen, aber, Effendi, gib mich noch einmal frei! Erlaube mir, an der ersten besten Stelle das Boot zu verlassen!"

„Willst du nicht wieder auf dein Schiff zurück?"

„Ehe ich es erreiche, bin ich gefangen."

„Aber du bist allein und mittellos. Du hast nichts bei dir. Was willst du anfangen?"

„Ben Nil, mein Enkel, wird bei mir sein!"

„Nein", wehrte der Jüngling ab. „Du bist der Vater meines Vaters, und es ist Allahs Gebot, daß ich dich ehren soll. Das tu ich auch. Aber jetzt bin ich der Diener dieses Effendi, und nichts kann mich vermögen, ihn zu verlassen."

„Sohn meines Sohnes, wer hätte das von dir gedacht! Willst du das Blut verleugnen, das in deinen Adern fließt? Willst du gegen die Gesetze handeln, die in der Brust eines jeden Menschen verankert sind?"

„Nein. Die Liebe zu dir und die Treue für meinen Effendi lassen sich wohl miteinander vereinigen. Du brauchst das Boot nicht zu verlassen. Ich kenne Kara Ben Nemsi Effendi. Er wird dich in seinen Schutz nehmen."

„Das kann er nicht!"

„Zweifle doch nicht daran! Er kann alles, was er will."

„Wenigstens will ich nur das, was ich kann", bemerkte ich. „Abu en Nil, du brauchst dich nicht zu fürchten. Der Reïs Effendina wird dir das Vergangene verzeihen."

[1] Hafenwächter

„Oh, Effendi, wenn das wahr wäre! Ich wollte ihm auf meinen Knien dafür danken. Ich bin kein so schlimmer Mensch, wie es den Anschein hatte."

„Das weiß ich, und das wußte ich. Darum ließ ich dich entkommen."

„Und niemals wird man mich wieder an Bord eines Sklavenhändlers sehen!"

„Auch das glaube ich dir, und darum werde ich den Reïs Effendina bitten, dir das, was gewesen ist, zu vergeben."

„Kara Ben Nemsi Effendi, du träufelst Balsam in die Wunde, die ich selber meinem Gewissen geschlagen habe. Wenn mir der Reïs Effendina vergibt, so kann ich auch mir selber verzeihen. Dann habe ich nichts und niemand mehr zu fürchten, kann mich vor jedermann sehen lassen und auch in die Heimat gehen, ohne denken zu müssen, daß mich der Rächer wieder von den Meinen reißt."

„Sei getrost! Ich sage dir, daß alles vergeben und vergessen sein wird."

„Ich will dir glauben. Du hast mich schon damals gerettet und würdest mich nicht mit zum Reïs Effendina nehmen, wenn du nicht überzeugt wärest, daß es ohne Schaden für mich geschehen kann. Was aber soll ich ihm erwidern, wenn er mich fragt, auf welche Weise ich damals entwischt bin?"

„Sag ihm die Wahrheit!"

„Dann würde er dir zürnen."

„Das ist nicht so schlimm! Übrigens hat dein Enkel ihm einige gute Dienste geleistet, und so gebietet ihm die Dankbarkeit, dir die Bitte um Verzeihung zu erfüllen."

Das beruhigte den Alten vollends, und nun war das Schweigen gebrochen. Sein Herz war ihm leicht geworden und darum wurde ihm auch die Zunge leicht. Er begann, mir seine Erlebnisse zu erzählen, und er hatte so viel durchgemacht, daß es uns an Stoff für die Unterhaltung während der einsamen Fahrt nicht fehlte.

8. Schlingen und Netze

Die angeregte Unterhaltung, die wir während der nächtlichen Talfahrt im Boot führten, tat unsrer Aufmerksamkeit keineswegs Abbruch. Wir paßten trotzdem gut auf, hielten auch einigemal an, wenn ein gespenstischer Uferschatten die Gestalt eines Schiffs zeigte, sahen uns aber stets getäuscht. Wir verbrannten nach und nach alle Fackeln, die ich in das Boot geworfen hatte, und mußten endlich ohne Licht fahren. Gegen Morgen wurde der Wind stärker und infolgedessen unsere Schnelligkeit größer. Wir hatten nicht ohne Unterbrechung gerudert, denn das wäre nicht auszuhalten gewesen. So oft wir uns in guter Strömung befanden, hatten wir ausgeruht.

Es war noch nicht fünf Uhr früh, als wir die Stelle erreichten, an der die ‚Eidechse' geankert hatte. Eine kleine Strecke weiter oben hatte Abu en Nils Schiff gelegen. Es war fort. Wir stiegen am Lager-platz aus in der Hoffnung, jemand zu finden. Es war vergeblich. Nun hieß es, noch bis Hegasi zu segeln. Traf ich den Reïs Effendina auch dort nicht, so hatten wir ihn entweder heut nacht umfahren, oder er war nach Khartum zurückgekehrt. In diesem Fall war ich hinsichtlich der Sicherung unsrer Karawane nur auf mich angewiesen.

Als wir uns Hegasi näherten, glänzte uns ein kleines Licht entgegen. Die Sterne begannen schon zu erbleichen, dennoch sah ich, daß das Licht zu einem Schiff gehörte, das an der Mischra lag. Ich erkannte den scharfen, zierlichen Rumpf und die zwei schiefen Masten. Es war der ,Falke‘, den wir suchten. Das Licht kam aus der Laterne, die am Vormast brannte. Wir hielten auf das Fahrzeug zu, da rief uns, noch bevor wir es erreicht hatten, vom Verdeck eine Stimme an:

„Boot hier an der Seite anlegen!“

Zum Scherz gab ich dem Alten die Weisung etwas abzufallen, als wollten wir nicht gehorchen. Wir nahmen also die Richtung mehr seit-wärts. Da rief der Mann:

„Halt, oder ich schieße!“

Zu gleicher Zeit ertönten die scharfen Schläge einer Glocke. Es war die Alarmglocke des ,Falken‘. Gab die Deckwache mit ihr das Zeichen, so standen gewiß binnen einer Minute alle Mann, und wenn sie im tiefsten Schlaf gelegen hätten, gefechtsbereit. Ich durfte den Scherz nicht weiter treiben, denn ich wußte, daß man sonst auf uns geschossen hätte. Darum steuerten wir auf das Fahrzeug zu.

„An Backbord anlegen“, gebot die Wache, „und ruhig halten bleiben.“

Wir gehorchten diesem Befehl. Droben wurde es lebendig, und nach kurzer Zeit wurde herabgefragt:

„Wem gehört das Boot?“

Ich erkannte die Stimme des Reïs Effendina. Damit er mich nicht erkennen sollte, flüsterte ich Ben Nil die Antwort vor, die er an meiner Stelle geben sollte:

„Der ,Eidechse‘.“

„Steigt herauf, sofort herauf!“ kam es erregt zurück.

Reïs Achmed hatte erfahren, daß das Schiff, das kurz vor seiner Ankunft die Insel Hassanieh verlassen hatte, die ,Eidechse‘ gewesen war, und glaubte, nun Aufschluß über sie zu erhalten. Es waren soeben mehrere Laternen angebrannt worden. Scherzhafterweise for-derte ich den alten Steuermann auf, als erster die Strickleiter, die man herabgeworfen hatte, hinaufzusteigen.

Abu en Nil gehorchte, ohne meine Absicht zu durchschauen. Als er oben ankam, hörte ich den Reïs Effendina rufen:

„Das ist der erste. Doch halt, dieses Gesicht müßte ich kennen! Wer ist denn das? Höre, Kerl, wo haben wir uns denn schon gesehen?“

Der Alte war über diesen Empfang so erschrocken, daß er ver-gaß, eine Antwort zu geben.

„Wenn ich mich nicht irre, so ist dein Name Abu en Nil. Gestehe sofort!“

„Ja, Effendi, ja!" gab der Steuermann angstvoll zu.

„War es nicht in Giseh, wo wir uns sahen?"

„In Giseh, ja, Effendi."

„Nenne mich Emir! Du weißt von damals her recht gut, daß ich so genannt werde! Wenn ich mich nicht irre, so bist du der Steuermann der Dahabijeh ‚es Samak‘, die ich damals beschlagnahmte."

„Ja, ich bin es."

„Ich nahm euch alle gefangen. Du aber entkamst mir wieder. Willkommen hier! Ich freue mich, das damals Versäumte nachholen zu können. Bindet den Alten und schließt ihn in die Gefängniskoje!"

„Nein, nein, Emir, nicht binden!" rief der Steuermann. „Ich bin ja nicht dein Feind. Ich bin freiwillig gekommen!"

„Freiwillig? Und doch hat euch meine Wache mit Gewalt drohen müssen? Das ist eine Lüge. Wo ist dein Schiff, die ‚Eidechse‘?"

„Im Maijeh es Saratin."

„Den kenne ich nicht. Was macht sie dort?"

„Sie hat sich dort vor dir versteckt."

„Also hat sie ein böses Gewissen! Was wollte sie an der Insel Hassanieh?"

„Dich fangen!"

„Mich — fangen —? Beim Scheïtan, du bist im höchsten Grad aufrichtig! Wer ist der Reïs dieser ‚Eidechse‘, die mich fangen will?"

„Sie hat keinen Reïs, denn ihr Herr, Ibn Asl, befehligt sie selber."

Dieser Name brachte eine bedeutende Wirkung hervor.

„Ibn Asl, Ibn Asl!" klang es laut von allen Lippen, und auch der Reïs Effendina gab seinem Erstaunen Ausdruck.

„Höre ich recht? Ibn Asl sagst du? Der berüchtigte Sklavenräuber befindet sich auf der ‚Eidechse‘? Jetzt geht mir ein Licht auf. Dieser Hundesohn hat mir eine Falle legen wollen. Ist es so? Gesteh augenblicklich!"

„Ja, Emir, du hast es erraten. Du solltest samt deinem Schiff mit Gaz verbrannt werden."

„Allah kerîm! Er gab mir den Gedanken des Mißtrauens ein. Wie gut, daß ich den Landweg einschlug! Darum also die Fässer! Ich werde augenblicklich aufbrechen, und du sollst mich zum Maijeh es Saratin führen! Mich verbrennen, mich, mein Schiff und alle meine Leute! Als Vorgeschmack dessen, was dich erwartet, werde ich dir jetzt einstweilen die Bastonnade geben lassen. Binde ihm die Füße zusammen, Asis, und gib ihm zwanzig Hiebe auf die Sohlen!"

Asis war sein Liebling, der junge Mann, der stets die Nilpferdpeitsche bei sich trug, immer bereit, die von seinem Herrn befohlenen Züchtigungen auszuführen. Abu en Nil kannte ihn von damals her nur zu gut. Er hob erschrocken beide Hände auf.

„Nicht die Bastonnade, nicht schlagen, Emir! Ich bin ja ganz und gar unschuldig!"

Jetzt eilte Ben Nil, sein Enkel, die Strickleiter hinauf und zu dem ‚Diener der Gerechtigkeit‘ hin:

„Du darfst den Greis nicht schlagen lassen! Er ist mein Großvater und hat dir keine Lüge gesagt."

„Was, du hier, Ben Nil? Wie kommst du hierher und in die Gesellschaft eines Steuermanns der Sklavenjäger?"

„Das ist Abu en Nil nie gewesen. Einen Sklavenhändler hat er kurze Zeit gesteuert, aber keinen Sklavenjäger. Mein Effendi wird dir ganz das gleiche sagen."

„Wo ist denn dein Effendi?"

„Kommt schon!" antwortete ich, indem ich über die Schanzbekleidung sprang. „Hier ist er."

Ein allgemeiner Ruf freudiger Überraschung ließ sich hören. Achmed Abd el Insaf trat einen Schritt zurück, starrte mich einen Augenblick betroffen an, öffnete dann die Arme und kam auf mich zu.

„Kara Ben Nemsi Effendi, du hier? Welche Freude! Eingetroffen aus dem Land der Fessarah! Komm an mein Herz, laß dich umarmen!"

Seine Freude war ebenso groß wie aufrichtig. Sie ehrte mich, wie sie mich beglückte. Sein Leutnant, der alte Onbaschi Mustafa und viele der andern kamen herbei, um mich lebhaft zu begrüßen. Nur einer hatte bisher fern gestanden. Jetzt drängte er seine lange, dürre Gestalt mit den unendlichen Gliedern durch die Menge und jauchzte mir schon von weitem zu:

„Kara Ben Nemsi Effendi, meine Seele ist ganz Wonne und mein Herz springt vor Freude, daß mein Auge dich wiedersehen darf! Du hast mir gefehlt wie ein geliebtes Weib ihrem Mann. Ohne dich ist mir das Leben wertlos gewesen. Kein Mensch hat sich um mich gekümmert, niemand hat auf meine Worte geachtet. Meine Tapferkeit ist dahingestorben, und mein Heldenmut ist eingetrocknet wie ein Teerfleck auf dem Ärmel meines Gewandes. Nun aber kommt neue Wonne über mich, und meine Vorzüge und Geschicklichkeiten werden wieder wachsen und in allen Farben herrlich spielen wie die Seifenblase, die sich unter dem sanften Hauch des Mundes vergrößert."

„Und dann zerplatzt!" fügte ich hinzu, indem ich ihm die Hand reichte und einen Schritt zurücktrat, denn er hatte eigentlich in höchst vertraulicher Weise seine ewig langen Arme um mich schlingen wollen. Ich glaube, sie hätten ausgereicht, sie mir nicht nur einmal, sondern zweimal um den Leib zu wickeln. „Wenn niemand auf dich geachtet hat, so bist du jedenfalls nur selber schuld daran."

Dieser Lange war kein andrer als Selim, mein zweiter Diener, den ich beim Reïs Effendina gelassen und nicht mit zu den Fessarah genommen hatte.

„Effendi", antwortete er, „da verkennst du mich wie so oft. Ich habe redlich teilgenommen an allen ihren Sorgen und Leiden, bin ihnen als leuchtendes Beispiel vorausgegangen und habe ihnen ein Muster gegeben, das sie freilich während ihres ganzen Lebens nicht erreichen können."

„Im Essen, ja!" rief einer. „Sonst aber hat er weiter nichts gemacht. Essen, trinken, rauchen, schlafen und prahlen!"

126

„Schweig!" donnerte ihn der Lange an. „Dein Mund ist eine Quelle, aus der ungenießbares Wasser fließt. Effendi, du hättest mich zum Beispiel nur gestern sehen sollen, als wir zur Insel Hassanieh zogen, um die Sklavenjäger zu fangen! Meine Gestalt ragte über alle empor, und in meinem Herzen brannte die Glut einer Kampfbegier, der kein Mensch widerstehen konnte. Als das die Sklavenjäger sahen, liefen sie auf und davon. Wir trafen sie nicht mehr an, und ihr Schiff war fort. Das hat der Emir ganz allein meiner siegreichen Anwesenheit zu verdanken."

„Fange nicht gleich beim ersten Zusammentreffen an, wieder aufzuschneiden!" warnte ich ihn. „Wir haben andre Dinge zu hören, als das oft gehörte Lob deines eingebildeten Ruhmes."

„Das ist wahr", stimmte Achmed Abd el Insaf bei. „Es müssen wichtige Dinge geschehen sein, daß du nach Hegasi anstatt nach Khartum kommst. Warum finde ich dich hier in der Gesellschaft eines Steuermanns der Sklavenhändler? Und wo hast du meine Asaker?"

„Sie sind noch zurück und werden dir eine Schar Sklavenjäger von Ibn Asl bringen, die ich gefangen habe."

„Schon wieder hast du welche ergriffen? Und von Ibn Asl? Effendi, was bist du für ein glücklicher Mann! Ich habe seit dem Wadi el Berd gar nichts gefangen."

„So freue dich, denn morgen wirst du, wenn mich nicht alles täuscht, Ibn Asl selber in deine Hand bekommen."

„Wirklich? Wo befindet er sich?"

„Im Maijeh es Saratin, wie dir Abu en Nil vorhin gesagt hat."

„Wo liegt der Maijeh?"

„Oberhalb des Dorfes El Kaua."

„Da oben warst du? Wie ist das möglich?"

„Oh, ich war gestern, bevor du kamst, auch in Hegasi und auf der Insel Hassanieh. Ibn Asl hatte mich gefangen genommen."

„Gefang ——", das Wort blieb ihm im Mund stecken. „Effendi, scherzt du?"

„Nein."

„Ich vermutete dich in der westlichen Steppe, und du bist hier und schlägst dich mit Ibn Asl herum, den anzutreffen ich mir soviel vergebliche Mühe gegeben habe!"

„Die Sache ist einfach. Ich werde sie dir erzählen. Gebiete aber deinen Leuten, ruhig zu sein! Es ist für unsre Zwecke besser, wenn in Hegasi niemand erfährt, was hier geschieht und was wir beschließen, weil Ibn Asl hier Spione hat. Ibrahim, der hiesige Scheik el Beled, zum Beispiel ist sein Verbündeter."

„Kannst du das beweisen?"

„Ja. Ibrahim wußte es, daß Ibn Asl dir hier einen Hinterhalt legte. Er ist ihm sogar dabei behilflich gewesen, denn er hat einem Sklavenjäger, der dir aufpassen sollte, ein Pferd zur Verfügung gestellt, damit deine Ankunft schleunigst gemeldet werden könnte."

„Das alles weißt du! Ich brenne vor Begierde, deine Erzählung zu hören. Komm mit in die Kajüte! Diesen alten Steuermann der Sklavenhändler aber wollen wir binden und ins Gefängnis stecken."

„Nein, Emir! Er ist ein guter und ehrlicher Mann, den ich deinem Wohlwollen empfehle. Ich werde dir auch das erklären. Laß ihn bei Ben Nil, seinem Enkel, und befiehl, daß man beiden zu essen und zu trinken gibt! Wir haben seit gestern nichts gegessen."

„So hast auch du Hunger? Du sollst haben, was dein Herz begehrt!"

Als ich noch dafür gesorgt hatte, daß alle Lichter außer der Mastlaterne ausgelöscht wurden, gingen wir in seine prächtig eingerichtete Kajüte. Asis, sein Liebling, bediente uns dort. Es wurde aufgetragen, was an Vorräten zu haben war. Während des Essens erzählte ich, und es läßt sich denken, daß der Reïs Effendina mit der gespanntesten Aufmerksamkeit zuhörte. Er konnte dabei nicht sitzen bleiben, sondern schritt erregt hin und her und unterbrach meinen Bericht oft durch die kräftigsten Ausrufe. Ich hatte keine Zeit, so ausführlich zu sein, wie ich es eigentlich gern gewesen wäre. Meine Erzählung nahm nicht mehr als zehn Minuten in Anspruch. Als ich geendet hatte, wollte er ausführlichere Einzelheiten erfahren, ich aber wehrte ab.

„Nicht jetzt. Die Zeit ist kostbar. Wir, du, ich und Ben Nil, müssen fort, noch ehe es Tag geworden ist." — „Wohin?"

„Wir steigen in das Boot, auf dem ich gekommen bin, und fahren eine Strecke den Nil hinauf. Dabei werde ich dir alles sagen. Ich habe einen Plan, zu dessen Ausführung es gehört, daß du sofort mit mir gehst. Eigentlich sollten wir gar keine Begleiter haben, aber da ich und Ben Nil zu ermüdet sind und ich auch von dir nicht verlangen kann zu rudern, so mögen uns zwei deiner Matrosen begleiten."

„Nun gut! Du bist immer geheimnisvoll! Da ich aber weiß, daß du nichts ohne gute Gründe tust, will ich mit dir gehen."

„Vertausche deine glänzende Uniform, wenigstens den Waffenrock, mit einem einfacheren Kleidungsstück. Je weniger man dich bei deiner Rückkehr bemerkt, desto leichter wird unser Plan gelingen."

Achmed zog den Rock aus und legte an dessen Stelle einen dunklen Burnus an. Ich steckte für mich und Ben Nil einige Mundvorräte ein, die ich vom Tisch nahm. Dann brachen wir auf.

Im Osten zeigte sich das erste fahle Morgenlicht, als wir mit unserm Boot vom ‚Falken' abstießen. Zwei Matrosen ruderten. Ich saß neben Ben Nil, der Reïs Effendina uns gegenüber. Es war erklärlich, daß der ‚Diener der Gerechtigkeit' sich in größter Spannung befand. Ich ließ ihn nicht lange warten, sondern lieferte ihm, während wir am linken Nilufer langsam aufwärts glitten, den gewünschten ausführlichen Bericht. Jetzt konnte ich ohne Schaden für meinen Plan alle seine Fragen beantworten, und ihrer waren so viele, daß wir, als er sich endlich befriedigt fühlte, an die Stelle gekommen waren, wo die ‚Eidechse' gehalten hatte. Dort legten wir an, stiegen aus und setzten uns unter einem Baum nieder. Den beiden Matrosen befahl ich, zu Land nach Hegasi zurückzukehren und sich dabei möglichst wenig sehen zu lassen. Sie gingen. Der Reïs Effendina aber fragte erstaunt:

„Du wirst immer rätselhafter. Kehren wir denn nicht im Boot zurück?"

„Ich und Ben Nil, ja, du aber nicht."

„Warum? Soll auch ich zu Fuß gehen?"

„Ja. Den Grund werde ich dir später mitteilen. Jetzt aber möchte ich zunächst von dir hören, was du über diese Ereignisse denkst. Du hast doch die Absicht und auch die Hoffnung, Ibn Asl diesmal ganz gewiß zu ergreifen?"

„Natürlich! Ich schwöre bei Allah, daß ich ihn heute oder morgen —"

„Schwöre nicht! Der Mensch ist nicht Herr der Ereignisse. Ein kleiner Fehler kann alles verderben. Auf welche Weise denkst du, ihn zu fassen?"

„Auf die allereinfachste: Wir segeln zum Maijeh es Saratin und greifen ihn dort an."

„Ibn Asl ist gar nicht mehr dort. Ich bin überzeugt, daß er kurz nach unsrer Flucht den Maijeh verlassen hat, und zwar aus zwei Gründen. Erstens fühlt er sich dort nicht mehr sicher, weil ich nun dieses Versteck kenne, und zweitens muß er sich beeilen, seinen Vater und seine Untergebenen zu befreien. Er ist hinter uns her nilabwärts gesegelt."

„So brauchen wir ihm ja nur entgegenzufahren, um —"

„Um ihn nicht zu treffen", fiel ich ein.

„Wir durchsuchen jeden Winkel des Ufers!"

„Und inzwischen marschiert Ibn Asl mit seinen Leuten schon durch die Steppe und deinen Asakern entgegen!"

„So schnell bringt er das nicht fertig!"

„Warum nicht? Der Sklavenjäger weiß doch, daß du ihn suchst und daß ich dir jedenfalls entgegengeeilt bin, um dich zum Maijeh zu bringen. Ibn Asl hat die Nacht benutzt, diesen Ort zu verlassen und möglichst weit stromabwärts zu kommen. Dort legt er an einer versteckten Stelle an, läßt einige Mann zur Bewachung des Fahrzeugs zurück und marschiert mit den andern deinen Asakern entgegen."

„Das leuchtet mir freilich ein. Ich muß mit meinen Leuten schnell aufbrechen, um die Karawane zu beschützen. Du begleitest uns doch!"

„Ich schlage vor, ich reite der Karawane mit Ben Nil entgegen, während du Ibn Asl einen Hinterhalt legst."

„Warum wollen wir ihm denn nicht gleich gemeinsam entgegen gehen?"

„Weil wir in diesem Fall Ibn Asl nicht bekommen würden. Er befindet sich mit seinen Leuten oberhalb von uns. Wir haben also einen Vorsprung. Die Sklavenjäger kommen hinterdrein und finden unsre Spur, werden dadurch aufmerksam gemacht und bleiben zurück."

„Aber wenn Ibn Asl seinen Vater retten will, muß er uns doch folgen und uns angreifen!"

„Fällt ihm nicht ein! Seine eigne Sicherheit ist ihm wertvoller als das Leben seines Vaters und das aller seiner Leute. Das habe ich erfahren und dir auch davon erzählt. Ja, vielleicht ließe er uns durch seine Sklavenjäger angreifen, aber daß er selber uns nicht in die Hände fallen könnte, dafür würde er gewiß Sorge tragen."

„Also sollen nicht wir voraneilen. Soll ich etwa ihn vorlassen? Dann überfällt er die Karawane und ich komme zu spät."

„Für die Karawane wäre in diesem Fall wenig oder nichts zu befürchten, da ich ja bei ihr sein würde. Ibn Asl könnte sie also nicht, wie er die Absicht hat, überrumpeln. Aber ich beabsichtige etwas ganz andres. Ich habe schon oft durch List sehr leicht erreicht, was mir bei Anwendung aller Gewalt nicht gelungen wäre. Du selber hast Beispiele davon erlebt. Mit einer solchen List werde ich, wenn du es erlaubst, Ibn Asl zu fassen suchen, und wenn dabei kein Fehler unterläuft, bin ich des Gelingens sicher."

„Was willst du tun?"

„Ibn Asl ein Fußeisen legen, in dem er sich fangen wird. Es erleichtert den Sieg bedeutend, wenn man den Kampfplatz genau kennt. Versteht es ein Feldherr, den Feind zu dem Ort zu locken, wo schon alles zum Empfang des Gegners vorbereitet ist, so ist ihm der Sieg selbst bei ungleichen Kräften beinah sicher. Ziehst du hinaus in die offne Steppe, so weißt du nicht, wo du Ibn Asl treffen wirst und unter welchen Umständen der Kampf erfolgen wird. Um das zu vermeiden, wollen wir einen Ort bestimmen, an dem wir auf ihn warten werden."

„Ob der Sklavenjäger wohl kommen wird?"

„Er kommt. Dafür laß nur mich sorgen!"

„Hast du einen bestimmten Ort im Sinn?"

„Ja, und zwar einen sehr passenden. Er muß so nah wie möglich der Richtung liegen, aus der unsre Karawane kommt und wohin also auch Ibn Asl ziehen muß. Der Dschebel Arasch Kol ist der geeignetste Ort für meinen Plan. Warst du schon dort?"

„Bereits fünfmal, Effendi. Ich habe damals die ganze Umgebung durchstreift."

„Das ist mir lieb, denn so brauche ich dich nicht heimlich hinzubegleiten, um dir die Örtlichkeiten, die ich im Auge habe, zu zeigen. Es gibt zwei Maijehs dort, die durch einen Wasserarm mit dem Nil in Verbindung stehen. Der nördlichere ist größer und weit länger als der südliche. Kennst du sie?"

„Ja. Der große Maijeh wird Maijeh el Humma[1] genannt, den Namen des kleineren habe ich wieder vergessen."

„Diesen Sumpf des Fiebers meine ich. Er zieht sich lang und schmal am Fuß des Berges hin. Man muß über vier Stunden gehen, um von einem Ende an das andre zu gelangen. Ungefähr in der Mitte seiner Länge greift eine Bucht weit in den Berg hinein. Sie ist sehr tief, mit trügerischem Om Sufah bedeckt und an ihrem Rand mit hohen, dicht belaubten Gafulbäumen[2] bewachsen, die mir besonders auffielen, weil keine Art des Gaful sonst eine solche Höhe erreicht."

[1] Sumpf des Fiebers   [2] Balsamodendron

„Ich kenne sie. Ihr lieblicher Duft erfüllt die Gegend und mildert den Gestank des Sumpfes. Ein Fußgänger kann da bequem vorüberkommen, ein Kamelreiter aber muß sich sehr in acht nehmen. Der Felsen ist tief eingebuchtet und steigt fast senkrecht himmelan. Diese Bucht ist von dem Wasser des Maijeh angefüllt. Zwischen dem Wasser und dem Felsen gibt es nur einen schmalen Wegstreifen, auf dem große Steinstücke zerstreut liegen, die von oben herabgefallen sind und besonders dem Kamelen das Gehen erschweren. Dieser Weg rund um die Bucht des Maijeh hat schon vielen Menschen Unheil gebracht und wird darum Darb el Mußîbe[3] genannt."

„Ganz richtig. Und er soll für Ibn Asl ein richtiger Unglücksweg werden."

„Wie willst du den Mann dorthin locken?"

„Daß ich ihn sicher hinlocken werde, weiß ich genau. Die Art und Weise kenne ich noch nicht, der Augenblick wird sie ergeben. Der Unglücksweg liegt am westlichen Ufer. Kennst du auch das östliche Ufer des Maijeh?"

„Ebenso genau."

„So kennst du wohl auch den dichten Hegelikwald, der am südlichen Ende steht?"

„Ja. Dieser Wald ist beinah undurchdringlich, da der Raum zwischen den Baumstämmen fast ganz mit Nabak-Büschen ausgefüllt ist."

„Er soll euch zum Versteck dienen."

„Uns? Sollen wir etwa Ibn Asl dort erwarten?"

„Ja. Jetzt kommt die Hauptsache für dich, Emir. Merke sie dir wohl! Du fährst, wenn du nach Hegasi zurückkommst, sogleich wieder von dort ab, suchst aber vorher den Scheik el Beled zu sprechen."

„Diesen Verräter, den ich streng bestrafen werde!"

„Das wirst du später tun. Heut aber wirst du noch sehr freundlich mit Ibrahim sein und dir den Anschein geben, als besäße er dein volles Vertrauen. Du sagst ihm, du hättest hier an der Insel Hassanieh Sklavenhändler gesucht, aber nicht gefunden, du seist jedenfalls von Ibn Asl irregeführt worden. Dieser sei wahrscheinlich in Khartum, und du müßtest schnell dorthin zurückkehren, um nach ihm zu forschen und ihn zu bestrafen."

„Warum soll ich das grad dem Scheik el Beled sagen?"

„Weil Ibrahim in meinem Plan eine bedeutende Rolle spielt. Er soll Ibn Asl das Fußeisen legen, ohne eine Ahnung davon zu haben. Er ist sein Verbündeter, und Ibn Asl kommt jetzt gewiß entweder selber zu ihm, sicherlich heimlich, oder schickt ihm einen Boten, um sich zu erkundigen, wo du bist oder wie die Verhältnisse stehen. Der Scheik sagt ihm dann oder läßt ihm sagen, du seist zurück nach Khartum, und so wird Ibn Asl sich vor dir sicher fühlen."

„Auch vor dir?"

„Ja, denn auch ich werde mit dem Scheik sprechen. Du kehrst jetzt zu Fuß nach Hegasi zurück und läßt dich unterwegs womöglich von

[1] Weg des Unglücks

niemand sehen. Damit man dich nicht von weitem erkennt, bat ich dich, deinen Waffenrock umzutauschen. Wenn du von dort fort bist, komme ich mit Ben Nil angesegelt —"

„Wie willst du wissen, daß ich fort bin?"

„Das laß meine Sorge sein! Ich werde schon Ausguck halten. Also dann komme ich mit Ben Nil angesegelt und suche den Scheik el Beled auf. Ich tu so, als käme ich soeben erst vom Maijeh, und erzähle ihm, was da oben und vorher an der Insel Hassanieh geschehen ist."

„Sagst du ihm da, wer du bist?"

„Gewiß! Ibrahim wird es dann ja doch von Ibn Asl erfahren. Hätte ich ihn in Beziehung auf meinen Namen belogen, so würde er auch das, was ich ihm außerdem sage, nicht glauben, und mein Plan käme in Gefahr zu verunglücken. Ich werde ihm das größte Vertrauen zeigen. Als Scheik el Beled ist Ibrahim eine obrigkeitliche Person, deren Hilfe ich scheinbar in Anspruch nehmen werde. Ich übergebe ihm das Boot zur Aufbewahrung und sage ihm, daß du es später abholen würdest."

„Du kommst nur mit Ben Nil nach Hegasi. Der Scheik el Beled wird erfahren, daß Abu en Nil auch dabei gewesen ist. Wie willst du das Fehlen des Alten erklären?"

„Oh, der ist, als er während unsrer Flucht in das Boot klettern wollte, ins Wasser gefallen und, falls Ibn Asl ihn nicht wieder erwischt hat, von den Krokodilen gefressen worden."

„Warum läßt du ihn bei mir? Du könntest ihn doch mitnehmen?"

„Nein. Es fehlt mir an einem Reittier für ihn. Du weißt ja, daß ich nur zwei Kamele in Hegasi stehen habe."

„Wohin sagst du, daß du reiten wolltest?"

„Meiner Karawane wieder entgegen. Ich habe sie verlassen, um dich zu warnen. Jetzt höre ich, daß du gerettet bist, und kann sie also wieder aufsuchen. Das ist ein Streich, der sicher von Erfolg sein wird. Ibn Asl wird ergrimmt darüber sein, daß ich ihm entkommen bin. Er zieht unsrer Karawane entgegen, um unsere Gefangenen zu befreien, und wenn er nun hört, daß ich wieder bei ihr bin, wird er darüber entzückt sein, denn das gibt ihm die Hoffnung, mich abermals zu ergreifen. Er wird dann erst recht entschlossen sein, uns anzugreifen, und wird uns mit doppelter Sicherheit in die Falle gehen."

„Du weißt aber noch nicht, wie du es anfangen willst, Ibn Asl in die Falle zu locken."

„Bis jetzt wußte ich es noch nicht, nun aber ist mir ein Gedanke gekommen. Ich mache dem Scheik el Beled eine Bemerkung, auf die hin Ibn Asl den Dschebel Arasch Kol ganz gewiß aufsuchen wird. Ich erzähle ihm folgendes: Ich habe das Leben meiner Gefangenen bisher geschont, obgleich diese Halunken den Tod schon mehrfach verdient haben. Nach dem aber, was jetzt geschehen ist, kann ich nicht länger Milde walten lassen. Solches Ungeziefer muß ohne Erbarmen ausgerottet werden. Man hat mich zu Tod martern wollen. Nun wohl, jeder Untergebene von Ibn Asl, der in meine Hände fällt, muß ster-

ben, vor allen Dingen zunächst die Gefangenen, denen ich entgegen-
reite. Ich werde sie zum Dschebel Arasch Kol führen, um sie dort in
den Maijeh el Humma werfen zu lassen. Wenn Ibn Asl das hört, wird
er sich sofort dorthin wenden, um auf uns zu warten und sie zu retten.
Meinst du nicht auch?"

„Gewiß, Effendi! Ich denke, daß dich diese Berechnung nicht trü-
gen wird. Aber wie willst du ihn verleiten, dort eine Stellung einzunehmen, die uns den Sieg sichert?"

„Das wird der Augenblick ergeben. Ibn Asl ist eher dort als ich und
wird die Örtlichkeit, falls er sie noch nicht kennen sollte, sorgfältig
in Augenschein nehmen. Hat er nur einigermaßen offne Augen, so
wird er auf den Gedanken kommen, mir die gleiche Falle zu stellen,
in der ich ihn fangen will, das heißt, mich von hinten und von vorn
anzugreifen, während ich mich auf dem engen Pfad zwischen den Felsen und dem Wasser befinde. Glückt ihm das, so bin ich seiner Ansicht nach verloren."

„Und wirst du in diese Falle gehen?"

„Vielleicht ja, aber nur, um ihn mit hineinzuziehen und darin zu
verderben. Du fährst von Hegasi ab, hältst in gleicher Breite mit dem
Dschebel Arasch Kol an, verbirgst dein Schiff und läßt es unter der
Bewachung einiger Leute zurück. Mit den übrigen Matrosen und Asa-
kern marschierst du zum Maijeh el Humma, um dich an seinem Südende in dem erwähnten Hegelikwald zu verstecken. Dort erwartest du
Ibn Asl und mich. Es ist möglich, daß ich dich, bevor der Schlag geführt wird, dort aufsuche, um dir noch nähere Mitteilungen zu machen.
Sollte ich nicht kommen, so ist das, was du zu tun hast, sehr einfach.
Sobald du schießen hörst, kannst du annehmen, daß ich mich, von
Norden kommend, auf dem engen Kampfplatz befinde und vom Süden
her von Ibn Asl angegriffen werde. Er steht mit seinen Leuten auf
dem gleichen engen Raum. Du brichst schnell aus dem Wald hervor,
um den Sklavenjägern in den Rücken zu kommen. Gelingt das, so
stecken sie zwischen dir und mir fest, können nicht ausweichen und
müssen sich entweder ergeben oder in den Maijeh drängen lassen, wo
sie unter der trügerischen Om Sufah-Decke versinken würden."

„Effendi, dieser Plan ist ausgezeichnet! Dennoch aber habe ich ein
großes Bedenken: Du hast nur zwanzig Mann bei dir!"

„Brauche ich mehr Leute, so hole ich sie mir von dir."

„Wenn du Zeit dazu findest!"

„Mag sein! Dieses Bedenken ist allerdings nicht ganz unbegründet."

„Das zweite auch! Ihr müßt die Gefangenen bewachen. Wieviel
Männer bleiben dir da zum Kampf? Und es ist sehr wahrscheinlich,
daß Ibn Asl dich nicht nur von Süden her angreift, sondern dir nördlich der verhängnisvollen Stelle einen Hinterhalt legt. Du willst ihn
zwischen zwei Feuern haben, er wird mit dir gleiches beabsichtigen."

„Davon bin ich schon überzeugt gewesen, bevor du mir das mitteiltest. Einen Hinterhalt wird Ibn Asl mir sicher legen, zumal er mehr
als ausreichend Zeit dazu hat. Aber da ich es weiß, liegt darin keine

Gefahr für mich. Weiß man, daß an einer gewissen Stelle eine Mine liegt, so geht man entweder nicht hin oder sorgt dafür, daß sie vorzeitig zur Entladung kommt. Dann kann sie keinen Schaden anrichten. Nur in einem Punkt stimme ich dir zu. Da ich allerdings viel weniger Leute bei mir habe als du und die Gefangenen bewachen lassen muß, so kannst du mir zwanzig Mann zu Hilfe senden."

„Und wohin schicke ich sie, damit sie dich auch sicher treffen?"

„Deine Leute dürfen vom Feind nicht gesehen werden, müssen aber von mir leicht gefunden werden können. Mir wurde eine Stelle genannt, die sich gut für unsern Zweck eignen würde. An der Nordseite des Dschebel Arasch Kol soll ein schmales trocknes Regenbett in den Berg hineinführen. Ist man da fünf Minuten lang aufwärts gegangen, so erweitert sich dieses Bett zu einem kleinen Kessel, der mit dichten Büschen bestanden ist."

„Das ist Kittr-Gesträuch."

„Ah, du kennst den Ort? Das ist mir lieb, da auf diese Weise ein Versehen ausgeschlossen ist. Sende mir die zwanzig Mann dorthin!"

„Wann sollen sie dort sein?"

„Es ist nicht ratsam, daß sie lange vor meiner Ankunft dort eintreffen. Sonst könnten sie leicht von Ibn Asl entdeckt werden. Stimmt meine Berechnung, so stoße ich schon heut auf unsre Karawane und —"

„Das ist unmöglich, denn sie hat fünf Tagereisen zu machen, und heut ist erst der dritte Tag."

„Bedenke, daß Oram entflohen ist, der Mann, der Ibn Asl gestern abend das Geschehene meldete. Deine Asaker müssen sich sagen, daß er zu Ibn Asl reitet. Infolgedessen werden sie sich beeilen und wohl nur vier Tage brauchen statt fünf. Heut abend sind sie demnach eine Tagereise weit von hier, und da ich bis dahin wenigstens auch einen vollen Tagesritt zurücklege, werde ich sie wahrscheinlich in dieser Entfernung von hier und um diese Zeit treffen. Morgen früh brechen wir dann zum Dschebel Arasch Kol auf, doch reite ich nicht ganz bis ans Ziel, sondern mache Nachtlager, ehe wir ihn erreichen. Ich will den Überfall nicht des Nachts haben, sondern ihn für übermorgen früh aufheben. Vielleicht suche ich dich während der Nacht auf. Jedenfalls aber kannst du, wenn ich bis eine Stunde nach Mitternacht nicht bei dir bin, die zwanzig Mann absenden. Sie können um den Maijeh reiten und sich in dem Kessel des Regenbettes verstecken, wo ich sie treffen werde. Ich lasse, wenn ich zu dir komme, dreimal das tiefe Gelächter einer Hyäne hören. Das wiederhole ich, indem ich am Waldrand hinschreite. Der Posten, der es zuerst hört, mag zu mir kommen, um mich zu dir zu führen. Jetzt bin ich mit meiner Unterweisung zu Ende."

„So will ich jetzt nach Hegasi aufbrechen. Ich will hoffen, daß unser nächstes Wiedersehen Freude und Sieg bedeutet!"

Achmed gab mir und Ben Nil die Hand und ging. Wir warteten, bis wir annehmen konnten, daß er in Hegasi angekommen sei. Dann stiegen wir ins Boot und ruderten zum gegenüberliegenden Ufer. Dort wurde das Fahrzeug im Schilf versteckt, und wir gingen soweit abwärts, bis wir Hegasi drüben liegen sahen.

Wir hielten uns so, daß wir von dort aus nicht bemerkt werden konnten. Der ‚Falke' lag noch an der Mischra. Als wir ungefähr eine halbe Stunde gewartet hatten, wurden die Segel aufgezogen, er steuerte hinaus auf die Höhe des Flusses und richtete den Bug nach Norden. Wir kehrten zu unserm Boot zurück, warteten noch eine Viertelstunde und ruderten dann zur Mitte des Nil. Dort richteten wir den Mast auf und öffneten das Segel. Der Wind war nicht günstig. Wir segelten also langsam im Zickzack auf Hegasi zu.

Ben Nil war Zeuge unsres Gesprächs gewesen, und so waren für ihn keine besonderen Verhaltungsmaßregeln nötig. Er brannte, ebenso wie ich, vor Verlangen, die Scharte von gestern auszuwetzen. Die Hauptsache war jetzt, daß wir den Scheik el Beled erreichten. In dieser Beziehung konnten wir es nicht besser treffen, denn als wir uns der Mischra näherten, sahen wir ihn unten am Wasser stehen und neugierig zu uns schauen. Wir ließen das Segel fallen, brachten uns mit einigen Ruderschlägen ans Ufer, stiegen aus und befestigten das Boot. Ibrahim kam sogleich auf uns zu und begrüßte uns freundlich.

„Wie kommt es, daß ihr zurückkehrt? Ich glaubte, ihr wolltet mit der ‚Eidechse' nach Faschodah fahren. Eure Kamele konntet ihr ja später bei der Rückkehr mitnehmen."

„Ich danke! Nach Faschodah muß man von hier aus fast zehn Tage fahren. Eine so lange Abwesenheit konnten wir nicht beabsichtigen. Beinah aber wären wir dazu gezwungen worden."

„Wieso?"

Ibrahim gab sich alle Mühe, ein möglichst unbefangenes Gesicht zu zeigen, konnte aber seine Spannung doch nicht ganz beherrschen.

„Ich werde es dir sagen", antwortete ich. „Aber komm ein wenig auf die Seite! Es ist Wichtiges geschehen, was wir nur dir allein erzählen möchten."

„Du erfüllst meine Seele mit Wißbegierde, Effendi", meinte Ibrahim, indem er uns seitwärts folgte. „Was kann hier in dem kleinen Hegasi so Wichtiges geschehen!"

„Du wirst dich wundern, wenn du es hörst. Kanntest du den Mann, dem du die Pferde besorgtest?"

„Näher nicht. Er sagte, daß er zur ‚Eidechse' gehöre, die an der Insel Hassanieh lag."

„Weißt du, was für ein Schiff das ist?"

„Ein Handelsschiff aus Berber, sagte mir der Mann."

„Hast du ihn nicht gefragt, wie der Besitzer heißt?"

„Warum sollte ich fragen? Was ging das Schiff mich an? Ich bin weder Kapitän noch Hafenwächter. Warum soll ich mein Gedächtnis mit den Namen aller vorüberkommenden Schiffe und ihrer Herren belasten?"

„Du hast recht. Aber ich bedaure, daß du es nicht tust, denn du hättest uns sonst jedenfalls gewarnt, und wir wären nicht in die Gefahr gekommen, unser Leben zu verlieren."

„Euer Leben?" fragte der Scheik el Beled scheinbar erschrocken. „Allah! Habt ihr euch in einer solchen Gefahr befunden?"

„Allerdings, denn diese ‚Eidechse‘ ist das Schiff des größten Verbrechers und Sklavenräubers, den es nur geben kann. Kannst du dir denken, wen ich meine?"

„Ich weiß nicht, ob ich es errate. Für den schlimmsten aller Sklavenräuber halte ich Ibn Asl, den Allah verdammen möge. Aber dieser Mann kann es doch nicht wagen, sich hier sehen zu lassen!"

„Er hat es gewagt!"

„Wirklich, wirklich? Allah! Hätte ich das gewußt, so hätte ich alle Männer von Hegasi aufgeboten, ihn zu ergreifen und dem Reïs Effendina auszuliefern."

„Kennst du den Reïs des Vizekönigs?"

„Es ist kaum eine Stunde her, daß ich sogar mit ihm gesprochen habe."

„War er da?" fragte ich, indem ich mich überrascht stellte.

„Heute, hier! Gestern ist er an der Insel Hassanieh gewesen."

„Als wir schon fort waren! Allah sei Lob und Preis gesagt! So ist es mir also gelungen, ihn zu retten! Ich glaubte nicht, daß er so unvorsichtig sein würde zu kommen. Man wollte ihn ins Verderben locken."

„Effendi, du erschreckst meine Adern und meine Gebeine! Das Blut will mir erstarren! Den Reïs Effendina, dem Allah tausend Gnaden erweisen möge, ins Verderben locken! Wer denn, wer?"

„Ibn Asl."

„Ist’s möglich, Effendi? Die Zunge will mir den Dienst versagen! Erzähle doch, Effendi, erzähle!"

„So will ich dich vorher fragen, ob du mich vielleicht kennst?"

„Nein. Ich habe dich noch nie gesehen und weiß auch nicht, wie du dich nennst."

„Ich bin Kara Ben Nemsi Effendi aus Almanja und ein Freund des Reïs Effendina, den ich —"

„Allah, Allah!" unterbrach Ibrahim mich im Ton unbeherrschten Erschreckens. „So bist du also der fremde Effendi, der schon so viele Sklaven befreit hat und —"

Der Scheik hielt inne. Er erkannte, daß er zu weit gegangen sei und zuviel gesagt habe, denn er durfte doch eigentlich gar nichts von mir wissen. Ich tat, als bemerkte ich es nicht.

„So hast du also schon von mir gehört? Das freut mich, denn nun brauche ich dir keine lange Rede über mich zu halten. Du weißt also, daß ich dem Reïs Effendina ein wenig behilflich bin, seine Aufgabe zu erfüllen?"

„Ein wenig nur? Effendi, ich weiß, daß du erreicht hast, was der Emir nicht fertiggebracht hätte."

„Nun, dann kannst du dir denken, daß Ibn Asl eine große Rache gegen mich hat."

„Eine außerordentliche! Ich glaube, er haßt dich noch weit mehr als den Reïs Effendina."

„Das ist wahr. Ich habe das schon einigemal erfahren und gestern wieder. Ich muß es dir erzählen."

Ich berichtete Scheik Ibrahim von den früheren Ereignissen so viel, als ich für nötig hielt; das gestrige Erlebnis aber schilderte ich ausführlich. Nur, daß ich den Reïs Effendina getroffen hatte, erwähnte ich nicht. Der Ortsvorsteher spielte den Ahnungslosen und Erstaunten und rief, als ich geendet hatte:

„O Allah, o Prophet der Propheten! Sollte man solche Dinge für möglich halten! Effendi, du bist ein Christ, aber Allah muß dir trotzdem unendlich gewogen sein, sonst wäre es dir nicht gelungen, diesen blutdürstigen Hyänen zu entschlüpfen! Aber wo ist denn Abu en Nil? Du hast ihn nicht mit, und doch sagst du, er sei mit auf dem Deck gestanden."

„Er ist beim Hinabklettern in den Nil gestürzt. Wir konnten uns nicht um ihn kümmern. Wenn die Schurken ihn nicht herausgefischt haben, so ist er von den Krokodilen gefressen worden."

„Welch ein Unglück! Und ihr seid jetzt erst hier angekommen?"

„Ja. Wir wären früher da gewesen, wenn wir nicht die Zeit damit versäumt hätten, den Reïs Effendina zu suchen. Wir glaubten, er würde die ‚Eidechse' verfolgen."

„Verfolgen? Wie hätte der Emir auf diesen Gedanken kommen können? Er hat die ‚Eidechse' gar nicht im Verdacht gehabt. Der Reïs Effendina glaubt, daß er in Khartum von Ibn Asl geäfft worden ist. Dieser hat ihn durch eine falsche Nachricht von dort fortgelockt, höchstwahrscheinlich um Zeit zu einem guten Geschäft zu gewinnen."

„Wer sagte dir das?"

„Der Emir selber."

„Wo ist er jetzt?"

„Nach Khartum zurück."

„Das ist mir höchst unlieb. Er hätte das Boot hier, das ich erbeutet habe, mitnehmen können. Was tue ich damit?"

„Es fragt sich, was du überhaupt zu tun entschlossen bist. Wenn du nach Khartum willst, kannst du das nächste Schiff, das dorthin geht, besteigen und das Boot hinten anhängen."

„Das geht nicht. Nach Khartum kann ich nicht. Du vergißt daß meine Asaker mit den Gefangenen hierher unterwegs sind. Ihnen will ich entgegen."

„So kannst du das Boot hier lassen. Ich will es nach Khartum senden. Ich hoffe, daß du es mir anvertraust!"

„Gewiß, ich habe keine Bedenken. Du bist der Gebieter von Hegasi. Ich würde dir ein Vermögen von vielen Tausenden anvertrauen. Ich will dir das Boot übergeben. Aber du brauchst es nicht nach Khartum zu senden. Laß es liegen, bis der Reïs Effendina wiederkommt. Da wird er es mitnehmen."

„Kommt er bald wieder?"

„Das weiß ich nicht. Achmed Abd el Insaf hätte wohl Ursache dazu. Er könnte Ibn Asl verfolgen, der jedenfalls nun unterwegs nach Faschodah und noch weiter ist. Ibn Asl macht wohl schleunigst, daß er uns aus den Augen kommt. Er wird wahrscheinlich hinauf zum Bahr el Dschebel oder Bahr es Seraf fahren, um Sklaven zu fangen. Es wäre zu langweilig und zu beschwerlich, ihm dahin zu folgen. Aber wenn er zurückkehrt, werden wir ihm auflauern, ihm die geraubten Sklaven abnehmen und die Schlußrechnung mit ihm halten. Dann soll es ihm genau ergehen, wie es jetzt seinem Vater ergehen wird!"

„Wie? Was steht dem Alten bevor?"

„Der Tod. Ich hätte die Schufte sofort niederschießen lassen sollen, ganz so, wie der Emir es im Wadi el Berd mit ihren Spieß-gesellen getan hat. Ich war zu gütig, schonte sie und wollte sie der strafenden Gerechtigkeit ausliefern. Aber ich bin andrer Meinung geworden und habe vom Reïs Effendina Gewalt über Leben und Tod."

„Durfte er dir solche Vollmachten geben, die sonst nur vom Khedive zu erlangen sind?"

„Ja. Reïs Achmed hat vom Khedive die Erlaubnis erhalten, seine Rechte nötigenfalls für einige Zeit an andre abzutreten. Nur auf diese Weise werden Zeitverluste und sonstige Weiterungen vermieden, nur dadurch wird der Zweck erreicht, den Sklavenjägern ein schnelles Ende mit Schrecken zu bereiten. Ich habe von meinem Recht noch keinen Gebrauch gemacht, werde es aber nun zum erstenmal tun."

„Du handelst richtig und bist darum nur zu loben, aber bedenke auch die Verantwortung, die du dann zu tragen hast!"

„Pah! Verantwortlich bin ich auch für alle Schandtaten, die von diesen Schurken noch begangen würden, wenn ich sie entkommen ließe. Hast du vielleicht Mitleid mit ihnen?"

„Effendi, welche Frage! Je schneller sie ausgerottet werden, desto mehr werde ich mich darüber freuen. Ich wollte, ich könnte euch dazu behilflich sein!"

„Das kannst du leider nicht. Bedenke, was diese Menschen sich vorgenommen hatten! Sie wollten die Asaker erschießen und mich langsam totmartern. Ich habe sie trotzdem geschont. Nun aber, da ich nur mit knapper Not dem qualvollsten Tod entgangen bin, wäre ich geradezu ein Selbstmörder, wenn ich nicht äußerste Strenge wal-ten ließe."

„Willst du vielleicht hier in Hegasi Gericht über sie halten?"

„Nein. Sie werden Hegasi gar nicht zu sehen bekommen."

„Wo willst du sie richten? Effendi, halte es nicht für eine gewöhn-liche Neugierde, daß ich dich frage. Meine Seele ist so entrüstet über die Taten dieser Verbrecher, daß ich gern wissen möchte, ob die Strafe sie auch wirklich ereilt."

„Ich lobe deine Gerechtigkeitsliebe und habe keinen Grund, aus meinen Absichten ein Geheimnis zu machen. Kennst du den Dschebel Arasch Kol?"

„Wie sollte ich ihn nicht kennen! Ich bin schon oft dort gewesen."

„Auch den Maijeh el Humma, an dem er liegt?"

„Auch diesen."

„Hat der Maijeh viele Krokodile?"

„Unzählige. Ganz besonders wimmelt die Bucht, die sich in den Berg hineindrängt, von ihnen."

„Nicht wahr, um diese Bucht führt nur ein schmaler Weg?"

„Ja. Auf der einen Seite steigen die Wände des Bergs schroff in die Höhe, und auf der andern breitet sich auf dem Wasser schwimmende Om Sufah aus, unter der die Krokodile in Massen wohnen. Der Weg ist wegen der Felsbrocken, die da liegen, für Kamele kaum gangbar. Wer da nicht herunterfallen und den Krokodilen zum Opfer werden will, muß absteigen und sein Tier langsam und vorsichtig hinter sich herführen."

„Das weiß ich. Es gibt keinen Ort, der besser für meine Absicht paßt, als diese Bucht des Fiebersumpfes."

Der Scheik el Beled erschrak, das war ihm anzusehen.

„Dort, also dort willst du dein Gericht halten? Oh, Effendi, das wird ja entsetzlich, fürchterlich sein. Aber wann wird das geschehen, Effendi?"

„Übermorgen früh, eine Stunde nach dem Gebet der Morgenröte werden wir den Dschebel Arasch Kol und den Maijeh des Fiebers erreichen."

„Und das ist die Todesstunde dieser Männer?"

„Ja."

„Wann brichst du von hier auf, Effendi?"

„Jetzt. Ich werde meine Kamele holen."

Der Scheik el Beled begleitete mich zu dem Mann, bei dem ich die Tiere untergestellt hatte. Ich bekam sie von ihm gegen geringe Futterkosten zurück. Wir führten sie hinab zur Mischra, um sie zu tränken, und dann wieder hinauf zur Höhe, wo sie gesattelt wurden. Eben stand ich im Begriff, den Sattelgurt festzuschnallen, da rief Ben Nil mir zu:

„Effendi, schau dorthin!"

Er deutete auf die Steppe hinaus, über die ein Kamelreiter geritten kam. Er war noch ziemlich weit entfernt, und doch erkannte ich ihn auf den ersten Blick. Es war Oram, der meinen Asakern entkommen war und Ibn Asl die Botschaft gebracht hatte. Ben Nil hatte ihn auch erkannt, denn er hob warnend den Finger.

„Aufpassen, Effendi!"

Ibrahim stand dabei und hatte es gehört. Darum stellte ich mich gleichgültig.

„Aufpassen? Warum? Seit du mitgefangen warst, witterst du überall Gefahr. Dieser Reiter ist ein Reisender. Was weiter? Steig auf, wir müssen fort!"

Ben Nil gehorchte, warf mir aber dabei einen erstaunten Blick zu. Ich reichte dem Scheik die Hand und verabschiedete mich von ihm. Er verneigte sich höflich.

„Allah jihfasak — Gott bewahre dich! Werde ich dich nach dem Gericht am Maijeh wiedersehen?"

„Wahrscheinlich. Unser Wiedersehen bringe dir tausend Segen!"

Wir ritten in westlicher Richtung fort, während Oram soeben von Süden gekommen war. Bei unserm Anblick hatte er sein Tier angehalten und dann gewendet, um sich wieder zu entfernen. Jetzt drehte er sich im Sattel um und blickte zurück. Er sah, daß wir fortritten, und zögerte. Nach einer Weile schien er sich sicher zu fühlen, denn er trieb sein Tier wieder dem Dorf zu.

„Ich begreife dich nicht, Effendi!" meinte Ben Nil. „Der Reiter war doch Oram, der von Ibn Asl kommt?" — „Gewiß!"

„Und du hast nicht gewartet, hast ihn nicht ergriffen?"

„Bedenke doch: alles, was ich dem Scheik gesagt habe, soll Ibn Asl erfahren. Er wird es durch diesen Oram erfahren, und ich habe also alle Ursache, mich darüber zu freuen, daß er gekommen ist. Er wird nun vom Scheik alles hören und Ibn Asl davon benachrichtigen. Dieser marschiert dann ganz gewiß zum Dschebel Arasch Kol und geht uns in die Falle."

„Allah gebe es! Hoffentlich verfehlen wir unsre Asaker nicht!"

„Davon kann keine Rede sein. Siehst du den dunklen Strich, der da im Gras vor uns herläuft?"

„Ja. Es ist eine Spur."

„Es ist Orams Fährte. Er ist jedenfalls auf der unsrigen geritten, die noch ganz frisch gewesen ist, da er nur wenige Stunden hinter uns ritt. Die Asaker sind ihm dann gefolgt, indem sie sich auf unsrer und seiner Spur hielten. Wenn wir nun auf dieser Spur zurückreiten, müssen wir mit unsern Gefährten zusammentreffen. Laß dein Tier ausgreifen! Je eher wir sie finden, desto besser!"

9. Am Dschebel Arasch Kol

Unsre Kamele hatten ausgeruht und freuten sich, daß sie tüchtig laufen durften. Zur Mittagszeit hielten wir eine kurze Rast. Später wurde die Fährte undeutlicher, doch konnte ich sie noch leidlich unterscheiden.

Unter solchen Umständen war anzunehmen, daß auch unsere Asaker sie nicht mehr erkennen konnten und darum von ihr abgewichen seien. Was war da zu tun? Südlich von unsrer Richtung gab es einen Brunnen, der Es Sâfi, der klare Brunnen, hieß. Der Fessarahführer Abdullah kannte ihn und hatte die Karawane wahrscheinlich dorthin geführt. Wir bogen also nach Süden ab. Wenn wir so schnell ritten wie bisher, konnten wir vor Sonnenuntergang dort sein.

Meine Vermutung täuschte mich nicht. Die Sonne war nur noch wenig vom westlichen Himmelsrand entfernt, da erblickten wir Bäume und Gesträuch in der Ferne. Es war der Bir Sâfi. Bald sahen wir dort Kamele liegen und Menschen sich bewegen, das war unsre Karawane.

„Was wird Abd Asl sagen, wenn wir kommen!" meinte Ben Nil.
„Und der Fakir el Fukara, der Mahdi werden will!"

„Die Kerle haben jedenfalls schon geglaubt, wir seien zugrunde gegangen. Allah vernichte sie! Ich habe dem Alten das Leben geschenkt. Hätte ich gewußt, was unser an der Insel Hassanieh wartete, so hätte ich es nicht getan."

„Ich hoffe, daß du dich nicht noch nachträglich an ihm vergreifst!"

„Du hast nichts zu befürchten, Effendi! Dieser alte, stinkende Schakal ist mir viel zu widerwärtig, als daß ich mich mit ihm beschmutzen möchte. Vor meiner Berührung ist er sicher."

Jetzt waren wir dem Brunnen so nahe, daß die Leute dort uns erkennen konnten.

„Kara Ben Nemsi Effendi!" hörte ich rufen.

„Der Effendi! Und Ben Nil! Der Effendi, der Effendi! Preis Allah und Heil uns! Sie kommen, sie kommen!" so riefen zwanzig Stimmen durcheinander, und ebenso viele Männer kamen uns entgegengerannt. Wir mußten noch vor dem Brunnen von den Kamelen herab. Man drückte uns die Hände, man rief und schrie in allen Tonarten, und ich ließ die Leute gern gewähren, denn ihre Freude konnte uns ja keinen Schaden bringen und war mir ein wohltuender Beweis, daß ich ihren Herzen nicht fremd geblieben war. In dieser Weise war selbst ihr Vorgesetzter, der Reïs Effendina, nicht bewillkommnet worden, als er im Wadi el Berd auf uns getroffen war.

Nun sollten wir erzählen. Vorher aber mußte ich wissen, wie es bei ihnen gegangen war. Wir setzten uns nieder, und der alte Askari Ismail, dem ich den Oberbefehl anvertraut hatte, erstattete seine Meldung.

„Es ist alles ordnungsgemäß verlaufen, Effendi. Nur eins haben wir zu beklagen. Es fehlt einer: Oram heißt er, wie ich auf meine Nachfrage erfuhr. Er hat sich von den Fesseln losgemacht, hat sich ein Kamel genommen und ist —"

„— uns nachgeritten", fiel Ben Nil ein.

„Das ist richtig! Wie aber könnt ihr es wissen?"

„Wir haben ihn gesehen."

„Wo denn?"

„Das werden wir euch erzählen", erklärte ich. „Vor allen Dingen möchte ich wissen, ob die Gefangenen gut gebunden sind."

„Effendi, seit Oram uns entschlüpft ist, entkommt uns keiner mehr. Ich hoffe, daß du uns seine Flucht nicht anrechnen wirst. Als er gefesselt wurde, warst du ja selber noch da!"

„Nun, ich zürne euch nicht. Ich habe sogar alle Veranlassung, mich über seine Flucht zu freuen. Sie hat uns Schaden bringen sollen, wird aber im Gegenteil von großem Vorteil für uns sein."

„Ist das möglich?" atmete Ismail auf.

„Gewiß! Heute konnten wir ihn fangen, wenn wir wollten. Wir haben ihn aber laufen lassen, weil er uns, wenn er frei ist, mehr Nutzen schafft, als wenn er sich in Gefangenschaft bei uns befindet."

Da rief der alte Abd Asl unter höhnischem Gelächter herüber:

„Prahle nicht! Du redest solche Lügen, um uns zu ärgern, aber du kannst uns nicht täuschen. Hättet ihr Oram bemerkt, so hättet ihr ihn ergriffen. Da ihr das nicht getan habt, habt ihr ihn auch nicht gesehen."

„Dein Kopf ist ein Brunnen aller Weisheit, o heiligster aller Muslimin", entgegnete ich.

„Weißt du denn, wohin er geflohen ist?" fragte er lachend.

„Zu Ibn Asl, deinem Sohn."

„Wenn du Oram gesehen hättest, müßtest du bei Ibn Asl gewesen sein!"

„Wir waren bei ihm, waren sogar auf seinem Schiff und haben mit ihm gesprochen."

„Lüge! Lüge!"

„Nimm dich in acht, oder du bekommst die Peitsche. In deiner Lage soll man sich der Höflichkeit befleißigen."

Da richtete der Fakir el Fukara sich in sitzende Stellung auf.

„Du forderst Höflichkeit? Behandelst du uns so, daß wir sie dir bieten können?"

„Ich behandle euch so, wie ihr es verdient habt. Ich habe dir das Leben gerettet, und dennoch wolltest du fort, um uns an Ibn Asl zu verraten!"

„Beweise es!"

„Ich weiß es! Diese Undankbarkeit hat dich in Fesseln gebracht, und wenn sie dir nicht gefallen, so zanke mit dir, aber nicht mit uns!"

„Ich verlange aber meine Freiheit, und gibst du sie mir nicht sofort, so rufe ich den Fluch Allahs auf dich herab!"

„Allah wird deinen Fluch in Segen verwandeln."

„Und den Fluch des Propheten!"

„Dein Prophet geht mich nichts an!"

„Du wirst bald anders denken und anders reden. Wenn du erfährst, welche Macht mir gegeben ist, wirst du mich um Gnade anwinseln!"

„Zunächst besitze ich die Macht über dich. Über wen du später Macht ausüben wirst, über deinen Harem oder über deine Hunde, das ist mir gleichgültig. Und nun schweig, sonst kommt die Peitsche über dich! Ich habe keine Lust, mich von einem Mann anbrüllen und verfluchen zu lassen, der sich so sehr von Allah und dessen Geboten entfernt hat, daß er sogar imstande ist, an seinem Lebensretter zum Verräter zu werden."

„Gut, ich schweige. Bald aber kommt die Zeit, da ich sprechen werde. Dann werden Millionen auf meine Stimme hören, und du wirst der erste sein, der vor mir im Staub kriecht!"

Mohammed Achmed legte sich wieder nieder. Er sah doch wohl ein, daß Schweigen klüger sei als Sprechen. Abd Asl konnte nicht zur gleichen Erkenntnis gelangen, oder stand ihm die Vorsicht nicht so hoch wie die Begierde zu erfahren, was ich während der Zeit meiner Abwesenheit getan und erlebt hatte? Er hatte wohl geglaubt, ich sei in mein Verderben geritten. Jetzt war ich wohlbehalten zurückgekehrt.

Wie konnte das geschehen sein? So fragte er sich. Er wollte Antwort haben, und anstatt ruhig auf meinen Bericht zu warten, fuhr er im Anschluß an die letzten Worte des Fakir el Fukara auf:

„Ja, im Staub kriechen wirst du, auch vor mir! Du hast keine Ahnung, in welcher Lage du dich befindest und welche Gefahren dich umschwirren. Mein Sohn wird als Rächer über dich kommen und dich vernichten, wie er den Reïs Effendina vernichtet hat!"

„Ja, den hat er allerdings vernichtet!" antwortete ich ernst, indem ich eine trübsinnige Miene zeigte.

„Hat er? Hamdulillah!" jubelte Abd Asl. „Es ist gelungen. Die Feinde sind zermalmt und werden niemals wieder erstehen!"

„Zermalmt? Nein, sondern verbrannt sind sie worden."

„Es ist geglückt, es ist geglückt! Hört ihr es, ihr Männer, ihr Freunde, ihr Gläubigen, es ist geglückt! Ich habe es euch mitgeteilt, ich habe es euch leise gesagt. Meine Seele war voll Erwartung, ob es gelingen würde. Nun ist der Teufel mit seinen Asakern zu Staub und Asche verbrannt, und der oberste der Teufel, der da vor uns sitzt und es uns erzählen muß, hat die Macht verloren und wird uns freigeben müssen, sonst erwartet ihn ein Klappern der Zähne, das ohne Ende ist!"

„Verrechne dich nicht!" warnte ich ihn ruhig. Er aber fuhr begeistert fort:

„Mich verrechnen! Wie kann ich mich irren! Mein Sohn, der Tapferste der Tapferen, der Gefürchtetste der Gefürchteten, der Schrecklichste der Schrecklichen, hat den Reïs Effendina verbrannt und wird nun kommen, uns zu erlösen. Wehe euch, wenn Ibn Asl findet, daß einem einzigen von uns nur ein Haar von seinem Haupt fehlt! Was an Qualen und Foltern nur zu erdenken ist, wird euch treffen, und ihr werdet heulen wie die Verdammten, die im tiefsten Grund der Hölle wohnen. Frei will ich sein, frei, und zwar sofort! Du hast deine Ohnmacht einsehen und deine Lächerlichkeit erkennen müssen, Effendi. Laß uns los, und eile fort. Fliehe, soweit dich deine Füße und die deines Kamels tragen, sonst kommt das Entsetzen über dich, wie der Löwe über das Schaf, das sich gegen die Krallen des Mächtigen nicht zu wehren vermag!"

„Daß ich vor einem Löwen nicht fliehe, hast du gesehen. Du kannst dir also denken, daß ich auch vor deinem Entsetzen nicht davonlaufe. Dein Sohn mag kommen. Er wird erfahren, wie ich ihn empfange."

„Ibn Asl wird dich ebenso verbrennen, wie er den Emir mit Feuer vernichtet hat!"

Es läßt sich denken, welchen Eindruck diese Reden auf die Asaker machten. Ihr Gebieter verbrannt, mit seinen Soldaten ermordet! Sie sprangen auf und fielen mit Fragen über mich her. Ich aber gebot Stille.

„Ihr sollt alles erfahren, und ich will euch schon im voraus sagen, daß ihr ruhig sein könnt. Der Jubel dieses heiligen Muslim wird nicht lange währen. Ich ritt fort, um den Reïs Effendina zu retten, und was ich mir vorgenommen habe, das führe ich auch aus. Achmed Abd el Insaf lebt. Er ist gerettet."

„Allah sei Dank!" erklang es rundum. Abd Asl aber rief:

„Er lügt! Er will uns unsre Freude verkümmern, aber das soll ihm nicht gelingen. Er gönnt uns unsern Jubel nicht, aber wir werden weiter jubeln, bis der Retter erscheint, den wir alle Augenblicke erwarten können!"

„So warte, bis du schwarz wirst und dir das sündige Fell im Grimm der Enttäuschung zerplatzt!" fuhr Ben Nil ihn an. „Du wirst sogleich hören, ob unser Effendi seine Ohnmacht hat einsehen und seine Lächerlichkeit hat erkennen müssen! Hört, ihr Männer, ihr Asaker des Reïs Effendina, Kara Ben Nemsi Effendi wird sprechen!"

Aller Augen waren auf mich gerichtet. Es gab keinen, bei den Asakern sowohl wie auch bei den Gefangenen, der sich nicht in der größten Spannung befand. Die Sonne versank soeben, es war also Zeit, das Moghreb zu beten, aber niemand dachte an die Erfüllung dieser Pflicht. Ich erzählte, und zwar berichtete ich ausführlich bis zu dem Augenblick, wo wir drei die Flucht von der ‚Eidechse' ergriffen hatten. Bis hierher konnten, ja sollten die Gefangenen alles hören. Das spätere aber mußte ihnen verschwiegen bleiben. Hätten sie erfahren, welche Falle ich Ibn Asl stellen wollte, so konnte es ihnen womöglich irgendwie gelingen, meinen Plan zunichte zu machen. Man bestürmte mich zwar, weiter zu erzählen, doch tat Ben Nil dem Drängen Einhalt.

„Seid still! Ihr habt für heut genug erfahren. Der Reïs Effendina ist gerettet. Wir waren bei Ibn Asl auf seinem Schiff. Er hat uns erkannt und in Banden geschlagen. Mehr als hundert Männer waren bei ihm, dennoch sind wir entkommen. Als wir im Boot nicht weit von der ‚Eidechse' hielten, konnten wir ihn erschießen. Wir haben es nicht getan, wir sind noch einmal gnädig mit ihm gewesen. Aber wehe ihm, wenn er sich wieder treffen läßt!"

„Aber was geschah dann, als ihr vom Schiff wart?" fragte wieder einer. „Was habt ihr dann getan? Wo ist dein Großvater, der Steuermann, der doch bei euch war?"

„Deine Neugierde ist größer als mein Mund. Dennoch will ich versuchen, sie zu befriedigen. Wir sind in dem Boot nach Hegasi gesegelt und von dort auf unsern Kamelen hierher geritten. Mein Großvater aber ist in Hegasi geblieben, um dort unsere Rückkehr zu erwarten."

„Und unser Gebieter, der Reïs Effendina? Wo befindet er sich?"

„Auch in Hegasi, denn dorthin werden wir ihm diese Gefangenen liefern."

„Warum hat er uns keine weitern Asaker mitgesandt?"

„Weil, du Vater der Neugierde, keine Kamele zu haben waren, und weil wir Manns genug sind, diese feigen Kröten hier sicher zu geleiten. Abd Asl aber, der heiligste der Muslimin, mag nun fortfahren in seinem Jubel, den er vorhin anstimmte und in dem er sich nicht unterbrechen lassen wollte!"

Das hatte Ben Nil nicht schlecht gemacht! Er hatte die Neugierde gestillt, ohne unsre weitern Absichten auch nur mit einem Wort zu verraten. Es war jedenfalls besser, wenn selbst die Asaker noch nichts erfuhren. Übrigens waren die Soldaten froh, daß ich mich wieder bei ihnen befand. Sie hatten doch eine große Verantwortung zu tragen gehabt, und der alte Askari Ismail holte erleichtert Atem, als ich ihm sagte, daß er nun für nichts mehr einzustehen habe. Ebenso befriedigt war der Fessarahführer Abdullah davon, denn bei jedem Fehler hätte auch er einen Teil der Schuld auf sich nehmen müssen.

Ich gab die Reihenfolge der Wachen an und legte mich dann zum Schlafen nieder. Ben Nil tat ebenso, obwohl es noch nicht spät war. Wir hatten während der letzten Nacht gar nicht geruht. Früh weckte mich das Gebet der Morgenröte. In kurzem wurde aufgebrochen.

Es war ein mühseliges Geschäft, die Gefangenen auf die Kamele zu bringen, denn sie machten es uns so schwer wie möglich.

Da der Bir Sâfi südlich von der geraden Richtung lag und ich aus begründeter Vorsicht diese Richtung vermeiden wollte, hielt ich mich bis Mittag genau östlich und bog dann nach Süden ab. Auf diese Weise kamen wir aus Norden auf den Dschebel Arasch Kol zu, während wir sonst aus Nordwest gekommen wären. Ich hatte diese Richtung vermieden, weil der Scheik el Beled und infolgedessen auch Ibn Asl uns dort wußten. Möglicherweise konnte man auf den Gedanken gekommen sein, uns nicht erst am Maijeh, sondern schon vorher in der Steppe zu überfallen. Dem wich ich so aus. Ibn Asl hatte wohl hundert Mann, ich aber nur zwanzig. Ein Kampf auf offner Steppe hätte für uns leicht verhängnisvoll werden können.

Um der erste zu sein, der das Ziel erblickte, ritt ich den andern weit voran. Es war noch gar nicht spät am Nachmittag, als ich den Berg wie einen Nebelfleck im Süden liegen sah. Ich kehrte sogleich wieder um, um der Karawane, die vielleicht zwei Kilometer hinter mir war, Halt zu gebieten. Ich tat es, damit keiner der Gefangenen den Dschebel Arasch Kol sehen sollte. Es war auf jeden Fall besser, wenn sie nicht wußten, wo sie sich befanden. Sie wurden von den Kamelen gehoben und wir lagerten.

Die Asaker konnten nicht begreifen, warum es schon so früh am Tag geschah. Es war nun Zeit, sie von allem Nötigen zu unterrichten. Erst wurden die Gefangenen gespeist und getränkt. Dann führte ich die Soldaten weit zur Seite, ließ sie einen Kreis um mich bilden und teilte ihnen mit, was heut geschehen sollte. Kein Gefangener konnte es hören. Hätte ich den Asakern gesagt, daß jeder von ihnen tausend Piaster erhalten sollte, die Freude wäre auch nicht größer gewesen. Ibn Asl und alle seine Sklavenjäger in einer Falle fangen! Dieser Gedanke begeisterte sie. Jeder wollte wissen, welche Aufgabe ihm dabei zufiele, welche Rolle er dabei zu spielen habe. Ich konnte es keinem sagen, denn es war vorher notwendig, auf Kundschaft zu gehen, und das konnte erst am Abend geschehen. Ibn Asl befand sich jedenfalls schon am Berg. Hätte ich mich diesem Ort jetzt

6

am hellen Tag genähert, wäre ich höchstwahrscheinlich bemerkt worden.

Die Asaker erhielten den Befehl, selbst untereinander um keinen Preis ein Wort über unser Vorhaben zu sprechen, und bildeten dann, wie es täglich geschehen war, einen Kreis um die Gefangenen. Die Kamele lagerten, von einem Mann bewacht, außerhalb dieses Kreises.

Der Nachmittag verging, ohne daß auf der Steppe außer uns ein menschliches Wesen zu erblicken war. Die Sonne ging unter, und die Soldaten beteten das Moghreb. Nun senkte sich schnell der Abend nieder, und ich konnte meinen Kundschafterweg beginnen. Es stand zu erwarten, daß ich mehrere Stunden, vielleicht sogar bis zum Morgen, abwesend sein würde. Ich übergab den Befehl über die Karawane trotz seiner Jugend Ben Nil und unterrichtete ihn, wie er sich in jedem Fall verhalten müßte. Dann bestieg ich mein Kamel und ritt dem Ziel entgegen.

Die Aufgabe, die ich mir gestellt hatte, war nicht leicht zu lösen. Ich wußte, wo der Hegelikwald lag, in dem ich den Reïs Effendina finden sollte, nämlich am Südende der Ostseite des Sumpfes. Aber bei Dunkelheit diesen Wald treffen war schwierig! Und wenn ich nur diese eine Sorge gehabt hätte! Aber wo war Ibn Asl mit seinen Leuten? Wohl auch am Südende des Sumpfes. Aber wenn er sich vorgenommen hatte, seine Leute zu teilen, um mich in die Mitte zu bekommen, so war es für ihn weit bequemer, während der Nacht in der Mitte der östlichen Sumpfseite zu lagern. Dann konnte er am Morgen einen Teil seiner Leute rechts und die andre Abteilung links um den Sumpf schicken und mich auf diese Weise von vorn und von hinten packen. Lagerte er jetzt da, so mußte ich, um zum Reïs Effendina zu kommen, an ihm vorüber, und konnte, wenn der Feind kein Feuer brennen hatte, ganz unerwartet mitten in sein Lager geraten. Allerdings schien Ibn Asl ein Freund nächtlicher Helligkeit zu sein, wenigstens hatte er während der beiden Abende an der Insel Hassanieh und am Maijeh es Saratin mehrere große Feuer brennen gehabt. Er wußte mich jetzt noch fern. Er wußte ferner nichts von der Anwesenheit des Reïs Achmed. Darum konnte Ibn Asl sich für sicher halten, und es stand zu erwarten, daß er den Abend nicht im Dunkeln zubringen würde. In diesem Fall mußten mir seine Feuer sein Lager verraten, und ich konnte mich davon fernhalten.

So ging es rasch südwärts. Die Sterne waren aufgegangen, und ich konnte mich nicht in der Richtung irren. Nach einer halben Stunde hatte ich das Sumpfgebiet erreicht, und es galt, auch wegen des trügerischen Bodens, vorsichtig zu sein. Der Maijeh el Humma sendet mehrere Ausläufer ins Land, und darum war es geraten, möglichst weit ostwärts auszubiegen.

Eine Stunde und noch eine war ich geritten. Es mochte nach unsrer Zeit neun Uhr abends sein, da bemerkte ich einen einzelnen Baum. Ich ritt hin. Es war ein Hegelik. Gar nicht weit von hier, nur einige hundert Schritte rechts, begann der Hegelikwald, den ich suchte.

Ich ritt hinüber und an seinem Rand hin. Er lag mir wie eine hohe, dunkle Wand zur Seite, als Vorposten einzelne Büsche aussendend, zwischen denen ich mich hindurchwinden mußte. Nirgends war ein Feuer zu sehen oder zu riechen. Ibn Asl befand sich gewiß nicht in der Nähe. Ich ließ halblaut das tiefe Lachen der Hyäne hören. Es klingt wie „Ommu — ommu" und ist trotzdem einem Gelächter ähnlich. Keine Antwort folgte. Im langsamen Weiterreiten wiederholte ich dieses Zeichen mehrmals. Endlich, nach dem siebenten- oder achtenmal hörte ich rechts unter den Bäumen eine Stimme:

„Effendi?"

„Ja", antwortete ich, das Kamel anhaltend.

„Komm hierher!"

Ich ritt hin. Ein Mann trat auf mich zu, blieb vor dem Tier stehen und sah mich an.

„Ja, du bist es. Steig ab! Ich werde dich zum Emir führen."

„Ist er weit von hier?"

„Ziemlich weit. Wir haben eine lange Postenkette, damit du leichter auf uns treffen solltest."

„Führe mich zu dem Posten, der der nächste beim Emir ist. Er mag mein Kamel halten."

Während wir nebeneinander hinschritten, fragte ich ihn, ob sie Ibn Asl mit seinen Leuten bemerkt hätten.

„Ja", erwiderte der Soldat. „Sie kamen kurz nach Mittag und lagerten am südlichen Ende des Maijeh."

„Habt ihr sie, seit es dunkel geworden ist, beobachtet?"

„Der Reïs Effendina war dort."

„Brennen die Leute Feuer?"

„Ich weiß es nicht. Ich konnte es nicht erfahren, da ich mich seit jener Zeit auf Posten befinde."

Wir kamen an mehreren Asakern vorüber, bis einer von ihnen mein Tier zu halten bekam. Mein Führer meinte, ich sollte ihm nun tiefer in den Wald folgen. Ich aber gab ihm den Auftrag, mir lieber den Emir zu holen. Ich hatte mich mehr angestrengt als der Reïs Effendina, mußte mich vielleicht auch noch mehr anstrengen und wollte mir den Weg durch den Wald und die dichten Nabakbüsche, die das Unterholz bilden, ersparen. Der Mann ging allein und brachte mir bald den Reïs Effendina. Er war sehr erfreut, mich zu sehen, besonders, da ich nicht sicher hatte sagen können, ob ich kommen würde. Er begrüßte mich mit einem kräftigen Händedruck.

„Die Feinde sind da, schon seit der Mittagszeit. Sie lagern am Ende des Maijeh."

„Brennen sie Feuer?"

„Sechs, jedenfalls schon der vielen Stechfliegen wegen, vor denen es dort am offnen Sumpf ohne Feuer gar nicht auszuhalten wäre. Hier im dichten, ziemlich trocknen Wald sind wir glücklicherweise nicht sehr von ihnen geplagt."

„Kennst du den Plan, den Ibn Asl morgen verfolgen will?"

„Nein. Wie soll ich ihn kennen?"

„Ich denke, du bist dort gewesen. Hast du nicht gelauscht?"

„Werde mich hüten! Soll ich etwa so weit hingehen, bis ich sie sprechen höre? Dabei müßte ich auch bemerkt und ergriffen werden!"

„Aber es gibt bisweilen Anzeichen, aus denen sich Schlüsse ziehen lassen. Hast du nichts Derartiges bemerkt?"

„Nein. Die Sklavenjäger saßen um die Feuer und schwatzten. Was sie sprachen, verstand ich nicht, da ich nicht nah genug war."

„Hast du Ibn Asl gesehen?"

„Ja. Er saß am ersten Feuer, das man von hier aus erreicht."

„Wie weit ist's bis dahin?"

„Fast eine halbe Stunde."

„Ich muß hin. Willst du mich begleiten?"

„Sehr gern, wenn du nicht etwa verlangst, daß ich mich zu Ibn Asl setzen soll. Dir ist nämlich so etwas zuzutrauen."

Meinen hellen Haïk hatte ich in meinem Lager zurückgelassen. Jetzt ließ ich auch die Gewehre hier, und dann gingen wir, immer zwischen einzelnen Büschen hindurch, bald rechts, bald links einer sumpfigen Lache ausweichend, die sich durch ihren selbstleuchtenden Glanz verriet. Nach einer guten Viertelstunde sah ich den Schein des ersten Feuers, dann noch eins und noch eins, bis auch ich sechs zählte. Es gab hier nur Gafulbäume, und zwar ohne Unterholz. Man lagerte ohne besonderen Plan, hier ein Feuer und dort eins, wie es sich grad ergeben hatte. Wir standen hinter einem breiten Busch, wohl sechzig Schritt vom ersten Feuer, an dem ich Ibn Asl sitzen sah, daran außer ihm noch seine Offiziere und zwei Männer Platz genommen hatten. Man hörte sie sprechen, ohne die einzelnen Worte verstehen zu können.

„Ich muß hin, unbedingt hin!" sagte ich mehr zu mir als zum Reïs Effendina. „Ich muß wissen, was sie reden."

„Um Allahs willen, was fällt dir ein? Du wärst verloren. Man müßte dich ja sehen!"

„Nein. Ich bin schon unter ganz anderen Verhältnissen angeschlichen. Hier ist es geradezu ein Kinderspiel."

„Ich sage dir, mich bringst du gar keinen Schritt weiter!"

„Das will ich auch nicht. Ich gehe allein. Zwischen hier und dem Feuer stehen in gerader Linie zwei starke Bäume, deren Stämme einen breiten Schatten werfen. Krieche ich in diesem Schatten auf der Erde hin, so bin ich vom Boden nicht zu unterscheiden. Dazu habe ich erst den ersten und dann den zweiten Baum als Deckung. Dieser zweite Baum hat in Mannshöhe auf der zu uns gerichteten Seite einen starken Ast. Schwinge ich mich da hinauf, so sitze ich, hinter Zweigen und Blättern verborgen, höchstens fünfzehn Schritte vom Feuer entfernt und kann alles hören, was dort gesprochen wird."

„Und wie kommst du dann zurück?"

„Auf dem gleichen Weg, auf dem ich hingekommen bin."

„Nein, Effendi, ich gebe es nicht zu! Ich will nicht haben, daß du dein Leben wagst."

„Wage ich es nicht morgen auch, wenn wir kämpfen? Wagt es da nicht jeder? Warum grad jetzt nicht? Und wie nun, wenn dadurch, daß ich es wage, der Kampf vermieden werden kann?"

„Hältst du das für möglich?"

„Ja. Vielleicht erfahre ich etwas, das mich veranlaßt, eine Anordnung zu treffen, nach der jeder Widerstand der Gegner vergeblich ist."

Achmed wollte mich zurückhalten, aber er war nicht schnell genug gewesen. Ich war rasch hinter dem Busch hervorgetreten, hatte mich geduckt und kroch nun im dunkeln Schatten vorwärts. Es war keine Kunst. Um starken Qualm zu erzeugen und die Stechfliegen abzuhalten, wurden feuchte Äste in die Feuer geworfen. Das gab einen Rauch, der zuweilen so dick war, daß man nicht hindurchzusehen vermochte. Er zog sich, da die Sumpfluft schwer und drückend war, meist nah am Boden hin. Solche Augenblicke benutzend, kam ich an den ersten, dann an den zweiten Baum und saß oben in den Zweigen und Ästen, bevor seit dem vergeblichen Griff des Reïs Effendina zwei Minuten vergangen waren. Ich hatte es glücklich getroffen, denn eben hatte ich mich zurechtgesetzt und spitzte die Ohren, da hörte ich weiter vorn ein Rufen, das meine Aufmerksamkeit sogleich auf sich zog.

„Der Scheik el Beled!" hörte ich sagen. „Ibrahim ist da! Endlich ist er gekommen!"

Wahrhaftig, da kam er, vom hintersten Feuer her, ein Kamel am Halfter führend. Man hatte ihm dort gesagt, wo Ibn Asl zu finden sei. Die Manneszucht hielt die Leute ab, ihm zu folgen. Ibrahim ließ sein Tier sich legen und trat ans Feuer, wo er mit sichtlicher Genugtuung bewillkommnet wurde. Ich ahnte, um was es sich handelte. Der Scheik hatte nach uns ausspähen müssen. Einer von Ibn Asls Leuten hätte das nicht tun dürfen, denn hätte ich ihn gesehen, so hätte ich ihn auch erkannt und wäre mißtrauisch geworden. Begegnete uns aber der Scheik el Beled, so standen ihm mehrere Ausreden zu Gebot, denen ich wohl Glauben schenken mußte.

„Setz dich und berichte!" forderte ihn Ibn Asl auf. „Hast du unsre Gegner gesehen?"

„Nein", erwiderte Ibrahim, indem er Platz nahm.

„Nicht? Dann hast du mich falsch berichtet. Sie kommen entweder später als morgen oder wohl gar nicht."

„Sie kommen!" behauptete der Scheik mit Bestimmtheit. „Ich habe ihre Fährte entdeckt."

„Hat man die Fährte, so hat man bald auch den Mann. Du hättest nicht ruhen sollen, bis du sie selber sahst."

„Es war zu spät, denn es wurde dunkel. Kara Ben Nemsi hatte mit Ben Nil eine deutliche Fährte gemacht. Ich folgte ihr. Sie lief immer schnurgerade fort und bog dann plötzlich mehr nach Süden. Er muß zum Bir Sâfi geritten sein. Heute früh paßte ich auf. Sie mußten kommen, aber sie kamen nicht. Ich wartete bis gegen Mittag, und da ich sie auch bis dahin nicht gesehen hatte, nahm ich an, daß sie unerwartet eine andre Richtung eingeschlagen hatten. Das konnte nur die nördliche sein. Wenn ich gerade nach Norden ritt, mußte ich also auf ihre Spur stoßen, da sie sich später doch östlich wenden mußten. So geschah es auch. Der Abend war nahe, als ich auf die Fährte traf. Sie führte nach Osten."

„Doch grade auf den Dschebel Arasch Kol zu?"

„Nein, sonderbarerweise nicht. Wenn sie von da aus immer in gerader Richtung geritten sind, haben sie den Dschebel weit südlich von sich liegen lassen."

„Warum das? Der Effendi hat bei allem, was er tut, seine Absicht."

„Hier liegt sicher keine besondere Absicht vor. Unsre Feinde haben sich einfach geirrt. Es ist ja niemand aus dieser Gegend bei ihnen. Der Fessarah, der ihnen als Führer dient, kann unser Gebiet unmöglich genau kennen."

„Aber der Effendi selber! Aus allem, was er dir gesagt hat, geht hervor, daß er den Dschebel und auch den Maijeh kennt."

„Kara Ben Nemsi ist ein Fremder, ein Christenhund, von so weit her. Da ist es nicht zu verwundern, wenn ein Irrtum vorkommt. Sie werden schon noch nach Süden eingebogen sein."

„Sie werden! Mir wäre es lieber, wenn du sagen könntest: Sie sind! Dann hätte ich Gewißheit. Du hättest ihnen eben doch weiter folgen sollen!"

„Das war unmöglich, wie ich schon erwähnte, denn ich hätte, da der Abend nahe war, ihre Spur nicht mehr erkennen können. Auch mußte ich unbedingt hierher zu dir, da du auf Nachricht wartetest. Bedenke, welche Strecken ich in dieser kurzen Zeit habe zurücklegen müssen! Ein gewöhnliches Tier hätte das unmöglich leisten können. Es war nur gut, daß du mir erlaubtest, deine Dschebel-Gerfeh-Stute zu besteigen. Sie ist wie ein Sturm mit mir über die Steppe gegangen."

Also Ibrahim hatte die berühmte weiße Kamelstute des Sklavenjägers geritten, die Stute, der Ibn Asl das Gelingen vieler Unternehmen zu verdanken hatte! War es ihm doch auch nur durch ihre unvergleichliche Schnelligkeit gelungen, mir damals am Wadi el Berd zu entkommen! Aber das Kamel, das der Scheik jetzt mitgebracht hatte, besaß die Farbe der gewöhnlichen Kamele. Wie war das zu erklären? Hatte er kurz vor seiner Ankunft hier die weiße Stute mit einem andern Hedschin vertauscht? Ich wurde über diesen Punkt sogleich aufgeklärt, denn Ibn Asl fragte:

„Wenn der Giaur gewußt hätte, daß meine Kamelstute bei dir steht, daß ich sie stets, wenn ich zu Schiff bin, bei dir lasse! Er hat sie doch nicht etwa gesehen?"

„Nein. Und wenn der Fremde sie gesehen hätte, so hätte er sie doch nicht erkannt, denn so oft du sie mir übergibst, wird sie gefärbt, damit niemand ahnt, welch berühmtes Tier ich bei mir habe. Schau sie an! Ist sie von einem gewöhnlichen Hedschihn zu unterscheiden?"

„Allerdings! Andernfalls würde ich mich auch schämen. Sieh doch nur die Formen! Ein Kenner merkt sofort, was für ein Tier sie ist. Aber das ist jetzt Nebensache. Wir wollen nicht von meinem Kamel, sondern von Kara Ben Nemsi und seinen Leuten sprechen. Warum soll übrigens die Stute hier hungrig liegen? Sie hat einen weiten Weg gemacht und mag fressen. Fesselt ihr die Vorderbeine kurz, damit sie sich nicht weit entfernen kann!"

Einer von den beiden Männern, die bei ihm saßen, stand auf, um diesen Befehl auszuführen. Die herrliche Stute durfte weiden. Ich beobachtete ihre Bewegungen mit größter Aufmerksamkeit, während ich auf die Worte ihres Herrn hörte. Dieses Kamel, schoß es mir durch den Kopf, muß mein werden! Lieber wollte ich Ibn Asl selber entkommen als seine Stute laufen lassen!

Er war sichtlich enttäuscht von dem Ergebnis, das der Scheik el Beled ihm brachte.

„Da du die Stelle nicht kennst, an der die Gefangenen-Karawane lagert, so ist unser erster Plan nicht auszuführen", meinte er. „Jammerschade! Zwanzig Asakerhunde! Und wir zählen fünfmal mehr! Wie leicht hätten wir sie draußen auf der freien Steppe umzingeln können!"

Ah, da hörte ich es ja! Ich hatte also richtig gedacht. Wie gut, daß ich diesen Umweg nach Norden, Osten und endlich Süden gemacht hatte! Wären wir in gerader Richtung geblieben, so hätte Ibn Asl uns überfallen, heut abend schon, bevor wir den Dschebel Arasch Kol erreichten! Der Scheik wehrte den Vorwurf ab, der in Ibn Asls Worten lag.

„Wahrscheinlich ist es gut für uns, daß es nicht geschehen ist. Du kennst Kara Ben Nemsi. Er ist wachsam und versäumt keine Vorsicht. Überrascht hätten wir ihn unmöglich."

„Aber eingeschlossen wäre er worden, eingeschlossen von hundert Mann! Bedenke das! Der Giaur hätte sich auf Gnade und Ungnade ergeben müssen, ohne die Hand rühren zu können!"

„Glaube das nicht! Der und sich ergeben! Du kennst ihn ja noch besser als ich. Ich bin überzeugt, daß du an der Wahrheit deiner eignen Worte zweifelst. Es wäre gewiß zum Kampf gekommen. Rechne, daß jeder Askari nur einen von uns erschossen hätte! Auf den Effendi aber mußt du mehrere rechnen. Ich bin sicher, daß der Giaur sich sofort persönlich gegen dich gewendet hätte."

„Mich hätte er gar nicht gesehen. Ich weiß, was ich mir schuldig bin. Ich bezahle meine Leute gut, dafür müssen sie kämpfen. Meine Sicherheit aber ist allzu wichtig, als daß sie verlangen könnten, daß ich mich selber am Kampf beteilige. Das ist nicht Mutlosigkeit, sondern Berechnung, Vorsicht von mir. Meinst du, ich hätte mich dahin gestellt, wo die Kugeln pfeifen? Aber wenn sie wirklich kommen, so werden sie unser, ohne einen Schuß tun zu können."

„So triff die Vorbereitungen ja nicht etwa zu spät! Kara Ben Nemsi sagte, daß er eine Stunde nach dem Gebet der Morgenröte am Dschebel Arasch Kol ankommen werde, und er hält gewiß Wort. Also muß die Abteilung, die du nordwärts senden willst, spätestens um Mitternacht hier abgehen."

„Ich sende sie schon vorher ab. Du bist also der Überzeugung, daß diese Leute sich im Regenbett verstecken können, ohne bemerkt zu werden?"

„Ja. Geht man nur einige Minuten in diesem Bett aufwärts, so erweitert es sich und ist da mit Kittr-Büschen bestanden, die eine prächtige Deckung bieten. Wenn bei Tagesanbruch einer auf den Felsen steigt, kann er die Karawane kommen sehen. Man läßt sie vorüber, um ihr dann langsam und unbemerkt zu folgen, bis sie sich zwischen den steilen Wänden des Dschebel und dem Maijeh auf dem schmalen ,Weg des Unglücks' befindet. Diese Abteilung steht hinter der Karawane. Unsre andern Leute stehen schon vor ihr bereit, und gerade dann, wenn die Gefangenen in den Sumpf geworfen werden sollen, lasse ich als Anführer der ersten Abteilung den ersten Schuß hören. Das Ergebnis ist nicht zweifelhaft. Der Effendi muß einsehen, daß er von einem übermächtigen Feind eingeschlossen ist und daß Widerstand der reine Wahnsinn wäre. Er wird sich ergeben. Um ihm das zu erleichtern, kannst du ja auf Bedingungen eingehen, die du dann nicht einzuhalten brauchst."

Das war vortrefflich! Dieser Scheik el Beled wollte zum gleichen Regenbett, in dem ich mich in den Hinterhalt hatte legen wollen. Die Falle, die mir gestellt werden sollte, war die gleiche, die ich den Gegner legen wollte. Wie gut, daß ich gegen den Willen des Reïs Effendina herbeigeschlichen war, um zu lauschen.

„Wieviel Mann gibst du mir mit?" fragte Ibrahim weiter. — „Wieviel brauchst du?" — „Die Hälfte von deinen hundert wäre eigentlich richtig, aber ich brauche sie nicht und begnüge mich mit weniger."

„Ich gebe dir vierzig, so bleiben mir sechzig. Ihr marschiert eine Stunde vor Mitternacht ab, also vielleicht in einer Stunde. Ist es notwendig, daß wir in Verbindung miteinander bleiben?"

„Nein. Es wäre überhaupt schwer, eine solche zu unterhalten. Sie müßte um den langen Maijeh herum stattfinden, und das würde viel zu viel Zeit erfordern. Der Plan ist ja so einfach. Sobald es Tag wird, besetzt du die Südseite der Bucht. Die Karawane kommt von Norden her, und ich folge ihr. Sobald ihr meinen Schuß hört, ist die richtige Zeit gekommen. Welch ein Glück, daß Kara Ben Nemsi zu spät nach Hegasi kam! Der Reïs Effendina war soeben fort. Hätten sich die getroffen, so wäre der Emir dageblieben, und wir hätten es ruhig geschehen lassen müssen, daß dein Vater mit den übrigen Gefangenen in den Sumpf geworfen wurde. Jetzt haben wir alles Nötige besprochen, und ich will versuchen, ein wenig zu schlafen, denn ich bin vom langen Ritt ermüdet. Wecke mich, wenn meine Abteilung zum Marsch bereitsteht!"

Ibrahim legte sich nieder, und ich konnte mich entfernen. Es war klar, daß ich nichts Wichtiges mehr hören würde. Darum benutzte ich einen Augenblick, in dem sich zwischen meinem Baum und dem Feuer wieder eine Rauchwolke niedersenkte, schwang mich herab, legte mich zu Boden und kroch schnell zurück. Ich kam unbemerkt bei dem Reïs Effendina an, der noch immer hinter dem Busch stand.

„Effendi, ich habe fast um dich gezittert!" meinte Achmed. „Diese Verwegenheit konnte dir ans Leben gehen."

„O nein! Du wirst sogleich hören, daß sie mir außerordentliche Vorteile gebracht hat. Ich kenne den ganzen Plan der Feinde."

Ich teilte ihm mit, was ich erlauscht hatte. Als ich zu Ende war, flüsterte Achmed mir erregt zu:

„Sie gehen in die Falle, sie gehen hinein, Effendi! Aber durch welche List bekommst du den Scheik mit seinen vierzig Mann vor dich, anstatt daß er dir folgt?"

„Durch List ist da nichts zu erreichen. Ich muß sie gefangen nehmen."

„Das ist gefährlich, da es nicht ohne Kampf geschehen kann!"

„Gar nicht gefährlich! Ich besetze den Platz, ehe die Feinde kommen. Sie müssen sich entweder ergeben oder bis auf den letzten Mann erschießen lassen."

„Aber du hast nur zwanzig Asaker bei dir!"

„Diese zwanzig brauche ich unter den jetzigen Verhältnissen freilich alle zur Bewachung der Gefangenen. Kannst du mir noch vierzig Leute mitgeben?"

„Recht gern!"

„Dir bleiben dann noch immer genug. Wenn es Tag geworden ist, besetzt Ibn Asl den schmalen Paß. Du folgst ihm. Ich komme, indem ich die Gefangenen unter guter Bewachung zurücklasse, von Norden her, und so haben wir die Gegner zwischen uns. Ich sage jetzt das gleiche, was vorhin der Scheik sagte: Wenn du den ersten Schuß hörst, ist die Zeit gekommen."

„Gut, dann werfe ich mich auf den Feind."

„Aber eins muß ich dir noch ans Herz legen: Ich hörte, daß Ibn Asl sich nie am Kampf beteiligt. Vielleicht bleibt er auch hier zurück. Sorge dafür, daß er nicht entkommt! Beauftrage lieber eine kleine Abteilung von vielleicht zehn Mann, nur auf ihn zu achten und ihn nicht entwischen zu lassen!"

„Ich werde mein möglichstes tun. Wann soll ich dir die vierzig Mann zuteilen?"

„Sofort! Geh zurück und stelle sie bereit! Ich werde dir bald folgen."

„Du willst nicht gleich mit mir gehen? Warum?"

„Weil ich mir die weiße Dschebel-Gerfeh-Stute des Sklavenjägers holen will."

„Laß sie doch! Du könntest dadurch alles verderben. Wenn man dich dabei erwischt, sind wir verraten."

„Mich erwischen? Pah!"

„Aber wenn man merkt, daß das Tier fehlt, muß man auf einen Dieb, also darauf schließen, daß Menschen in der Nähe sind. Das muß doch Mißtrauen erwecken."

„Man wird zunächst meinen, die Stute sei schlecht gefesselt worden und zu weit fortgelaufen, würde sich aber morgen leicht wieder finden lassen. Ich habe außer dem hohen Wert dieses Kamels noch einen andern triftigen Grund, mich seiner zu bemächtigen. Wenn sich nämlich Ibn Asl nicht unmittelbar am Kampf beteiligt, so kann er dir trotz aller Vorsicht entschlüpfen. Hat er dann die Stute, so kann kein Mensch ihn einholen. Habe ich sie, so ergreife ich ihn, er mag dagegen versuchen, was er will."

„Das ist richtig. Aber ich befürchte nur, daß du bemerkt wirst!"

Achmed widersprach noch eine Weile, entfernte sich aber dann. Ich schlich in einem Bogen jenseits des Feuers hinüber. Das Hedschihn stand im Dunkeln bei einem Busch, dessen Blätter es abraufte. Es ließ mich ruhig herankommen. Ibn Asl verstand es offenbar nicht, ein solches Tier zu erziehen. Es hätte bei meiner Ankunft fliehen oder wenigstens laut schnauben müssen. Ich band ihm die Vorderfüße los, schlang den Leitstrick vom Halfter und führte es fort. Es folgte so gutwillig, als gehörte es mir. Auf einem Umweg kehrte ich zu meinem frühern Standort zurück und schritt dann dem Hegelikwald zu, wo der Reïs Effendina mich in großer Spannung erwartete. Die vierzig Mann standen schon bereit.

„Allah! Es ist gelungen", staunte er. „Effendi, du bist ein gefährlicher Kameldieb. Man sollte dich lebenslänglich einsperren lassen!"

„Verzeih mir, hoher Vertreter der ägyptischen Gerechtigkeit, ich stehle nur bei Dieben und Räubern!" lachte ich. „Ich werde sofort aufbrechen. Aber sag, sind diese Leute mit Stricken versehen? Wir werden wahrscheinlich vierzig Gefangene zu binden haben."

„Es ist alles da. Wir haben das Nötige vom Schiff mitgebracht."

„So leb wohl, und morgen früh ein siegreiches, fröhliches Wiedersehen!"

„Inschallah — wenn Gott will!"

„Laß Ibn Asl nicht entkommen!" warnte ich ihn noch. Dann ging es vorwärts. Einer der Asaker hatte das weiße Hedschihn am Halfter.

Erst suchte ich den einzelstehenden Hegelik auf, dann schlug ich den Weg ein, den ich gekommen war. So vergingen mehrere Stunden, ehe wir das Nordende des Sumpfes erreichten und es dann westlich umritten. Jetzt sahen wir die dunkle Masse des Bergs vor uns liegen. Ich rief meine Erinnerungen zu Hilfe, um das Regenbett nicht zu verfehlen. Zweimal ging ich irre, fand es dann aber doch.

Jetzt galt es zunächst, die Kamele, die wir nicht weiter mitnehmen konnten, zu verstecken. Wir führten sie eine genügende Strecke fort, pflockten sie da fest an und ließen einen Wächter bei ihnen zurück. Dann stiegen wir das Regenbett empor, bis wir den Kessel erreichten.

Die Wände waren hier nicht allzu steil. Dreißig Mann mußten hinauf und sich dort rundum verteilen. Sie erhielten den Befehl, sich völlig lautlos zu verhalten, bis ich selber den Angriff beginnen würde. Sie sollten möglichst hinter Steinen Deckung suchen, um, falls sich die Feinde verteidigen würden, von ihren Kugeln nicht getroffen zu werden. Sollte einer der Gegner noch während der Dunkelheit hinaufgestiegen kommen, so war er von zweien oder dreien zu empfangen, am Hals festzuhalten und mit dem Messer unschädlich zu machen.

Mit dem vierten Trupp ging ich eine kurze Strecke zurück und erstieg dann die halbe Höhe des Ufers des Regenbettes. Dort setzten wir uns nieder, um den Scheik el Beled vorüber zu lassen und ihm dann zu folgen.

Elf Uhr nachts hatte Ibrahim aufbrechen wollen. Unser Ritt hatte kurz nach zehn Uhr begonnen. Wir hatten also wahrscheinlich eine Stunde zu warten, aber es dauerte viel länger. Ibrahim kam erst kurz vor Tagesgrauen. Er hatte sich nicht sonderlich beeilt, da er ja wußte, daß meine Karawane erst eine Stunde nach der Morgenröte kommen würde. Wir hörten die Feinde vorüberreiten, stiegen dann leise von der Höhe herab und folgten ihnen. Nah am Eingang des Kessels blieben wir halten. Die Sklavenjäger glaubten sich allein und sprachen laut miteinander. Sie lagerten zwischen den Büschen und bewiesen durch ihr munteres Lachen, daß sie sich in guter, siegesgewisser Stimmung befanden.

Der Scheik war in bezug auf Lustigkeit trotz der Würde, die er eigentlich zu bewahren hatte, allen voran. Er scherzte übermütig und sprach von der Beute, die zu machen sei, und von ihrer Verteilung. Wie ich später erfuhr, war ihm für seine Mitwirkung ein reicher Anteil versprochen worden. Der brave Mann hatte sich aber verrechnet, er bekam etwas ganz andres.

Der Tag mußte in kurzer Zeit anbrechen, da hörte ich Ibrahim sagen, er wolle nach der Morgenröte ausschauen. Ich glaubte, er würde innen an der Wand des Kessels emporsteigen, aber er kam durch den Ausgang heraus und auf uns zu.

„Bückt euch!" raunte ich meinen Leuten zu, indem ich mich selber schnell niederkauerte. Der Scheik sollte uns nicht zu früh bemerken. Er kam langsam heran. Fast stieß er schon an mich an, da fuhr ich vor ihm auf und nahm ihn mit beiden Händen am Hals.

„Nur die Hände binden, nicht die Füße!" befahl ich den Asakern. Sie gehorchten.

Ich drückte Ibrahim den Hals nur halb zu, so daß er nicht die Besinnung verlor, und drohte ihm leise ins Ohr:

„Ein Laut von dir, und das Messer fährt dir ins Herz! Willst du schweigen, so schüttle dein Haupt!"

Ibrahim bejahte durch ein Kopfschütteln. Es war von ihm kein Widerstand zu erwarten. Der Schreck in ihm war mächtiger als die Tatkraft, und es zeigte sich später, daß er ein Feigling war, der nur für den Verrat, nicht für den Kampf taugte, und die Führung der vierzig Sklavenjäger nur übernommen hatte, weil er überzeugt war, bei uns keinen Widerstand zu finden.

Zwei Mann mußten mit mir den Scheik im Regenbett so weit zurückführen, daß unsre Stimmen im Kessel nicht gehört werden konnten. Die beiden Asaker hielten ihn hüben und drüben fest. Ich hatte mein Messer in der Hand, ließ Ibrahim die Spitze auf der Brust fühlen und fragte ihn:

„Kennst du mich?"

„Ja. Du bist — du bist Kara — Ben Nemsi — Effendi", stammelte er. „Warum behandelst du mich als Feind? Du hast mir doch gesagt, daß du die Obrigkeit in mir achtest."

„Und du hast das geglaubt? O du größter und oberster aller Dummköpfe! Nur ein so hirnloser Mensch wie du durfte glauben, er könne mich täuschen. Ich habe dich durchschaut, sofort, als ich dich sah. Du hattest keine Ahnung, daß ich dich überlistete. Du borgtest Ibn Asl dein Pferd. Das hat dich verraten. Als ich mit Ben Nil im Boot zu dir kam, war ich schon vorher bei dem Reïs Effendina auf seinem Schiff gewesen und hatte dich angezeigt. Er war dann freundlich zu dir, ebenso wie ich. Wir taten das, um Ibn Asl durch dich hierher zu locken. Es ist uns gelungen, weil deine Dummheit fast noch größer ist als deine Schlechtigkeit. Jetzt ist Ibn Asl da, der Reïs Effendina aber auch."

Und mich an den einen der Asaker wendend, gebot ich:

„Im Norden vom Maijeh lagern deine Kameraden mit den Gefangenen. Hole sie schnell herbei! Du gehst zu diesem Zweck das Regenbett hinab, wendest dich links und wirst in einiger Entfernung auf die Wache treffen, die ich bei den Kamelen zurückgelassen habe. Du besteigst die Dschebel-Gerfeh-Stute des Sklavenjägers und reitest gerade ostwärts, am Ende des Maijeh vorüber. Bis dahin ist es Tag geworden, und du wirst meine Spur sehen. Sie führt dich dann weiter zum Lager. Spute dich und treibe auch die andern zur größten Eile an!"

Er ging. Ich aber wendete mich wieder an den Scheik.

„Ich habe gestern dein Gespräch mit Ibn Asl belauscht, und jetzt hast du gehört, wo unser Lager ist. Du wolltest es gestern auskundschaften, damit wir auf offener Steppe überfallen werden sollten. Ich aber ahnte das und wählte einen Umweg. Während du mich im Westen suchtest, war ich längst im Norden von hier. Willst du noch leugnen?"

„Effendi, wieviel Asaker befinden sich jetzt bei dir?" fragte der Feigling.

„Mehr als genug, um euch zu vernichten. Wir haben die Höhen und auch den Eingang des Kessels so besetzt, daß nicht ein einziger von euch zu fliehen vermag. Du, der Anführer, bist schon gefangen. Wenn du deinen Leuten befiehlst, ihre Waffen auszuliefern und sich uns zu ergeben, so will ich meinen Einfluß bei dem Emir für dich verwenden, daß deine Strafe möglichst mild ausfällt."

„Allah! Die Waffen abliefern! Sich ergeben! Vierzig Mann!"

„Ja, das klingt freilich anders als vorhin, da ihr so siegesgewiß die Beute verteiltet! Beantworte meine Frage! Ich habe keine Zeit. Sag ja, so rettet ihr wenigstens das Leben. Sagst du nein, so schießen wir euch alle über den Haufen!"

„Effendi, sei gütig, sei gnädig! Laß mich die Zahl deiner Leute — — o Allah, o Mohammed! Da haben wir's! Da geht es schon los!"

Vom Kessel herab erscholl wüstes Geschrei. Schüsse krachten, dann wurde es plötzlich wieder ruhig.

„Da hast du den Beweis für die Wahrheit meiner Worte", mahnte ich. „Komm! Du wirst mir als Schild dienen. Wenn jemand auf mich schießt, trifft dich die Kugel. Das merke dir!"

Ich zog Ibrahim fort, wieder das Regenbett hinauf. Am Eingang des Kessels standen die Asaker, die Gewehre schußbereit in den Händen. Der Tag graute. Man konnte jetzt zur Genüge sehen. In jenen Gegenden bricht der Tag ebenso schnell wie die Nacht an.

„Warum ist geschossen worden?" fragte ich.

„Da es hell geworden ist", erklärte man mir, „wollten einige drin im Kessel emporklettern. Unsre Leute verboten es von oben herab, und da man nicht gehorchte, haben sie geschossen."

„Wie steht es drin? Es ist so schnell still geworden!"

„Die Sklavenjäger haben sich unter die Büsche verkrochen."

„Da siehst du, welchen Mut deine Helden besitzen", bemerkte ich zum Scheik. „Komm mit herein! Beim geringsten Anlaß aber stoße ich dir das Messer in den Leib."

Ich hatte die Stoßwaffe in der Rechten, nahm Ibrahim mit der Linken beim Genick und schob ihn vor mir her, in den Kessel hinein. Auf einen Wink folgten mir die Asaker.

„Nun schau da hinauf und sieh dir die Flinten an!" forderte ich den Scheik auf.

Die Asaker steckten hinter Felsen oder hatten Steine vor sich aufgebaut. Man sah von ihnen nichts als die Läufe ihrer Gewehre, die von allen Seiten herabdrohten. Ein Blick auf die Büsche brachte mich beinah zum Lachen, obgleich meine Lage nicht ungefährlich war. Die Gegner wußten noch gar nicht, von wem sie eingeschlossen waren. Sie hatten nur die Gewehrläufe gesehen und sich sofort versteckt. Als ob die Büsche sie hätten schützen können! Hier sah ein Arm, ein Ellbogen, dort ein Schuh, ein nackter Fuß unter dem Grün hervor. Sie alle lagen still, keiner regte sich.

„Wo hast du denn deine Helden?" fragte ich den Scheik. „Fordere sie doch auf, hervorzukommen und sich zu verteidigen!"

„Der Effendi, der fremde Effendi!" klang es unter den Büschen hervor.

„Ich gebe dir nur eine Minute Zeit", fuhr ich fort. „Hast du die Deinen bis dahin nicht aufgefordert, die Waffen auszuliefern, so bekommst du das Messer bis ans Heft in den Leib."

„Werde ich begnadigt?" fragte Ibrahim kleinlaut.

„Ich verspreche dir Milde. Mehr kannst du nicht verlangen. Die Gnade steht beim Reïs Effendina. Schnell, schnell, ehe die Minute verstreicht!"

Ibrahim wand sich unter meinem Griff hin und her. Ich hob das Messer wie zum Stoß, da schrie er angstvoll:

„Laß mich los, Effendi! Ich werde tun, was du von mir forderst."

„Von Loslassen ist keine Rede, denn du bist mein Gefangener. Befiehl deinen Leuten, einzeln hierher zu kommen, um die Waffen abzugeben und sich binden zu lassen, so wie du auch selber gebunden wirst.

Zeigt einer nur die geringste verdächtige Bewegung oder Miene, so bekommt er von denen, die da oben liegen, eine Kugel. Nun handle rasch, ich habe keine Zeit!"

Die Todesangst veranlaßte Ibrahim, den geforderten Befehl zu geben. Seine Leute gehorchten, indem einer nach dem andern unter dem Gesträuch hervorgekrochen kam. Nach Verlauf einer Viertelstunde waren alle entwaffnet und gefesselt. Der erste Akt des heutigen Schauspiels hatte sich zu meiner Zufriedenheit abgespielt.

Nun galt es, die Ankunft der Karawane abzuwarten. Ich stieg das Regenbett hinab und setzte mich draußen nieder. Es verging fast eine Stunde, ehe ich sie kommen sah. Ben Nil ritt mit dem Boten voran. Als sie mich erblickten, trieben sie ihre Tiere an, um noch vor der Karawane bei mir zu sein.

„Effendi, wir hatten Sorge um dich", meinte der Jüngling, als er sein Tier bei mir niederknien ließ und aus dem Sattel sprang. „Du kehrtest bis zum Morgen nicht zurück, und da glaubten wir, es sei dir ein Unfall zugestoßen. Sind die Feinde in deine Hände geraten?"

„Ja. Wissen eure Gefangenen davon?"

„Nein, denn dein Bote hat leise mit uns gesprochen. Aber sie haben die Dschebel-Gerfeh-Stute gesehen und müssen sich nun sagen, daß sie Ibn Asl, ihrem Herrn, abgenommen worden ist. Daraus können sie schließen, daß es ein Ereignis gegeben hat, das ihm, wenn nicht gefährlich, so doch wenigstens unwillkommen gewesen ist. Wo sind die Leute, die du ergriffen hast?"

„Sie stecken da oben in einer Schlucht. Wir werden deine Gefangenen zu ihnen bringen, die Kamele aber unter der Aufsicht einiger Leute hier unten lassen."

Als die Karawane ankam, wurden die Gefangenen von den Kamelen gebunden. Die Füße ließen wir ihnen frei, damit sie zum Kessel des Regenbettes gehen konnten. Man sah es ihnen an, daß der Anblick des Kamels sie mit Befürchtungen erfüllt hatte. Sie warfen forschende Blicke umher und tauschten leise Fragen und Antworten untereinander aus. Nur der Fakir el Fukara und Abd Asl gaben sich den Anschein, als hätten sie nichts bemerkt und fühlten sich ganz sicher.

„Effendi", fragte der spätere Mahdi, „warum werden wir hierher gebracht? Was sollen wir hier?"

„Ich will euch eine frohe Überraschung bereiten", lächelte ich.

„Spottest du unser? Es scheint, daß wir etwas Frohes von dir nie zu erwarten haben. Ich bin durch die Schuld des obersten Teufels in deine Gewalt geraten, und obgleich ich dir nichts getan habe, schleppst du mich wie ein wildes Tier mit dir herum. Du bist weder Herr meiner Person noch Besitzer meiner Rechte. Ich verlange, daß du mich losbindest und mir ein Kamel gibst, wie du mir versprochen hast, damit ich in meine Heimat reiten kann." — „Wo ist diese Heimat?"

„Für jetzt in Khartum."

„So gedulde dich nur noch eine kleine Weile, dann wirst du in Begleitung vieler Freunde dorthin abreisen können."

„Ich mag keine Begleitung. Ich bin allein zu dir gekommen und will auch allein wieder gehen. Du mußt mich fortlassen, denn du hast keine Macht über mich."

„Und über uns auch nicht!" behauptete Abd Asl. „Woher nimmt der Reïs Effendina die Erlaubnis, dir seine Rechte abzutreten? Und wenn er es tun dürfte, warum schleppst du uns hier in der Steppe herum? Ich verlange, nach Khartum gebracht zu werden!"

„Dieser Wunsch wird dir bald in Erfüllung gehen", erklärte ich bedeutsam.

„Wann aber? Heut haben wir einen Umweg hierher machen müssen. Meinst du etwa, daß das klug von dir gehandelt ist? Wenn du meinem Sohn begegnest, was doch leicht geschehen hann, so bist du unbedingt verloren."

„Ich bin Ibn Asl schon wiederholt begegnet, ohne verloren gewesen zu sein."

„Du hattest eben ein Glück, das du gewiß nicht wieder haben wirst. Läufst du ihm noch einmal in den Weg, so bist du von Allah gerichtet! Du weißt, wieviel Krieger mein Sohn bei sich hat. Hier in der Steppe könntest du nicht gegen ihn aufkommen. Er würde dich mit deinem Häuflein zerdrücken! Der Prophet kann unmöglich dulden, daß ein Christ sich ungestraft so über uns erhaben dünkt. Das Schwert seiner Rache flammt schon über dir. Wer weiß, wie bald es dich treffen wird!"

„Ich werde dir zeigen, über wem es flammt. Folgt mir jetzt diesen Weg hinauf!"

Die Kamele waren abgesattelt worden und weideten im Gras. Drei Asaker blieben bei ihnen zurück. Die andern Soldaten nahmen die Gefangenen zwischen sich und führten sie hinter mir das Regenbett empor. Es läßt sich denken, wie sie erschraken, als sie oben vierzig Spießgesellen gefangen auf der Erde liegen sahen. Abd Asl schrie laut auf vor Wut und überflutete mich dann mit solchen Grobheiten und Beleidigungen, daß sich Ben Nil der Peitsche bediente, um ihn zum Schweigen zu bringen. Die andern verhielten sich still. Sie wurden alle wieder an den Füßen gebunden und zu den übrigen gelegt.

10. Am „Sumpf des Fiebers"

Jetzt konnte ich aufbrechen. Die zwanzig Mann, die ich mit bei den Fessarah gehabt hatte, blieben da, um die Gefangenen und die Kamele zu bewachen. Die vierzig Mann, die der Reïs Effendina mir gestern mitgegeben hatte, begleiteten mich. Eigentlich sollte Ben Nil die Zurückbleibenden befehligen, aber er bat mich so dringend, ihn mitzunehmen, daß ich ihm die Erlaubnis dazu gab. Ich konnte dem Fessarah-Führer Abdullah und dem alten Askari Ismail, der den Befehl über seine Kameraden schon einmal geführt hatte, wohl das Vertrauen schenken, zumal an eine Überrumpelung nicht zu denken war.

Es war bestimmt worden, daß ich eine Stunde nach der Morgenröte den Dschebel Arasch Kol erreichen sollte. Als wir jetzt aufbrachen, war es etwas später, was aber keineswegs von Nachteil sein konnte. Ich schärfte den zurückbleibenden Asakern auf das entschiedenste ein, gut aufzupassen, gab ihnen für gewisse Fälle Verhaltungsmaßregeln und war nun überzeugt, daß kein Fehler vorkommen könne. Es war mir undenkbar, damit etwas vergeben zu haben, und doch hatte ich mich, wie sich später zeigte, eines zu großen Vertrauens schuldig gemacht.

Während ich mich gestern auf der Ostseite des Maijeh gehalten hatte, ritten wir jetzt auf der westlichen Seite nach Süden. Der Raum zwischen dem Sumpf und dem Berg war hier eine Viertelstunde breit, doch gab es verschiedene Einbuchtungen, durch die diese Breite zeitweilig verringert oder vergrößert wurde. Der Berg war oben kahl und nur an seinem Fuß mit Grün bestanden. Je weiter wir kamen, desto höher stieg er an und desto steiler wurden die Felsen, auch trat der Maijeh immer weiter an ihn heran.

Nachdem wir längere Zeit geritten waren, näherte sich der Sumpf von links her so weit, daß wir stellenweise nur zu zweien nebeneinander reiten konnten. Vor uns tauchten einzelne Laubbäume auf, deren Blätter unpaarig gefiedert waren. Ich erkannte sie schon von weitem. Es waren die Gafulbäume, die uns andeuteten, daß wir uns der Stelle näherten, an der wir auf Ibn Asl und seine Leute zu treffen rechneten. Als ich Ben Nil, der neben mir ritt, darauf aufmerksam machte, fragte er:

„Wollen wir nicht halten bleiben, Effendi? Es muß einer heimlich vorkriechen, um zu erkunden, wo die Sklavenjäger stecken.“

„Das ist überflüssig. Es ist ja heller Tag.“

„Aber du bist doch auch schon bei Tag angeschlichen!“

„Weil es mir das Gelände erlaubte. Hier aber ist die Örtlichkeit, auf der man sich bewegen kann, zu schmal. Ibn Asl hat jedenfalls einen Posten ausgestellt. Der Mann braucht nur auf den schmalen Weg zu achten, um einen Kundschafter von uns sofort zu gewahren. Nein, wir sitzen jetzt ab und marschieren ruhig weiter.“

„Dann laufen wir den Gegnern doch grad in die Hände!“

„Das will ich ja. Man wird keineswegs sofort auf uns schießen, sondern uns anrufen. Ibn Asl will mich lebendig haben. Er hat jedenfalls Befehl gegeben, nicht auf mich zu schießen. Wenn ich also vorangehe, seid ihr sicher. Bleib mit den andern ein wenig zurück und laß mich ungefähr dreißig Schritt vor euch herschreiten. Wenn ich stehenbleibe, haltet ihr auch so lange, bis ich euch heranrufe.“

„Ich muß dir leider gehorchen, möchte aber lieber an deiner Seite bleiben, denn die Entscheidung ist nahe.“

„Noch nicht. Ibn Asl wird sich nicht eher zeigen, als bis wir uns mitten in der Enge befinden, die wir noch gar nicht betreten haben.“

„Aber wenn der Reïs Effendina dann noch nicht zur Stelle ist!“

„So hätte es auch keine Gefahr für uns. Wir würden ihm Ibn Asl zutreiben. Zu befürchten wäre für uns darum nichts, da wir ja keinen

Feind hinter uns haben. Es wäre nur der eine Nachteil zu besorgen, daß Ibn Asl uns entkommen könnte."

Wir setzten den Weg in der angedeuteten Weise fort. Ich schritt allein voraus, und die andern folgten mir in der angegebenen Entfernung. Als ich die ersten Gafulbäume hinter mir hatte, bog der schmale Weg scharf nach rechts ab, denn die erwähnte Bucht des Sumpfes begann an dieser Stelle. Sie trat von links her weit in den Felsen hinein. Dieser stieg senkrecht empor und bildete, um mich so auszudrücken, einen halben Hohlzylinder, an dessen Wand der Fuß eines Menschen unmöglich zu haften vermochte. Zu meiner linken Hand lag der Sumpf völlig mit Om Sufah bedeckt, zwischen der einzelne freie, ölig glänzende Wasserstellen tückisch hervorblickten. Von der obern Kante der Felsen waren Steine abgebröckelt und heruntergestürzt. Sie lagen neben- und übereinander, von feuchtem Moos überzogen oder mit verwesenden, stinkigen Pflanzenresten bedeckt, über die der Fuß nur vorsichtig schreiten durfte.

Wer hier zugleich von vorn und von hinten angegriffen wurde, der konnte sich unmöglich wehren, der mußte sich ergeben. Rechts boten ihm die unersteiglichen Felsen keinen Weg zur Flucht, und links gähnte der Sumpf, aus dessen Schilf die widerlichen Köpfe unzähliger Krokodile glotzten. Es war so recht ein Ort des Schreckens, des Verderbens. Und in diesen Sumpf sollten meine Asaker gedrängt werden, ein Fraß für die Saurier. Nur mich wollte man schonen, um mich für noch entsetzlichere Qualen aufzuheben.

Wäre es unmenschlich gewesen, wenn ich den Sklavenjägern das gleiche Schicksal bereitete! Wieviel Blut klebte an ihren Händen! Wieviel tausend und abertausend Neger waren von ihnen unglücklich gemacht worden! Es schien mir, als sei es für sie nur eine gerechte Strafe, sie in den Maijeh hinabzustoßen. Auge um Auge, Zahn um Zahn, das ist das Gesetz der Wüste ebenso wie das der Prärie, der Savanne, der Pampas und Llanos, und wenn — aber ich konnte diesen Gedanken nicht ausdenken, denn unweit von mir ertönte eine laute, gebieterische Stimme:

„Halt, keinen Schritt weiter, sonst schießen wir!"

Ich blieb stehen und blickte scharf vorwärts. Da standen zwei Gafulbäume nebeneinander, und vor ihnen lagen einige große Felsstücke, hinter denen drei Männer versteckt sein mußten, denn ich sah ebensoviele Gewehrläufe auf mich gerichtet — eine unangenehme Lage, denn es bedurfte dort nur eines Fingerdrucks, so fuhr mir das tödliche Blei in den Körper.

„Wer bist du denn?" fragte ich, indem ich tat, als glaubte ich, nur einen vor mir zu haben.

„Ich bin ein alter Bekannter von dir. Willst du mich sehen?" antwortete einer.

„Gewiß!"

„Leg deine Waffen weg, dann trete ich hervor!"

„Daß ich ein Tor wäre!"

Ich tat einen Sprung zum nächsten Baum, hinter dessen Stamm ich Deckung fand. Die Leute da drüben befanden sich offenbar in Verlegenheit. Sie waren zur rechten Zeit hier eingetroffen und warteten auf das Zeichen, das ihnen der Scheik el Beled hatte geben wollen. Ich war ihnen auf den Leib gerückt. Sie konnten mich unmöglich näher kommen oder gar vorüber lassen, und doch hatten sie sich erst dann blicken lassen sollen, wenn der Schuß des Scheiks gefallen war. Was nun tun? Durch Redensarten Zeit gewinnen? Fast schien es so, denn der Sprecher erwiderte:

„Wir können dich leicht zwingen, wenn wir nur wollen, aber du sollst auf friedliche Weise erfahren, was wir von dir verlangen."

„Dann sag es!"

„So nicht. Laß deine Waffen zurück und komm bis zu dem Stein, der mitten zwischen uns liegt. Ich werde das gleiche tun."

„Gut, ich komme. Aber wenn ich nur die geringste Waffe, das kleinste Messer bei dir bemerke, fährst du zur Hölle!"

Ich steckte die Revolver in die Hosentaschen, lehnte die Gewehre an den Stamm und legte das Messer daneben. Ich hätte die Revolver ruhig zurücklassen können, denn ich war meiner Sache vollständig sicher. Ein Blick zurück belehrte mich, daß meine Leute halten geblieben waren. Die vordersten von ihnen, dabei Ben Nil, standen hinter einem Gebüsch, das eine Ecke bildete. Sie konnten zwar von mir, aber nicht von dem Gegner, der mit mir sprach, gesehen werden. Wer der Mann war, wußte ich, denn ich hatte ihn an der Stimme erkannt. Es war der Oberleutnant Ibn Asls. Warum aber redete mich dieser nicht selber an?

Getrost hinter meinem Baum hervortretend, ging ich zu dem bezeichneten Stein und blieb dort stehen. Da kam auch der Oberleutnant auf mich zu, hielt einige Schritte vor mir an und fragte höhnisch:

„Mich hast du hier wohl nicht erwartet?"

„Ja und auch nein", entgegnete ich ruhig. „Ich wußte, daß ich von euch hier erwartet werde. Und ich sage auch nein, weil ich glaubte, nicht von dir, sondern von Ibn Asl angeredet zu werden."

„Allah! Du wußtest, daß wir hier auf dich warten?"

„Pah! Ich weiß noch mehr, ich weiß alles. Jetzt wartest du auf das Zeichen, das der Scheik el Beled euch geben wollte. Oder ist's nicht so, daß ein Schuß aus seiner Flinte euch den Beginn der Feindseligkeiten andeuten sollte?"

„Allah ist allwissend. Er hört, sieht und kennt alles. Wie aber kannst du von Scheik Ibrahim und seiner Absicht wissen!"

„Das werdet ihr erfahren. Rufe Ibn Asl herbei!"

„Er ist nicht da."

„Ich weiß, daß er sich hier befindet!"

„Du weißt es? So ist deine Allwissenheit doch nicht so bedeutend. Wenn du wüßtest, wo Ibn Asl sich jetzt befindet, würdest du dich weit weniger zuversichtlich zeigen."

Diese Worte gaben mir zu denken. Hätte ich doch Ben Nil bei

den Gefangenen zurückgelassen! Ich ahnte nämlich sofort, daß Ibn Asl seinen Plan, soweit er nämlich seine Person betraf, geändert hatte. Er traute dem Scheik wohl nicht genug Umsicht zu, hatte darum den Befehl hier seinen beiden Offizieren übergeben und war zum nördlichen Ende des Maijeh geritten, um von dort die vierzig Sklavenjäger hinter mir herzuführen. Glücklicherweise war er zu spät dort angekommen. Wir hatten diese Leute gefangengenommen. Wenn ich mir nun auch sagte, daß Ibn Asl allein sie unmöglich befreien könne, so konnte er doch noch Leute bei sich haben oder es mochte irgendein Umstand ihm günstig sein. Auf alle Fälle stand uns seine Gefangennahme nicht so sicher bevor, wie wir bisher geglaubt hatten. Ich ließ mir von meiner Besorgnis nichts merken, sondern antwortete mit überlegenem Lächeln:

„Wo Ibn Asl sich befindet, brauchst du mir nicht zu sagen. Er ist hier am Maijeh. Steht er nicht da vorn bei den sechzig Mann, so ist er zu den vierzig geritten, die in dem Talkessel des Regenbettes auf mich warten sollten."

„Allah kerîm! Er weiß es von dem Regenbett!" rief der Oberleutnant. „Wer hat es dir verraten?"

„Ich weiß es, das ist genug. Ihr Dummköpfe solltet euch doch nun endlich einmal sagen, daß ihr mich nicht täuschen oder gar mir eine Falle stellen könnt, in der ich mich fange. Die Lage, in der wir uns jetzt befinden, habe ich herbeigeführt, nicht ihr."

„Du?" lachte er höhnisch auf. „Ich will nicht sagen, daß Allah dich mit Blindheit geschlagen hat, denn du hast bisher nur mich sehen können, aber ich will dir mitteilen, daß du mit deinen zwanzig Asakern rundum eingeschlossen bist. Du hast uns vorhin Dummköpfe genannt, und doch ist mir noch nie im Leben so ein Dummkopf vorgekommen wie du!"

„Wirklich? Willst du mir das beweisen, du Klugkopf aller Klugköpfe?"

„Der Beweis ist leicht erbracht. War es nicht die größte Dummheit, die es geben kann, daß du dem Scheik el Beled erzähltest, du hättest die Absicht, deine Gefangenen hierherzuführen, um sie den Krokodilen vorzuwerfen?"

„Eine Dummheit ist das gewesen? Ich möchte aus Mitleid mit dir weinen. Nicht eine Dummheit war es, sondern schlaue Berechnung, die sich in diesem Augenblick als ganz richtig erweist." Und nun erzählte ich ihm kurz, wie ich es angefangen und was ich bereits erreicht hatte. Da schlug er betroffen die Hände zusammen.

„O Allah, o Mohammed! Das — das — das soll man glauben?"

„Wenn du es nicht glauben willst, so wirst du es glauben müssen. Wo ist der Scheik mit seinen vierzig Mann? Warum gibt er nicht das verabredete Zeichen? Warum schießt er nicht?"

„Ibrahim kommt noch ganz sicher! Und wenn er nicht käme, so dürftest du doch nicht zu früh jubeln. Du hast nur zwanzig Mann bei dir. Wir aber sind noch über sechzig Köpfe und werden —"

„Nichts werdet ihr, gar nichts! Ihr könnt nichts tun, als euch auf Gnade und Ungnade ergeben."

„Hältst du uns für wahnsinnig?"

„Ich meine nur, daß du noch nicht im Bild bist. Du gehst von einer falschen Voraussetzung aus. Du glaubst, den Rücken frei zu haben. Das ist aber keineswegs der Fall, denn hinter euch steht jetzt der Reïs Effendina mit seinen Asakern."

„Der — Reïs — Effendina?" stotterte er. „Du lügst!"

„Ich sage die Wahrheit und fordere dich hiermit auf, die Waffen zu strecken. Wenn du dich weigerst, wird mit euch geschehen, was ihr uns tun wolltet: wir werden euch den Krokodilen vorwerfen."

„Effendi, was fällt dir ein? Du willst mich durch Lügen —"

„Sei still und beleidige mich nicht!" unterbrach ich ihn streng. „Ich will so gnädig sein, dir die Wahrheit meiner Worte zu beweisen, damit unnützes Blutvergießen verhütet wird. — Reïs Effendina —! Emir!"

Ich rief diese Namen, indem ich die beiden Hände hohl an den Mund legte, über die Ausbuchtung des Sumpfes hinüber.

„Hier sind wir, Effendi, hier!" ertönte die Antwort, und zwar aus viel größerer Nähe, als ich erwartet hatte.

„Nun?" fragte ich den Oberleutnant. „Hörst du an dem Schall, daß der Emir keine zweihundert Schritt von mir entfernt steht?"

„War das der Reïs Effendina?"

„Wer sonst soll es gewesen sein? Mein Ruf hat ihm gesagt, daß ich da bin, und nun wird er vorrücken. Ich rate dir, dich zu ergeben. Du sollst auch meine Leute sehen."

Ich wendete mich rückwärts und winkte. Da brach Ben Nil mit seinen vierzig Asakern hinter dem Gebüsch hervor und kam schnell herbei. Die Leute hielten ihre Gewehre schußbereit. Zwar mußten sie hintereinander gehen, aber da der Weg einen Bogen machte, konnten sie ihre Kugeln nötigenfalls über den Sumpf hinüber in die Reihen der Sklavenjäger senden. Als der Oberleutnant meine Leute kommen sah, erschrak er.

„O Allah! Das sind ja fast hundert Mann! Ich lasse mich nicht von ihnen erwischen. Effendi, ich gehe, ich gehe!"

Er sprang zu den Bäumen, hinter denen er gesteckt hatte, und holte sein Gewehr. Dann eilte er noch weiter zurück, gefolgt von den beiden andern, die ihm dort Gesellschaft geleistet hatten. Wir rückten dicht hinterher, bis zu einer Stelle, wo es leidlich Deckung für uns gab. Ich glaubte nicht, daß es zum Kampf kommen würde, dennoch stellte ich meine Leute so, daß sie hinter Steinen, Bäumen oder Büschen möglichst verborgen steckten.

Nun wartete ich, was geschehen würde. Ich war bereit und mußte vorerst erfahren, was der Reïs Effendina unternahm. Der Oberleutnant hatte einen heilsamen Schreck bekommen. Er war von der langen Einzelreihe meiner Leute so getäuscht worden, daß er sie für viel zahlreicher hielt, als sie waren. Das konnte mir nur lieb sein. Es mußte seine Bereitwilligkeit, sich zu ergeben, vergrößern.

Da hörte ich jenseits der Sumpfbucht laute Stimmen. Die Worte, die gesprochen wurden, konnte ich nicht verstehen. Dann dröhnte ein Schuß, noch einer, ein dritter, ein vierter. Menschen schrien. Hierauf wurde es plötzlich wieder ruhig. Eine Viertelstunde verging. Da kam ein Mann um die Krümmung des Wegs. Er trug die Uniform der Asaker des Emirs. Ich trat hinter dem Baum, an dem ich stand, hervor. Ich kannte ihn, eine Täuschung war unmöglich. Als er mich sah, eilte er auf mich zu.

„Die Sklavenjäger haben dich durchgelassen?" fragte ich voll Hoffnung.

„Ja, Effendi. Sie mußten, denn sie haben die Waffen gestreckt", antwortete er.

„Gott sei Dank! Aber es fielen Schüsse!"

„Der Emir wollte ihnen zeigen, daß wir Ernst machen. Es sind vier von ihnen erschossen worden. Dann erst baten die beiden Offiziere um Gnade. Nun sollst du mit deinen Leuten näherkommen, um mitzuhelfen, den Gefangenen die Hände zu binden."

Auf diese Weisung hin marschierten wir vorwärts und stießen bald auf die ersten Feinde. Alle, die ich sehen konnte, hielten ihre Gewehre noch in den Händen, machten aber keine Miene, sie gegen uns zu gebrauchen.

„Effendi!" hörte ich die Stimme des Reïs Achmed rufen.

„Hier", meldete ich mich.

„Die Gegner legen die Waffen nieder und werden immer einer an den andern gebunden, so daß sie eine Einzelreihe bilden und auf dem schmalen Weg abbefördert werden können. Laß keinen entkommen! Wir marschieren zum Regenbett."

Diese Anordnung war bei der Beschaffenheit des Wegs die einzig richtige. Oft konnten da nur zwei nebeneinander stehen. Die Stricke und Riemen zum Binden, ebenso die erbeuteten Waffen, mußten von dem einen dem andern zugereicht werden. Als ich vorn fertig war und der Reïs Effendina von sich das gleiche gemeldet hatte, setzten wir uns in Bewegung, zunächst meine Asaker voran, darauf die Gefangenen und dann Reïs Achmed mit seinen Leuten. Als später der Weg breiter wurde, bildeten wir aus der Einzelreihe der Sklavenjäger eine doppelte, neben der die Asaker hermarschierten, immer ihre Waffen zum Gebrauch bereit, um jeden Fluchtversuch zu vereiteln. Zuletzt konnten wir es uns noch bequemer machen, und da kam auch Achmed vor, um mit mir zu sprechen. Er war ebenso erfreut wie ich über das Gelingen unsres Unternehmens, ärgerte sich aber auch darüber, daß wir Ibn Asl nicht erwischt hatten.

„Wo mag er stecken?" fragte er.

„Hat es dir der Oberleutnant nicht gesagt?"

„Er gestand mir, daß Ibn Asl zum Regenbett sei. Dieser Gedanke scheint ihm erst gegen Morgen gekommen zu sein. Vielleicht ergreifen wir ihn noch."

„Schwerlich! Nämlich wenn er nicht schon ergriffen worden ist."

„Von unsern Wächtern im Kessel des Regenbettes?"

„Nein, sondern von den Kamelwächtern. Ehe er den Kessel erreichen konnte, mußte er an diesen Leuten vorüber." — „Wie viele sind es?"

„Solang ich dort war, hielt ich drei Mann für ausreichend, aber als ich fortging, befahl ich, daß noch zwei hinzukommen sollten."

„Das genügt vollständig. Gegen fünf Mann hat Ibn Asl unmöglich etwas ausrichten können."

„Durch Gewalt wohl nicht, ob aber auch nicht durch List?"

„Welche List hätte er anwenden können?"

„Hm! Ist er allen deinen Asakern persönlich bekannt?"

„Nein."

„So steht zu erwarten, daß Ibn Asl sich für einen andern ausgegeben hat. Ist ihm Glauben geschenkt worden, so kann er uns wohl bedeutenden Schaden angerichtet haben."

„Das ist wahr. Wir wollen uns beeilen."

„Soll ich nicht lieber vorauseilen? Je eher einer von uns dort ankommt, desto leichter ist ein Fehler gutzumachen."

„Ja, eile voran und nimm Ben Nil mit, auf den du dich verlassen kannst! Wir kommen so schnell wie möglich nach."

Es zeigte sich leider, daß meine Befürchtung begründet gewesen war. Als ich mit Ben Nil an die Nordseite des Bergs kam und da die weidenden Kamele erblickte, sah ich gleich, daß nicht alles in Ordnung war. Außerhalb des Platzes, auf dem sich die Kamele befanden, standen fünf Wächter, und innerhalb dieses Halbkreises, wo das Regenbett in den Berg zu schneiden begann, gab es eine Gruppe von Menschen, die sich nicht hier befinden durften, wenn nichts Regelwidriges geschehen war. Es waren fünf Personen. Zwei lagen auf der Erde, und drei kauerten bei ihnen und bemühten sich um sie. Als diese drei uns kommen sahen, sprangen sie auf und blieben stehen, um unser Nahen zu erwarten. Es waren Abdullah, der alte Askari, dem ich den Befehl übergeben hatte, und noch ein Soldat. Schon von weitem sah ich es ihnen an, daß sie sich in einer ungewöhnlichen Verlegenheit befanden.

„Was ist denn geschehen?" fragte ich sie. „Warum liegen diese zwei regungslos da?"

„Sie — sind — verwundet, Effendi", stotterte der Alte.

„Von wem?"

„Von einem Fremden."

„Wie ist das möglich gewesen? Kanntet ihr den Mann?"

„Nein. Ich habe ihn nicht gesehen und Jussuf", — Ismail deutete auf den Soldaten —, „der mit Wache stand, hat ihn nicht gekannt."

„Und die andern Wächter?"

„Ob sie den Mann gekannt haben, weiß ich nicht. Ich kann sie nicht danach fragen, da sie ohne Besinnung sind."

„Das sind erst zwei, dazu dieser Soldat hier, das ergibt drei. Ich hatte aber doch befohlen, daß fünf bei den Kamelen sein sollten!"

„Effendi, es sind ja jetzt fünf Mann da!" meinte Ismail, indem er die Augen niederschlug.

„Fünf?" zürnte ich. „Jetzt sind im ganzen zehn Mann hier, also befinden sich nur zehn, anstatt fünfzehn Mann oben bei den Gefangenen. Was ist das für ein Verhalten! Wenn du meinen Anordnungen nicht besser Gehorsam leistest, ist es freilich nicht zu verwundern, daß solche Dinge geschehen. Du bist der älteste der Asaker. Hätte ich einem Kind den Oberbefehl übergeben, so wären meine Weisungen jedenfalls gewissenhafter befolgt worden. Und diese beiden Männer sollen nur verwundet sein?"

„Ich denke es, Effendi. Ich hoffe, daß sie nur besinnungslos sind und bald wieder zu sich kommen."

„Habt ihr euch mit ihnen beschäftigt?"

„Schon seit einer Stunde. Sie wollen aber trotz unsrer Bemühungen nicht erwachen."

„Das glaube ich wohl. Sieh doch ihre Gesichter an! Das sind die Züge von Toten!"

Ich kniete nieder, um sie, die in einer Blutlache lagen, zu untersuchen. Der eine war in den Hinterkopf und der andre in die Brust geschossen. Man hatte ihnen noch nicht die Jacken geöffnet. Sie waren tot.

„Hast du denn keine Augen!" fuhr ich den Alten zornig an. „Diese beiden Leute sind sofort tot gewesen. Und nun will ich wissen, wie dieses Unglück geschehen konnte!"

„Effendi, frage Jussuf, der war dabei!"

Ismail deutete auf den Soldaten.

„Erzähle!" gebot ich ihm.

„Effendi", begann Jussuf zaghaft, „mich trifft keine Schuld, glaube mir! Wir drei hatten eben die Wächter abgelöst —"

„Ihr drei?" fiel ich ihm in die Rede. „Also sind es selbst nach der Ablösung trotz meines ausdrücklichen Befehls nur drei Posten gewesen?"

„Ja. Aber ich kann nichts dafür."

„Das weiß ich, denn du hattest ja nicht zu bestimmen. Weiter!"

„Also wir drei hatten eben die Wächter abgelöst, als wir einen Mann sahen, der um den Sumpf herum und über die Steppe kam. Als er uns erblickte, zügelte er wie erschrocken sein Tier. Dann kam er langsam auf uns zu."

„War der Fremde bewaffnet?"

„Ja. Ich stand ihm am nächsten und rief ihn an. Er gehorchte und kam erst dann vollends heran, als ich ihm die Erlaubnis dazu erteilte."

„Das war ein Fehler. Entweder durftet ihr ihn gar nicht heranlassen oder ihr mußtet ihn gefangennehmen."

„Fangen wollten wir ihn ja auch, nur darum erlaubten wir ihm, zu uns zu kommen."

„Fragte er, wer ihr seid?"

„Ja, Effendi."

„Und du antwortetest?"

„Ja. Es gab doch keinen Grund, ihm zu verschweigen, daß wir Asaker des Reïs Effendina sind!"

„Und ob es einen Grund gab! Du hast da eine Albernheit begangen, die unverzeihlich ist. Er wollte erfahren, wen er vor sich habe, um danach seine Antworten und Auskünfte einzurichten. Siehst du das nicht ein? Er war klüger als ihr. Ich muß genau erfahren, was geschehen ist. Ich muß jedes Wort wissen, das gesprochen wurde, womöglich sogar in der Reihe der Fragen und Antworten. Besinne dich also und gib ehrlich Auskunft! Nur dadurch kannst du dir meine Verzeihung, die du gar nicht verdient hast, erwerben. Also er fragte zuerst, was?"

„Wer wir seien. Ich sagte es ihm. Dann wollte er wissen, wo unsre Kameraden seien. Ich wollte es ihm nicht sagen, und da teilte er mir mit, daß er ein Freund des Emir sei."

„Das glaubtest du?"

„Nicht sofort. Ich war vorsichtig, Effendi, und sagte ihm ins Gesicht, daß seine Worte Lügen seien. Da aber begann er, sehr stolz zu sprechen. Er behauptete, ein Eilbote des Gouverneurs von Khartum zu sein und sei an den Reïs Effendina abgesandt, um diesem wichtige Befehle zu bringen."

„Der Gouverneur von Khartum hat dem Reïs Effendina nichts zu befehlen!"

„Das wußte ich nicht. Er gab sich für einen hohen Offizier, einen Miralai[1] aus und sprach so befehlshaberisch zu uns, daß wir ihm Glauben schenken mußten."

„Mußten? Wenn ein Hund dich anbellt, anstatt demütig zu winseln, mußt du ihn deshalb für einen Löwen halten? Doch weiter! Er hat sich jedenfalls nach allem erkundigt?"

„Ja. Er kannte auch dich und sprach so freundlich von dir, daß unser Mißtrauen völlig schwand. Er wollte wissen, wo du seist, wo die Gefangenen sich befänden, kurz, wir mußten ihm alles, alles sagen."

„Daß die Gefangenen da oben im Kessel des Regenbettes sind?"

„Ja. Wir mußten ihm erzählen, wie die vierzig Mann heute früh in unsre Hände geraten waren."

„So erfuhr er auch, daß der Reïs Effendina sich hier am Maijeh el Humma befindet und wieviel Asaker er bei sich hat?"

„Auch das."

„Sagtet ihr auch, in welcher Weise wir Ibn Asl fangen wollen?"

„Danach fragte er uns besonders eindringlich."

„Nun, da haben grad die richtigen Kerle für ihn dagestanden. Er konnte sie sich gar nicht dummer und leichtgläubiger wünschen. Wo habt ihr nur eure Gedanken gehabt! Diesem fremden Mann alles zu sagen, anstatt ihn festzunehmen und ihm bis zu meiner Rückkehr alles zu verheimlichen, wie es eure Pflicht und Schuldigkeit war! Wie sah er aus?"

„Er trug einen weißen Haïk, Effendi."

„Seine Gestalt?"

„Er war nicht lang, aber sehr breit."

„Sein Gesicht?"

[1] Oberst

168

„Es war ganz von einem schwarzen Vollbart bedeckt."

„Ich dachte es mir! Weißt du denn, du Sohn, Enkel und Urenkel eines Großvaters der Albernheit, mit wem du da gesprochen und wem du diese wichtigen Dinge verraten hast? Ibn Asl war es, der berüchtigte Sklavenjäger, der Anführer unsrer Feinde selber!"

„Allah! Wäre es möglich?"

„Gewiß! Denn bei dir ist alles möglich, selbst die allerunmöglichste Kopflosigkeit. Was tat er denn, nachdem du ihm eine so schöne und ausführliche Auskunft erteilt hattest?"

„Er verlangte, mit dem zu sprechen, dem du hier den Befehl übergeben hättest."

„Gut! Weißt du denn, was eigentlich nun geschehen mußte?"

„Was, Effendi? Ich glaube, keinen Fehler gemacht zu haben."

„Hättet ihr richtig gehandelt, so stände es jetzt anders hier. Während einer von euch bei den Kamelen blieb, mußten die beiden andern ihm die Waffen abfordern und ihn dann in die Mitte nehmen, um ihn zum Befehlshaber zu bringen. Habt ihr es etwa getan?"

„Nein, das nicht?"

„Und warum nicht?"

„Weil er befahl, es sollte einer von uns gehen, um den Befehlshaber zu holen."

„Und wer ging?"

„Ich."

„Das hat dir das Leben gerettet. Drei waren ihm doch zu viel. Darum schickte er einen fort, um mit den andern leichter fertig werden zu können. Erzähle weiter!"

„Ich ging. Ich hatte doch noch Verdacht gegen ihn und blieb zwischen den hohen Ufern des Regenbettes stehen, um zu überlegen, ob es nicht vielleicht besser sei, ihn gleich mitzunehmen. Während ich darüber nachdachte, hörte ich zwei Schüsse schnell hintereinander. Das war bei den Kamelen. Ich sprang eilig zurück und sah den Fremden das weiße Hedschihn besteigen, meine beiden Kameraden aber lagen auf der Erde. Wie du jetzt gesagt hast, sind sie von ihm erschossen worden." — „Hast du nicht ihm nachgefeuert?"

„Doch! Ich legte mein Gewehr sofort auf ihn an und zielte auf seinen Kopf. Aber die Kugel ging leider fehl, und dann war er mit dem Kamel schnell so weit fort, daß ihn meine zweite Kugel nicht mehr erreichen konnte."

„Wohin ritt er?"

„Dahin, woher er gekommen war."

„Also östlich?"

„Ja. Er verschwand hinter dem Sumpf."

„Und dann?"

„Dann kam Ismail, denn er hatte die Schüsse auch gehört. Ich erzählte ihm, was geschehen war. Da stellte er fünf Wächter hierher, und wir gaben uns Mühe die Bewußtlosen aufzuwecken, haben aber, bis du kamst, keinen Erfolg gehabt."

„Ja, jeder Dummkopf macht erst dann, wenn es zu spät ist, seine Fehler gut! Ihr seid schuld am Tod eurer Kameraden und an dem Entkommen des Sklavenjägers. Ich will nicht mit euch rechten, sondern will es dem Reïs Effendina überlassen. Ich will lieber versuchen, eure Torheit auszugleichen, obgleich ich überzeugt bin, daß es unmöglich ist. Helft mir schnell, mein und Ben Nils Kamel zu satteln, sie sind die schnellsten von allen. Wir werden Ibn Asl nachreiten. Du aber, Ismaïl, kehre jetzt zu den Gefangenen zurück! Da du nur zehn Wächter bei ihnen gelassen hast, könnte zu dem ersten Unheil leicht noch ein zweites kommen. Dem Reïs Effendina melde, daß ich wohl nicht sehr lange fortbleiben werde!"

Zwei Minuten später saßen wir im Sattel und ritten zum Sumpf, hinter dessen nördlichem Ende, wie wir gehört hatten, Ibn Asl verschwunden war.

Am Wadi el Berd, als Ben Nil und ich den Sklavenjäger auf seinem weißen Kamel verfolgten, hatten wir auf den gleichen Tieren gesessen, die wir heute noch ritten. Es war uns damals unmöglich gewesen, die weiße Dschebel-Gerfeh-Stute einzuholen. Sie war unseren Tieren auch heut in gleicher Weise überlegen. Darum wird man nun mit gutem Grund fragen, warum ich dennoch den Versuch machte, Ibn Asls habhaft zu werden. Ich wollte mich einfach nicht auf die unzulängliche Schnelligkeit meiner Kamele, sondern auf meine List verlassen. Ben Nil folgte dem soeben bezeichneten Gedankengang. Während wir zunächst langsam nebeneinander herritten, fragte er:

„Effendi, meinst du wirklich, daß wir Ibn Asl einholen? Denke an damals, als wir ihn am Wadi el Berd verfolgten! Wir saßen auf den schnellsten Tieren, die man in Korosko aufzutreiben vermocht hatte, und doch verschwand Ibn Asl auf seinem weißen Kamel vor uns, wie eine Sternschnuppe hinter dem Himmelsrand."

„Das ist richtig. Aber ich will ihn diesmal nicht verfolgen, sondern er soll mir in die geöffneten Arme laufen. Ich behaupte, er ist noch hier."

Bei diesen Worten deutete ich hinaus in die nordwärts liegende Steppe.

„Dann wäre Ibn Asl der größte Tor, den ich mir denken kann!"

„O nein! Du hast die Erfahrung gemacht, daß meine Berechnungen, selbst wenn sie einmal kühner als gewöhnlich sind, meist stimmen."

„Das ist wahr. Ob aber auch die jetzige stimmt?"

„Wollen sehen! Ibn Asl schwamm schon im Siegesrausch, desto größer wird jetzt seine Enttäuschung sein. Er hat sich, als er hörte, was geschehen war oder vielmehr was geschehen sollte, nicht in den Kessel des Regenbettes zu seinen gefangenen Leuten getraut. Er sah ein, daß er verspielt habe und sein Heil nur in der Flucht suchen müsse. Entkommen konnte Ibn Asl aber nur durch die Schnelligkeit seines Kamels. Es war ihm gestern abhanden gekommen. Nun sah er es vorhin hier bei den unsrigen weiden. Da mußte ihm der Gedanke kommen, sich wieder in den Besitz des Tieres zu setzen. Es ist ihm gelungen, da er die Wächter betörte. Auf dem Rücken dieses unvergleichlichen Tiers weiß er sich vor jeder Verfolgung sicher, da kein andrer Reiter ihn einzuholen vermag. Aus diesem Grund braucht Ibn Asl es mit der Flucht nicht so eilig zu haben, sondern er kann tun, was ihm nächst der Rettung der eignen Person am meisten am Herzen liegen wird, nämlich nachforschen, was aus seinen Männern geworden ist. Es liegt ja im Bereich der Möglichkeit, daß sie nicht in unsre Hände geraten sind. In diesem Fall braucht er nicht zu fliehen, sondern kann uns im Gegenteil noch höchst gefährlich werden. Er wird unsre Rückkehr belauschen. Wenn unser Zug zwischen dem Sumpf und dem Berg hervorkommt, um zum Regenbett hin umzubiegen, muß ein heimlicher Beobachter sogleich erkennen, wie die Verhältnisse liegen."

„Aber einen heimlichen Beobachter kann es doch da gar nicht geben, weil sich hier niemand verstecken kann."

„Da täuschst du dich eben. Die offne Steppe bietet ein gutes Versteck, eben weil sie offen ist. Hinter einem Busch oder Baum kann man einen Lauscher vermuten oder suchen. Sag mir aber mit Sicherheit genau den Punkt, wo man einen Menschen auf der Steppe antreffen würde."

„Du hast im allgemeinen recht, Effendi. Aber Ibn Asl hat ein weißes Kamel, das ihn verraten würde."

„Du ziehst nicht in Betracht, daß es jetzt gefärbt ist."

„Ja, das hatte ich vergessen. Aber er trägt einen weißen Haïk, den man unbedingt sehen muß."

„Den zieht er aus."

„So gibt es aber noch einen Einwand, den du wohl nicht widerlegen wirst. Wenn Ibn Asl uns beobachten will, muß er so nah herankommen, daß er uns deutlich sehen kann. Dann bemerken aber auch wir ihn."

„Ich habe auf der ‚Eidechse‘ ein Schiffsfernrohr gesehen. Das hatte er mit, wie ich gestern abend bemerkt habe, als ich ihn am Feuer belauschte. Er hat dieses Rohr jedenfalls auch vorhin umhängen gehabt. Leider dachte ich nicht daran, mich danach zu erkundigen. Ich stelle mir die Sache so vor: Ibn Asl ist ein tüchtiges Stück fortgeritten und dann wieder umgekehrt, bis er dem Regenbett so nahe war, daß er es durch das Rohr beobachten konnte. Dort stieg er ab. Sein Kamel mußte sich legen, und er hält nun das Rohr auf die Gegend gerichtet, aus der unser Zug kommen muß."

„Dann sieht er aber doch jetzt uns beide, Effendi!"

„Allerdings. Jedoch das schadet nichts. Er ahnt ja nicht, was wir beabsichtigen. Nun fragt es sich, wohin er dann, wenn er uns beobachtet hat, seinen Ritt oder vielmehr seine Flucht zu wenden gedenkt."

„Jedenfalls nilaufwärts zu der Stelle, an der er sein Schiff liegen hat."

„Das meine ich auch. Hier muß Ibn Asl seine Sache verloren geben. Er ist allein und hat keine Leute, um uns die Gefangenen abzujagen. Der Sklavenjäger ohne Mannschaft findet sein Heil nur in der Flucht.

Er wird zunächst sein Schiff aufsuchen und dann entweder mit diesem Schiff oder auf seinem viel schnelleren Kamel nach Faschodah eilen, wo Freunde und Verbündete auf ihn warten. Dort und in der Gegend von Fanakama kann Ibn Asl neue Leute anwerben, um sein schmachvolles Handwerk weiter zu treiben. Daraus geht hervor, daß er von hier aus südwärts reiten wird, ungefähr in der Richtung nach Hegasi, woher er ja auch gekommen ist. Darauf gründe ich meinen Plan, bei dessen Ausführung du mir helfen sollst."

„Ich werde gern alles tun, was du willst, Effendi. Gib mir nur deine Befehle!"

„Wenn es sich wirklich so verhält, wie ich erwarte, so kann ich mir ungefähr denken, an welcher Stelle er sich jetzt befindet. Unser Zug kommt zwischen dem Berg und dem Maijeh hervor und wendet sich dann nach links. Diesem Punkt gegenüber muß Ibn Asl sich auf die Lauer legen, wenn er alles deutlich sehen will. Die Breite, in der sein Versteck sich befindet, kenne ich also, und die Länge ergibt sich aus der Reichweite seines Fernrohrs. Da, wo die Länge mit der Breite sich schneidet, muß ich ihn suchen."

„Das verstehe ich nicht. Ich bitte dich, es mir zu erklären!"

„Das ist nicht notwendig, da nicht du Ibn Asl aufsuchen sollst. Das werde vielmehr ich tun. Ich umreite ihn, so daß er keinen Verdacht faßt, komme dann in seinen Rücken und stöbere ihn auf. Er wird fliehen und zwar südwärts. Diese Richtung hast inzwischen du verfolgt. Du bist an einer Stelle, an der er voraussichtlich vorüberkommen muß, abgestiegen. Dein Tier liegt auf dem Boden, du auch. Er kann euch also nicht eher sehen, als bis es zu spät ist. Sobald er nahe genug ist, zielst du auf sein Kamel und tötest es."

„Warum nicht ihn?"

„Ibn Asl mag noch so schlecht sein, bleibt aber doch ein Mensch. Und sein Kamel ist zwar kostbar, aber doch nur ein Tier. Es wird stürzen. Er springt auf, um zu fliehen, und du steigst schnell in den Sattel. Dann haben wir den Flüchtling zwischen uns, denn du bist vor und ich hinter ihm, er muß sich ergeben."

„Er wird auf uns schießen!"

„Glaube das nicht! Ich werde dafür sorgen, daß er nicht dazukommt. Wollte er im Ernst zielen, so würde meine Kugel ihn treffen, bevor er abzudrücken vermöchte. Ich hoffe, du hast mich begriffen?"

„Ja. Aber wo ist die Stelle, an der ich anhalten soll und an der Ibn Asl deiner Ansicht nach vorüber kommen wird? Ich bin begierig zu erfahren, wie du das in der offnen Steppe bestimmen willst."

„Es ist leichter, als du denkst."

„Wirklich, Effendi? Er reitet südwärts, ja. Aber wie weit er dabei östlich oder westlich hält, kannst du nicht wissen."

„Wenn ich es noch nicht weiß, berechne ich es. Zu weit nach Osten kann Ibn Asl nicht gehen, weil das ein Umweg wäre und ihn zugleich in die Nähe des Nil bringen könnte, wo er bemerkt würde. Er wird sich also eher soweit wie möglich westwärts halten. Da aber sendet der

Sumpf einen langen, schmalen Arm in die Steppe hinein, den er umreiten muß. Er wird sicherlich hart am Ende dieses Sumpfarms vorüberkommen, und dort ist die Stelle, wo du ihn erwarten mußt."

„Ist das weit von hier?"

„Gar nicht. Wir befinden uns am nördlichen Ende des Sumpfes. Blicke nach Südost, so wirst du dort am äußersten Sehkreis eine dunkle Linie erkennen!"

„Ich sehe sie, Effendi."

„Das sind die Büsche, die diesen Sumpfarm bezeichnen. Da, wo diese Linie links aufhört, ist auch der Sumpf zu Ende, und dort hältst du an."

„So weiß ich, was ich zu tun habe. Ich soll sogleich hin?"

„Ja. Aber mach keinen Fehler! Ziele gut, damit du keinen Fehlschuß tust."

„Du weißt, daß ich nicht schlecht schieße, Effendi."

Wir trennten uns. Ben Nil ritt nach Süden und ich nach Norden, in die Steppe hinaus. Wenn Ibn Asl wirklich da lag, wo ich ihn vermutete, so mußte er, wie bereits erwähnt, mich sehen und sich fragen, weshalb ich diesen Ritt unternahm. Höchstwahrscheinlich kam er nicht auf den Gedanken, daß der Ritt ihm gelte. Dennoch hielt ich mich mehr nach Westen, um ihm nicht allzu nah zu kommen. Hätte er schon jetzt meine Absicht bemerkt, so wäre er geflohen, und ich hätte ihn Ben Nil nicht zutreiben können.

Als ich mich so weit von dem Berg entfernt hatte, wie meiner Vermutung nach sein Fernrohr trug, mußte ich mich wahrscheinlich in gleicher Breite mit ihm befinden und hielt nun mehr östlich, aber nur nach und nach, damit es ihm nicht auffallen sollte. Ich ritt noch einmal so weit, wie ich bisher gekommen war, bog dann um und wendete mich zurück, nach Süden, der Gegend zu, die mir nun einmal als sein Aufenthalt oder Versteck im Sinn lag. Ich trieb mein Tier zum schärfsten Gang an, um Ibn Asl so wenig wie möglich Zeit zu lassen, und nahm meinen weittragenden Bärentöter vom Sattelknopf. Vielleicht gelang es mir doch, den Sklavenjäger so zu überrumpeln, daß ich auf sein Tier zum Schuß kam.

Dabei rechnete ich darauf, daß er seine Aufmerksamkeit vorzugsweise der Richtung zuwenden würde, aus der unsre Asaker erscheinen mußten. Ich war gespannt zu erfahren, ob meine Berechnung stimmte. In die Steppe reiten, um einen Menschen zu fangen, der sich gar nicht darin befindet, hätte mich denn doch geärgert und wohl auch ein wenig beschämt.

Glücklicherweise sollte ich wenigstens dieser Beschämung entgehen, denn plötzlich bemerkte ich vor mir eine Bewegung im Gras. Ich sah ein Kamel auf dem Boden liegen. Ein Mann sprang in den Sattel, das Tier schnellte auf und rannte fort.

Also war Ibn Asl doch dagewesen! Er hatte genau da gelegen, wo meine Vermutung ihn gesucht hatte. Jetzt trabte er grad vor mir her, drehte sich um und schwang höhnisch die Flinte über dem Kopf wie damals, als er mir am Wadi el Berd entfloh. Schießen wollte ich nicht, denn die Entfernung war zu groß.

Es fiel mir auf, daß er nicht in der Richtung floh, die meiner Erwartung entsprochen hätte. Er hielt mehr rechts, als wollte er grad zum Regenbett reiten. Die Ursache blieb mir nicht lange verborgen. Jetzt waren unsre Asaker zu sehen, die mit ihren Gefangenen anmarschiert kamen. Der Flüchtling hielt genau so auf sie zu, um so viel wie möglich beobachten zu können. Um mich schien er sich nicht zu kümmern.

Ich war überzeugt, daß Ibn Asl sich nur bis auf Schußweite an sie wagen würde. Dann aber mußte er sich wieder links wenden, um am Sumpf vorüberzukommen. Er hatte trotz der kurzen Zeit schon einen bedeutenden Vorsprung gewonnen und hielt sogar jetzt an, um besser ausspähen zu können. So sehr verließ er sich auf die Schnelligkeit seines Tiers. Ich benutzte das, um ihm einen Vorteil abzugewinnen. Ich ritt nicht gerade auf ihn zu, sondern wendete mich mehr zum Maijeh el Humma. Ich konnte ihm dadurch den Weg freilich nicht abschneiden, aber doch die Entfernung zwischen uns verringern und dadurch vielleicht zum Schuß kommen.

Unsre Asaker sahen den Reiter. Sie sahen auch mich und vermuteten, daß er ein Feind sei. Sie erhoben ein lautes Geschrei. Er antwortete ihnen in gleicher Weise und drehte sich dann zu mir um. Da bemerkte er, daß ich ihm zuvorkommen wollte, und trieb sein Tier wieder an. Welch ein herrliches Tier war diese Dschebel-Gerfeh-Stute! Sie warf den Weg nur so hinter sich! Ich kam nicht zum Schuß und trieb mein Hedschihn mit Schlägen zur äußersten Eile an. Es tat sein möglichstes, aber von Schritt halten oder gar einholen konnte keine Rede sein.

Zu meiner Genugtuung hielt Ibn Asl jetzt die Richtung ein, die ihn zu Ben Nil hinführen mußte. Ich lenkte noch weiter nach links, um Ibn Asl zu veranlassen, mehr rechts zu bleiben und ihn so an das Ende der erwähnten Sumpfzunge zu drängen. Dabei kam es darauf an, seine Aufmerksamkeit soviel wie möglich von vorn abzulenken, damit er Ben Nil nicht zu zeitig erblickte. Deshalb rief ich hinter ihm drein, gab ihm die gröbsten Schimpfnamen, kurz, machte einen Lärm, der weit über die Steppe hin zu hören war. Ibn Asl wendete sich einigemal um und antwortete mit einem schallenden Gelächter. Dieser Lärm hatte zugleich die Wirkung, Ben Nil auf unsre Annäherung aufmerksam zu machen.

Wir ritten so schnell, daß es schien, als kämen die Büsche, bei denen ich Ben Nil wußte, auf uns zugeflogen. Der Sklavenjäger war noch zwölfhundert, noch tausend, noch achthundert, noch sechshundert Schritt davon entfernt. Er mochte dem Sumpf doch nicht recht trauen, denn er bog mehr links ab, um ihm noch weiter auszuweichen. Ibn Asl war auf vier-, auf dreihundert Schritt heran und bog immer mehr ab. Auf diese Weise kam er so weit von Ben Nil vorüber, daß mein Verbündeter gar nicht treffen konnte.

Da sah ich den Gefährten hinter den letzten Sträuchern hervorkommen und, das Gewehr in der Hand, gerade in die Steppe hinein- und auf Ibn Asl losrennen. Dieser erblickte ihn ebenfalls und stutzte. Er lenkte seitwärts, aber sein Kamel war so im Schuß, daß es noch eine Strecke geradeaus rannte, ehe es eine Wendung zu machen vermochte. Zu gleicher Zeit blieb Ben Nil stehen, legte an und schoß. Ich bemerkte den Rauch seines Gewehrs, hörte den Schuß und sah, daß die weiße Stute mitten im Rennen hielt, als hätte sie einen Schlag von vorn erhalten. Dann raffte sie sich auf und raste, von ihrem Reiter mit der Flinte angetrieben, davon wie aus einem Kanonenrohr geschossen. Da krachte Ben Nils zweiter Schuß hinter ihr her, doch ohne zu treffen. Ibn Asl jagte an der Sumpfzunge vorüber — er war uns entkommen! Einige Sekunden später hatte ich Ben Nil erreicht und hielt bei ihm an.

„Effendi, ich kann nichts dafür", beteuerte er. „Ich habe das Kamel getroffen. Hast du es nicht gesehen? Es blieb mitten im Lauf für einen Augenblick stehen."

„Ich habe es beobachtet", erwiderte ich, indem ich abstieg. „Dein erster Schuß traf, der zweite aber nicht."

„Auch diesen zweiten hatte ich gut gezielt!"

„Aber zu spät abgedrückt!"

„Vor Überraschung, Effendi. Soll man nicht erstaunen, wenn man genau weiß, daß man getroffen hat, und doch läuft das Tier unverletzt davon. Ich weiß, daß ich getroffen habe. Das Kamel muß in kurzer Zeit niederfallen. Ich habe genau auf die Brust gezielt."

„Wir wollen sehen, ob wir Blut finden."

Wir folgten der Spur eine bedeutende Strecke, ohne einen einzigen roten Tropfen zu finden. Der Reiter verschwand inzwischen am südlichen Gesichtskreis. So schnell hätte das nicht geschehen können, wenn das Kamel schwer verletzt gewesen wäre.

„Vielleicht war es ein Streifschuß, der nur die Haut berührte", meinte ich.

„Nein, Effendi. Ich bin meiner Sache so sicher, daß ich bei Allah, dem Propheten und allen Kalifen schwören kann, daß ich die Brust getroffen habe. Bedenke, daß die Entfernung nur fünfzig, höchstens sechzig Schritt betrug! Wie wäre da ein Streifschuß möglich?"

„In der Aufregung. Aber ich halte es selber auch nicht für möglich. Ein Streifschuß hätte dem Kamel nicht einen solchen Ruck nach hinten gegeben. Du mußt es voll getroffen haben. Laß uns suchen! Vielleicht ist die Kugel an irgend etwas abgeglitten."

Die betreffende Stelle war leicht zu erkennen, da das Kamel mit den Zehen den Boden aufgerissen hatte. Wir suchten im Gras und wirklich, da glänzte uns etwas metallisch entgegen. Ich hob es auf: es war die plattgedrückte Kugel aus Ben Nils Gewehr.

„Wie schade!" bedauerte der Jüngling. „Sie muß an einem festen Gegenstand breitgedrückt worden sein."

„So ist es", bestätigte ich. „Ich habe gesehen, daß der Brustriemen des Kamels mit Platten und großen Knöpfen verziert war. Die Kugel ist auf einen dieser Gegenstände geprallt. Du siehst, wie gut es gewesen wäre, wenn du schnell zum zweitenmal geschossen hättest."

„Verzeih mir, Effendi! Ich war wirklich ganz betroffen, als ich das Tier nicht fallen sah."

„Ärgere dich nicht über diesen ersten Schuß, sondern über den nächsten, den du dann nicht abgefeuert hast!"

Die Betrübnis verschwand allmählich aus seinem Gesicht. Er holte sein Kamel aus dem Gesträuch, in dem er es versteckt hatte. Wir stiegen auf und ritten zum Regenbett.

11. Gerechte Vergeltung

Schon von weitem bemerkten wir, daß in der Nähe des Regenbettes ein reges Leben herrschte. Man hatte alle Gefangenen aus dem Kessel geholt und sie den neuen zugesellt. Sie saßen, nur an den Händen gefesselt, auf der offnen Steppe im Gras und waren von zahlreichen Wächtern umstellt. Nahe dabei lagerten die Asaker. Unweit von ihnen hatte sich der Reïs Effendina mit seinen Offizieren niedergelassen, und hinter diesen Gruppen weideten die Kamele. Die Asaker waren guter Dinge. Sie hatten gesiegt, ohne daß einer von ihnen verletzt worden war, und hatten einen ausgezeichneten Fang gemacht, der ihnen reiche Beutegelder einbringen mußte. Um so schweigsamer waren die Gefangenen. Sie warfen, als ich kam, finstere, haßerfüllte Blicke auf mich, und als ich nahe bei ihnen aus dem Sattel stieg, hörte ich, daß der alte Abd Asl zu seinem Nachbar sagte:

„Nur diesem räudigen Giaur, diesem stinkenden Hundesohn, haben wir das alles zu verdanken. Möge Allah ihn zerreißen und in alle Lüfte zerstreuen!"

Ich achtete nicht darauf. Der Reïs Effendina stand auf und kam mir entgegen.

„Ich habe während deiner Abwesenheit alles erfahren und werde die Schuldigen streng bestrafen. Dort liegen sie."

Er deutete auf eine Stelle, die ich noch nicht beachtet hatte. Dort lag der alte Ismaïl, dem ich den Befehl anvertraut hatte, mit Jussuf, dem Posten, der gegen Ibn Asl so mitteilsam gewesen war und ihn hatte entwischen lassen. Beide waren gebunden. Dann fuhr er fort:

„Man sagte mir, daß du mit Ben Nil Ibn Asl nachjagen wolltest. War er der Reiter, den du verfolgtest, als wir kamen? Ich sah ihn, konnte aber sein Gesicht nicht erkennen."

„Ja, es war Ibn Asl."

Ich erzählte ihm, während wir uns zu seinen Offizieren setzten, den Hergang. Als ich geendet hatte, strich er sich nachdenklich den Bart.

„Hätten wir ihn erwischt, so wäre uns viel Mühe und Anstrengung erspart worden. Ich darf nicht ruhen, bis ich diesen Halunken in meine Gewalt bekommen habe. Ich werde ihn nicht zu Atem kommen lassen, sondern ihn hetzen, bis er vor meinen Füßen zusammenbricht. Dieser Mann allein ist gefährlicher als alle seine Leute zusammengenommen. Es wäre ein Triumph, ein Glück, eine Genugtuung, wenn wir ihn gefaßt hätten. Aber ich will nicht klagen, sondern einstweilen zufrieden sein. Denn sieh die Gefangenen und zähle sie! Hundertsechzig Sklavenjäger. Ist jemals so ein Fang gemacht worden, Effendi?"

„Ich habe wenigstens noch nichts davon gehört."

„Ja, es ist noch nie geschehen. Man kennt mich bereits. Von jetzt an aber wird mein Name von allen derartigen Schuften mit doppelter Scheu genannt werden, und das habe ich deinem tatkräftigen Beistand zu verdanken. Wirst du mir auch weiterhin helfen? Willst du mir eine Bitte erfüllen?"

„Welche?"

„Wann mußt du in deiner Heimat eintreffen?"

„Wann es mir beliebt."

„So bleib jetzt noch bei mir! Ich will dir etwas sagen. Ich werde dir ein Versprechen geben: Wenn du mir hilfst, diesen Ibn Asl zu fangen, so bin ich bereit, dir —"

„Halt, kein Versprechen!" unterbrach ich ihn. „Du hast mir erlaubt, dich als meinen Freund zu betrachten, und ich habe bewiesen, daß ich der deinige bin. Zwischen Freunden aber gibt es keinen Handel und keinen Lohn. Ich habe Zeit. Warum soll ich sie dir nicht zur Verfügung stellen? Ich habe das Spiel mit Ibn Asl angefangen. Warum soll ich es nicht zu Ende führen, um es zu gewinnen? Die Sklavenfrage berührt mich in meinem innersten Empfinden. Warum soll ich mich nicht durch die Tat mit ihr beschäftigen, da mir eine so passende Gelegenheit geboten wird? Was ich außerdem hier bezweckte, kann ich grad auf diesem Weg am besten erreichen. Ich bleibe also bei dir."

„Bis wir den Hundesohn haben?"

„Ja, bis er unschädlich gemacht worden ist."

„Ich danke dir, Effendi! Nun erst bin ich sicher, daß ich ihn ergreifen werde. Wo, denkst du, daß er von jetzt an zu finden sein wird? Wohin wird er sich von heut an wenden?"

Ich erklärte und begründete meine Ansichten, über die ich vorhin schon mit Ben Nil gesprochen hatte. Achmed hörte aufmerksam zu und meinte, als ich fertig war:

„Ich stimme dir völlig bei. Ibn Asl ist erst zu seinem Schiff und wird dann nach Faschodah fahren, um dort seine Freunde aufzusuchen. Was ist da zu tun?"

„Wir müssen ihm nach."

„Gewiß! Leider aber muß ich erst nach Khartum, um die Gefangenen abzuliefern. Dort muß ich mich mit Mundvorrat und Schießbedarf für eine lange Fahrt versehen, denn es ist möglich, daß wir Ibn Asl bis weit hinauf in den Süden, bis in die Sumpfgegenden der Nilarme verfolgen müssen. Das nimmt mehrere Tage in Anspruch. Dann mußt du bedenken, daß bei günstigem Wind wenigstens eine Woche nilaufwärts bis Faschodah brauche. Wenn wir nach so langer Zeit dort ankommen, ist Ibn Asl schon fort."

„Könntest du nicht in Khartum einen Regierungsdampfer nehmen, der dich im Schlepptau in viel kürzerer Zeit nach Faschodah bringt?"

„Wenn sich eins dieser kleinen Waburat[1] dort befindet, so werde ich es allerdings in Beschlag nehmen. Aber selbst dann würde Ibn Asl noch vor meiner Ankunft den Ort verlassen haben."

„So folgen wir ihm. Das ist doch höchst einfach!"

„Nicht so einfach, wie du denkst. Wäre einer von uns eher oben in Faschodah, so könnte er Erkundigungen einziehen und Vorbereitungen treffen, so daß ich mich bei meiner Ankunft nicht aufzuhalten brauchte, und wir sofort hinter ihm her sein könnten."

„Daran habe ich auch schon gedacht. Ich hatte mir sogar schon einen Plan gemacht, den ich dir vortragen wollte. Unsre Ansichten stimmen überein und unsre Absichten begegnen sich in der glücklichsten Weise. Ich will voranreisen!"

„Hamdulillah! Jetzt wird mir das Herz wieder leicht. Einen bessern Beweis deiner Freundschaft könntest du mir nicht geben. Ich nehme deinen Vorschlag mit Dank an und werde dich mit allem, was du brauchst, versehen. Wie aber willst du den Weg zurücklegen?"

„Jedes Schiff — das deinige ausgenommen, da es besser segelt — braucht von hier aus, wenn es während der Nächte am Ufer liegt, volle elf Tage, bei ungünstigem Wind auch noch länger. Einer solchen Zeitverschwendung dürfen wir uns nicht schuldig machen, wenn wir Ibn Asl erwischen wollen."

„Er braucht doch aber ebensolange!"

„Meinst du, daß er auf seiner ,Eidechse' fahren wird? Gewiß nicht. Er muß sich ja vor deinem ,Falken' fürchten. Ich bin überzeugt, daß er reitet. Er kann ja gar nichts Besseres tun, da er ein so unübertreffliches Kamel besitzt."

„Ich gebe dir recht. Und so willst wohl auch du reiten?"

„Ja, vorausgesetzt, daß ich zu einem guten Kamel kommen kann."

„Du hast ja eins, sogar zwei von ganz gleicher Güte. Ober bist du nicht mehr mit ihnen zufrieden?"

„Sie würden mehr als genügen. Es sind vortreffliche Tiere. Bedenke, welchen Weg sie zurückgelegt haben! Und doch sind sie noch so frisch wie an dem Tag, an dem sie sie bekam. Freilich sind sie sehr gut behandelt worden und haben bei den Fessarah längere Zeit ausruhen können. Aber du hattest sie geliehen. Mußt du sie nicht abliefern?"

„Ganz nach meinem Belieben. Der Vizekönig braucht sie, das ist genug. Du kannst sie getrost behalten."

„Gut! Dann bin ich überzeugt, daß Ibn Asl keinen allzu großen Vorsprung vor uns gewinnen wird."

„Willst du allein reiten?"

„Das wäre freilich das Beste. Ein Begleiter würde mir nur hinderlich sein. Darum denke ich, daß —"

Ich wurde unterbrochen, und das hatte ich erwartet. Ben Nil hatte sich mit zu uns setzen dürfen und alles gehört. Jetzt fiel er mir in die Rede:

[1] Mehrzahl von Wabur = Dampfschiff

178

„Hinderlich ist nicht jeder, Effendi! Es gibt einen, der bereit ist, sein Leben für dich zu geben, und der dir nachlaufen wird, wenn du ihn nicht mitnimmst. Du hast zwei gleichschnelle Kamele. Wenn ich mich auf eins davon setze, wirst du nicht behindert. Und wenn ich dir in Gefahren nicht viel nützen kann, so wirst du doch an mir einen Diener haben, der wenigstens zu den gewöhnlichen Handreichungen zu gebrauchen ist. Ich bitte dich inständig, nimm mich mit! Wirst du deinen Ben Nil zurückweisen?"

„Ich würde dich mitnehmen, wenn ich nicht an Abu en Nil, deinen Großvater, dächte." — „Hindert er dich, mir die Erlaubnis zu geben?"

„Ja. Willst du dich denn abermals von ihm trennen, nachdem ihr euch glücklich gefunden habt?"

„Ben Nil braucht sich nur kurze Zeit von ihm zu trennen", warf der Reïs Effendina ein. „Während ich von der Insel Hassanieh bis hierher fuhr, habe ich erkannt, welch ein brauchbarer Steuermann dieser Abu en Nil ist. Ich habe ihm alles verziehen und bin bereit, ihn bei mir anzustellen. Er wird dann mit mir nach Faschodah kommen und dort mit seinem Enkel wieder zusammentreffen."

Abu en Nil war nämlich ebenso wie Selim, der Aufschneider, nicht zum Dschebel Arasch Kol mitgekommen, sondern auf dem Schiff zurückgeblieben. Ben Nil wäre dem Reïs Effendina vor Freude über die letzten Worte am liebsten um den Hals gefallen. Er erging sich in den lebhaftesten und aufrichtigsten Dankesworten, und wenn ich nicht weniger freundlich sein wollte, mußte ich versprechen, ihn mitzunehmen. Das hatte übrigens schon vorher in meiner Absicht gelegen. Ben Nil war trotz seiner Jugend zuverlässiger als jeder andre, und einen so langen Ritt in einem fremden Land allein zu unternehmen, ist nicht ratsam. Es war also ausgemacht, daß wir beide wie bisher zusammenhalten würden.

Nachdem das besprochen war, meinte der Reïs Effendina:

„Ich weiß, daß du am liebsten gleich jetzt aufbrechen würdest, aber du wirst mich vorher doch bis an das Schiff begleiten müssen. Dort befindet sich einiges, was ich dir mitgeben will, und dort findest du auch Schießbedarf und frischen Mundvorrat, während du hier nur schlechte Reste bekommen könntest."

„Dann würde es mir aber lieb sein, wenn wir uns hier nicht lange verweilen, Emir."

„Wir werden sogleich abmarschieren, nachdem der Gerechtigkeit Genüge geschehen ist."

„Willst du hier schon Gericht halten? Über wen?"

Mir graute schon, denn ich dachte an das Wadi el Berd und die Sklavenhändler, die er dort so kurzerhand hatte erschießen lassen.

„Zunächst über die beiden Asaker dort", antwortete er. „Sie haben beide den Tod verdient."

„Den Tod?" fragte ich erschrocken über seine Strenge. „Ihre kleinen Vergehen sind doch nicht so schwere Verbrechen, die man mit dem Tod bestraft!"

179

„Ungehorsam vor dem Feind wird mit dem Tod bestraft, wenigstens bei mir."

„Jussuf, der nur Posten stand, ist aber doch nicht so strafbar!"

„Ebenso wie der stellvertretende Befehlshaber Ismail! Jussuf hat ohne Erlaubnis alles ausgeplaudert. Seine Dummheit hat ebenso den Tod seiner Kameraden wie das Entkommen Ibn Asls verschuldet. Bedenke, was für Menschen ich unter mir habe! Sie sind nur durch Strenge zu beherrschen."

„Ich bin in Milde ganz gut mit ihnen ausgekommen."

„Für so kurze Zeit, ja, da war es möglich. Bald aber würden sie dir über den Kopf wachsen. Meine Asaker kennen mich, und diese beiden Missetäter wissen ganz genau, was ihrer wartet."

„Also wirklich der Tod?"

„Ja. Ich werde Ismail und Jussuf jetzt erschießen lassen."

Vielleicht hatte er recht, vielleicht auch nicht. Ich aber konnte eine solche Strenge nicht billigen. Die beiden armen Teufel dauerten mich. Darum ließ ich mich nicht irremachen, sondern sprach so lange auf ihn ein, bis er nachgab.

„Gut, ich schenke dir das Leben dieser Kerle. Sie sollen laufen und mir nie wieder vor die Augen kommen!"

„Halt, Emir, so hatte ich es nicht gemeint! Was man tut, soll man ganz tun. Schenkst du ihnen die Strafe und jagst sie fort, so ist das keine vollkommene Begnadigung."

„Soll ich sie etwa gar im Dienst behalten?"

„Ja. Ich bitte dich ganz besonders darum."

„Ganz besonders? Daß du dir ihr Leben erbeten hast, war wohl nichts Besondres?"

Ich lachte ihn an und hielt ihm die Hand hin.

„Schlag ein! Sie bleiben bei dir! Du bist kein finsterer Unmensch, obwohl du so erscheinen willst. Ich sage dir, daß ein Gehorsam aus Liebe tausendmal mehr wert ist als ein Gehorsam aus Furcht und Angst. Ich kenne dich besser, als du denkst, und weiß genau, daß deine Asaker dich trotz deiner Strenge lieben."

„So? Hast du das erfahren?" fragte er mild, wobei ein beinah sonniges Lächeln über seine Züge glitt.

„Nicht nur einmal, sondern oft. Also, Emir, wirst du mir meinen Wunsch erfüllen?" — „Du sollst es sogleich sehen und hören."

Reïs Achmed befahl, die beiden Männer loszubinden und zu ihm zu bringen. Als sie dann vor uns standen, war es ihren Armesündergesichtern anzusehen, daß sie die strengste Strafe erwarteten.

„Ich wollte euch jetzt erschießen lassen, ihr Söhne des Ungehorsams!" erklärte er ihnen. „Aber Kara Ben Nemsi Effendi bat für euch um Gnade, und da ich ihm seinen Wunsch erfüllte, verlangte er sogar, daß ich euch bei mir behalten soll. Ich habe ihm auch das gewährt. Kniet vor ihm nieder, ihr Hundesöhne, und dankt ihm im Staub! Denn seine barmherzige Hand hat euch hart vor der Pforte des Todes ergriffen und ins Leben zurückgeführt."

Ismail und Jussuf warfen sich wirklich vor mir nieder und küßten mir die Hände, zwei Mohammedaner einem Christen! Als sie sich dann entfernt und zu ihren Kameraden gesetzt hatten, sah ich die Blicke dieser rauhen Menschen mit dem Ausdruck liebevoller Dankbarkeit auf mich gerichtet. Ich behaupte doch immer und immer wieder, daß die Liebe, die christliche Liebe, die größte Macht im Himmel und auf Erden ist, und daß es keinen Menschen gibt, dessen Herz sie nicht früher oder später zu öffnen vermöchte.

„Eigentlich freue ich mich, dir deinen Wunsch erfüllt zu haben", meinte der Reïs Effendina, „denn das gibt mir die Sicherheit, daß du mich nun nach meinem Ermessen handeln läßt. Trotzdem sag ich dir jetzt vorher, daß meine Dankbarkeit und meine Freundschaft für dich, so groß beide auch sind, mich nicht veranlassen könnten, dir eine ähnliche zweite Bitte zu erfüllen. Ich ersuche dich also dringend, mich nicht in Verlegenheit zu bringen! Schafft den Fakir el Fukara herbei!"

Der Genannte wurde hergebracht. Er stand, an den Händen gefesselt, zwischen zwei Asakern, seinen Wächtern. Sein Blick ruhte trotzig auf dem ‚Diener der Gerechtigkeit', der ihn verächtlich musterte.

„Wie ist dein Name?"

„Man nennt mich den Fakir el Fukara", entgegnete Mohammed Achmed.

„Ich habe nach deinem Namen gefragt, aber nicht, wie man dich nennt! Also antworte!"

„Fakir el Fukara", wiederholte der andre trotzig.

„Asis, öffne ihm den Mund!"

Man wird sich erinnern, daß der Liebling des Reïs Effendina die Nilpferdpeitsche meisterhaft zu führen wußte. Er saß bei den Soldaten. Auf den Ruf seines Herrn sprang er auf, trat heran, zog die Peitsche aus dem Gürtel und knallte sie dem Fakir so schnell fünf- oder sechsmal über den Rücken, daß der Gezüchtigte die Hiebe empfangen hatte, ehe er nur eine Bewegung der Abwehr machen konnte. Dann aber drehte er sich zu Asis um, spuckte ihm ins Gesicht, verzog sein dunkles Gesicht zu einer wütenden Fratze und schrie:

„Hundesohn, du wagst es, mich zu schlagen, mich, den Heiligen der Heiligen, den Fakir el Fukara, vor dem Millionen niederknien werden, um —"

„Asis", unterbrach der ‚Diener der Gerechtigkeit' mit Donnerstimme diese Strafrede, „die Bastonnade!"

Mohammed Achmed fuhr zu ihm herum.

„Mir die Bastonnade? Hat Allah sich denn so weit von dir abgewendet, daß du der Gottlosigkeit fähig bist, seinen Liebling —"

„Asis, einen Knebel!" unterbrach ihn der Reïs Effendina wieder.

Die Asaker, die mit mir bei den Fessarah gewesen waren und sich so oft über diesen Mann geärgert hatten, freuten sich darüber, daß er jetzt endlich seinen Meister fand. Sie traten herbei und sorgten dafür, daß die Befehle schnellstens ausgeführt wurden. Der Fakir el Fukara wurde niedergerissen und erhielt, als er den Mund zum Schreien und

Fluchen aufriß, den Zipfel seines eigenen Gewandes als Knebel. All sein Sträuben half ihm nichts. Es hielten ihn so viele Hände fest, daß er sich schließlich gar nicht mehr bewegen konnte. Man legte ihn auf den Bauch. Mehrere Männer setzten sich ihm auf die Oberschenkel, die Arme und den Leib. Noch andre hielten ihm die Unterschenkel hoch, so daß seine entblößten Fußsohlen eine waagrechte Lage bekamen.

„Wieviel Hiebe, Emir?" fragte Asis.

„Zwanzig auf jede Sohle", lautete das Urteil.

Die vierzig Hiebe wurden gewissenhaft aufgezählt, und als der letzte gefallen war, bildeten die Füße des Gezüchtigten zwei geschwollene, hochrot gefärbte und aufgeplatzte Fleischmassen. Jetzt nahm man ihm den Knebel wieder aus dem Mund und ließ ihn los. Er richtete sich stöhnend in sitzende Stellung auf und sah den strengen Richter mit blutunterlaufenen Augen wie ein Irrer an.

„Jetzt noch einmal: Wie ist dein Name?" fragte der Reïs Effendina.

„Mohammed Achmed", gurgelte der Gefragte hervor.

„Hättest du das gleich gesagt, so wäre dir die Bastonnade erspart geblieben. Ich verlange Gehorsam. Daß du dich den Fakir el Fukara nennst, flößt mir nicht die geringste Achtung ein. Kara Ben Nemsi Effendi hat dir das Leben gerettet, indem er den Löwen tötete. Du aber hast ihn mit Undank belohnt. Du hast meine Asaker an Ibn Asl verraten wollen. Eigentlich sollte ich dich töten, aber ich verachte dich und will dir nicht die Ehre antun, von mir gerichtet zu werden. Man schleife diesen Enkel der Undankbarkeit hinüber zum Sumpf und lasse ihn am Rand des Maijeh liegen. Dort mag er dem Ungeziefer, das seinesgleichen ist, vom Mahdi erzählen, der er werden will, und stinkendes Wasser trinken, bis seine Füße ihm erlauben, über die Steppe fortzuwanken!"

Dieser Befehl wurde buchstäblich ausgeführt. Zwei Männer ergriffen den Fakir el Fukara und schleiften ihn zum Sumpf. Mit welchen Gefühlen mag er später, als er es wirklich, wenigstens auf einem begrenzten Raum, zum Beherrscher der Gläubigen gebracht hatte, an diesen nichts weniger als ehrenvollen Zwischenfall in seinem Leben zurückgedacht haben!

Mir war es nicht eingefallen, ein gutes Wort für den Fanatiker einzulegen. Mir schien, daß er die Züchtigung reichlich verdient hatte. Mit ihr war übrigens die heutige Gerichtshandlung noch nicht zu Ende, denn der Reïs Effendina befahl, nun den alten Abd Asl vorzuführen.

Dieser hatte vorhin gewünscht, Allah möge mich zerreißen und in alle Winde streuen. Jetzt hätte er vielleicht gern anders zu mir gesprochen. Wenigstens nahm ich das an, obgleich er festen Schrittes und trotzigen Gesichtes daherkam. Ich dachte an die Höhle von Maabdeh, bei der ich ihn zum erstenmal gesehen hatte. Wie fromm und ehrwürdig war er mir da erschienen! Und wie hatte ich ihn dann als einen ganz andern kennengelernt! Er hatte mir ja gleich am nächsten Tag schon nach dem Leben getrachtet und mich von damals bis heute mit einer geradezu teuflischen Feindschaft verfolgt. Man soll das Alter ehren, aber ein Mensch, der mit einer wahren Wollust die schwersten Verbrechen begeht, obgleich er schon mit einem Fuß im Grab steht, ist nicht ehrwürdig, sondern verächtlich und doppelt strafbar. Das mochte auch der Richter denken und fühlen, denn sein Auge ruhte mit dem Ausdruck des Ekels und des Abscheus auf dem Alten.

„Dich habe ich lange gesucht, du heiliger Fakir. Du bist mir immer entwischt, nun aber werde ich Gericht über dich halten."

„Ich verlange einen andern Richter", murrte Abd Asl.

„Es gibt keinen, der dich streng genug zu verurteilen vermag. Sei ich es oder sei es ein andrer, keiner kann dich so bestrafen, wie du es verdient hast! Deine Schandtaten zählen nach Hunderten. Tausende von Menschen verdanken dir die Sklaverei, den Tod oder die Verarmung der Ihrigen. Wie viele Dörfer hast du ausmorden und ausbrennen lassen! Und dabei zeigtest du das Gesicht eines Heiligen, ließest die Gebete eines Ehrwürdigen hören und gabst dich für einen anbetungswürdigen Marabut aus. Diese Rolle ist zu Ende, und ich schicke dich dahin, wo du hingehörst, nämlich in die Hölle."

„Du hast nicht das Recht, mich zu töten!" kreischte der Alte auf.

„Viele, sehr viele hatten es und haben es noch heut! Daß sie es nicht übten, war eine große Sünde, denn sie ließen dir dadurch Zeit zu immer neuen Missetaten. Ich darf nicht die gleiche Sünde begehen. Ich habe die heilige Pflicht dich auszurotten, damit dein Hirn endlich einmal aufhört, Bluttat nach Bluttat auszusinnen. Du bist ein Ungeheuer, und Ungeheuer werden dich verschlingen. Ich lasse dich in den Maijeh unter die Krokodile werfen."

„O Allah!" schrie der Alte auf. „Das darfst du nicht tun! Schone mich, o Reïs Effendina!"

„Schonen? Denke doch zurück! Kara Ben Nemsi Effendi schonte dich, Ben Nil schenkte dir das Leben. Dafür hast du immer von neuem nach dem ihrigen getrachtet. Du bist ein Teufel, in dessen Natur es liegt, Wohltat mit Missetat zu vergelten. Es bleibt bei meinem Spruch: Du wirst den Krokodilen vorgeworfen!"

Es war der unbedingteste Ernst, mit dem das Urteil gesprochen wurde. Dennoch blickte Abd Asl den Reïs Effendina forschend an, ob er es vielleicht doch anders meine. Als er aber an den steinernen Zügen des Richters erkannte, daß dieser einen festen, unerschütterlichen Entschluß ausgesprochen habe, heulte er auf:

„Das ist nicht möglich! Das ist unmenschlich!"

„Schweig! Dir geschieht nur dein Recht. Wann hast du einmal menschlich gehandelt? Wehe dem, der wehe tut! Das ist mein Wahlspruch, an dem du sterben wirst. Und dein Sohn wird auch daran zerbrechen. Bindet ihm auch die Füße zusammen und schafft ihn dann in den Sumpf! Sein Freund, der große Fakir el Fukara, mag Zeuge sein, wie er von den Krokodilen verschlungen wird!"

„Gnade, Gnade! Nur noch ein Wort!" zeterte der Alte, als man ihn ergreifen wollte.

„Was?" fragte der strenge ‚Diener der Gerechtigkeit', indem er mit der rechten Hand ein Zeichen gab, noch zu warten. Abd Asl wendete sich in seiner Verzweiflung an mich.

„Effendi, du bist ein Christ. Du darfst nicht dulden, daß man mich eines so schrecklichen Todes sterben läßt! Bitte mich frei! Laß mich begnadigen! Ich weiß, daß der Emir auf deine Stimme hören wird."

„Du hast es nicht verdient", bedauerte ich in der Überzeugung, daß Reïs Achmed mir eine solche Bitte nicht erfüllen würde.

„Muß ich es verdient haben? Ist deine Lehre nicht die Lehre der Liebe, Gnade und Barmherzigkeit? Du selber hast mir das gesagt und erklärt, als wir in Siuṭ waren."

„Ja, und nachdem ich es dir erklärt hatte, locktest du mich unter die Erde, wo ich elend verschmachten sollte."

„Denke nicht daran, sondern gedenke jetzt nur der Gebote deines Glaubens, damit dein Jesus, wenn er einst als Richter kommt, gnädig auch mit dir verfahre!"

„Schweig!" gebot ihm der Reïs Effendina, der wohl glaubte, daß ich mich doch noch zu einer Fürbitte bewegen lassen würde. „Kara Ben Nemsi kann nichts für dich tun, denn ich würde nicht auf seine Stimme hören. Bindet ihn!"

Abd Asl wehrte sich mit den gefesselten Händen und mit beiden Füßen gegen die Ausführung dieses Befehls. Er brüllte dabei wie ein wildes Tier. Man kann sich denken, daß dieser Auftritt keineswegs meinen Beifall hatte. Der Alte hatte den Tod verdient, und die Strafe mochte ihm werden, aber ihn den Krokodilen vorzuwerfen, war nicht nötig. Das wenigstens wollte ich verhüten.

Dabei kam mir ein Gedanke. Ich dachte an den Führer in der Höhle von Maabdeh, dem ich versprochen hatte, nach seinem verschollenen Bruder zu forschen. Was ich seit damals erfahren hatte, ließ mich vermuten, daß Abd Asl das Schicksal des Vermißten kannte. Darum gebot ich Einhalt.

„Laßt noch einmal ab von ihm! Ich will mit ihm sprechen."

Man gehorchte mir, und der Alte rief mir zu:

„Ich danke dir, Effendi! Das war Hilfe in der größten Not. Du bist entschlossen für mich zu bitten?"

„Vielleicht. Beantworte mir einige Fragen!"

„Frage, Effendi! Kann ich dir Auskunft geben, so soll es geschehen."

„Du kennst Ben Wasak, den Führer in der Höhle zu Maabdeh?"

„Ja. Du hast mich doch mit ihm sprechen sehen."

„Hast du auch Hafid Sichar, seinen Bruder, gekannt?"

„Auch ihn", bestätigte er.

„Kennst du seinen jetzigen Aufenthalt?"

Abd Asl sah mich forschend an und fragte dann:

„Warum willst du das wissen?"

„Ich suche Hafid, denn ich will ihn seinem Bruder zurückbringen."

„Ja, ich kann dir sagen, wo er ist. Ich sage es dir, wenn ich dafür mit allen Gefangenen hier freigelassen werde."

„Schuft, bist du toll!" rief der Reïs Effendina. „Das ist eine Bedingung, wie sie nur ein Wahnsinniger stellen kann."

„Ich habe sie aber gestellt und bleibe dabei!"

„So sage mir, Effendi, welche Bewandtnis es mit diesem Hafid Sichar hat!"

Diese Aufforderung war an mich gerichtet.

„Hafid Sichar ist nach Khartum gereist, um sich dort vom Kaufmann Barjad el Amin eine große Geldsumme auszahlen zu lassen", erklärte ich. „Er hat das Geld auch wirklich erhalten, ist aber seit jener Zeit verschwunden. Damals befand sich Ibn Asl im Geschäft jenes Kaufmanns. Er war arm, wurde aber nach dem Verschwinden Hafid Sichars plötzlich reich und begann die Sklavenjagd."

„So hat er Hafid Sichar ermordet und ihm das Geld abgenommen."

„Nein, Hafid Sichar ist nicht ermordet worden!" rief der Alte. „Ich sage dir, wo er lebt, wenn du uns freigibst!"

„Das kann nicht geschehen. Aber aus Freundschaft für Kara Ben Nemsi Effendi will ich dir einen Vorschlag machen. Du gibst den Ort an, wo jener Verschollene lebt, und dafür will ich dich nicht den Krokodilen vorwerfen lassen. Du wirst erschossen."

Da schlug der Alte ein hämisches Gelächter an.

„Wie gnädig du bist, o Emir! Meinst du, der Tod durch die Kugel sei kein Tod? Leben will ich, leben! Und soll das nicht sein, so erfahrt ihr auch mein Geheimnis nicht. Für die Verkürzung meines Todeskampfes um eine oder höchstens zwei Sekunden verlangt ihr die Befreiung dieses Hafid Sichar, den mein Sohn eigentlich hätte umbringen sollen? Dieser Preis ist mir zu teuer, viel zu teuer."

„Nun wohl, so schafft Abd Asl endlich fort!"

Jetzt wurde der Alte an den Beinen gebunden und fortgetragen. Er verhielt sich dabei ganz ruhig. Auch wir waren still. Kein Mensch im Lager sprach ein Wort, bis endlich vom Sumpf her mehrere Rufe zu hören waren, dann ein jammerndes Winseln und endlich ein Schrei, der mir durch Mark und Bein ging. Der Alte hatte geendet. Als die Männer, die ihn fortgeschafft hatten, zurückkamen, berichtete einer von ihnen:

„Erst tat er, als ob er fest und furchtlos sei. Als er die scheußlichen Tiere aber liegen sah, heulte er. Die Teufel des Sumpfes haben ihn sofort zerrissen."

Mich schauderte. Und doch war es mir, als sei auch diese Strafe nicht zu hart bemessen gewesen. Und der Reïs Effendina meinte sogar:

„Schade, daß es so schnell gegangen ist! Dieser Unmensch hat einen viel längeren Todeskampf verdient. Aber wir müssen leider fort. Du wirst mir zürnen, Effendi, daß ich nicht auf sein Verlangen eingegangen bin."

„Nein, das konnte ich dir nicht übelnehmen, denn was er forderte, war wirklich wahnsinnig. Er und alle seine Leute frei! Und schließlich hätte er mich doch belogen. Aber ich habe doch wenigstens *ein* Ergebnis erzielt. Bis jetzt hatte ich nicht die mindeste Spur von dem Verschollenen, da sich aber der Alte zu den Worten hinreißen ließ: ‚diesen Hafid Sichar, den mein Sohn hätte töten sollen‘, so weiß ich, wo ich Auskunft erlangen kann, nämlich bei Ibn Asl, der den Verschollenen jedenfalls ausgeraubt hat. Kennst du den Kaufmann Barjad el Amin in Khartum?"

„Ja. Ich bin oft bei ihm gewesen."

„Ist er ehrlich oder nicht?"

„Die Ehrlichkeit selber könnte nicht anders handeln als er."

„Sollte mir lieb sein. Auch der Führer von Maabdeh beschrieb ihn mir als einen ehrlichen Mann, aber es gab in dieser Beschreibung doch einige Punkte, die noch der Aufklärung bedürfen. Wenn er ein Heuchler ist, werde ich ihn entlarven, sobald ich nach Khartum komme, was nun leider nicht so bald geschehen wird. Wann brechen wir von hier auf?"

„Meinetwegen jetzt gleich."

„Bist du heut mit dem Gericht fertig?"

„Ja. Es galt eigentlich nur dem Alten, der auf alle Fälle unschädlich gemacht werden mußte. Das sollte hier geschehen, und ich konnte es tun, weil ich die Macht dazu besitze. In Khartum habe ich keine Zeit, mich lange mit dem Schicksal dieser Leute zu befassen. Ich muß sie dort dem Gericht übergeben, und da wäre es sehr leicht möglich, daß man diesen Abd Asl gegen eine entsprechende Summe entkommen ließe."

„Man sollte doch meinen, daß in einem solchen Fall von Bestechung der Richter keine Rede sein kann!"

„Ja, meinen sollte man es, und was mich betrifft, so ließe ich mir die Gerechtigkeit meines Urteils nicht für Millionen abkaufen. Aber ich habe gehört, daß es ein christliches Land gibt, in dem die Göttin der Gerechtigkeit als blindes Weib dargestellt wird —"

„Das war ein heidnisches Land, nämlich Griechenland."

„Ob christlich oder heidnisch oder mohammedanisch, das bleibt sich gleich. Es ist überall das gleiche. Hast du vielleicht vom Mudir von Faschodah gehört?"

„Ja. Er heißt Ali Effendi el Kurdi und ist in weitern Kreisen bekannt durch die grausige Niederwerfung der Militärerhebung in Kassala."

„Dort hat er zu viel Gerechtigkeit walten lassen, später desto weniger. Man kannte unter ihm in Faschodah zwar das strenge Verbot des Sklavenhandels, aber man sah nichts davon. Die Sklavenjäger gingen ganz offen in seinem Haus ein und aus. Sie zahlten ihm für jeden Sklaven heimlich eine Kopfsteuer und fanden dafür bei ihm Schutz gegen das Gesetz. Ich kannte sie alle, konnte aber keinen fassen. Wenn ich kam, einmal die Schlinge am Hals eines solchen Schurken zuzuziehen, wurde sie mir vom Mudir zerschnitten. Wenn das der oberste Machthaber einer Provinz tut, was kann man da von den untern und untersten Beamten erwarten? Faschodah war geradezu der Ausgangspunkt aller Sklavenraubzüge geworden. Die Sklavenjäger versammelten sich dort, um sich vorzubereiten, und wenn ich ein Wort darüber fallen ließ, wurde ich von dem Mudir entweder angebrüllt oder ausgelacht. Das durfte ich nicht länger dulden. Ich ging geradewegs zum Vizekönig, sagte es ihm, legte ihm die Beweise vor, und der Erfolg ist dieser Tage bekannt geworden: Ali Effendi el Kurdi ist abgesetzt und ein neuer Mudir eingesetzt worden."

„Wird er gerechter sein als der vorige?"

„Ja, ich bin überzeugt davon, denn ich kenne ihn. Ich bin es, dem er sein Amt zu verdanken hat, denn ich habe ihn dazu vorgeschlagen und freue mich außerordentlich, daß der Vizekönig meiner Empfehlung gefolgt ist. Der neue Mudir heißt auch Ali Effendi und wurde von seinen bisherigen Untertanen stets nur Abu Hamsah miah[1] genannt."

„Welchem Umstand hat er diesen Namen zu verdanken?"

„Einer sehr löblichen Gepflogenheit, durch die er sich in große Achtung gesetzt hat. Er ist nämlich der allgemeinen Bestechlichkeit und andern derartigen Schwächen völlig unzugänglich und pflegt, wenn er zu Gericht sitzt, jedem, den er für schuldig hält, fünfhundert Hiebe zuzusprechen. Da er diese Gabe mit gleicher Bereitwilligkeit an Arme und Reiche, Geringe und Vornehme austeilt, hat man heillose Angst vor ihm, und ich traue es ihm zu, daß er auch in Faschodah bald Ordnung machen wird. Er ist mein Freund, und ich habe dich eigentlich nur deshalb ersucht, jetzt mit zum Schiff zu gehen, weil ich dir ein Empfehlungsschreiben an ihn mitgeben will, damit du auch während meiner Abwesenheit in Faschodah die nötige Unterstützung findest."

„Ein solches Schreiben muß mir allerdings willkommen sein, da es mir wahrscheinlich manches erleichtern oder ermöglichen wird, was mir sonst schwer fallen oder gar unmöglich sein würde."

Wir hatten während dieses leisen Gespräches ernste Gesichter gemacht. Das schien in den Gefangenen den Glauben erweckt zu haben, die Gerichtssitzung sei noch nicht vorüber, und wir unterhielten uns über die Bestrafung der übrigen. In diesem Fall wären die beiden Offiziere des Sklavenjägers zunächst an die Reihe gekommen. Das schien sie in große Besorgnis zu versetzen, denn der Oberleutnant sandte uns einen der Wächter her, um anfragen zu lassen, ob er mit uns sprechen dürfe, er habe uns eine sehr wichtige Mitteilung zu machen. Es wurde ihm gestattet. Als zwei Asaker ihn zu uns gebracht hatten, und der Reïs Effendina ihn fragte, was er vorzubringen habe, begann er:

„Du hast das Urteil an Abd Asl vollstrecken lassen, o Emir. Wirst du nun auch über uns zu Gericht sitzen?"

„Erwartest du vielleicht, daß ich euch laufen lasse?"

„Nein. Wir kennen dich. Wir befinden uns in deinen Händen und dürfen nicht hoffen, straflos auszugehen. Wir bitten dich um die Gnade, mit uns zu machen, was dir gefällt, aber uns nur nicht den Krokodilen

[1] Vater der Fünfhundert

vorwerfen zu lassen. Wie kann der Erzengel Dschibraïl[1] am Tag der Auferstehung unsre Gebeine finden, wenn sie von den Ungeheuern zermalmt und aufgefressen worden sind!"

„Schurke! Jetzt, in der Todesangst, berufst du dich auf die Verheißungen des Koran. Hast du auch bei deinen Missetaten an die Gebote des Glaubens gedacht?"

„Emir, der Sklavenfang war seit Jahrhunderten gestattet. Was hat der Glaube damit zu tun, daß diese Erlaubnis von Menschen aufgehoben wurde?"

„Und was hat der Islam mit deinen Gebeinen zu tun? Wenn sie im Magen eines Krokodils verrotten, brauchen sie nicht später in der Hölle gebraten zu werden. Du mußt mir noch dankbar dafür sein, daß ich dich Abd Asl jetzt unverzüglich folgen lasse."

„Um Allahs willen, tu das nicht! Ich werde dir beweisen, daß ich nicht so schlimm bin, als du denkst, und keinen solchen Tod verdiene."

„So? Ich möchte wissen, wie du, der Anführer dieser tollen Hunde, einen solchen Beweis zu führen gedenkst."

„Erlaube mir, ihn vorzubringen! Ich hörte vorhin, daß Kara Ben Nemsi Effendi sich nach einem Mann erkundigte, der verschwunden ist. Wenn ich über Hafid Sichar Auskunft gebe, wirst du mich dann mit den Krokodilen verschonen?"

„Nein, denn du wirst irgendeine Lüge vorbringen, um dich zu retten."

„Nein, o Emir. Allah weiß, daß ich die Wahrheit sagen werde! Nimm mich mit dir und halte mich gefangen, bis du dich davon überzeugt hast! Wenn du findest, daß ich dich belogen habe, magst du mich den Krokodilen zu fressen geben oder eine noch entsetzlichere Todesart für mich erdenken."

„Voraus kann ich dir nichts versprechen. Wir werden deine Worte prüfen. Finden wir sie wahr, so bin ich vielleicht bereit, dich mit den Krokodilen zu verschonen. Weißt du, wo Hafid Sichar sich befindet?"

„Ja, aber das Land und das Dorf weiß ich nicht."

„Wie? Du kennst seinen Aufenthalt, weißt aber weder das Land noch das Dorf? Du redest ja Unsinn!"

„Es ist wirklich so, o Emir."

„Hast du etwa mit Ibn Asl oder seinem Vater darüber gesprochen? Haben sie dich in das Geheimnis eingeweiht?"

„Nein. In so vertraulicher Weise haben die beiden nie mit uns verkehrt. Aber ich hörte einmal, wie sie von diesem Hafid Sichar sprachen, und sie wußten nicht, daß ich mich in der Nähe befand."

„Was sagten sie von ihm?"

„Die einzelnen Worte kann ich dir nicht mehr sagen, aber den Inhalt habe ich mir gemerkt. Ibn Asl war früher arm und ist durch Hafid Sichar reich geworden. Er hat ihm eine große Summe abgenommen und sie mit einem andern geteilt."

[1] Gabriel

„Wer ist der andre?"

„Das weiß ich nicht. Ich konnte es aus dem, was ich hörte, nicht entnehmen. Es wurde weder sein Name noch sein Stand genannt. Ibn Asl hat Hafid Sichar töten wollen, um den Zeugen des Diebstahls aus der Welt zu schaffen, dieser andre hat es aber nicht zugegeben. Mit dem geraubten Gelde wurde eine Ghasuah[1] unternommen, und um Hafid Sichar unschädlich zu machen, schleppte man ihn mit und hat ihn tief im Süden an den Anführer eines wilden Stammes verkauft."

„Welcher Stamm ist das?"

„Das eben weiß ich nicht, o Emir. Du hast jetzt alles erfahren, was ich dir sagen konnte. Wirst du nun Barmherzigkeit üben?"

„Wende dich an Kara Ben Nemsi Effendi! Vielleicht ist er geneigt, Fürbitte für dich einzulegen."

Der Gefangene folgte dieser Weisung, indem er mich bat, für ihn zu sprechen. Ich mußte seine Todesangst für meine Zwecke möglichst ausnutzen und zögerte daher.

„Ob ich etwas für dich tue, hängt ganz von deiner weiteren Aufrichtigkeit ab. Hast du den Namen Barjad el Amin gehört?"

„Ja. Dieser Mann ist Kaufmann in Khartum. Du hast vorhin schon Abd Asl nach ihm gefragt."

„Steht Ibn Asl noch in Geschäftsverbindung mit ihm?"

„Nein. Wenigstens weiß ich nicht das geringste davon."

„So ist diese Sache erledigt. Aber weiter: Hat Ibn Asl jetzt viel Geld bei sich?"

„Ja, fast sein ganzes Vermögen. Er wollte eine Sklavenjagd unternehmen, wie es noch keine gegeben hat. Wohin aber, das ist selbst für mich ein Geheimnis geblieben. Er behandelte diesen Zug sehr geheimnisvoll. Das Ziel sollte ich erst in Faschodah erfahren."

„Wolltet ihr lange dort bleiben?"

„Solange, bis unsre Ausrüstung beendet sein würde."

„Wie ich bemerkt habe, war euer Schiff, die ‚Eidechse', leer. Sollte sie in Faschodah die nötigen Tauschwaren aufnehmen?"

„Ja, und die andern Schiffe auch."

„Was? Es sollten mehrere Schiffe ausgerüstet werden?"

„Ja. Wie viele aber, auch das wurde mir vorher nicht gesagt."

„Ibn Asl muß in Faschodah sehr vertraute Geschäftsfreunde besitzen. Kennst du sie?"

„Er ist selbst gegen seine nächsten Untergebenen sehr vorsichtig und verschwiegen. In seine Freundschaften und Verbindungen hat er mich nie blicken lassen. Darum kenne ich in Faschodah nur einen einzigen Mann, von dem ich mit Sicherheit sagen kann, daß Ibn Asl mit ihm verkehrt. Er heißt Ibn Mulei und ist Major der Arnauten, die in Faschodah stehen." — „Das genügt. Nur noch eins: Wo habt ihr euer Schiff gelassen, als ihr hierher aufbracht?"

„Es liegt im rechten Arm des Nil bei der Insel Mohabileh. Zehn Mann blieben zurück, um es zu bewachen."

[1] Sklavenjagd

189

„Gut! Ich sehe es dir an, daß du mir die Wahrheit gesagt hast, und ich bin mit dir zufrieden."

„Ich danke dir, Effendi! Wirst du nun die Gnade haben, Fürbitte bei dem Emir einzulegen?"

„Da du uns nicht belogen hast", kam der Reïs Effendina meinen Worten zuvor, „will ich dir hiermit versprechen, daß du vor den Krokodilen sicher bist, aber mehr kann ich nicht tun. Wehe dem, der wehe tut! Straflos könnt ihr unmöglich bleiben."

Der Oberleutnant kehrte an seinen Platz zurück, wenigstens für den Augenblick beruhigt, und es wurden jetzt die Vorbereitungen zum Abmarsch getroffen. Meine Erkundigungen hatten Erfolg gehabt, aber einen so geringen, daß ich mir sagte, es würde wohl außerordentlich schwierig, wo nicht gar unmöglich sein, den Bruder des Führers von Maabdeh aufzufinden. Es gab nur einen einzigen, von dem ich den Aufenthaltsort dieses unglücklichen Mannes erfahren konnte, nämlich Ibn Asl selber. Und vorausgesetzt, daß es mir gelang, den Sklavenjäger zu ergreifen, so war es doch sehr zweifelhaft, ob es mir gelingen würde, ihm die gewünschte Auskunft abzuzwingen. Ich mußte mich eben in dieser Angelegenheit auf meinen guten Stern verlassen.

Der ‚Falke‘, das Schiff des Reïs Effendina, lag in gleicher Höhe mit dem Sumpf am linken Ufer des Nil. Um es zu erreichen, brauchte ein Fußgänger vielleicht drei Stunden. Das konnten die Gefangenen wohl aushalten. Sie sollten unter Deck gebracht werden. Da man die Kamele nicht verladen konnte, sollten sie auf dem Landweg nach Khartum befördert werden, wozu zehn oder zwölf Asaker genügten.

Es war kurz vor Mittag, als wir aufbrachen. Der Reïs Effendina hatte sich an die Spitze des Zuges gesetzt, und ich stieg mit Absicht zu allerletzt in den Sattel. Dies geschah des Fakir el Fukara wegen. Er lag hilflos am Sumpf, der Unzahl von Stechfliegen, dem Hunger und dem Durst preisgegeben. Das erregte mein Mitleid, obgleich er es nicht verdiente. Ich besaß zwar einen Wasserschlauch, wollte ihn aber nicht opfern. Darum hatte ich heimlich einen andern an mich genommen und an den Sattel gehängt. Er war noch halb voll.

Als sich die letzten des Zugs schon eine Strecke entfernt hatten, ritt auch ich fort, aber nicht ihnen nach, sondern zum Maijeh. Ich kannte die Stelle nicht, wo sich der Fakir el Fukara befand und wo man jedenfalls auch Abd Asl in den Sumpf geworfen hatte, konnte sie aber nicht verfehlen, weil eine deutliche Spur hinführte. Man hatte den Fakir nämlich nicht getragen, sondern über das Gras geschleift.

Ich sah ihn neben einem häßlichen Oscherbusch liegen, der hart am Ufer stand. Der Sumpf war hier mit stinkendem Grün bedeckt, in dem riesige Krokodile in träger Ruhe lagen. Das waren die Totengräber des alten Abd Asl!

Als der Fakir mich kommen hörte, wendete er mir den Kopf zu und stierte mich mit seinen blutunterlaufenen Augen an. Über sein tiefdunkles Gesicht ging ein beinah tierisches Grinsen. Seinen Lippen entfuhren einige röchelnde Silben, jedenfalls Schimpfwörter, die ich nicht verstand. Die Hände waren ihm noch gebunden, und an den aufgesprungenen Füßen wimmelte es von Mücken, die seine Schmerzen vermehrten. Ich stieg ab und durchschnitt die Schnur, so daß er nun die Hände frei hatte. Dann legte ich ihm den Wasserschlauch hin und fügte schließlich den Mundvorrat hinzu, den ich in dem Sattelbeutel bei mir führte. Es war genug für einige Tage. Er sah mir dabei zu, ohne ein Wort zu sagen.

„Hier hast du, damit du nicht verschmachtest", bedeutete ich ihm. „Mehr kann ich nicht für dich tun."

Mohammed Achmed antwortete mir nur mit einem giftigen Zischen.

„Hast du einen Wunsch?" — Er schwieg.

„Nicht? Dann leb wohl! Zwei Stunden von hier, gerade gegen Osten, liegt der Nil. Du wirst ihn, noch ehe der Mundvorrat ausgeht, erreichen können."

Ich stieg wieder auf. Als mein Kamel zu schreiten begann, ertönte hinter mir der Dank:

„Allah verdamme dich! Fürchte die Rache, die Rache!"

Bald hatte ich den Zug erreicht und gesellte mich zu dem voranreitenden Reïs Effendina. Es war nicht notwendig, daß wir bei der Karawane blieben, da ein Unfall nicht zu befürchten stand. Wir ritten darum voraus, um Zeit zu ersparen und eher bei dem Schiff anzukommen. Dort begaben wir uns in die Kajüte, wo Achmed das erwähnte Empfehlungsschreiben anfertigte. Dann drückte er mir einen Beutel in die Hand.

„Du wirst in Faschodah Ausgaben für mich machen müssen. Verfüge über dieses Geld, als wäre es dein Eigentum! Ich nehme nichts davon wieder."

Als der Zug anlangte, bekümmerte ich mich nur um die Vorbereitungen zu dem bevorstehenden Ritt. Wir wurden mit allem Nötigen reichlich versehen und verabschiedeten uns kurz nach dem Nachmittagsgebet, da wir heut noch eine tüchtige Strecke zurücklegen wollten.

Meine Löwenhaut nahm der Reïs Effendina mit nach Khartum, wo sie zubereitet werden sollte, und wo ich sie später abholen wollte. Unser Weg führte nicht am Nil hin, dessen Krümmungen wir vermeiden wollten, sondern wir suchten die freie Ebene auf, die uns ein viel schnelleres Fortkommen ermöglichte. Um das, was wir erleben würden, sorgten wir uns nicht.

12. Der Mudir von Dscharabub

Zwei Menschen ganz allein in der weiten Wüste! Die Sonne brennt so glühend hernieder, daß man sich wie versengt fühlt und, um nicht geblendet zu werden, die Kapuze des Haïk weit übers Gesicht ziehen muß. Zu sprechen gibt es nichts. Man hat sich ja längst ausgesprochen. Zudem liegt die Zunge schwer im trocknen Mund, so daß man, auch wenn Unterhaltungsstoff vorhanden wäre, doch lieber schweigen würde.

Ringsum nichts als Sand! Die Kamele gehen ihren Schritt, gleichmäßig wie Maschinen. Sie besitzen nicht die Gemütsart des edlen Rosses, das dem Reiter zeigt, daß es sich mit ihm freut und mit ihm leidet. Der Herr kann mit seinem Roß eins sein, mit dem Kamel aber nie, selbst wenn es das edelste Hedschihn wäre. Das spricht sich schon durch die Art und Weise aus, wie er auf dem Pferd und wie er auf dem Kamel sitzt.

Der Reisende umarmt den Leib seines Rosses mit den Beinen, er hat ‚Schluß‘ und macht dadurch die Sage vom Zentauren wahr. Diese Umschlingung bringt die Glieder, die Muskeln und Nerven des Mannes mit denen des Pferdes in innige Berührung. Das Roß fühlt die Absichten des Reiters, noch ehe er sie äußerlich andeutet. Es gewinnt ihn lieb, es wagt mit ihm, es fliegt mit ihm und es geht mit vollem Bewußtsein der Gefahr mit in den Tod.

Ganz anders beim Kamel. Auf hohem Höcker im Sattel sitzend, berührt der Reiter das Tier nur, indem er seine Füße über dem Hals kreuzt. Es gibt nicht den mindesten ‚Schluß‘, keine äußere und keine innere Vereinigung. So hoch er über ihm thront, so tief bleibt es im geistigen Verständnis für ihn zurück. Ist es gutmütig, so gehorcht es ihm wie ein Sklave, ohne die Spur einer, fast hätte ich gesagt, persönlichen Eigenart zu zeigen. Ist es aber bösartig und störrisch, wie die meisten sind, so steht es mit ihm in einem immerwährenden Kampf, der ihn ermüden und endlich gar mit Widerwillen erfüllen muß. Wirkliche Liebe für seinen Herrn wird man bei einem Kamel nur selten beobachten.

Das macht einen einsamen Ritt durch die Wüste noch einsamer. Man fühlt ein lebendes Wesen unter sich und kann sich doch nicht mit ihm beschäftigen. Das Pferd gibt durch Wiehern, Schnauben, durch die Bewegungen der Ohren und des Schweifs, durch Verschiedenheiten des Gangs seine Gefühle zu erkennen, es spricht so gleichsam mit dem Reiter, es teilt sich ihm mit. Das Kamel schreitet gleichmäßig weiter und weiter. Es trägt seinen Herrn tage- und wochenlang, lernt ihn aber trotzdem nicht kennen.

So wird ein solcher Ritt durch die Einöde zur wahren Pein, und mit Freuden begrüßt man die kleinste Unterbrechung, die einem ein günstiger Umstand entgegenschickt.

Unsre beiden Hedschihn gehörten zur Klasse der gutwilligen Kamele. Hatten wir sie bestiegen, so begannen sie zu laufen, ‚wie die Schneider‘ sagt der Deutsche, und sie liefen immer weiter, immer in gleicher Eile, ohne einmal anzuhalten, ohne die leiseste Spur einer selbständigen Willensregung zu zeigen. Das war entsetzlich langweilig. Man verlor zuletzt selber den Willen. Man schlief förmlich ein und behielt nichts als das öde Bewußtsein, in einer endlosen graden Linie durch den Sand getragen zu werden.

Da weckte mich ein scharfer Schrei aus dem Zustand der seelischen Erschlaffung, in den ich gesunken war. Auch Ben Nil fuhr auf und blickte in die Luft, wo der Schrei erklungen war.

„Schahin!" sagte er, mit der Hand empordeutend, dann sank er wieder in sich zusammen. Ja, es war ein Falke, dessen Schrei wir gehört hatten. Er kreiste hoch über uns. Das Erscheinen dieses Vogels schien für Ben Nil nicht beachtenswert zu sein, ich hatte aber sofort meine ganze Tatkraft wiedergewonnen.

„Aufpassen! Es kommt jemand!" warnte ich.

Ben Nil richtete sich wieder auf und sah sich um. Als er ringsum keinen Menschen erblickte, meinte er:

„Hat mir denn die Sonne die Sehkraft geraubt! Ich sehe niemand, Effendi."

„Ich auch nicht, aber wir werden jedenfalls bald eine Begegnung haben. Ein Falke schlägt nur lebende Beute und frißt niemals Aas. Wenn er sich hier in der Wüste befindet, die keine Lebewesen beherbergt, so muß er einer Karawane gefolgt sein."

„Oder er hat sich verflogen und ist auf der Reise."

„Ein Falke, hier, sich verfliegen? Nein. Passen wir auf, wie sich dieser Vogel verhält."

Wir hielten die Blicke auf den Vogel gerichtet. Er schwebte noch immer über uns, um uns zu beobachten. Da hörten wir wieder einen Schrei. Ein zweiter Falke kam geflogen, von Westen her, und gesellte sich dem ersten zu. Sie kreisten miteinander einige Male über uns und flogen dann der Richtung entgegen, aus der sie gekommen waren.

„Das waren wohl Männchen und Weibchen", meinte Ben Nil.

„Ja", bemerkte ich, indem ich mein Kamel anhielt und das Fernrohr ergriff, um damit den Flug der Vögel zu verfolgen. „Bleib auch halten! Es ist immer gut zu wissen, was geschehen wird."

„Hier kannst du doch nicht eher etwas wissen, als bis du es siehst."

„Ich habe es ja schon gesehen, nämlich die Falken. Sie sind in westlicher Richtung fort. Ich sehe sie deutlich — jetzt beginnen sie wieder im Bogen zu fliegen, sie kreisen." Nachdem ich die Vögel vielleicht zwei Minuten lang beobachtet hatte, erklärte ich: „Sie ziehen noch immer ihre Kreise, rücken aber dabei nach Süden vor. Daraus folgere ich: da drüben bewegt sich eine Karawane. Sie zieht nach Süden, und zwar so langsam, daß ich fast vermuten möchte, daß Fußgänger dabei sind!"

„Woher weißt du, daß sie sich so langsam bewegt?"

„Die Falken schweben über der Karawane. Die Geschwindigkeit der Vögel ist auch die der Menschen."

„Effendi, du weißt wirklich Dinge aus Gedanken hervorzuzaubern! Werden wir auf diese Leute treffen?"

„Ja, wenn wir sie nicht absichtlich vermeiden wollen. Sie sind so weit von uns entfernt, daß ein Fußgänger zu dem Weg eine Stunde braucht."

„Allah! Wie kannst du das so genau wissen! Das haben dir die Falken doch nicht gesagt!"

„Wer sonst? Man weiß doch, wie schnell ein Falke fliegt, und ich weiß auch, wie lange diese beiden brauchten, um von uns wieder dort hinüberzukommen. Aus diesen beiden Zahlen ist die Entfernung leicht zu berechnen."

„Ist es möglich, die Leute der Karawane zu beobachten, ohne daß sie uns sehen können?"

„Durch das Fernrohr allerdings. Wir wollen hinüber reiten. In einer Viertelstunde werden wir sie erblicken."

Es war mit unsrer geistigen Müdigkeit vorbei. Die Schreie der Falken hatten uns wachgerufen. Wir lenkten nach Südwest, und ich behielt dabei die Vögel scharf im Auge. Das tat ich, um die Entfernung abzuschätzen und der Karawane nicht etwa so nahe zu kommen, daß wir von ihr aus mit dem unbewaffneten Auge gesehen werden konnten. Der Boden war ja eben, und wir konnten uns nicht verstecken. Das Gepräge der Wüste mußte sich erst gegen Abend verändern, wo wir an das Nid en Nil zu gelangen gedachten, ein langes und stellenweise breites Regenbett, das um diese Jahreszeit viel Wasser enthielt. Ich hatte von diesem Nid en Nil sagen hören, daß es sogar in der trockensten Jahreszeit Wasser enthalte und, da es eigentlich niemals austrockne, den Aufenthalt von Nilpferden bilde. Daß diese Tiere so weit nördlich vorkommen könnten, hatte ich früher nicht gedacht.

Nach ungefähr einer Viertelstunde waren mir die Falken im Fernrohr so nahe gekommen, daß ich es für gut fand, anzuhalten und das Rohr nun gegen die Erde zu richten. Ich versuchte es erst mit dem bloßen Auge, doch war nichts zu bemerken. Aber durch das Fernglas — wirklich, da ritt und ging eine lange Reihe von Tieren und Menschen. Als ich genug gesehen hatte, gab ich Ben Nil das Rohr. Er mußte lange suchen, ehe er die Karawane fand. Dann beobachtete er sie und meinte endlich:

„Effendi, du hattest recht. Es ist eine Karawane. Ich hätte das nicht erraten, und wenn noch so viele Falken gekommen wären. Es sind zwanzig Reiter und fünfundvierzig Fußgänger. Was für eine Karawane mag das sein? Man geht doch nicht zu Fuß durch die Wüste! Es wird doch nicht etwa eine Sklavenkarawane sein?"

„Beinahe undenkbar! Wo sollen hier die Sklaven herkommen? Und eine Sklavenkarawane am Weißen Nil, die von Nord nach Süd zieht, das wäre jedenfalls sonderbar. Die entgegengesetzte Richtung ist die gewöhnliche: die Sklavenjäger holen ihre Ware aus dem Süden und schaffen sie nordwärts."

„Was für ein Land liegt denn in der Gegend, aus der diese Leute zu kommen scheinen?"

„Das Land der Takaleh. Doch warte! Bei der Nennung dieses Namens fällt mir ein, daß die Takaleh, trotzdem sie Mohammedaner sind, die verwerfliche Gewohnheit haben, ihre Kinder zu verkaufen."

„Allah! Welch eine Sünde und welch eine Schande! Wer wird seinen Sohn oder seine Tochter um Geld verschachern! Diese Takaleh sind gewiß Neger!"

„Sie sind nicht ganz schwarz, und man darf sie nicht etwa für tiefstehende und unbefähigte Menschen halten. Als Ägypten den Sudan eroberte, haben die Takaleh am längsten widerstanden. Sie sind tapfere Krieger und durch den Kampf mit den Ägyptern berühmt geworden. Das Land der Takaleh zeichnet sich aus durch seine reichen Kupferminen und durch die Gastfreundschaft, die seine Bewohner gegen jeden Fremden üben. Das darf aber nicht dazu verleiten, ihnen außerhalb der Gastverhältnisse eine allzu große Menschenfreundlichkeit zuzutrauen. Sie stehen unter einem Mek[1], der das Recht hat, alle Untertanen, die ihm nicht gehorchen oder ihm sonst aus irgendeinem Grund mißliebig geworden sind, als Sklaven zu verkaufen. Kriegsgefangene können auch verkauft werden, wenn sie nicht, wie der alte Gebrauch vorschreibt, alle niedergemetzelt werden."

„Dann ist es möglich, daß diese Karawane aus solchen Verkauften besteht. Meinst du, daß wir etwas zu befürchten haben, wenn wir diesen Leuten begegnen?"

„Wohl nicht. Es gibt ja weder bei uns noch bei ihnen einen Grund, sich aneinander zu reiben."

„Wollen wir zu ihnen hinüber?"

„Nein. Wenn wir sie auch nicht zu scheuen brauchen, so gibt es auch keinen Anlaß, sie aufzusuchen. Wir werden voraussichtlich noch vor Abend ein Chor erreichen und dort Lager machen. Treffen sie da auf uns, nun so sind sie eben da. Aber geradezu aufsuchen wollen wir die Begegnung nicht."

Wir schwenkten wieder südwärts ab. Die Eintönigkeit des Ritts war glücklich unterbrochen worden, und die Erwartung, ob wir eine Begegnung mit der Karawane haben würden, ließ es nicht wieder zu dem Zustand innerlicher Stumpfheit kommen, in dem wir uns vorher befunden hatten.

Der Nachmittag verging, und gegen Abend bemerkten wir, daß wir uns dem heutigen Ziel näherten. Der südliche Sehkreis, der bis dahin mit dem Himmel verschwommen gewesen war, stach jetzt dunkel dagegen ab, und da diese dunkle Linie in dieser Gegend unmöglich einen Bergzug bedeuten konnte, mußten wir sie als das Anzeichen eines Waldes nehmen.

Wir erreichten ihn an einer Stelle, wo er nur schmal war, weil das Regenbett hier eine so tiefe Einsenkung bildete, daß sein Wasser die hohen Ufer fast nie berühren und befruchten konnte. Die Steilung, hüben hinab und drüben wieder hinauf, war so bedeutend, daß wir unmöglich mit unsern Kamelen hinüber konnten. Darum mußten wir so lange am Ufer hinreiten, bis wir eine zum Übergang geeignete Stelle fanden.

Dieses Chor war ein Regenbett, das im Charîf[2] jedenfalls eine reiche Wassermenge führte. Jetzt war die Stelle, an der wir auf dieses Bett gestoßen waren, schon völlig trocken. Nach einer Viertelstunde aber verflachten sich die Ufer und bildeten eine Art See, dessen Wasser so hell und klar war, daß er nicht wohl ein Sumpf genannt werden

---

[1] Vom arab. Melek = König   [2] Regenzeit

konnte. Er war so breit, daß man das andre Ufer nicht sehen konnte. Das unsrige war mit hohen Bäumen bestanden.

Der See machte bald eine Krümmung nach links und ging dann in einen schmalen Arm stehenden Gewässers über, der ihn mit einem zweiten, noch größern See verband. Das Wasser dieses Arms konnte nicht tief sein, denn es ragten zahlreiche, stark bewipfelte Bäume daraus hervor. Jedenfalls trocknete es noch vor der heißen Jahreszeit vollständig aus. Hier war es wohl nicht schwer hinüberzukommen, und darum beschloß ich, an dieser Stelle zu lagern.

Wir stiegen ab, ließen die Kamele vom ziemlich reinen Wasser trinken und banden sie dann an die Sträucher, die am Ufer unter den Bäumen standen. So konnten sie von den saftigen Zweigen fressen. Als wir nachher beschäftigt waren, dürres Geäst für ein Feuer zu suchen, um uns gegen die Stechmücken zu schützen, sahen wir die Karawane kommen, die wir vorhin beobachtet hatten. Die voranreitenden Männer, bei denen sich ein wahrer Goliath befand, hielten an und betrachteten uns von weitem. Dann kam der Riese auf uns zu, musterte uns aufmerksam und mit finstern Blicken, ritt auch zu den Sträuchern, um hinein zu schauen, und fragte dann, ohne vorher zu grüßen:

„Was tut ihr hier an der Machâde ed Dill?"

Dieser Name bedeutet Furt des Schattens, schattige Furt. Wir hatten also richtig eine Stelle gefunden, an der man über das Regenbett kommen konnte. Wenn jemand im Morgenland bei einer Begegnung nicht grüßt, so ist das stets ein schlechtes Zeichen. Dieser Mann machte überhaupt keinen vertrauenerweckenden Eindruck. Darum entgegnete ich kurz:

„Wir ruhen aus, wie du siehst."

„Werdet ihr des Nachts hier bleiben?"

„Das kommt darauf an, ob es uns hier gefällt, und ob wir ungestört sein werden."

„Seid ihr allein?"

„Frage nicht uns, sondern deine Augen!"

„Dir scheint man die Vorzüge der Höflichkeit nicht beigebracht zu haben!"

„Ich besitze sie, aber ich zeige sie nur dann, wenn man auch gegen mich höflich ist. Du hast uns den Gruß versagt."

„Ich kenne euch nicht. Wer bist du?"

„Erst will ich deinen Namen und Stand erfahren."

„Ich stehe höher als du, folglich mußt eigentlich du mir zuerst Auskunft geben. Wisse, ich bin Schedid, der tapferste Krieger des Königs der Takaleh!"

„Und ich bin der Mudir von Dscharabub. Hoffentlich kennst du diesen Ort!"

Dieser Name kam mir ganz unwillkürlich auf die Zunge. Der Ort ist bekannt, weil der berühmteste mohammedanische Orden der Neuzeit dort gegründet wurde. Aber einen Mudir gibt es da nicht und hat es nie gegeben. Ich legte mir diesen Rang bei, um auf den Takaleh

Eindruck zu machen. Wer und was ich war, durfte ich ihm aus naheliegenden Gründen nicht sagen. Eine Unwahrheit ist wohl in solchem Fall ein geringeres Verbrechen als eine Aufrichtigkeit, durch die man nicht nur zum Selbstmörder wird, sondern auch das Wohl oder gar das Leben andrer aufs Spiel setzt.

„Ich habe von diesem Ort noch nie etwas gehört", meinte Schedid wegwerfend. „Deine Mudirieh wird wohl arg von den Ameisen zernagt sein!"

„Allah verzeihe dir deine Unwissenheit! Hast du denn noch nie von Sihdi Senussi gehört?"

„Allah durchbohre dich! Wie kannst du einen frommen Gläubigen mit dieser Frage beleidigen! Alles, was auf der Erde lebt, weiß, daß Sihdi Senussi der größte Prophet war, der das Wort des Islam predigte. Kennst du die Orte Siwah und Farafrah?"

„Gewiß!"

„Sie leuchten wie die Sterne vor allen Orten der Erde, denn dort befinden sich die Hochschulen, in denen die Schüler und Jünger von Sihdi Senussi gebildet werden."

„Das weißt du und kennst doch Dscharabub nicht, das noch viel heller leuchtet? In Dscharabub hatte Sihdi Senussi seinen Wohnsitz. In Siwah und Farafrah befinden sich nur seine Schulen. Alle drei Orte aber gehören zu meiner Mudirieh. Von ihnen geht das reinste Licht des Islam aus, vor dem die Schatten aller Irrlehren weichen müssen. Mein Haus und das des Sihdi Senussi haben miteinander ein einziges Tor. Wir lebten, bis Allah ihn zu sich rief, unter einem Dach und tranken aus dem gleichen Schlauch. Nun sag mir, wer höher steht, du oder ich? Wehe dem, der mir den Gruß verweigert! Es wird ihm ergehen wie dem Lästerer, von dem die hundertvierte Sure spricht: ,Er wird hinabgeworfen in Hutame![1] El Hutame aber ist das angezündete Feuer Allahs, das über den Frevlern zusammenschlägt!' Jetzt brüste dich weiter, o Schedid, der du nichts als der Diener eines Menschen bist!"

Da ließ er sein Kamel niederknien, stieg ab und verneigte sich tief.

„Laß die Sonne deiner Verzeihung über mir aufgehen, o Mudir! Ich konnte doch nicht ahnen, daß du der Freund und Gefährte des heiligen Senussi gewesen bist. Euer Orden wird die ganze Welt umfassen, und vor eurer Macht werden sich alle Menschen beugen, die leben und noch leben werden. Wie soll ich deinen jungen Gefährten nennen?"

„Die Zahl seiner Jahre beträgt nicht viel, aber die Vorzüge seines Geistes haben ihn schon berühmt gemacht. Er wurde auf der Hochschule von Farafrah gebildet und ist mit mir ausgezogen, um den Glanz unsres Ordens auch in diesem Land hier leuchten zu lassen. Er ist Chatîb[2]. Nenne ihn so!"

Das wäre etwas für Selim, den Aufschneider, gewesen! Er hätte gewiß sofort eine zündende Rede gehalten, die von Eigenlob übergeflossen wäre. Ben Nil aber sagte nur würdevoll: „Du hast dich gegen uns vergangen, weil du uns nicht kanntest. Wir verzeihen dir."

---

[1] Beiname der Hölle   [2] Mohammedanischer Prediger

Daß er als Mohammedaner die Unwahrheiten, deren ich mich schuldig gemacht hatte, bestätigte, zeigte mir, wie lieb er mich hatte. Der Takaleh befand sich sichtbar in Verlegenheit. Ich sah ihm an, daß er gern in unsrer Nähe lagern wollte, es aber mit der Hochachtung, die er uns schuldig zu sein glaubte, nicht für vereinbar hielt. Er blickte zu seiner Karawane, die inzwischen haltengeblieben war, zurück.

„Wir wollten bis morgen hier an dieser Stelle rasten. Aber wir werden uns wohl einen andern Ort suchen müssen, weil wir es doch nicht wagen dürfen, in der Nähe so heiliger Männer zu lagern."

„Vor Allah sind alle Menschen gleich. Ich erlaube euch, hier bei uns Platz zu nehmen", erklärte ich.

„Ich danke dir, o Mudir, und gebe dir die Versicherung, daß meine Leute sehr andachtsvolle Zuhörer eurer Reden sein werden."

„Glaube nicht, daß wir euch Predigten halten. Alles zu seiner Zeit und am rechten Ort. Das Wort darf nur dann vom Mund fließen, wenn der Geist im Innern mächtig wird."

Es konnte mir nicht einfallen, auch noch als mohammedanischer Sendbote aufzutreten. Ich hatte Eindruck machen wollen, weiter nichts, und das war mir gelungen, wie das veränderte Benehmen dieses Takaleh bewies. Im übrigen stieß er mich trotz seiner tiefen Ehrerbietung in einer Weise ab, daß ich ihn am liebsten weit fort gewünscht hätte. Seine Züge waren regelmäßig, und seine Stimme hatte einen kräftigen, wohllautenden Klang. Daß er mir trotzdem so unangenehm war, hatte keine äußern, sondern innere Gründe, über die ich mir freilich selber keine Rechenschaft zu geben vermochte.

Schedid winkte seinen Leuten herbeizukommen. Wir hatten uns nicht geirrt. Es waren so viele Personen, wie wir aus der Ferne gezählt hatten. Jetzt konnten wir, was vorhin durch das Rohr nicht möglich gewesen war, auch die Geschlechter unterscheiden. Die Hälfte der Fußgänger waren nämlich Frauen oder Mädchen. Allen waren, was wir jetzt erst bemerkten, die gefesselten Hände an einem langen Seil befestigt, sie waren Gefangene.

Die Reiter brachten sie getrieben. Schedid rief ihnen einige Worte zu, auf die hin man uns mit großer Demut grüßte. Nachdem die Berittenen abgestiegen waren, versorgten sie erst ihre Tiere und führten dann die Gefangenen am Seil zum Wasser, damit auch sie trinken sollten. Dann mußten sie sich, ohne losgebunden zu werden, in unsrer unmittelbaren Nähe niederlegen. Sie gehorchten in einer Weise, aus der man sah, daß sie sich in ihr Schicksal ergeben hatten.

Mir fiel auf, daß zwischen den Gefangenen und ihren Begleitern kein Unterschied im Gepräge zu entdecken war. Sie schienen zum gleichen Volk und Stamm zu gehören. Ihre Farbe war nicht schwarz, sondern schwärzlich braun, ihr Bart schwach und ihr Haar nicht gekräuselt, sondern glatt. Der Anführer wies fünf von seinen Leuten die besondere Aufgabe zu, auf die Gefangenen zu achten, und sagte zu den übrigen:

„Öffnet eure Augen, ihr Leute, und seht hier zwei Männer, deren

Gebete euch den Himmel zu öffnen vermögen! Hier sitzt der berühmte Mudir von Dscharabub, der ein Oberster der Senussi ist und mit Sihdi Senussi in einem Haus gewohnt hat, und neben ihm erblickt ihr einen frommen Jüngling, dem trotz seiner Jugend die Gabe geworden ist, die reinen Lehren des Koran zu verkündigen. Beugt euch vor ihnen und laßt es euch nicht einfallen, ihnen durch unbedachte Worte lästig zu werden!"

Diese letzte Mahnung konnte in andern Worten auch lauten: „Seid klug und vorsichtig, und verratet nicht durch unbedachte Reden, daß wir schlechte Leute sind!"

Sie kreuzten die Arme über der Brust und beugten sich fast bis zur Erde nieder. Nachher setzten sie sich so nahe zu uns, daß sie uns zwar nicht lästig fielen, aber alles, was wir sprachen, hören konnten. Sie nahmen ihre Speisevorräte aus den Säcken, um einen Imbiß zu halten, aber die Gefangenen bekamen nichts. Darum fragte ich Schedid:

„Meinst du nicht, daß die andern auch Hunger haben?"

„Was geht es mich an, wenn sie hungern?" entgegnete er. „Sie bekommen täglich einmal zu essen und zu trinken. Jetzt mögen sie schlafen. Sie sind Reqiq und haben heute schon mehr erhalten, als sie erwarten können, denn sie haben hier getrunken."

„Wasser aus dem See, während ihr aus den Schläuchen nahmt!"

„Für Reqiq ist Wasser Wasser. Wenn es ihnen nicht schmeckt, kann ich es nicht ändern."

„Sie sind Sklaven. Wo hast du sie gekauft?"

„Gekauft? O Mudir, wie sind doch die Heiligen, die alle Himmel kennen, unerfahren auf der Erde! Ein Takaleh kauft niemals Reqiq, sondern er macht sie sich."

„So sind diese Sklaven deines Stammes?"

„Gewiß."

„Was haben sie getan, daß man sie zu Reqiq gemacht hat?"

„Getan? Eigentlich nichts. Der Mek braucht Geld, darum verkauft er sie."

„Kann er alle seine Untertanen verkaufen?"

„Alle, die ihm ungehorsam sind oder ihm aus sonst einem Grund nicht mehr gefallen. Jeder Vater kann seine Kinder, jeder Mann seine Weiber und jeder Mächtige die verkaufen, über die er zu gebieten hat."

„Was würdest du sagen, wenn der Mek auch dich verkaufte?"

„Ich müßte mich fügen." Aber so leise, daß nur ich es hörte, fügte er hinzu: „Ich würde es nicht dulden, sondern ihn erwürgen!"

Der Umstand, daß der Takaleh mich für einen Heiligen hielt, hinderte ihn nicht, mir dieses Geständnis anzuvertrauen. Entweder galt ihm selbst ein Oberster der Senussi weniger, als er vorhin vorgegeben hatte, oder es war ihm überhaupt nichts heilig. Daß das zweite der Fall war, zeigte sich sofort.

„Hast du auch schon Reqiq verkauft?" fragte ich ihn.

„Schon oft. Auch bei diesen hier sind ein Weib und zwei Töchter von mir."

„Warum verkaufst du sie?"

„Weil ich mir ein andres Weib genommen habe, und weil es besser ist, man bekommt die Töchter bezahlt, als daß man sie ernähren muß."

Schedid sagte das mit einer Gefühllosigkeit und in einem Ton, als hätte er mit seinen Worten nicht nur seine eigne, sondern die Ansicht aller Menschen ausgesprochen.

„Haben sie sich gutwillig gefügt?" erkundigte ich mich.

„Was wollten sie dagegen tun? Sie haben gefleht und geweint, aber was bedeuten die Tränen einer Frau? Das Weib hat keine Seele und kann darum auch nicht in den Himmel kommen."

„Wohin führst du diese Sklaven?"

„Nach Faschodah zu — — zu einem Mann, der mir meine Reqiq regelmäßig abnimmt."

Er hatte mir eine andre Antwort, vielleicht eine genaue Auskunft geben wollen, hatte sich aber unterbrochen. Er traute mir also doch nicht ganz.

„Warst du schon oft in Faschodah?" fragte ich weiter.

„Ich ziehe alle sechs Monate hin, um Reqiq zu verkaufen. Wohin wird denn dich deine jetzige Reise führen, o Mudir?"

„Zunächst nach Makhadat el Kelb, wo ich über den Weißen Nil setzen werde, um das Volk von Dar El-Fungi aufzusuchen, dem ich predigen will."

„Wirst du auch nach Faschodah kommen?"

„Jetzt nicht, vielleicht später."

Nun hatte die Sonne scheinbar den äußersten Himmelsrand berührt, also war die Zeit des Moghreb gekommen. Alle, auch die aneinandergebundenen Gefangenen, erhoben sich auf die Knie, und aller Augen richteten sich auf mich. Der Vornehmste soll nämlich stets das Gebet sprechen und die andern fallen nur an gewissen Stellen ein. Ich hatte schon oft mit Mohammedanern gebetet, aber leise und nicht zu Allah und dem Propheten. Jetzt so vielen Leuten die verschiedenen Verbeugungen vorschreiben und die Fatîha, die vorgeschriebenen Koranverse, den Gruß an Mohammed und den Erzengel vorbeten, das war mir unmöglich, denn das wäre eine Sünde gewesen. Aus dieser Verlegenheit zog mich Ben Nil.

„Mudir, du hast stets nur die drei Tagesgebete gesprochen und mir die beiden Gebete des Abends überlassen. Erlaubst du, daß es auch heute so geschieht?"

„Ja, bete vor, o Chatîb, du Liebling des Propheten", erwiderte ich. „Deine Worte gehen denselben Weg wie die meinigen und werden das Ziel, zu dem jedes Gebet gerichtet ist, ebenso erreichen, als kämen sie aus meinem eignen Mund."

Als das Moghreb gesprochen war, aß ich mit Ben Nil. Die Takaleh wendeten dabei ihre Gesichter zur Seite, um mich nicht essen zu sehen, wie es die Höflichkeit einem vornehmen oder frommen Mann gegenüber vorschreibt. Da ich mich darauf schweigsam verhielt, wagte Schedid es nicht, zu sprechen. Auch die andern waren still, denn sie wähnten mich und meinen jungen ‚Prediger‘ versunken in fromme Gedanken, in denen man uns nicht stören dürfe.

Dann ging der Mond auf und warf die Schatten der Baumwipfel über uns. Zu meiner Rechten lag die dürre, erbarmungslose Wüste und zu meiner Linken glänzten wie winzige Elfenleiber die Blüten jener ewig ruhelosen Pflanze auf dem Wasser, die nicht im Boden wurzelt und deshalb immerwährend ihren Standort ändert. Sie kommt besonders im Tsadsee in großen Mengen vor, und die Bewohner von Bornu und Baghirmi singen ein Ruderlied, eine allerliebste Gondoliera von ihr, die deutlich beweist, daß auch jene Völker dichterisch veranlagt sind. Das Lied würde, frei ins Deutsche übersetzt, lauten:

> *„Es treibt die Fanna heimatlos*
> *auf der bewegten Flut,*
> *wenn auf dem See gigantisch groß*
> *der Talha Schatten ruht.*
>
> *Er breitete die Netze aus*
> *im klaren Mondenschein,*
> *sang in die stille Nacht hinaus*
> *und träumte sich allein.*
>
> *Da rauscht es aus den Fluten auf,*
> *so geisterbleich und schön;*
> *er hielt den Kahn in seinem Lauf*
> *und ward nicht mehr gesehn.*
>
> *Nun treibt die Fanna heimatlos*
> *auf der bewegten Flut,*
> *wenn auf dem See gigantisch groß*
> *der Talha Schatten ruht.“*

Anstatt in die Tiefe des Islam versunken zu sein, dachte ich beim Anblick der hellen Blüten der ‚heimatlosen Fanna‘ an dieses Lied und an seinen Schauplatz, wo nächtlicherweile Löwen, Elefanten, Nashörner und Nilpferde einander friedlich am Ufer begegnen. Friedlich, aber nur aus Furcht, dem gewaltigen Gegner unterliegen zu müssen. Da unterbrach einer der Takaleh die Stille, indem er hinaus in die Wüste deutete.

„Ein Reiter! Wer mag das sein?“

Es kam wirklich jemand geritten und zwar gerade auf die ‚Furt des Schattens‘ zu. Er mußte sie genau kennen. Er schien aus Nordost, also vom Nil herzukommen. Sein heller Burnus glänzte im Mondschein. Unser Feuer brannte, er mußte es sehen. Daraus, daß er trotzdem unbedenklich näherkam, ließ sich vieles schließen. Unweit von uns hielt er sein Kamel an und grüßte:

„Allah gebe euch hunderttausend solche Nächte! Erlaubt ihr mir, meine Ruhe bei euch zu halten?“

Da ich schwieg und Ben Nil ebenso, antwortete Schedid, der Anführer der Takaleh:

„Steig ab und setze dich! Du bist willkommen!"

Der Mann sprang aus dem Sattel, ließ sein Kamel ans Wasser laufen und trat an unser Feuer, um sich zwischen Schedid und Ben Nil niederzusetzen. Da die Gefangenen nicht so nah am Feuer, sondern mehr im Schatten lagen, hatte er sie nicht deutlich erkennen können. Jetzt aber sah er, daß diese Leute an ein Seil gebunden waren. Sein Gesicht nahm sofort einen merklich befriedigten Ausdruck an und seine Stimme klang wie erleichtert.

„Allah hat mich zur richtigen Zeit an die ‚Furt des Schattens' geführt, denn ich vermute, daß diese Gefangenen zum Volk der Takaleh gehören. Habe ich richtig geraten?"

„Ja", bestätigte der Anführer.

„So muß sich auch Schedid, der oberste Diener des Königs, hier befinden. Welcher von euch ist es?"

„Ich selber bin es. Wer aber bist du, daß du meinen Namen kennst?"

„Ich bin Amr, ein Ben Baggara, und wohne an der Mischra Om Oschrin. Ich bin der Freund eines Mannes, den auch du kennst, ein Freund von Ibn Asl."

„Hat deine Bekanntschaft mit ihm etwas mit deinem jetzigen Ritt zu tun?"

„Ja, denn ich bin als sein Bote an dich gesandt."

„Ibn Asl sendet dich zu mir? Nicht dahin, wo ich wohne, sondern hierher an diese Stelle, wo es so sehr zweifelhaft ist, ob und wann ich da zu treffen bin? Das muß einen besondern Grund haben!"

„Den hat es auch. Er war übrigens gar nicht ungewiß darüber, ob ich dich hier finden würde. Er sagte, daß du zweimal jährlich dein Land verließest, um nach Faschodah zu gehen, und daß diese Reisen von dir zu bestimmten Zeiten unternommen werden."

„Das ist wahr."

„Mein Freund kennt die Tage deiner Abreise und deiner Ankunft und kann so ziemlich leicht berechnen, wo du dich an einem bestimmten Tag befindest. Er sagte, ich würde dich ganz sicher morgen oder übermorgen hier an der Furt treffen."

„Ibn Asl hat sich um einen Tag geirrt, weil ich diesmal um einen Tag eher aufgebrochen bin. Welche Botschaft sollst du mir bringen?"

„Es ist eine Warnung. Du sollst dich während des Marsches dem Nil nicht zu weit nähern und die Reqiq diesmal nicht unmittelbar nach Faschodah bringen, sondern die Leute in der Nähe verstecken und dann zu Ibn Mulei, dem Sangak der Arnauten, gehen, um ihm zu sagen, wo sie zu finden sind."

„Wozu diese Umstände?"

„Weil es einen fremden Effendi gibt, der sich in dieser Gegend herumtreibt, um die Sklavenhändler zu fangen und an den Reïs Effendina abzuliefern."

„Allah vernichte diesen Hundesohn!" knirschte Schedid.

„Kara Ben Nemsi ist noch dazu ein Christ!"

„So möge Allah ihn in alle Ewigkeit im schrecklichsten Winkel der Hölle aufbewahren! Was hat dieser Christenhund sich um die Sklavenhändler zu kümmern!"

„Ich soll dir sagen, daß er sich jetzt höchstwahrscheinlich mit dem Reïs Effendina auf der Nilfahrt nach Faschodah befindet. Da diese Leute öfters ans Land steigen, könnten sie dich leicht entdecken und ergreifen, falls du dich dem Strom zu weit näherst. Aus diesem Grund sendet mich Ibn Asl. Ich soll dich warnen."

„Das war nicht nötig. Was gehen mich die Gesetze des Vizekönigs an! Ich diene meinem König. Unser Gesetz erlaubt es, Menschen zu verkaufen. Wenn ich danach handle, kann mir kein Mensch etwas anhaben. Zudem haben wir einen mächtigen Beschützer in Ali Effendi el Kurdi, dem Mudir von Faschodah, der dem Reïs Effendina schon manchen Fang vor der Nase weggeschnappt hat. Was hätten wir also zu fürchten? Ich werde meinen gewöhnlichen Weg nicht ändern, eines verfluchten Christenhundes wegen erst recht nicht. Es sollte mich im Gegenteil freuen, auf ihn zu treffen. Ich würde ihn zwischen meinen Fäusten zermalmen!"

Schedid rieb die gewaltigen Hände gegeneinander, wobei der Ausdruck seiner sonst nicht unangenehmen Züge ein ganz andrer wurde. Man kann sich denken, mit welcher Spannung ich Zeuge dieses Gesprächs war. Dabei freute es mich zu hören, daß weder Schedid noch der Bote etwas von der Absetzung des Mudir Ali Effendi el Kurdi zu wissen schien. Ebenso froh war ich zu erfahren, daß der Sangak der Arnauten wirklich der Mann war, als den ihn uns der Oberleutnant des Sklavenhändlers bezeichnet hatte. Ich wußte nun mit Sicherheit, an wen ich mich wenden mußte. Die Worte Schedids bewiesen ein großes Selbstvertrauen. Das konnte mir nur lieb sein, denn je sicherer er sich fühlte, desto mehr arbeitete er mir in die Hände. Und doch ahnte ich jetzt nicht, was ich alles noch hören würde! Amr eiferte gegen dieses Selbstvertrauen und warnte:

„Fühle dich nicht so sicher! Meinst du, daß Ibn Asl mich zu dir gesandt hätte, wenn er nicht überzeugt wäre, daß es notwendig ist? Jener Christ soll viel gefährlicher sein als der Reïs Effendina selber!"

Da stand Schedid auf und reckte seine mächtige Gestalt in die Länge und Breite.

„Schweig davon und schau lieber mich an! Sehe ich aus, als hätte ich mich vor einem Menschen, noch dazu einem Christen, zu fürchten? Ich schlage fünf oder zehn solche Hunde auf einmal nieder!"

„Ja, du bist stark, das sagte mir Ibn Asl. Aber er meinte, dieser Christ sei ebenso stark, vielleicht noch stärker als du."

„Stärker als ich? Wie kann mich Ibn Asl auf diese Weise beleidigen! Ich bin noch von keinem Menschen besiegt worden!"

„Er hat dich nicht beleidigen wollen, denn er meinte wohl nicht nur die Körperkraft, sondern auch die Überlegenheit, die ein listiger Mann vor seinem Gegner besitzt. Dieser Giaur soll nämlich ein Ausbund von Verschlagenheit sein. Er vermag alles, selbst das Geheimnisvollste zu erraten, und stets ist der, der ihm eine Falle stellte, selber hineingefallen. Ibn Asl hat mir einiges davon erzählt. Er hatte nicht viel Zeit, aber das wenige, was er mir über diesen Christen berichtete, müßte dich zur größten Vorsicht mahnen."

„So erzähle! Ich möchte mit meinen eignen Ohren hören, warum ein gläubiger Muslim sich vor einem ungläubigen Hundesohn fürchten soll."

Schedid setzte sich wieder nieder, und der Bote erzählte unsre Abenteuer. Obgleich es nur in kurzen Umrissen geschah, meinte der Takaleh zum Schluß:

„Dieser Kara Ben Nemsi scheint wirklich äußerst gefährlich zu sein. Man muß sich vor ihm in acht nehmen. Da er mich aber nicht kennt und auch nichts von mir weiß, brauche ich ihn nicht zu fürchten."

„Kannst du behaupten, daß er nichts von dir weiß? Er hat die Leute Ibn Asls gefangen. Wenn es ihm nun gelungen ist, einen dieser Leute zum Sprechen zu bewegen!"

„Das ist wahr!"

„Und selbst wenn er nichts von dir erfahren hätte, er würde dich doch anhalten, wenn du ihm mit deinen Reqiq begegnetest."

„Ich würde ihn besiegen!"

„Vielleicht ja, wenn es ihm einfiel, dich offen anzugreifen. Aber du hast ja gehört, wie vorsichtig und listig er ist. Weiche ihm aus, so viel du kannst!"

„Gut, ich werde es tun, aber nicht, weil ich mich vor ihm fürchte, sondern weil Ibn Asl es wünscht. Wo befindet er sich jetzt?"

„Es war gestern mittag, als Ibn Asl auf seiner Kamelstute zur Mischra Om Oschrin kam. Ich bin dann sofort aufgebrochen. Daraus kannst du errechnen, daß er heut abend schon weit über Makhadat el Kelb hinaus ist."

„Will er bis Faschodah reiten?"

„Ja."

„Und da alle seine Leute gefangen sind, wo will er neue Männer für den Sklavenfang hernehmen?"

„Ibn Asl will Schilluk und Nuehr anwerben, vielleicht auch Dinka, ganz wie er die Gelegenheit findet. Das muß aber bald geschehen, denn der Reïs Effendina ist hinter ihm her. Ibn Asl muß sich in Faschodah verstecken, weil er auf dich warten will. Und da fällt mir ein, daß er mich beauftragt hat, dir besonders einen dieser Sklaven ans Herz zu legen. Ich soll dir sagen, es sei der Mann, den er vor sechs Monaten bei deiner letzten Reise bestellt hat."

„Also Hafid Sichar! Dort liegt er. Er ist der erste am Seil."

„Es war Ibn Asl besonders darum zu tun, diesen Mann wieder zu bekommen. Du sollst ihn streng beaufsichtigen lassen."

„Ich werde auf Hafid Sichar achten und nicht unvorsichtig sein. Aber grad die Hauptsache hat Ibn Asl vergessen. Das, worauf es am meisten ankommt, hat er mir nicht sagen lassen. Wie nun, wenn ich Kara Ben Nemsi Effendi begegne? Ich kenne ihn nicht und kann also leicht, wenn nicht seiner Stärke, so doch seiner List verfallen. Ibn Asl hat ihn gesehen und sogar mit ihm gesprochen. Wie konnte er vergessen, mir durch dich eine Beschreibung dieses Hundesohns zu senden!"

„Allah! Was bin ich für ein Bote!" rief Amr, indem er sich mit der Hand gegen die Stirn schlug. „Nicht er, sondern ich habe es vergessen. Er gab mir sogar eine sehr genaue Beschreibung und fügte auch noch einen Namen bei, der Ben Nil lautete."

O weh! Ich griff unwillkürlich zum Revolver, denn das Gespräch begann eine unerquickliche Wendung zu nehmen. Wenn dieser Mann unsere Personenbeschreibung genau behalten hatte, so war ich verraten. Ben Nil hatte den gleichen Gedanken und warf mir einen besorgt forschenden Blick zu.

„Ben Nil?" fragte Schedid. „Wer ist das?"

„Ein junger Mensch, der sich, obgleich er Muslim ist, stets an der Seite dieses Giaurs befindet. Allah zerreiße ihn! Nie ist der eine ohne den andern zu sehen. Darum hat Ibn Asl mir eine Beschreibung von beiden gegeben."

„So gib sie nun mir!"

„Dieser Ben Nil ist ungefähr zwanzig Jahre alt und ohne Bart, von schmächtiger Gestalt, besitzt aber bedeutende Körperkraft. Seine Augen sind dunkel, die Wangen voll. Die Kleidung, die er zuletzt trug, bestand aus —"

Amr hielt inne und musterte Ben Nil mit erstaunten Blicken.

„Welch ein Wunder! Die Beschreibung, die ich von diesem abtrünnigen Muslim erhalten habe, paßt auf diesen Jüngling, der da an meiner Seite sitzt!"

„Du irrst wohl."

„Ich sage dir aber, es stimmt genau."

„Das ist möglich, da du jenen Ben Nil nicht gesehen hast. Dunkle Haare und Augen, schmächtige Gestalt und volle Wangen besitzen tausend junge Leute. Dieser Jüngling aber ist über jeden Zweifel erhaben, denn er ist ein berühmter Chatîb vom heiligen Orden des Sihdi Senussi."

Der Bote kreuzte die Arme über der Brust und verneigte sich gegen Ben Nil.

„Dann irre ich mich allerdings. Aber ich habe diesen frommen Chatîb, den Allah segnen wird, nicht beleidigen wollen."

Gott sei Dank! Der kleinere Teil der Gefahr war überstanden! Wie würde es aber mit dem andern, größern Teil werden? Ich brauchte nicht lange zu warten, denn Schedid sagte:

„Dieser Ben Nil ist überhaupt weniger wichtig für mich. Die Hauptsache ist die Beschreibung des Effendi. Du wirst sie mir so genau wie möglich geben."

Ich wünschte im stillen, daß sie so ungenau wie möglich ausfallen möchte. Leider aber war das keineswegs der Fall. Ibn Asl hatte seinem Boten meinen ‚Steckbrief‘ sorgfältig eingeprägt. Kaum war meine Gestalt, mein Gesicht und ein Teil meiner Kleidung beschrieben, so erging es Amr wie vorhin bei Ben Nil: er hielt inne und starrte mich betroffen an.

„Allah ist groß! Sollte man es für möglich halten! Da sitzt ja der Mann, den ich dir beschreiben soll, in eigner Person! Er ist’s, er ist’s! Da ist gar kein Zweifel möglich!“

Man kann sich denken, welches Aufsehen diese Worte erregten. Alle blickten auf mich. Sogar die Gefangenen hoben die Köpfe, und einer von ihnen rief:

„Hamdulillah! Vielleicht bin ich nun gerettet!“

Glücklicherweise schenkte niemand diesen Worten Aufmerksamkeit, weil man ausschließlich auf mich achtete. Nur ich allein hörte sie, weil ich mich mit dem, der sie gerufen hatte, schon seit einiger Zeit eingehend beschäftigte. Er war von Schedid Hafid Sichar genannt worden, und so hieß der, den ich suchen sollte, der verschollene Bruder des Führers Ben Wasak von Maabdeh. Sollte es dieser sein? Ibn Asl hatte durch seinen Boten sagen lassen, man solle auf ihn besonders aufmerken. Hafid Sichar mußte dem Sklavenjäger viel bedeuten. Ich neigte der Ansicht zu, daß ich, so vieles auch dagegen sprach, den Gesuchten hier gefunden hatte. Und in dieser Ansicht wurde ich durch den Ausruf bestärkt, den ich jetzt von dem Gefangenen gehört hatte. Die Erzählung des Boten war von ihm verstanden worden. Hafid Sichar mußte mich für einen unternehmenden und unerschrockenen Menschen halten. Er glaubte, wenn ich der gefürchtete fremde Effendi sei, könne mich nur die Absicht, die Gefangenen zu befreien, hierher geführt haben, und darum entfuhren seinen Lippen die unvorsichtigen Worte. Ich hatte jetzt keine Zeit, auf ihn zu achten, sondern ich mußte mich ausschließlich der Gefahr widmen, in die ich selber geraten war.

Ein kurzer Blick auf Ben Nil beruhigte mich. Er zeigte sich keineswegs erschrocken, sondern auf seinem Gesicht lag ein so überlegenes lächelndes Staunen, als wundere er sich grenzenlos über ein solches Zusammentreffen von Ähnlichkeiten. Ich konnte mich auf ihn verlassen und in Beziehung auf sein Verhalten völlig ruhig sein.

Ich selber blickte Amr wie fragend in sein erregtes Gesicht und sagte kein Wort. Ich tat so, als verstünde ich ihn nicht. Schedid sah bald ihn und bald mich an. Er hatte sich überzeugt, daß meine Person mit der Beschreibung übereinstimmte, aber die würdevolle Ruhe, die ich bewahrte, machte ihn irre.

„Was sagst du?“ fragte der Takaleh den Boten. „Dieser Mann, der hier an meiner rechten Seite sitzt, soll jener ungläubige Effendi sein?“

„Ja, er ist’s! Er kann kein andrer sein.“

„Du irrst dich abermals. Dieser Mann ist der gewaltige Mudir von Dscharabub, der Vertraute und beste Freund des Sihdi Senussi.“

„Ist das wahr? Kannst du das beweisen?“ fragte der Bote.

„Ich weiß es von ihm selber.“

„Von ihm selber, von ihm selber!“ lachte der Baggara-Araber.

„Wenn du es von keinem andern weißt, so ist es um deinen Beweis schlecht bestellt. Habe ich dir nicht erzählt, daß der Giaur sich schon öfters einen falschen Namen beigelegt hat?"

„Allah! Ich habe es gehört. Sollte —"

Schedid sah mich mit Augen an, in denen das Vertrauen mit dem Mißtrauen um den Sieg rang. Ich antwortete mit einem festen, verwunderten Blick.

„Was sagt dieser Mann? Spricht er von mir?"

„Gewiß meinte er dich!" antwortete Schedid. „Hast du denn nicht verstanden?"

„Hätte ich Amr verstanden, so müßte ich ihn für toll halten. Lieber will ich annehmen, daß ich falsch gehört habe."

„Er behauptet, du seist Kara Ben Nemsi Effendi."

„Allah sei ihm gnädig! Also hat Amr es wirklich gesagt! Sein Geist ist krank. Er mag Tücher ins Wasser tauchen und sie sich um die Stirn legen, dann wird das Fieber ihn verlassen."

„Ich bin nicht krank! Ich weiß, was ich sage!" rief der Baggara. „In einer Person mag man sich irren, aber in zwei Menschen zugleich, das ist unmöglich. Die Beschreibung des jungen Mannes stimmt ganz auf den angeblichen Chatîb und die des andern genau auf den sogenannten Mudir. Sie sind es! Was für Kamele haben sie? Ibn Asl sagte, daß sie auf grauen Hedschihn reiten."

„Das ist richtig", erwiderte Schedid.

„Richtig? Also ein neuer Beweis, daß ich mich nicht irre! Laß dich nicht betrügen, o Schedid! Untersuche den Fall genau!"

Schedid war jetzt doppelt bedenklich geworden. Er wendete sich mir zu:

„Du hörst, was er sagt. Ich hege alle Ehrerbietung für deine Würde. Aber ich habe keinen Beweis, daß sie echt ist. Also bitte ich dich, mir dazu zu verhelfen, daß ich dir vertrauen kann."

„Du mißtraust mir wirklich?" fragte ich in scheinbar maßlosem Erstaunen. „Ich soll beweisen, daß ich bin, der ich bin! Sage mir doch, wo wir uns befinden!"

„Nun, hier an der Machâde ed Dill."

„Und wo ist jener Effendi, wie Ibn Asl selber gesagt hat?"

„Unterwegs auf dem Nil."

„Kann ich also Kara Ben Nemsi sein?"

„Was Ibn Asl gesagt hat, ist nur eine Vermutung. Wenn nur einer von euch mit der Beschreibung übereinstimmte, so wäre ein Irrtum denkbar, da aber eure beiden Personen stimmen, so steht es sehr schlimm um dich. Wenn du jener Effendi bist, muß ich dich töten."

„Aber ich bin es nicht!"

„Das ist nicht erwiesen. Hast du einen Beweis bei dir, daß du die Wahrheit sagst?"

„Der einzige und beste Beweis bin ich selber."

„Dann muß ich dich festnehmen und bei mir behalten, um dich Ibn Asl zu zeigen!"

„Das wirst du nicht tun, denn dadurch würde unser heiliges Werk gestört werden."

„Wenn du es mir nicht ermöglichst, an dieses heilige Werk zu glauben, kann ich es nicht berücksichtigen."

„Du wirst es berücksichtigen, denn ich bin überzeugt, daß du weißt, welch geheime Macht mein Orden besitzt. Ich würde sie gegen dich in Anwendung bringen."

In der Bevölkerung jener Gegend herrscht der finsterste Aberglaube. Darum riefen meine Worte den heilsamen Schreck hervor, den ich beabsichtigt hatte. Schedid befand sich in einer schlimmen Lage. War ich der Effendi, so mußte er mich festnehmen. Bei einer falschen Beschuldigung aber war ich nicht nur ein heiliger Mann, sondern auch ein Zauberer, der alle guten und bösen Geister in Bewegung setzen konnte, um sich zu rächen. Vor diesen Zauberkräften hatte er eine maßlose Angst, doch hetzte der Bote durch weitere Bemerkungen immer mehr gegen mich, so daß Schedid endlich erklärte:

„Ich weiß nicht, was ich tun soll. Ich möchte dir nicht mißtrauen, und du kannst dich nicht ausweisen. Aber du kannst auf zweierlei Art meine Zweifel beseitigen. Wirst du darauf eingehen?"

„Sprich erst genauer!"

„Du hast gehört, daß dieser Effendi ein starker Mann sein soll. Kämpfe mit mir, damit ich erfahre, ob du die Kraft besitzest, die er haben soll."

Das war nun freilich ein Pfiffigkeit des Takaleh, die ihm keinen Preis eintragen konnte. Der gute Mann schien es nicht für möglich zu halten, daß ein Starker sich verstellt. Ich wäre auf seine Forderung eingegangen, wenn ich nicht die Ehre meines angeblichen Standes zu wahren gehabt hätte. Darum zögerte ich:

„Du sagst, ich könne mich doppelt ausweisen, zunächst durch den Zweikampf mit dir. Wir sind ausgezogen, um zu predigen, nicht aber, um zu kämpfen. Vergleiche deine Gestalt mit der meinigen! Wollte ich mit dir kämpfen, so müßte ich unterliegen. Das ist sicher."

„Es kommt nicht immer nur auf die Gestalt an."

„Ja", stimmte Amr bei. „Der fremde Effendi besitzt, wie ich von Ibn Asl vernommen habe, auch nicht die Gestalt eines Riesen, und doch hat er eine Körperkraft, der kein andrer gewachsen ist. Bist du dieser Giaur, so kannst du Schedid wohl überwinden. Besiegst du ihn nicht, so ist es ein Beweis, daß du der Effendi nicht bist."

„So ist es", lächelte Schedid. „Hast du ein gutes Gewissen, so ringe mit mir! Tust du es nicht, so nehme ich an, daß du befürchtest, dich durch deine Körperstärke zu verraten. Also entscheide dich!"

Der Rolle, die ich spielen mußte, getreu, stand ich zwar auf, als sei ich bereit, sagte aber bedenklich:

„Wenn man in Dscharabub erführe, daß ich mit dir gerungen habe und besiegt worden bin, würde die Achtung, die ich fordern muß, zum größten Teil verloren sein."

Da kam mir mein pfiffiger Ben Nil klug zu Hilfe.

„Wer soll es verraten, o Mudir? Von diesen Männern hier wird wohl keiner jemals in unsre Heimat kommen, und meiner Verschwiegenheit kannst du sicher sein."

„Du hörst es", erklärte Schedid. „Falls ich dich überwinde, wird deine Würde keinen Schaden nehmen. Dieses Bedenken ist also gegenstandslos geworden, und ich fordere dich noch einmal auf, dich zu entscheiden."

„Nun wohl, es mag geschehen. Unter welchen Bedingungen soll der Kampf vor sich gehen?"

„Wir legen die Oberkleider ab und umarmen uns. Wer von uns den andern in dieser Stellung emporhebt und dann niederwirft, der ist Sieger. Bist du einverstanden?"

„Ja, ich habe nichts dagegen", entgegnete ich, indem ich ebenso wie er den Haïk auszog.

Ich nahm mir vor, mich von Schedid werfen zu lassen. Doch durfte ich ihm auch nicht zu wenig Widerstand entgegensetzen, da das seinen Verdacht hätte erregen müssen.

Wir standen bereit. Der Takaleh trat auf mich zu und legte seine gewaltigen Arme um mich, ich die meinigen um ihn. Nun versuchte er, mich emporzuheben. Ich setzte ihm den Widerstand eines kräftigen Mannes entgegen. Zweimal hob Schedid mir die Füße hoch, doch wurde es mir nicht schwer, den Boden wieder zu gewinnen. Beim drittenmal aber nahm er alle seine Kraft zusammen, griff, während er den linken Arm an meinem Oberkörper ließ, mit der Rechten nach meinen Schenkeln, so daß er mich nun waagrecht an sich hatte, und legte mich dann auf die Erde nieder. Indem ich es geschehen ließ, hegte ich die Überzeugung, daß ich, wenn ich nur wollte, dieses auch mit ihm tun konnte.

„Der Mudir ist nicht schwach", meinte der Riese. „Er hat ganz gute Kräfte, aber außergewöhnlich sind sie nicht."

„Ich wußte, daß ich besiegt werden würde", erklärte ich, indem ich aufstand. „Einem Mann wie dir bin ich nicht gewachsen. Ich habe verspielt."

Dabei tat ich, als wäre ich vor Anstrengung außer Atem.

„Ja, zweimal gelang es dir, die Erde wieder zu erreichen. Dafür geht nun auch deine Brust auf und ab, als wärst du lange Zeit Galopp gelaufen. Du bist kein Riese. Die erste Probe hast du bestanden. Jetzt werden wir die zweite vornehmen."

„Welche?"

„Es soll Christen geben, die den Koran kennen, so vollständig auswendig aber wie ein Muslim kann kein Giaur ihn lernen. Ich bin überzeugt, daß ein Ungläubiger die Sure El Kuffâr, wenn man sie ihm vorbetet, nicht richtig nachsprechen kann. Kennst du sie?"

„Ja."

„Kannst du sie auch ohne Fehler hersagen?"

„Vielleicht, wenn du sie mir richtig und deutlich vorsprichst."

Ich brauchte sie mir nicht vorsagen zu lassen, denn ich konnte sie

auswendig. Sie ist die hundertneunte Sure und soll Mohammed ge-
offenbart worden sein, als einige Araber von ihm verlangten, er solle
ein Jahr lang ihre Götter verehren, dann wollten sie ebensolang seinen
Gott anbeten. Sie ist kurz, nur einige Zeilen lang, aber ihrer eigenarti-
gen Wortstellung wegen selbst für einen Araber nicht leicht fehlerfrei
herzusagen. Darum wird sie besonders dann angewendet, wenn man
einen im Verdacht hat, betrunken zu sein, da es einem Betrunkenen unmöglich ist, sie ohne Anstoß zu Ende zu bringen. Das setzte Schedid
auch bei einem Christen voraus.

„Wir wollen sehen!" meinte er mit einem überlegenen Lächeln. „Ich
werde sie dir vorbeten. Übrigens hast du dich schon verraten, indem
du verlangst, daß ich sie dir vorsagen soll. Ein guter Senussi, noch
dazu ein Mudir, ein hervorragendes Glied dieser Bruderschaft, muß
diese Sure unbedingt aufsagen können, ohne sie vorher zu hören."

Der Takaleh stellte sich zurecht, neigte den Kopf, hob die Hände
und begann:

„Im Namen des allbarmherzigen Gottes! Sprich: O ihr Ungläubigen,
ich verehre nicht das, was ihr verehrt, und ihr verehret nicht, was ich
nicht verehre, und ich werde auch nie verehren das, was ihr *nicht*
verehret, und ihr werdet verehren — nicht verehren das, was ich nicht
— was ich verehre, denn ihr habt *meine* Religion, und ich, — ich —
ich habe — ich habe nicht — nicht — — nicht — —"

Er hielt inne, denn er sah ein, daß er sich verfahren hatte. Die
falsche Satzstellung abgerechnet, hatte er schon zweimal das Wort
‚*nicht*' und einmal das Wort ‚*meine*' gebracht, wo sie in der Sure nicht
enthalten sind.

„Nun?" lächelte ich. „Bist du kein Muslim oder bist du betrunken?"

„Keins von beiden!" rief Schedid ärgerlich. „Diese Sure ist wirklich
die schwierigste. Du als Senussi mußt sie aber unbedingt ohne Anstoß
sagen können!"

„Wirst du denn beurteilen können, ob ich Fehler mache? Du hast es
ja selber nicht fertig gebracht, und was man begutachten will, muß
man doch selber können und verstehen."

„Ich kenne die Sure, wenn ich sie auch nicht ohne Anstoß aufsagen
konnte. Also sprich!"

Dieser Aufforderung kam ich nach, indem ich so schnell sprach,
daß sein Ohr wohl kaum zu folgen vermochte.

„Im Namen des allbarmherzigen Gottes! Sprich: O ihr Ungläubigen,
ich verehre nicht das, was ihr verehret, und ihr verehret nicht, was
ich verehre, und ich werde auch nie verehren das, was ihr verehret,
und ihr werdet nie verehren das, was ich verehre. Ihr habt eure Religion und ich die meinige."

In der deutschen Übersetzung klingt diese Sure nur schwülstig, im
Arabischen aber ist es anders. Die Beugung des Wortes ‚ihtirâm —
verehren' ist da so eigenartig, daß es wirklich schwierig ist, die Be-
jahung nicht mit der Verneinung und die erste Person der Einzahl

nicht mit der zweiten Person der Mehrzahl zu verwechseln. Als ich geendet hatte, erklärte Schedid:

„Wahrhaftig, er kann es, so schnell und ohne den geringsten Anstoß! Er kann kein Ungläubiger sein!"

„Aber", fiel Amr hartnäckig ein, „ich erinnere mich, von Ibn Asl gehört zu haben, daß der ungläubige Effendi die arabische Sprache und den Koran so genau kennt, als sei er hier bei uns geboren und habe beim besten Muderris[1] in Kahira studiert. Nimm dich in acht! Fälle dein Urteil nicht zu früh, denn du könntest dich trotz allem leicht irren!"

„Meinst du? Wie sollte ich ihn denn noch auf die Probe stellen?"

Das klang gefährlich für mich. Dieser Bote war wirklich der festen Meinung, daß ich der Effendi sei. Unter seinem Einfluß konnte sich die gute Ansicht, die Schedid jetzt von mir zu haben schien, leicht in ihr Gegenteil verwandeln. Es war geraten, das nicht abzuwarten. Darum stellte ich mich, als sei ich zornig.

„Noch mehr auf die Probe? Das fällt mir nicht ein! Weißt du, was ein Mudir von Dscharabub bedeutet? Ich stehe hoch über dir. Dennoch habe ich mich herbeigelassen, nicht nur mit dir zu ringen, sondern auch die Sure El Kuffâr herzusagen. Das war mehr als genug. Soll ich mich noch weiter vor euch demütigen? Nein! Wer einen Mudir der Senussi und einen Chatîb dieser frommen Brüderschaft in solcher Weise beleidigt, der darf nicht erwarten, längere Zeit in die Angesichter solcher Leute schauen zu dürfen. Wir sind gastfreundlich gegen euch gewesen und haben euch erlaubt, in unsrer Nähe zu sein. Nun aber verlassen wir diesen Ort und kehren euch den Rücken, um —"

„Nein, das dürft ihr nicht!" rief Amr, indem er mich unterbrach. „Wir lassen euch nicht fort!"

„Nicht?" fragte ich, indem ich ihn stolz von oben herab ansah. „Wie willst du uns hindern, von hier fortzugehen?"

„Ich halte euch mit Gewalt zurück!"

„Du willst dich an den Männern Allahs vergreifen?"

„Ja. Setze dich!"

Amr streckte die Hand aus, um mich niederzudrücken. Ich trat einen Schritt zurück und donnerte ihn an:

„Halt, Unvorsichtiger! Soll ich dir den Fluch entgegenschleudern, unter dem dein Körper vertrocknen und deine Seele verschmachten würde? Wenn du versuchen willst, ob der La'net Allah[2] in unsre Hände gegeben ist oder nicht, so habe ich nichts dagegen. Aber ich sage dir, daß dein Leben dann entsetzlich und dein Ende voll Schrecken sein wird. Wer uns zurückhalten will, der halte uns! Wessen Hand wagt es, uns zu berühren?"

Ich blickte rundum. Alle schwiegen und standen oder saßen unbeweglich, erschrocken, nicht nur über meine Worte, sondern wohl noch mehr über den Ton, in dem ich gesprochen hatte. Ich ging an das Gesträuch und band mein Kamel los. Ben Nil tat es mit dem seinigen.

---

[1] Lehrer an einer mohammedanischen Hochschule   [2] Allahs Fluch

Wir stiegen auf und trieben die Tiere ins Wasser, ohne daß es einem einfiel, uns zu hindern oder auch nur zu bitten, da zu bleiben. Kein Wort wurde gesprochen, kein Ruf des Abschieds scholl hinter uns her. Ich war froh darüber.

13. Der Verschollene

Das Wasser war, wie ich vermutet hatte, an der Furt nicht tief. Es reichte den Kamelen noch nicht einmal an den Leib. Drüben am andern Ufer gab es zunächst einiges Gesträuch, dann folgte Graswuchs, jedenfalls so weit, wie die Feuchtigkeit des Regenbettes zu dringen vermochte.

Sobald ich annehmen konnte, daß man uns nicht mehr sehen konnte, wendete ich mich links gegen den See. Ben Nil war bis jetzt still gewesen, nun aber meldete er sich.

„Du reitest ja nach Osten, Effendi! Unser Weg führt uns aber nach Süden! Warum weichst du ab?"

„Aus zwei Gründen. Erstens sollen die Takaleh unsre Fährte nicht sehen. Wären wir weiter geritten bis dahin, wo das Gras aufhört und der Sand wieder beginnt, so würden im Sand unsre Spuren morgen früh zu finden sein. Im Gras aber sind sie nicht mehr erkennbar, denn es wird sich bis zum Morgen wieder aufgerichtet haben. Es gibt Wasser in der Nähe, auch wird Tau fallen, und infolge dieser Feuchtigkeit richtet sich das niedergetretene Gras schon nach einigen Stunden auf."

„Hast du die Takaleh im Verdacht, daß sie uns verfolgen wollen?"

„Nicht nur im Verdacht, sondern ich weiß es genau. Sie werden uns Hafid Sichar wieder abnehmen wollen."

„Hafid Sichar? Ja, dieser Name wurde genannt. Er fiel mir auf. Es ist der Name des Bruders des Führers in der Höhle von Maabdeh. Denkst du etwa, daß er sich hier bei den Takaleh befindet?"

„Ich bin davon überzeugt."

„Und du willst ihn befreien?"

„Ja. Und das ist der zweite Grund, weshalb ich jetzt ostwärts zum See einbiege."

„Allah! Das gibt wieder ein Abenteuer! Effendi, wer mit dir reitet, darf um Erlebnisse und Gefahren keine Sorge tragen. Fast wurde es mir angst um uns, als man vorhin erriet, wer wir sind. Warum hast du dich erniedrigt und dich prüfen lassen?"

„Weil es das klügste war. Wüßte Schedid bestimmt, daß ich Kara Ben Nemsi Effendi bin, so würde er nicht nach Faschodah gehen, aber er würde einen Eilboten dorthin senden, Ibn Asl und auch den Sangak der Arnauten warnen zu lassen. Unser Ritt nach Faschodah wäre erfolglos. Wir haben ja so viel gehört. Das weiß und überlegt Schedid sich ebensogut wie wir."

„Das ist wahr, Effendi! Also wir reiten jetzt östlich, um die Takaleh irre zu führen, und biegen dann nach Süden ein?"

„Nein. Wir reiten am diesseitigen Ufer des Sees zurück, bis wir an die schmale und steile Vertiefung kommen, über die wir vorhin die Kamele nicht hätten bringen können. Dann bleibst du drüben bei den Tieren zurück, und ich klettere hinüber, um Hafid Sichar zu holen."

„Was willst du mit ihm anfangen?"

„Hafid Sichar muß mit nach Faschodah."

„Dazu bedarf er eines Kamels."

„Ich werde den Takaleh eins abnehmen."

„Hm! Hafid Sichar vom Seil losmachen, ohne daß es jemand bemerkt, und dann auch noch die kostbare Zeit auf das Entwenden eines Kamels verwenden, das ist zu viel für eine Person."

„Ich hätte nichts dagegen, dich bei mir zu haben, wenn nicht jemand der wilden Tiere wegen bei den Kamelen bleiben müßte."

„Glaubst du, daß es hier welche gibt?"

„Wo Wasser ist, da gibt es Leben, und wo es hier Leben gibt, findet man sicher auch reißende Tiere."

„Glaubst du, daß ich die Kamele gegen Löwen zu verteidigen vermag? Wenn du mit Ja antwortest, werde ich dir dankbar sein für das Vertrauen, das du mir dadurch zeigst, aber ich glaube nicht, daß ich ihm entsprechen könnte. Daß ich mich nicht fürchte, weißt du. Aber einen Löwen zu erlegen, dazu gehört mehr als Furchtlosigkeit. Du würdest bei deiner Rückkehr mich und auch die Tiere zerrissen vorfinden. Darum ist es auf alle Fälle besser, du nimmst mich mit."

Ben Nil hatte recht, und darum zeigte ich mich bereit, seinen Wunsch zu erfüllen. Es war ja richtig, daß ich in die Lage kommen konnte, einen Gehilfen zu brauchen.

Wie schon beschrieben, hatte das Nid en Nil an der Stelle, wo wir es erreicht hatten, aus einer schmalen, wasserleeren Schlucht bestanden. Dann hatten wir uns rechts gewendet und waren an der ersten seeartigen Erweiterung des Chor vorübergekommen, worauf wir erst die Furt erreicht hatten. Wir waren da an der Nordseite hingeritten. Jetzt aber ritten wir an der Südseite des Sees zurück und langten nachher an der trocknen Schlucht an, gegenüber der Stelle, an der wir auf das Regenbett gestoßen waren. Der Weg war nicht schwierig, denn es schien der Mond. Dennoch wäre es mir lieber gewesen, wenn wir Finsternis gehabt hätten. Mein Vorhaben war derart, daß der Mondschein gefährlich werden konnte.

Wir hielten an, stiegen ab und banden die Kamele an Baumstämmen fest. Die Gewehre hätte ich gern zurückgelassen. Aber wir konnten leicht einem größeren Raubtier begegnen, gegen das mit Messern und Revolvern nichts zu machen war, und darum nahmen wir sie mit.

Nun kletterten wir diesseits in die Schlucht hinab und jenseits wieder hinauf. Dann verfolgten wir den Weg, auf dem wir bei unserm Kommen die Furt erreicht hatten. Es ging jetzt langsamer als vorher, wo wir im Sattel gesessen waren.

In der Nähe der Furt bemerkten wir, daß dort kein Feuer brannte. Das war mir lieb, denn es bewies, daß die Takaleh schliefen. Ich ließ

Ben Nil unter einem Baum zurück und schlich allein weiter. Ungefähr hundert Schritt vom Lagerplatz entfernt legte ich mich nieder, um zu kriechen.

Der Mond stand schon tief und ließ die Schatten der Bäume auf den Platz fallen, was mir sehr nützlich war. Die Takaleh hatten einen Wächter ausgestellt, wohl nur ihrer Sklaven wegen, denn er schritt da, wo diese lagen, langsam auf und ab. Ich sah ihn zwar nicht, aber ich hörte seine leisen Schritte. Bevor ich etwas unternehmen konnte, mußte ich mich genau unterrichten. Darum umkroch ich das Lager in einem Bogen. Ich fand alles so, wie ich es verlassen hatte. Die Gefangenen lagen auf dem alten Platz, die andern ebenso. Um zu dem zu kommen, den ich für Hafid Sichar hielt, mußte ich den Wächter unschädlich machen. Die Sättel waren in zwei Haufen nebeneinander aufgeschichtet. Die Kamele lagen teils wiederkäuend, teils standen sie mit gefesselten Vorderbeinen am Wasser bei den Büschen oder im Gras, um zu fressen. Ich kehrte zu Ben Nil zurück, um ihn zu holen. Er schlich dann mit mir so nah heran, wie es bei seinem Mangel an Übung geraten war. Dann mußte er das Lager umgehen, um jenseits, wo sich die Kamele befanden, auf mich zu warten. Ich bezeichnete ihm einen Baum, hinter dessen Stamm er sich verstecken sollte. Dann kroch ich wieder zu den Gefangenen hin.

Als mich noch zehn Schritte von ihnen trennten, hielt ich an und lauschte. Alle schienen zu schlafen, was freilich kein Wunder war, da sie, schlecht genährt und ohne genügenden Trank, während des Tags im Sonnenbrand marschiert waren. Nichts regte sich, und nur der Wachtposten schritt noch immer hin und her. Er bewegte sich ständig auf einer Linie. Ich näherte mich ihr so weit wie möglich, ließ den Mann an mir vorüber, sprang dann auf, packte seine Kehle von hinten mit der Linken und gab ihm mit der rechten Faust einen Hieb an die Schläfe. Er breitete die Arme aus und sank nieder. Auffälliges Geräusch war dabei nicht zu hören gewesen. Er war besinnungslos. Ich hob den Wächter auf und trug ihn zu Ben Nil, der ihn bewachen sollte. Als ich dabei über eine vom Mond beschienene Stelle kam, fiel das Licht für einen Augenblick auf sein Gesicht, und ich sah zu meiner Verwunderung, daß es kein Takaleh, sondern Amr, der Baggara-Araber war, der Bote, den Ibn Asl an Schedid gesandt hatte. Das war mir aus mehreren Gründen lieb.

„Wen bringst du da?" fragte Ben Nil leise, als ich zu ihm kam. „Ist es Hafid Sichar?"

„Noch nicht. Es ist der Baggara, den die Takaleh als Wächter zu den Gefangenen gestellt hatten."

„Amr war schlimm gegen uns und muß zum Schweigen gezwungen werden. Soll ich ihn erstechen?"

„Nein. Wir nehmen ihn mit. Er ist ein Verbündeter Ibn Asls. Indem wir ihn an den Reïs Effendina ausliefern, erfüllen wir unsre Pflicht."

„Wenn wir ihn erstechen, erfüllen wir sie noch weit besser."

„Dann aber kann sich Schedid leicht sagen, wer hier gewesen ist.

Nehmen wir Amr aber mit, so kommt er in den Verdacht, Hafid Sichar befreit und mit sich fortgenommen zu haben."

„Das ist wahr, Effendi. Aber dann müssen wir auch gerade seinen Sattel und gerade sein Kamel haben!"

„Das ist nicht nötig. Je besser die Kamele und die Sättel sind, die wir mitnehmen, desto größer ist der Verdacht gegen ihn, sein geringes Eigentum mit Absicht gegen besseres vertauscht zu haben. Laß mich nur machen! Wir können uns Zeit nehmen, denn die Takaleh schlafen fest."

Amr wurde gebunden und bekam einen Knebel in den Mund. Dann kroch ich wieder zu den Gefangenen. Hafid Sichar, den ich suchte, war der Vorderste am Seil gewesen, ein Umstand, der mir sehr günstig war. Ich hatte mir die Stelle, wo er lag, genau gemerkt und fand sie leicht wieder. Die Gefangenen lagen, noch immer ans Seil gefesselt, im Kreis. Sie schliefen, als wären sie tot. Nur einer schlief nicht: der, den ich suchte. Als ich ihn mit dem Finger leise berührte, flüsterte er:

„Effendi, bist du es?"

„Ja."

„Allah! Ich habe dich erwartet. Mein Herz hämmerte vor Sorge, du wärst vielleicht doch nicht der, von dem ich Rettung erwarten kann."

Der Kreis der Gefangenen war so gebildet, daß sie mit den Köpfen auswärts lagen. Da ich mich außerhalb dieses Rings befand, lag ich mit meinem Kopf hinter seinem Scheitel, und er konnte mich nicht sehen. Ich hob den Oberkörper, schob mein Gesicht über das seinige und raunte ihm zu:

„Wie heißt du?"

„Hafid Sichar aus Maabdeh."

„Wie heißt dein Bruder?"

„Ben Wasak."

„So bist du wirklich der, den ich haben will. Ich grüße dich von deinem Bruder!"

„O Himmel, o Allah! Was will —!"

„Still! Nicht so laut! Schlafen deine beiden Nachbarn?"

„So fest, wie du es nur wünschen kannst."

„So liege still. Ich werde handeln."

Ich untersuchte mit den tastenden Fingern, auf welche Weise Hafid gefesselt und dann an das Seil gebunden war. Darauf gab es einige Schnitte mit meinem Messer, und er war los, aber frei noch nicht. Falls er versuchte aufzustehen, konnte er leicht einen seiner Nachbarn wekken. Ich ergriff ihn also bei den Armen und zog ihn aus dem Kreis vorsichtig heraus, so daß er weder rechts noch links anstieß. Dann mußte er hinter mir her zu Ben Nil kriechen. Dort wollte er sich in Danksagungen ergehen, ich aber unterbrach ihn.

„Jetzt still! Später kannst du sprechen, soviel es dir beliebt. Wir müssen uns beeilen."

Ich untersuchte den Araber. Er kam eben jetzt zu sich. Amr versuchte, seine Fesseln zu zerreißen und zu schreien. Aber es gelang ihm weder das eine noch das andre. Die Bande hielten fest, und das, was ein Schrei, ein Hilferuf sein sollte, kam nur als leises, röchelndes Stöhnen aus der Nase. Ben Nil setzte ihm das Messer auf die Brust und drohte:

„Noch einen solchen Laut, und ich stoße dir die Klinge ins Herz!"

Das half. Der Baggara blieb still und bewegte sich von jetzt an nicht eher wieder, als bis wir ihn in Sicherheit hatten.

„Nun zwei Kamele, Effendi", meinte Ben Nil. „Für jeden eins."

„Wir brauchen drei", antwortete ich. „Da wir jetzt mehr Wasser haben müssen als vorher, so müssen wir ein Tier haben, das die Schläuche trägt. Auch einige Schläuche müssen wir mitnehmen, denn wir haben jetzt nur zwei."

„Erlaube mir, die Kamele auszusuchen, Effendi! Ich kenne unsre Tiere", meldete sich Hafid Sichar. „Ich werde die drei besten wählen."

Er huschte fort, ehe ich ihn halten konnte, und so blieb uns nichts andres übrig, als zu warten, bis er zurückkehren würde. Ich war mit seiner Eigenmächtigkeit nicht einverstanden, denn er konnte uns alles verderben. Glücklicherweise war es nicht der Fall. Nach ungefähr einer Viertelstunde, die mir aber wie eine Stunde vorkam, kehrte er zurück.

„Ich bin fertig, Effendi. Wir können aufbrechen."

„Fertig? Womit?"

„Ich habe nach und nach drei Sättel und auch drei Schläuche über die Furt getragen. Hast du es nicht gesehen?"

„Nein. Du mußt sehr vorsichtig gewesen sein."

„Das war notwendig. Und die drei besten Kamele sind auch bereit. Wir können fort."

„Hast du nicht bemerkt, ob einer der Schläfer aufgewacht ist?"

„Alle schlafen. Komm und folge mir getrost!"

„Nimm zuvor dieses Messer und diese Flinte! Ich habe beide dem Baggara abgenommen. Du mußt ja nun auch Waffen haben."

Ich warf mir Amr über die Schulter, um ihn zu tragen. Hafid Sichar führte uns zur Furt. Dort hatte er die drei Kamele angebunden. Wir duften sie nicht besteigen, da sie vielleicht dabei geschrien hätten. Ben Nil und Hafid führten die Tiere, ich trug den Baggara, und so stiegen wir ins Wasser, das mir bis an den Gürtel ging.

Als wir drüben ankamen, löste ich Amr die Beinfesseln, damit er gehen könne. Die Sättel wurden den Kamelen im Stehen nur lose aufgelegt, was sie sich ruhig gefallen ließen. Dann ging es vorwärts, an der Südseite des Sees hin. Jeder von uns führte ein Tier, ich auch noch den Baggara, während Ben Nil und Hafid die Wasserschläuche trugen. Als wir eine tüchtige Strecke zurückgelegt hatten, hielten wir an, um die Kamele richtig zu satteln. Jetzt mochten sie Lärm machen, sie konnten von den Takaleh nicht mehr gehört werden. Sie mußten niederknien. Ich stieg auf und nahm den Gefangenen quer vor mich. Als auch die beiden andern saßen, ging es in scharfem Schritt fort zu unseren Tieren.

Würden wir sie noch finden? Ja, sie waren noch da. Wir stiegen ab und banden die mitgebrachten drei Kamele in der Nähe an, nachdem wir sie von den Sätteln befreit hatten. Wir lagerten an einem Baum, an dem Amr befestigt wurde. Ich nahm ihm den Knebel aus dem Mund und fragte ihn:

„Weißt du nun, wer ich bin?"

Er gab keine Antwort.

„Ich weiß, daß du nicht taub bist, und bin gewöhnt, eine Antwort zu bekommen, wenn ich frage. Ist dir der Mund jetzt geschlossen, so kann er mit der Peitsche leicht geöffnet werden. Also antworte!"

„Ja, ich weiß es!" stieß er zornig hervor. „Du bist Kara Ben Nemsi Effendi, und dein Begleiter ist Ben Nil."

„Der Effendi soll doch aber so ungeheure Körperkräfte besitzen, und ich bin doch von Schedid besiegt worden?"

„Du hast dich verstellt. Ich ahnte es."

„Aber ich habe doch die Sure El Kuffâr ohne Anstoß hersagen können! Wie kann ich da jener christliche Effendi sein!"

„Du kannst alles!"

„Nicht alles, aber viel. So kann ich zum Beispiel sehr leicht einen Araber aus einer Schar Takaleh herausholen, um ihn nach Faschodah zu schaffen und dort dem Reïs Effendina auszuliefern."

„Weshalb sollte man mich bestrafen? Was habe ich getan?"

„Du hast noch weniger Gedanken als das Krokodil Federn. Aber ich werde schon dafür sorgen, daß du Gedanken bekommst! Der Reïs Effendina —"

„Den fürchte ich nicht!" fiel er mir höhnisch in die Rede.

„Ich weiß wohl, warum. Du meinst, daß der Mudir von Faschodah dir gegen ihn beistehen wird."

Amr gab es, wenn auch nicht unmittelbar, zu, indem er höhnte:

„Was ist ein Effendi gegen einen Mudir? Welche Macht besitzt ein Effendi?"

„So kann nur ein Mensch fragen, der nichts gelernt hat, nichts weiß und nichts versteht. Dein Kopf gleicht einem ausgelaufenen Ei, von dem nur noch die Schale übrig geblieben ist. Ich sage dir, daß die großherrlichen Prinzen, die Söhne des Sultans, Effendi betitelt werden. Die Minister nennen sich Effendi, und auch der Vizekönig von Ägypten hört es gern, wenn man ihn Effendi nennt. Was aber ist der Mudir von Faschodah gegen diese mächtigen Herren! Kennst du denn überhaupt diesen Mudir?"

„Ja."

„So sag mir seinen Namen!"

„Er ist auch ein Effendi, denn er heißt Ali Effendi el Kurdi."

„Das ist nicht wahr."

„Wie kannst du mich der Lüge zeihen, du, ein Fremder, der dieses Land und seine Verhältnisse gar nicht kennt!"

„Es scheint, daß ich das alles doch besser kenne als du, denn der Mudir von Faschodah heißt anders. Ist dir vielleicht der Name Ali Effendi Abu Hamsah Miah bekannt?"

„Ja."

„So höre weiter! Der berühmte General Musah Pascha ist auf Wunsch des Reïs Effendina jetzt in Faschodah gewesen, um el Kurdi abzurufen und Abu Hamsah Miah einzusetzen. El Kurdi wurde als Gefangener nach Khartum geschafft. Das ist auf Veranlassung des Reïs Effendina geschehen. Nun leugne noch, daß dieser Mann nicht so mächtig ist wie dein verräterischer Mudir el Kurdi!"

Amr schwieg. Jedenfalls beunruhigte ihn meine Neuigkeit sehr.

„Jetzt weißt du, wie sehr du dich auf deinen el Kurdi Effendi verlassen kannst", fuhr ich fort. „Ihm ist es nun nicht mehr möglich, ausgesprochene Verbrecher in seinen Schutz zu nehmen. Er würde jetzt Allah danken, wenn er selber jemanden hätte, der für ihn sprechen wollte. Wenn ich dich dem Reïs Effendina überantworte, wird er dich zum neuen Mudir bringen, und dann wirst du erfahren, daß dieser Mann seinen Namen mit vollstem Recht trägt. Das soll heißen: Der Vater der Fünfhundert wird dir sofort als Einleitung zum ersten Verhör fünfhundert Hiebe geben lassen."

„Mir, einem freien Araber!"

„Dir, dem Boten des Sklavenjägers! Was oder wer du sonst noch bist, das geht uns nichts an."

„So will ich dich darauf aufmerksam machen, daß dich die Rache aller Stämme der Baggara treffen wird! Werde ich geschlagen, so ist das noch viel schlimmer, als wenn man mich tötet. Das merke dir!"

„Deine Stämme, und wären es ihrer hundert oder tausend, können mir nichts anhaben. Sie haben ebenso wenig Macht über mich, wie sie dich jetzt beschützen können. Dennoch bin ich bereit, dich morgen freizugeben, doch knüpfe ich eine Bedingung daran."

„Welche?"

„Du sagst mir der Wahrheit gemäß, auf welche Weise du Ibn Asl kennengelernt hast. Auch beantwortest du mir alle Fragen, die ich über ihn sonst noch an dich richten werde."

„Das tu ich nicht."

„So sind wir miteinander fertig. Wenn du jetzt, wo ich dich mit der Freiheit belohnen würde, nicht reden willst, so wird dir später der ‚Vater der Fünfhundert' den Mund öffnen, und du wirst reden ohne einen Lohn."

Da fiel Hafid Sichar ein:

„Effendi, wenn du die Bosheit Ibn Asls kennenlernen willst, so bin ich der richtige Mann, dir ein Beispiel davon zu erzählen."

„Ich möchte dich allerdings darum bitten. Vorher aber mußt du einiges über mich erfahren, denn —"

„O Effendi", unterbrach er mich, „ich kenne dich schon. Ich habe genug über dich gehört von den Baggara, als er vorhin Schedid von dir erzählte. Ich lag in der Nähe und vernahm alles. Ich hatte keine Ahnung davon, daß du meinen Bruder kennst, aber es war mir, als flüsterte eine Stimme mir heimlich zu: Kara Ben Nemsi Effendi hat schon so viele andre befreit. Wenn er der Mann ist, der dort sitzt, so ist er wohl gekommen, um auch dich zu retten. Darum war ich so unbedacht, Worte der Hoffnung auszusprechen. Hätte Schedid sie gehört, so wäre es mir schlimm ergangen."

„Es war gut, daß der Riese deinen Namen nannte, denn nur dadurch wurde meine Aufmerksamkeit auf dich gelenkt, und darum bist du schon jetzt frei. Übrigens wärst du später in Faschodah auch in den Besitz der Freiheit gelangt, denn ich hatte mir vorgenommen, dort den Mudir auf euch aufmerksam zu machen. Du kennst mich aus der Erzählung dieses Baggara einigermaßen, und ich habe nur weniges hinzuzufügen. Ich kam nach Maabdeh, um dort die berühmte Krokodilhöhle zu sehen. Ben Wasak führte mich darin herum und schenkte mir dann die Hand einer weiblichen Mumie —"

„Die Hand einer weiblichen Mumie?" fiel er rasch ein. „Beschreibe sie mir?"

Als ich dieser Aufforderung nachgekommen war, rief Hafid erstaunt: „Effendi, du mußt meinem Bruder einen großen Dienst erwiesen haben!"

„Gar nicht!"

„Nicht? Nun, so hast du einen Eindruck auf ihn gemacht wie noch kein andrer. Es ist die Hand einer Pharaonentochter, einer altägyptischen Prinzessin. Ich weiß, welchen Wert mein Bruder darauf legte, und freue mich darüber, daß es dir so schnell gelungen ist, sein Wohlwollen zu erwerben."

„Dieses Wohlwollen ist gegenseitig, wie ich dir versichern kann. Ich habe die Hand noch bei mir und kann sie dir zeigen, sobald es hell geworden ist. Sie steckt in meiner Satteltasche. Als Ben W..ak hörte, daß ich nach Khartum wolle, erzählte er mir von deinem Verschwinden, das er sich nicht zu erklären vermochte, und bat mich, nach dir zu forschen."

„Hat mein Bruder denn nicht schon vorher nachgeforscht?"

„Er hat sich alle Mühe gegeben, dich zu finden, leider aber vergeblich. Wie mir schien, hat er dabei einen großen Fehler begangen, indem er dem Kaufmann Barjad el Amin, euerm Geschäftsfreund, zu viel Vertrauen schenkte. Dieser Mann durfte nicht wissen, daß man dich suchte. Ich habe ihn stark im Verdacht, daß er mit deinem plötzlichen Verschwinden in Verbindung steht."

„Selbstverständlich!" rief Hafid Sichar. „Er hat mich doch an Ibn Asl ausgeliefert!"

„Ah, ich dachte es mir! Als dein Bruder von ihm erzählte, kam mir einiges nicht recht sauber vor. Barjad führt zwar den Beinamen el Amin, der Ehrliche, kam mir aber nicht sehr ehrlich vor. Er wollte dir das viele Geld ausgezahlt haben, behauptete aber, weiter gar nichts von dir zu wissen. Das erschien mir unmöglich. Ich nahm mir vor, diesen Menschen heimlich zu beobachten, ihn, ohne daß er es merkte, auszuforschen. Leider aber drängten mich meine Reiseerlebnisse so weit ab von meinem Plan, daß ich noch nicht nach Khartum gekommen bin."

„Und zwar zu meinem Glück! Wärst du uns heute nicht begegnet, so hätte ich die Freiheit niemals wiedergesehen."

„Diese Voraussetzung ist vielleicht doch trügerisch. Ibn Asl war im Geschäft von Barjad el Amin tätig gewesen. Als ich das hörte, vermutete ich sofort, daß dein Aufenthalt oder dein Schicksal bei ihm am sichersten zu erfahren sei. Dann kamen weitere Gründe dazu, diesen Menschen zu verfolgen, um seiner habhaft zu werden. Das mußte uns früher oder später gelingen, und dann hätte er mir unbedingt gestehen müssen, was aus dir geworden war."

„Dennoch preise ich Allah, daß ich es dir schon jetzt selber erzählen kann. Ich hätte nie geglaubt, daß mir ein solches Unglück widerfahren könne, und weiß wirklich nicht, womit ich es verdient habe."

„Sag das nicht! Alle Menschen, auch du und ich, sind Sünder, die nur von Allahs Gnade und Barmherzigkeit leben. Jedes Ereignis, das wir ein Unheil nennen, haben wir reichlich verdient, und dennoch fügt Allah es, daß dieses Unheil, wenn wir es in der rechten Weise auf uns wirken lassen, uns zum Heil und Segen wird. Sprich also nicht vom Verdienen! Es war eine Prüfung, von Allah gesandt, vielleicht um dein Herz zu läutern, deinen Sinn nach innen und empor zu lenken."

„Hafid Sichar antwortete nicht. Es entstand eine längere Pause. Dann ergriff er meine Hand und drückte sie mehrmals herzlich.

„Effendi, du hast mit deinen Worten das Richtige getroffen. Ich habe im Elend mit Allah gehadert, habe mein Leben verflucht und die Menschheit verwünscht. Zuweilen kamen bessere, lichtere Gedanken, doch verschloß ich ihnen die Tür meines Herzens. Jetzt aber, da ich wieder ins Leben trete und mein Inneres vor Wonne bebt, da du von Läuterung redest und von der Richtung des Sinnes nach innen und oben, überkommt mich wie ein heller Blitz die leuchtende Erkenntnis, daß du recht hast. Wer und wie ich früher gewesen bin, davon werde ich dir später erzählen. Heute stehe ich plötzlich, ohne daß ich eine Vorahnung davon hatte, als ein Neuer auf. Ja, ich habe nicht umsonst gelitten. Allah sei gelobt dafür!"

„Es freut mich aufrichtig, solche Worte aus deinem Mund zu hören. Du hast Monate und Jahre deines Lebens verloren, dafür aber innere Schätze gewonnen, deren Wert nicht vergänglich ist wie die Zeit. Und was dir an Hab und Gut genommen wurde, das hoffe ich, werde ich dir später zurückgeben können."

„Du?" fragte der Ägypter verwundert. „Bist du so reich, Effendi?"

„O nein, ich bin eher arm. Aber ich weiß, daß Ibn Asl viel Geld mitführt. Erwische ich ihn, ehe er es ausgegeben hat, so muß er dir und deinem Bruder alle eure Verluste ersetzen."

„Dazu bedarf es Ibn Asls nicht. Er ist mir nicht so sicher wie Barjad el Amin."

„So hat auch er von dem Verbrechen Nutzen gehabt?"

„Gewiß! Barjad war arm, aber brav. Mein Bruder wußte das und gab ihm das Geld, das zur Errichtung eines Geschäfts in Khartum gehörte. Später lieh er Barjad eine noch höhere Summe, um sein Geschäft zu vergrößern. Als die Zeit kam, in der diese Beträge zurückzuzahlen waren, reiste ich nach Khartum, um sie in Empfang zu nehmen. Ich kam zu Barjad el Amin. Er war ein andrer geworden. Er hatte einen Gehilfen, der Ibn Asl hieß, in sein Geschäft genommen und war von ihm auf die hohe Einträglichkeit des Sklavenfangs aufmerksam gemacht worden. Es gelüstete ihn nach den Reichtümern, die auf diesem Weg zu erlangen sind: die Habgier hatte in seinem Herzen Einzug gehalten. Aber zum Sklavenfang gehört, wenn er vorteilhaft betrieben werden soll, sehr viel Geld. Wenn Barjad soviel an mich zahlen sollte, blieb ihm nicht genug. Da raunte ihm der Teufel zu: Gib es Hafid nicht, oder noch besser, gib es ihm, verlang eine Quittung und nimm es ihm dann wieder! Er gehorchte dieser Teufelsstimme. Ich wurde freundlich aufgenommen, bekam das Geld und bestätigte den Empfang. Ich wohnte dann noch einige Tage bei ihm. Am Tag vor meiner Abreise verabschiedete ich mich von den andern Bekannten in Khartum, denn die Dahabijeh, mit der ich nilabwärts zu fahren beabsichtigte, sollte schon beim Morgengrauen ihre Fahrt beginnen. Ich legte mich zeitig schlafen und erwachte von einem Schlag auf den Kopf, um aber die Besinnung sogleich wieder zu verlieren. Als ich wieder zu mir kam, fühlte ich schaukelnde Bewegungen unter mir. Lag ich in einem Schiff? Nein, denn in dieser Weise schaukelt höchstens ein kleiner Kahn, aber kein Schiff. Ich öffnete die Augen. Es war dunkel. Ich wollte aufstehen, mich bewegen, doch ich war gebunden. Da rief ich laut um Hilfe, hörte aber nur eine drohende Stimme unfern von mir sagen, daß man mich peitschen würde, falls ich nicht völlig ruhig sei."

„Du befandest dich wohl auf dem Rücken eines Kamels?"

„Ja. Es war Nacht, aber ich sah keine Sterne, denn ich lag, wie ich beim Anbruch des Morgens erkannte, in einer Frauensänfte, die von einem Kamel getragen wurde und mit dicken Decken verhangen war. Denke dir, man hatte mir, wie ich später bemerkte, Frauenkleider angezogen und einen Schleier über dem Gesicht befestigt. Ich sollte im Fall einer Begegnung als Weib gelten. Du weißt, daß sich niemand um die Insassin eines Tachtérawân kümmern darf. Am Vormittag wurde Halt gemacht. Das Kamel kniete nieder, und man nahm mich aus der Sänfte. Wir befanden uns auf der Steppe. Fünf Reiter waren meine Begleiter. Vier kannte ich nicht, den fünften aber kannte ich desto besser: es war Ibn Asl."

„Wie? Er wagte es, vor dich hinzutreten?"

„Oh, er wagte noch viel mehr. Ibn Asl hatte die Stirn, mir alles zu sagen. Ohne diese Frechheit und ohne seine Anwesenheit damals wüßte ich heute noch nicht, wie alles gekommen ist. Er erzählte mir lachend, daß man mein Geld zum Sklavenfang brauche, daß er und Barjad el Amin Teilhaber seien und den Ertrag der Jagden teilen würden. Er selber sei dafür gewesen, daß ich getötet würde, aber Barjad habe die Schwachheit besessen, das nicht zuzugeben, weil er meinem Bruder große Gefälligkeiten zu verdanken habe. Da ich aber unschädlich gemacht werden müsse, wolle man dafür sorgen, daß ich niemals einem Bekannten begegnen und auch nie zurückkehren könne. Was man damit meinte, erfuhr ich erst am Ende der Reise, als wir ins Land der Takaleh kamen und ich dem Mek als Sklave übergeben wurde. Er brauchte nichts für mich zu bezahlen, hatte aber dafür zu sorgen, daß mich niemand, dem ich vielleicht bekannt sei, sehen könne. Ich hörte noch, daß Ibn Asl mit dem Mek den Vertrag abschloß, daß dieser ihm jährlich zweimal an ganz bestimmten Zeitpunkten Sklaven nach Faschodah senden sollte, die sofort mit gewissen Waren zu bezahlen seien. Dann wurde ich fortgeschafft."

„Wohin?"

„An einen schrecklichen Ort, den ich seit jenem Tag nur verlassen habe, um jetzt nach Faschodah befördert und Ibn Asl wieder ausgeliefert zu werden. Weißt du vielleicht, daß es bei den Takaleh Kupferbergwerke gibt?"

„Das ist mir bekannt."

„Nun, in eine solche Grube wurde ich geschafft, um dort in Fesseln zu arbeiten. Ich habe von jenem Tag an die Sonne nicht mehr gesehen. Und als man mich vor kurzem von der Kette löste, sagte mir einer, der wenig Erbarmen mit mir hatte, daß man mich jetzt dem Tod entgegenführe."

„Wieso dem Tod?"

„Beim letzten Sklavenzug hat Ibn Asl mich zurückverlangt. Er ist mit Barjad el Amin uneinig geworden und führt nun sein Geschäft auf eigne Rechnung fort. Ibn Asl braucht auf die Wünsche seines früheren Teilhabers keine Rücksicht mehr zu nehmen und glaubt sich sicherer, wenn ich nicht mehr lebe. Er könnte zwar dem Mek sagen, daß dieser mich töten lasse, traut ihm aber nicht. Darum hat er meine Auslieferung verlangt, die für mich gleichbedeutend ist mit dem Tod. Soll ich dir erzählen, was ich gelitten und ausgestanden habe? Jetzt nicht, aber später vielleicht einmal. Und soll ich dir nun sagen, welche Wonne ich jetzt empfinde, da ich gewiß bin, der Sklaverei und dem sicheren Tod entgangen zu sein? Ich sehe in dir einen Engel, von Allah gesandt, dem ich —"

„Sprich nicht so!" fiel ich ihm in die Rede. „Allah hat es gefügt. Ihm allein sollst du danken. Fühlst du dich stark genug, den Ritt nach Faschodah auszuhalten?"

„Ja. Hätte ich doch sonst durch die Wüste dahin marschieren müssen! Die schwere Arbeit hat meine Muskeln gestählt. Du brauchst um mich keine Sorge zu haben. Wann werden wir in Faschodah sein?"

„Ich hoffe, in vier Tagen dort anzukommen."

„Und Ibn Asl ist dort?"

„Wahrscheinlich."

„Dann wehe ihm! Ich werde mich rächen. Ich werde ihn nicht etwa dem Mudir übergeben, sondern ich will —"

„Erlaube, daß ich dich unterbreche! Zermartere dir nicht den Kopf, wie du dich an ihm rächen willst. Du bist nicht der einzige, der mit ihm abrechnen will. Ich werde dir davon erzählen. Jetzt wollen wir ruhen. Wir haben einen weiten Ritt vor uns, und ich denke, daß besonders du den Schlaf nicht entbehren kannst."

„Ich schlafen? Effendi, welch ein Gedanke! Wer tot war und wieder lebend wurde, soll im Augenblick des Erwachens an den Schlaf denken! Nein, nein! Wenn ich auch wollte, ich könnte nicht schlafen. Schlaft ihr! Ich will hier sitzen, still und ohne mich zu regen, und die Seligkeit durchkosten, das Himmelsgewölbe Allahs über mir zu haben und tausend und abertausend Sterne in mir aufgehen zu fühlen."

„Nun wohl, ich sehe ein, daß du viel lieber wachen als schlafen willst. Aber wecke uns beide, kurz ehe der Tag zu grauen beginnt, ja nicht später, damit wir die Takaleh beobachten können. Und paß gut auf diesen Baggara auf. Er darf uns nicht entkommen."

„Effendi, du kannst dich auf mich verlassen. Amr ist der Gesandte Ibn Asls, der mein Teufel war. Wer von diesem Menschen kommt, der hat von mir keine Nachsicht und kein Erbarmen zu erwarten. Ich würde mich eher töten, als ihm die Freiheit geben."

Nach dem, was Hafid durchgemacht hatte, mußte ich freilich überzeugt sein, daß ich für den Baggara keinen bessern Wächter haben könne. Ich legte mich nieder, hüllte mich in meinen Haïk und schlief ohne Sorgen ein. Der Befreite war auch wirklich sehr pflichtgetreu, denn als er mich und Ben Nil weckte, war es noch nicht Morgen, sondern die Sterne begannen eben erst zu erbleichen.

Im Einschlafen war mir ein Gedanke gekommen, den ich jetzt zur Ausführung brachte. Ich wünschte, die Takaleh zu belauschen, um zu wissen, was ich von ihnen erwarten konnte. Zu Land war das, wenn vielleicht auch möglich, so doch höchst gefährlich; es mußte also zu Wasser geschehen. Aber wie? Selbst wenn es einen Kahn gegeben hätte, hätten wir uns seiner nicht bedienen dürfen, also mußte ein Floß gewählt werden, aber eins, das die Blicke nicht auf sich zog. Es mußte eine natürliche Gestalt haben. Ich beschloß, eine kleine, schwimmende Insel zu bauen, was nicht schwer war, denn Stoff dazu war mehr als genug vorhanden. Um ihn mir auszuwählen, ging ich mit Ben Nil näher ans Wasser.

Da sah ich die borstig behaarten Triebe und gefiederten Blätter zahlreicher Ambagsträucher emporragen. Dieser Ambag gibt den trefflichsten Baustoff zu Flößen. Das Holz ist so leicht, daß ein Floß, das drei Männer hält, leicht von einer Person getragen werden kann. Da das Wasser mit der Zeit in das Mark, das schwammig ist, eindringt und dann das Floß zum Sinken bringt, ist ein solches Fahrzeug für eine längere Fahrt nicht zu gebrauchen. Auf kürzere Strecken oder für meinen Zweck konnte ich gar nichts Geeigneteres finden. Eine Eigentümlichkeit dieses Ambag ist übrigens, daß er stets die Papyrusstaude begleitet.

Daneben stand zähgrasiges *Andropogon giganteus* und auch *Hibiscus cannabinus*, beides wie geschaffen, die vier Meter langen Ambagstämme zu verbinden. Um dem Floß ein inselartiges Aussehen zu verleihen, besetzten wir es rundum mit hohen Om-Sufah-Büscheln. Einige starke Äste, an die wir Schilf banden, mußten als Ruder dienen. Diese Arbeit war so leicht und ging so schnell, daß wir fertig waren und das Floß im Wasser hatten, noch ehe es völlig Tag geworden war. Das Fahrzeug trug mich und Ben Nil mit Leichtigkeit. Hafid Sichar mußte bei den Kamelen und bei dem Baggara bleiben.

Beim Tagesgrauen konnte ich mich zu meiner Freude davon überzeugen, daß sich auf unsrer Fährte das Gras wieder aufgerichtet hatte. Der Platz, an dem wir geschlafen hatten, lag hinter Büschen gut versteckt, und so konnte ich überzeugt sein, daß die Takaleh, selbst wenn sie uns suchen sollten, uns nur durch einen mißlichen Umstand finden konnten.

Wir bestiegen das Floß und ruderten so langsam vorwärts, daß es schien, als werde es nur vom Morgenwind getrieben. Wer nicht scharf darauf achtete, bemerkte nicht, daß es sich bewegte. Auch die Ruder waren nicht zu sehen, denn wir hatten die Om-Sufah-Büschel so angebracht, daß sie das Holz verdeckten.

Die Takaleh schienen eine schlafsüchtige Gesellschaft zu sein. Wir näherten uns ihrem Lagerplatz immer mehr und hörten doch nichts von ihnen. Es war schon hell. Dennoch wagten wir es, bis an das Ende des Sees zu rudern, wo das Chor, plötzlich enger werdend, die ‚Furt des Schattens‘ bildete. Dort legten wir an. Wären wir hier ausgestiegen, so hätten wir mit sechzig Schritten das Lager erreichen können, und dennoch war es, die verschiedenen Tierstimmen abgerechnet, rundum so still, als wäre hier kein Mensch vorhanden. Wir lugten zwischen den Schilfbündeln hindurch, vergeblich: es war niemand zu sehen. Eben wollte ich aufstehen, um einen bessern Überblick zu bekommen, da wurde es plötzlich laut und lebendig. Ich hörte eine Stimme rufen:

„Erwacht, ihr Schläfer, erwacht! Es ist ein Unglück geschehen!"

Einigen Augenblicken der Stille folgte ein Gewirr von vielen Stimmen. Man lief in alle Richtungen fort, kehrte zurück, man rief, schrie, fluchte und antwortete. Es war schwer, das, was einzelne sagten, deutlich zu unterscheiden. Ich konnte nur so viel entnehmen, daß man die Flucht Hafid Sichars und das Fehlen des Baggara und der drei Kamele bemerkt hatte. Jeder schien eine andre Meinung darüber zu haben. Der Lärm konnte am besten mit einer Spatzenkirmes verglichen werden, der nur dadurch ein Ende gemacht wurde, daß der Hauptspatz, nämlich Schedid, mit Donnerstimme rief:

„Still, ruhig, ihr Schwätzer! Redet keine Dummheiten, sondern laßt uns diesen sonderbaren Fall mit Scharfsinn und Ruhe untersuchen."

Nun, ich war neugierig, zu welchem Ergebnis es der Scharfsinn dieser Leute bringen würde. Der Baggara war fort. Man rief nach ihm, aber er antwortete nicht. Hafid Sichar war auch fort. Die drei Kamele waren verschwunden, man fand sie nicht. Da diese beiden Menschen und diese drei Tiere zu gleicher Zeit als abwesend entdeckt worden waren, so war man der Ansicht, daß sie auch zu gleicher Zeit miteinander fortgegangen seien. Da aber Kamele Menschen nicht entführen, sondern gewöhnlich der umgekehrte Fall stattfindet, so nahm man auch hier an, daß die Kamele von den beiden fehlenden Männern fortgeschafft worden seien. Der eine von diesen zweien war frei, der andre gefangen, gefesselt gewesen. Dieser Gefangene hatte ohne die Hilfe des andern nicht fortgekonnt, folglich mußte der Baggara Hafid Sichar losgebunden haben, um ihn zu befreien und mit Hilfe der Kamele fortzubringen.

„Dieser Verräter, dieser Hundesohn!" schrie Schedid zornig. „Darum bot er sich freiwillig an, Wache zu halten!"

„Amr ist vielleicht gleich in der Absicht, Hafid Sichar zu befreien, hierher gekommen", meinte ein andrer.

„Was er gesagt hat, war alles Lüge, alles Flunkerei", stimmte ein dritter bei.

„Er war ein Schurke", behauptete ein vierter. „Die beiden Senussi aber waren brave Leute."

„Sie waren sogar heilige Männer!" schrie ein fünfter. „Wie haben wir den frommen und gelehrten Mudir beleidigt, und zwar um eines solchen Schuftes willen! Er wird die Strafe Allahs auf uns herabrufen."

„Das hat er schon getan", ließ sich eine sechste Stimme hören, „und eben darum hat Allah uns diesen schweren Verlust gesandt. Hätten wir diesen heiligen Männern geglaubt, so wäre das Unglück nicht geschehen."

„Mir fehlt mein Schlauch!" schrie plötzlich einer.

„Seht nach, ob noch andre Sachen fehlen!" gebot Schedid.

„Mein Schlauch fehlt auch!" rief ein andrer.

„Auch meiner, und mein Kamel dazu!"

„Mein Kamel ist auch fort und das deinige ebenso, o Schedid!" brüllte es zornig von weiter her.

„Was?" fragte der Anführer. „Mein Kamel soll fehlen, mein teures Abu Harras-Hedschihn?"

„Ja. Da haben wir die Tiere alle zusammengetrieben. Sieh her! Du kannst dich überzeugen, daß die drei besten Kamele fehlen."

„O Allah, o Hölle, o Teufel! Das Verderben über diesen verfluchten Baggara! Seine Spur müssen wir zu entdecken suchen. Lauft, sucht, ihr Männer! Sucht in allen Richtungen, diesseits und jenseits der Furt! Nur drei oder vier mögen bleiben, um die Sklaven zu bewachen!"

Man gehorchte diesem Befehl, und darum wurde es für einige Zeit still.

„Effendi", kicherte Ben Nil mir zu, „wenn wir das gewußt hätten, so hätten wir alle Gefangenen und alle Kamele entführen können. Wir sind viel zu vorsichtig gewesen."

„Ja, wir hätten den ganzen Sklavenzug fortschaffen können. Aber warum uns damit schleppen, da Schedid ihn uns nach Faschodah bringen wird! Es ist uns alles über Erwartung geglückt. Nun bin ich neu-

9

gierig, ob sie, wenn sie mit dem Suchen fertig sind, ihre irrige Ansicht ändern werden."

„O nein, denn diese Leute scheinen mit Blindheit geschlagen zu sein."

Ben Nil hatte recht. Die ausgesandten Männer kehrten zurück, und das Ergebnis war, daß keiner etwas gefunden hatte. Der Baggara mußte, falls er wirklich an der Mischra Om Oschrin wohnte, die nördliche Richtung eingeschlagen haben, doch dort war keine Spur von ihm zu finden gewesen. Er mußte also nach Süden geritten sein. Aber die, die in dieser Richtung gesucht hatten, behaupteten, daß auch dort keine Fährte zu entdecken sei. Darum watete Schedid selber durch die Furt, um nachzuforschen. Er kehrte nach einiger Zeit wetternd zurück.

„Es ist wirklich nichts zu finden. Was wird der Mek und was wird Ibn Asl sagen, wenn wir ihnen sagen müssen, daß grad dieser Hafid Sichar entkommen ist! O Allah, wie werden wir von diesen beiden empfangen werden!"

Da meinte einer, der jedenfalls der klügste von allen war:

„Während so kurzer Zeit verwischt sich keine Spur. Das solltest du bedenken, o Schedid!"

„Was willst du damit sagen?" fragte der Anführer.

„Wo keine Spur ist, da ging auch kein Kamel. Ist rundum keine Fährte zu sehen, so ist der Baggara noch gar nicht fort, sondern ist irgendwo mit Hafid Sichar und den Kamelen versteckt. Du wirst doch zugeben, daß er sehr schlau gehandelt hat. Die Frömmigkeit und Heiligkeit der beiden Senussi war Amr im Weg, und er hielt sie für gefährlich für sich. Darum klagte er sie an und erfand ein Märchen, um sie für sich unschädlich zu machen. War das nicht klug, nicht schlau?"

„Sehr listig sogar!"

„Nun, so darfst du ihm auch zutrauen, daß er später ebenso schlau gehandelt hat. Er mußte sich sagen, daß wir seine Spur entdecken würden. Darum machte er lieber keine, indem er in der Nähe blieb und sich versteckte, um zu warten, bis wir fort sind."

„Allah akbar! Daran habe ich noch gar nicht gedacht. Du kannst recht haben. Auf, ihr Männer, um die Verborgenen zu suchen. Forscht überall, aufwärts und abwärts, rechts und links, hüben und drüben vom Wasser!"

Jetzt wurde die Sache etwas weniger angenehm für uns. Blieben wir mit unserm Floß hier liegen, so konnte ein kleiner Umstand uns verraten. Wir hatten übrigens genug gehört, und darum ruderten wir zurück, aber so langsam, daß nur einer, der den Blick minutenlang auf uns gerichtet hielt, bemerken konnte, daß unsre Insel sich bewegte. Und daß man ihr eine solche Aufmerksamkeit widmen würde, stand nicht zu erwarten, denn es gab in dem See mehrere wirkliche, mit Schilf bewachsene Inseln, wodurch das Vorhandensein der unsrigen weniger auffällig wurde.

Wir sahen mehrere Takaleh wieder durch die Furt gehen. Man suchte an beiden Ufern. Wenn man die Nachforschung auch zum Ende des Sees hin erstreckte, wo unser Lagerplatz war, konnte dieser noch entdeckt werden. Aber zu fürchten brauchten wir diesen Fall nicht. Wurden wir bemerkt, dann doch jedenfalls nur von einigen Männern, vor denen wir uns nicht fürchten mußten. Ehe sie die übrigen herbeibrachten, waren wir auf unsern Tieren schon so weit fort, daß wir uns in voller Sicherheit befanden. Lieber freilich war es mir, wir wurden nicht entdeckt. Es paßte gut in meinen Plan, daß man der Geschichte vom fremden Effendi keinen Glauben mehr schenkte. Das mußte aber sofort anders werden, wenn man erkannte, daß der Baggara nicht unehrlich gehandelt hatte, sondern mit Hafid und den Kamelen selber entführt worden war.

Unsre Fahrt ging zunächst nur langsam vonstatten, aber als wir den Takaleh aus den Augen waren, ruderten wir schneller. Bald legten wir bei dem Lagerplatz an und stiegen aus. Wir waren lange fortgewesen, und darum hatte Hafid Sichar sich unsertwegen in Unruhe befunden. Er war froh, als er uns jetzt zurückkehren sah. Wir erzählten, was wir gesehen und gehört hatten, und dann stieg ich, um jede Annäherung rechtzeitig bemerken zu können, auf einen nahen Baum, dessen dichtes Blätterwerk mich verbarg, mir aber doch den Ausguck erlaubte.

Nach einiger Zeit sah ich drüben am nördlichen Ufer zwei Takaleh, die suchend daran hinschritten. Sie konnten nicht herüber und uns nicht gefährlich werden. Aber bald darauf kamen diesseits drei andre, die von Busch zu Busch, von Baum zu Baum schritten und hinter jedes Strauchwerk blickten. Wenn sie nur noch zwei Minuten in dieser Weise fortsuchten, mußten sie uns finden. Ich glitt schnell vom Baum herunter, verließ unsern Lagerplatz und ging ihnen, ohne mich sehen zu lassen, eine kurze Strecke entgegen. Es gab da ein dichtes Gebüsch, bis zu dessen Spitzen sich scharfes Dornwerk rankte. Aller Erwartung zufolge mußten sie da vorüberkommen, und ich kroch rasch hinein.

Es dauerte gar nicht lange, so kamen die drei Krieger, sahen erst in ein benachbartes Gesträuch und wendeten sich dann zu meinem Versteck.

„Es ist vergebens", meinte einer. „Hier hüben sind sie nicht. Kehren wir wieder um!"

„Nur noch einige Schritte, bis dort zu der Ecke, an der der Subakh steht!" lautete die Antwort.

O weh! Auf jenem Subakh hatte ich soeben gesessen, und hinter jener Ecke befand sich unser Lagerplatz! Jetzt waren sie nur noch fünf Schritt von meinem Buschwerk entfernt. Ich griff in die schwachen Stämmchen, bewegte sie, als wollte sich da, wo ich mich befand, ein Tier vom Boden erheben, und versuchte jenes knurrende Fauchen nachzuahmen, das ein aufgestörtes Raubtier hören läßt. Dann rollte ich mit der Zunge in möglichst tiefem Ton, röchelte dazu durch die Nase und stieß darauf einen kurzen heisern Schrei aus, bei dem der Wüstenbewohner, der ihn hört, in das Stoßgebet ausbricht:

„Der Löwe ist erwacht. Allah beschirme uns vor dem Herdenwürger!"

9*

Ich hatte auf einsamen Ritten aus Langweile oft versucht, das Gebrüll des Löwen nachzuahmen. Es richtig wiederzugeben, dazu sind die
menschlichen Stimmwerkzeuge unfähig, aber eine Ähnlichkeit läßt sich
doch erreichen. Das war auch hier der Fall. Die drei Takaleh prall-
ten entsetzt zurück.

„Ein Löwe, ein Löwe! O Allah, o Beschützer, o Erhalter des Lebens,
bewahre uns vor — "

Die Fortsetzung konnte ich nicht hören, weil der Mann so schnell
davonrannte, daß er schon nicht mehr zu sehen war. Und seine beiden
Gefährten, die noch flinkere Beine besaßen, waren ihm sogar schon
weit voran. Da hörte ich hinter unsrer Ecke Ben Nils lachende Stimme:

„Effendi, die kommen nicht wieder! Was bringst du doch alles
fertig! Jetzt hast du dich sogar in einen Löwen verwandelt! Das zornige Knurren und Fauchen gelang vortrefflich. Es klang genau so, als
wäre ein Löwe aus dem Schlaf gestört worden. Aber dann das Brüllen war weniger gut. Man hörte, daß es nicht aus einem Löwenrachen
kam."

„Weil du wußtest, wer dieser Löwe war."

„Jawohl. Den Takaleh aber ist es ganz naturgetreu erschienen. Sie
werden sich nun hüten, den Subakh und unsre Ecke zu untersuchen.
Als du fortgingst und dort in das Loch krochst, dachte ich, daß uns das
grad verraten könnte. Ich wußte ja nicht, daß du den ‚Herrn mit
dem dicken Kopf‘ spielen wolltest. Nun aber bin ich froh, daß du es
getan hast."

Ich war inzwischen zurückgekehrt und sah, daß Ben Nil sein Messer
in der Hand hatte. Auf meinen fragenden Blick erklärte er:

„Als die Takaleh kamen, sagte ich dem Baggara, daß ich ihn, falls
er den leisesten Laut hören ließe, sofort erstechen würde. Nun sind
sie fort. Wollen wir nicht aufbrechen?"

„Nein. Ich will erst die Karawane fortlassen."

„Aber wir versäumen damit kostbare Zeit. Du weißt, wie eilig wir es
haben, nach Faschodah zu kommen!"

„Diesen Zeitverlust holen wir mit unsern guten Kamelen bald wieder ein. Ich muß wissen, wie wir reiten sollen, damit diese Takaleh
nicht auf unsre Fährte stoßen. Da sie einen Löwen in ihrer Nähe
vermuten, werden sie sich nicht mehr lang an der Furt aufhalten,
denn sie müssen annehmen, daß das Raubtier diese Furt als Wechsel
benutzt. Ich werde sie beobachten."

Zu diesem Zweck stieg ich wieder auf den Baum und nahm diesmal
mein Fernrohr mit. Ich konnte mit seiner Hilfe über den See hin-
wegblicken. Die Bäume und Sträucher des Ufers, hinter dem sich die
Karawane befand, verhinderten mich zu beobachten.

Nach einer halben Stunde bemerkte ich eine Bewegung oben an der
Furt, und dann sah ich den Zug am diesseitigen Ufer unter den Bäumen hervorkommen und sich südwärts in die Wüste wenden. Eine
Abteilung der Reiter war voran, die andern hinterdrein, die Gefangenen marschierten in der Mitte. Ich verfolgte die Karawane mit dem

Rohr, bis sie am Sehkreis verschwunden war. Dann richtete ich das Fernrohr ohne bestimmte Absicht nach Norden und Osten. Dort, in östlicher Richtung, bewegten sich einige Punkte. Waren das Tiere oder Menschen? Sie hielten nicht gerade auf uns zu, sondern hatten eine südwestliche Richtung, so daß sie mit der Karawane im Süden von uns zusammenstoßen mußten. Die Gestalten waren selbst durch das Rohr zu klein, als daß ich hätte bestimmen können, wer oder was sie seien. Und sie wurden noch kleiner und immer kleiner, bis ich sie nicht mehr sehen konnte. Jetzt stieg ich vom Baum herab.

Gestern abend hatte ich die Züge Hafid Sichars nicht deutlich erkennen können. Jetzt sah ich, daß er große Ähnlichkeit mit seinem Bruder besaß. Er bat mich, ihm die Mumienhand zu zeigen, und als ich dieser Aufforderung nachgekommen war, erklärte er, es sei die Hand der Pharaonentochter, die er gemeint habe. Darauf öffnete ich meinen wasserdichten Gürtel, nahm die beiden Briefe heraus, die Ben Wasak mir in Siut gegeben hatte und die keine Aufschrift trugen.

„Diese Briefe brachte mir Ben Wasak in den Palast des Pascha nach Siut. Er sagte mir, daß ich sie nach meiner Ankunft in Khartum öffnen solle."

„So sind sie dein Eigentum", erklärte Hafid, indem er sie in die Hand nahm, um sie zu betrachten. „Stecke sie wieder ein und öffne sie, wenn du nach Khartum kommst."

„Ich hätte lieber Lust, sie dir zum Öffnen zu übergeben. Ich glaubte damals, und dein Bruder glaubte es auch, daß ich geradeswegs nach Khartum gehen würde. Es ist aber anders gekommen: ich mußte in das Land der Fessarah. Es ist inzwischen eine beträchtliche Zeit vergangen, und wer weiß, welch wichtigen Inhalt diese Briefe haben. Es ist vielleicht besser, wenn wir ihn kennenlernen."

„So öffne sie jetzt!"

„Nein, du! Ich bin noch nicht in Khartum."

„So werde ich sie aufmachen. Es könnte doch etwas darinstehn, was zu wissen uns Vorteil bringt."

Hafid öffnete die Umschläge. Sie enthielten je einen Empfehlungsbrief und eine Anweisung auf ein Khartumer Haus.

„Hat mein Bruder dich gekannt, ehe du zu ihm nach Maabdeh kamst?" fragte der Ägypter.

„Nein."

Er sah mich mit einem langen Blick an, und seine Augen glänzten feucht.

„Das, das tat mein Bruder für mich, und ich glaubte, er hätte mich ganz aufgegeben. Diese Anweisungen sagen mehr, als du denkst. Sie lauten auf hohe Beträge. Ben Wasak muß vorher alles mögliche aufgeboten haben, mich zu entdecken. Er sah dich zum erstenmal und gab dir solche Briefe mit! Bedenke, daß du ein Christ und ihm vollständig fremd warst! Was hättest du mit den vielen Geld gemacht?"

„Ich hätte es dir gegeben, sobald ich dich fand. Stecke die Empfehlungen und Anweisungen ein, denn sie gehören dir! Wir werden beisammen bleiben, bis du zu deinem Bruder kommst, und falls ich etwas brauche, werde ich es dir sagen."

„Gut! Unter dieser Bedingung werde ich die Papiere behalten. Aber wohin soll ich sie stecken?"

Der reiche Mann war nur mit einem ziemlich schadhaften Lendenschurz bekleidet.

„Das wirst du gleich wissen", versicherte ich. „Dieser Baggara ist von deiner Größe. Ihr werdet eure Anzüge wechseln. Du nimmst den seinigen und er bekommt den deinigen."

„Wage das!" fuhr mich Amr an. „Ich bin ein freier Ben Arab und gehe nicht nackt!"

„Vorher war Hafid gefangen und du warst frei. Darum ging er nackt und du trugst Kleider. Jetzt bist du gefangen und er ist frei. Folglich wechselt auch die Kleidung!"

„Ich dulde es nicht!"

„Ben Nil, schneide Stöcke ab zur Bastonnade!"

„Schlagen, mich schlagen?" schrie der Baggara auf. „Mir die Bastonnade, mir? Wer gibt dir das Recht dazu?"

„Der Vizekönig. Ich stehe hier an Stelle des Reïs Effendina. Aber selbst, wenn das nicht der Fall wäre, würde ich tun, was mir beliebt. Ich rate dir, wenn dir deine Fußsohlen lieb sind, dann füge dich freiwillig meinem Befehl. Ich habe dir gegen ein offnes Geständnis die Freiheit geben wollen. Du bist nicht auf meinen Vorschlag eingegangen und hast es dir nur selber zuzuschreiben, wenn dich die Folgen nicht gerade in Entzücken versetzen. Herunter mit dem Anzug!"

Ben Nil wollte Amr den Haïk ausziehen, aber er wehrte sich. Da machte ich Ernst. Er wurde vor dem Baum auf den Bauch gelegt und mußte die Unterschenkel von den Knien an aufwärts heben. Sie wurden an den Stamm gebunden, so daß er sich nicht bewegen konnte. Dann setzte Hafid Sichar sich ihm auf den Rücken, und Ben Nil schnitt einen fingerstarken Stock vom Busch. Gleich beim ersten Hieb schrie der Gezüchtigte grell auf. Beim zweiten jammerte er:

„Laß ab, laß ab, Effendi! Ich will gehorchen. Die Bastonnade kann kein freier Arab Baggara aushalten!"

„Du konntest sie dir ersparen. Laß dir die beiden Streiche zur Lehre dienen!"

Amr wurde losgebunden, und nun ging der Kleiderwechsel ohne weiteres vonstatten. Dann rüsteten wir uns zum Aufbruch. Für die Menschen war noch Wasser vorhanden, für die Kamele wurden die Schläuche aus dem Chor gefüllt. Dann stiegen wir auf und verließen den Ort, wo ich den so lange vergeblich gesuchten Hafid Sichar gefunden hatte.

Wie schon erwähnt, sollten die Takaleh unsre Fährte nicht sehen. Deshalb hatte ich sie voranziehen lassen. Dennoch folgten wir zunächst der ihrigen, um später von ihr abzubiegen. Als wir ungefähr eine Viertelstunde geritten waren, sahen wir von links her eine zweite Fährte kommen. Sie stammte jedenfalls von den Wesen, die ich als

kleine Punkte durch das Fernrohr am östlichen Rand des Gesichts-
kreises gesehen hatte, und hier trafen sie auf die Spuren der Takaleh.

„Wer mag das gewesen sein?" meinte Ben Nil. „Es sind so kleine
Stapfen."

Ich stieg ab und ließ auch ihn absteigen, denn er sollte sich im
Fährtenlesen üben. Was er bei mir lernte, konnte ihm später von
Nutzen sein. Ich forderte ihn auf:

„Sieh dir diese Spuren genau an! Von welchen Tieren können sie
eingetreten worden sein?"

„Das — das sind wohl Esel gewesen?" sagte er, mich fragend an-
blickend.

„Ja, Esel", lächelte ich ihm befriedigt zu. „Und wieviel?"

„Vier oder fünf."

„Nein, sondern nur drei. Wenn man die Zahl der Tiere wissen will,
muß man sein Augenmerk nur auf die Summe der Eindrücke eines bestimmten Beines richten. Wer die Spuren aller Hufe zählt, wird irre.
Nehmen wir zum Beispiel den rechten Vorderhuf. Du erkennst den
Eindruck an mehreren Zeichen, vor allen Dingen daran, daß er auswärts, also rechts, gewölbter ist als innen. Zieh dann die Verschiedenheiten der Eindrücke dieser rechten Vorderhufe zu Rate, so wirst
du die Zahl der Tiere haben."

„Ja, es waren nur drei Esel", bestätigte er, nachdem er die Spur
nach den gegebenen Gesichtspunkten noch einmal genau betrachtet
hatte.

„Was trugen die Esel? Reiter oder Lasten? Oder ging einer von
ihnen vielleicht frei?"

„Woran erkennt man das?"

„An der Tiefe der Eindrücke, an der Regelmäßigkeit des Gangs
und aus andern Zeichen. Je schwerer ein Tier beladen ist, desto
tiefer drückt sich sein Huf in den Sand. Ein Lasttier wird meist vorn
leichter gehen als hinten. Was für Reiter mögen das gewesen sein?"

„Wie kann ich das wissen! Ich habe sie nicht gesehen, und da sie
im Sattel saßen, konnten sie von sich keine Spuren zurücklassen."

„Und doch ist nichts leichter als das. Auf Eseln reitet hier nur eine
ganz bestimmte Art von Leuten."

„Meinst du, es seien Djallabîn gewesen?"

„Ja, da nur ein Djallâb, ein Händler, sich in dieser Gegend des
Esels bedient. Also soviel wissen wir. Woher kamen sie? Das berührt
uns nicht, aber wohin sie wollen, das möchten wir wissen, da wir sie
vor uns haben und sie vielleicht einholen werden."

„Kannst du auch das aus den Spuren lesen?"

„Nein, wenigstens jetzt noch nicht, da ihre Fährte sich von hier aus
mit der der Takaleh vereinigt hat. Gehen wir weiter!"

Wir nahmen unsre Kamele bei den Halftern und führten sie. Die
beiden andern waren im Sattel geblieben und folgten uns. Nach einiger
Zeit erweiterte sich die Spur zu einer breiten, sehr zertretenen Stelle,
um dann in der bisherigen Weise schmal wieder fortzugehen.

„Hier haben die Djallabîn die Takaleh eingeholt", erklärte ich, „und die Takaleh sind eine Weile halten geblieben, um sie zu empfangen und auszufragen. Vielleicht erzählt uns diese breite Stelle noch mehr. Ich will sie genauer untersuchen."

Mir schien nämlich, als sei die Mehrzahl der Takaleh nicht halten geblieben, sondern ohne Unterbrechung fortgeritten. Ich zählte und verglich die einzelnen Eindrücke, fand dann sogar die Spuren mehrerer menschlicher Füße und erklärte dann den andern:

„Es sind nur fünf Takaleh haltengeblieben, die übrigen ritten weiter. Diese fünf sprachen längere Zeit mit den Djallabîn, wobei diese von ihren Eseln gestiegen sind. Dann ritt man in Gemeinschaft den Vorausgezogenen nach. Bei diesem Halt begrüßte man sich und fragte sich gegenseitig aus."

„Werden die Djallabîn nicht von den Takaleh feindlich behandelt werden?" fragte Ben Nil.

„Bis jetzt gibt es noch keinen Anhaltspunkt dafür, auf Feindseligkeiten zu schließen. Jedenfalls befanden sich die Takaleh in keiner guten Stimmung, und so haben die Händler, wenn es nicht noch andre Gründe geben sollte, wenigstens deshalb wohl Ursache, vorsichtig zu sein. Gehen wir noch ein Stück weiter, ehe wir aufsteigen."

Eben wendete ich mich wieder rückwärts, als Ben Nil mit der Hand in diese Richtung deutete.

„Schau, Effendi, da vorn, seitwärts von der Fährte, sitzt eine Hyäne."

„Und daneben haben zwei andre sich in den Sand gelegt", fügte Hafid Sichar hinzu.

Ich beschattete die Augen mit der Hand, um besser sehen zu können, und sofort ahnte ich ein Unglück.

„Das sind keine Hyänen, sondern Menschen. Die fünf Takaleh werden doch nicht etwa über die Händler hergefallen sein! Kommt schnell mit hin!"

Wir eilten weiter, die beiden Reiter im Schritt und wir zwei Fußgänger im Trab. Die Gestalt, die Ben Nil von weitem für eine Hyäne gehalten hatte, kehrte uns den Rücken zu. Es war kein Wunder, daß mein junger Begleiter sich aus einer solchen Entfernung hatte täuschen können, denn der Mann hatte die Ellbogen auf die Knie gestemmt und die Stirn in die beiden Hände gelegt, als hätte er Kopfschmerzen. Sowie er das Geräusch, das wir bei unsrer Annäherung verursachten, hörte, wendete er den Kopf zu uns um. Er machte eine Anstrengung, sich zu erheben, was ihm aber nicht gelang. Sein Auge fiel, da die beiden Reiter uns um einige Schritte voran waren, zunächst auf den Baggara. Da nahm sein Gesicht den Ausdruck des Schreckens an.

„Das ist ja Amr el Makaschef, der Scheik der Baggara! Ich bin verloren!"

Ich hatte diesen Namen schon einige Male gehört. Es war der eines Baggaraanführers, der als sehr kriegerisch und gewalttätig bezeichnet wurde. Damals spielte er seine Rolle noch innerhalb enger Grenzen, später aber trat er daraus hervor. Er war ein Verwandter des Mahdi und am 6. April 1882 sandte der Mudir von Sennar an den Vizegouverneur eine Drahtnachricht dieses Inhalts: „Der Baggara-Scheik Amr el Makaschef, ein Vetter des Mahdi, nähert sich mit mehreren tausend Baggarakriegern meiner Stadt, um sie für den Mahdi einzunehmen. Sende mir so schnell wie möglich Hilfe!" Dieser Mann war jetzt mein Gefangener. Es mußte mich stutzig machen, daß ein Scheik sich zu Botendiensten hergegeben hatte. Sein Verhältnis zu Ibn Asl konnte nicht eine bloße Bekanntschaft, sondern mußte ein festeres, tieferes sein. Das bestätigte sich durch die Antwort, die er gab, denn kaum hatte er die Worte des Mannes gehört, so rief er abwehrend:

„Du irrst. Ich gehöre zwar zu den Baggara, bin aber kein Scheik."

„Warum verleugnest du dich?" fragte der Händler. „Wie oft bin ich bei euch gewesen! Ich bin doch Sinan aus Omdurman. Du kennst mich und weißt, daß auch ich dich genau kenne."

„Schweig! Du redest irre. Ich sehe, daß du verwundet bist, und so wird dir das Fieber die irrigen Worte eingegeben haben."

Daß Amr dabei einen Blick mit besorgtem Ausdruck auf mich richtete, gab mir die Überzeugung, daß er die Unwahrheit sagte. Er wollte für einen gewöhnlichen Mann gelten, um in Faschodah eine möglichst milde Behandlung zu finden. Der Händler aber blieb bei seiner Behauptung.

„Ich weiß nicht, aus welchem Grund du dich verleugnest. Ja, ich bin verletzt, aber das Fieber hat mich nicht ergriffen, und ich weiß, was ich sage. Wir haben diesen sklavenhandelnden Takaleh nichts getan, und ich bitte dich um Allahs willen, nicht zu glauben, daß ich ein Gegner der Leute bin, die Sklaven fangen. Schone mich, o Scheik!"

Da fragte ich Sinan:

„Warum hältst du diese Erklärung für notwendig? Meinst du, daß dieser Scheik Amr el Makaschef ein Sklavenfänger ist?"

Sinan hatte mich noch nicht beachtet. Jetzt musterte er mich mit verwundertem Blick.

„Wie kannst du eine solche Frage an mich richten? Du gehörst jedenfalls zum Scheik und mußt also noch besser wissen als ich, daß er ein Freund von Ibn Asl, dem berühmtesten Sklavenjäger ist."

„Das ist nicht wahr, das ist eine Lüge!" rief der Baggara. „Ich bin ja gar nicht der, für den er mich hält!"

„Sei still!" gebot ich ihm. „Ich weiß genau, was ich von dir zu denken habe, und alle Mühe, mein Urteil irrezuleiten, ist vergeblich."

Und mich zum Händler wendend, fuhr ich fort:

„Ich gehöre nicht zu ihm. Ich bin ein Fremder, kein Muslim, sondern ein Christ. Sieh dir den Scheik doch besser an! Hast du noch nicht bemerkt, daß er keine Waffen trägt? Hast du die Leine noch nicht bemerkt, mit der er an das Kamel gebunden ist?"

Der Mann hatte bisher den Kopf noch immer in den Händen gehalten. Jetzt hob er ihn, um den Scheik genauer zu betrachten, und sogleich rief er verwundert aus:

„Allah tut Wunder! Amr el Makaschef ist gefesselt! Habt ihr etwa mit ihm gekämpft, ihn gefangengenommen?"

„Du sollst es erfahren. Vor allen Dingen aber will ich dich und deine beiden Gefährten, die wie tot daliegen, untersuchen."

„Edhem und Latif sind auch wirklich tot. Man hat sie erschossen. Du siehst ja die große Blutpfütze, in der sie liegen."

„Hat man auch auf dich geschossen?"

„Nein. Ich war der erste, an dem sich die Takaleh vergriffen. Sie schlugen mich mit einem Gewehrkolben auf den Kopf. Als ich erwachte, sah ich meine Gefährten tot. Wir sind beraubt worden, man hat uns alles genommen und auch unsre Esel fortgeführt."

„Nein, das ist nicht geschehen. Die Esel sind noch da. Ich werde sie holen. Vorher aber zeige mir deinen Kopf."

Dieser war stark angeschwollen, doch zeigte sich zum Glück kein Schädelbruch. Man hatte nicht mit der Schärfe, sondern mit der Breite des Kolbens zugeschlagen. Die beiden andern waren leider tot, durch die Brust geschossen. Ich nahm ihnen die Kopftücher ab, um dem noch Lebenden einen nassen Umschlag aufzulegen, der ihm so wohltat, daß er aufstehen und mit weniger Anstrengung als vorher sprechen konnte. Er schien noch immer Angst vor dem Scheik zu haben, und darum beruhigte ich ihn:

„Du befindest dich bei Freunden und dieser Scheik der Baggara kann dir nichts anhaben. Er ist ein Freund der Takaleh, die euch überfallen haben. Er war bei ihnen, und ich sage dir, daß du keinen Grund hast, dich vor ihm zu fürchten oder ihn zu schonen. Hast du vielleicht schon einmal vom Reïs Effendina gehört?"

„Ja, o Herr."

„Nun, ich bin sein Freund und habe diesen Baggara gefangengenommen, um ihn zum Reïs Effendina nach Faschodah zu bringen. Du kannst also ruhig und offen mit mir sprechen. Aus welcher Gegend seid ihr gekommen und wohin wolltet ihr?"

„Wir waren drüben im Dar Famaka, wo wir alle unsre Waren verkauften und nur Thibr dafür bekamen. Dann gingen wir über den Weißen Nil, um nach Gojak am Bahr el Arab zu reiten, wo wir unser Thibr gegen Straußfedern umtauschen wollten, die wir dann nach Khartum gebracht hätten. Wir wären eines großen Gewinns sicher gewesen, wenn uns die Takaleh nicht hier beraubt hätten. Nun bin ich ärmer als jemals vorher. Allah verfluche sie!"

Der erwähnte Thibr ist Gold, das in der Gegend, von der er gesprochen hatte, in Gestalt von Körnern oder als Staub in kleinen Schüppchen aus dem Schwemmland gewonnen wird. Dieser Thibr dient dort fast als alleiniges Tauschmittel, so daß die sonst überall gangbaren Maria-Theresien-Taler wenig beliebt sind. Er wird zur bessern Handhabung in Ringe geschmolzen oder in ganz kleinen Mengen als Scheidemünze, in Zeug- oder Lederstückchen eingebunden.

„Ich vermute, daß ihr von den Takaleh nicht gleich von vornherein feindselig behandelt worden seid?" fragte ich.

„Sie waren anfangs sogar sehr freundlich", erklärte Sinan. „Als wir auf sie stießen, ließ der Anführer die Karawane weitergehen, bis wir sie nicht mehr erblicken konnten, und blieb mit noch vier andern bei uns halten, um uns auszufragen. Er tat es in einer Weise, daß es unmöglich war, Mißtrauen zu hegen, und gab uns dann die Erlaubnis, uns ihm anzuschließen. Wir ritten fort, der Karawane nach. Als wir hier diese Stelle erreichten, wurde ich plötzlich niedergeschlagen. Das übrige weißt du schon."

„Hast du den Thibr erwähnt, den ihr bei euch hattet?"

„Ja. Sie fragten uns, womit wir die Straußfedern bezahlen wollten, und da mußte ich von dem Goldstaub sprechen!"

„Das hättest du unterlassen sollen. Du siehst, welche Früchte diese Vertrauensseligkeit getragen hat. Die fünf Takaleh hat die Begierde nach dem Goldstaub erfaßt, und um ihn nicht mit ihren Kameraden teilen zu müssen, haben sie die Karawane bis außer Sichtweite fortgelassen und sind dann über euch hergefallen. Aus dem gleichen Grund haben sie euch alles andre gelassen. Hätten sie euch ausgeplündert, so wäre der Raub verraten worden, und sie hätten teilen müssen. Infolgedessen nahmen sie auch eure Esel nicht mit, sondern jagten sie fort, wie ich aus den Spuren ersehe."

„Du hast recht, o Herr. Was aber soll nun geschehen? Wir müssen den Mördern nach. Ich will mich rächen und ihnen ihren Raub abnehmen."

„Du wirst erhalten, was sie euch abgenommen haben, das verspreche ich dir. Dazu aber bedarf es weder der Verfolgung der Karawane, noch des Kampfes mit ihr. Meinst du etwa, du seist in deinem Zustand fähig, es mit den Takaleh aufzunehmen? Ich werde jetzt die Esel suchen und dann schließt du dich uns an." — „Wohin reitet ihr?"

„Nach Faschodah, wie ich dir bereits gesagt habe. Die Takaleh wollen auch dorthin, und da sie Fußgänger bei sich haben, werden wir eher dort sein, als sie und sie gleich bei ihrer Ankunft durch die Polizei des Mudir in Empfang nehmen lassen."

Die Spuren der Esel führten gerade ins Weite hinaus, einer war dem andern nachgelaufen. Nach einer Viertelstunde fand ich sie, nebeneinander weidend, die Sättel auf den Rücken. Ich bestieg den einen, um zurückzureiten. Die beiden andern folgten mir freiwillig, ohne daß ich sie zu führen brauchte.

Wir begruben die beiden Toten so gut, wie es uns möglich war. Dann wurde der Verletzte auf das Kamel gesetzt, das die Wasserschläuche getragen hatte, und wir ritten weiter. Die hinter uns hertrabenden Esel waren ledig und konnten uns leicht folgen.

14. Beim ‚Vater der Fünfhundert‘

Wir befanden uns ungefähr dreißig geographische Meilen von Faschodah entfernt. Wäre ich mit Ben Nil allein gewesen, so hätten wir diese Strecke in einem beschleunigten Ritt in zwei Tagen zurückgelegt, unter den gegenwärtigen Verhältnissen aber war das nicht möglich. Hafid Sichar hatte zu lange Zeit in der Kupfergrube unter der Erde gesteckt. Zum Gehen war er kräftig genug gewesen. Es zeigte sich aber, daß ihn das schnelle Reiten, das Schaukeln auf dem Rücken des Kamels mehr angriff, als er erwartet hatte. Sinan kühlte seinen Kopf fortwährend mit Wasser, doch fühlte er darin jeden Schritt seines Reittieres so schmerzlich, daß wir gezwungen waren, unsre bisherige Schnelligkeit zu mäßigen. Der Fährte der Takaleh folgten wir nicht weiter.

Wir hielten uns mehr östlich, überholten sie schon im Lauf des ersten Vormittags und kamen am Morgen des vierten Tags bei Faschodah an. Der Ort ist eigentlich nichts als ein großes Hüttendorf, das sich jedoch infolge der mit Mauern umgebenen Regierungsgebäude: der Kaserne und der Wohnung des Mudir, von außen ziemlich stattlich ausnimmt. Doch verschwindet der gute Eindruck sofort, wenn man den Ort betritt.

Auf den Mauern stehen Kanonen und des Nachts zahlreiche Wachtposten, eine Vorsichtsmaßregel, die wegen der rebellisch gesinnten Schilluk nicht ganz überflüssig ist.

Um die Regierungsgebäude liegen armselige Häuser und zahlreiche Tukul[1], die auf einer Ziegelunterlage errichtet sind, weil es wegen der früheren vielen Feuersbrünste jetzt verboten ist, diese dürftigen Hütten ganz aus Stroh zu bauen. Die Tukul werden teils von Schilluk, teils von Soldaten bewohnt, die ihre Weiber und Kinder bei sich haben. Die Straßen und Gassen, falls man sich dieser Ausdrücke bedienen will, bestehen aus Löchern, Schmutzlachen, Unrathaufen und Schlammgebirgen, zwischen, durch und über die man sich wie ein Seiltänzer bewegen muß, um nicht stecken zu bleiben.

Faschodah ist ein Verbannungsort, grad so wie früher Dschebel Gasan und Dar Fasokl, doch wächst die Zahl der Verbrecher nie stark an, da die Fremden an den ungesunden Witterungsverhältnissen schnell zugrunde gehen.

Da dieser Platz der letzte befestigte Grenzposten am Weißen Nil ist, hat er eine Besatzung von fast tausend Soldaten. Das sind schwarze Fußtruppen und eine Anzahl Arnauten, die unter ihrem Sangak stehen und wegen ihrer Unbotmäßigkeit und Gewalttätigkeit schwer im Zaum zu halten sind. Daß ihr Sangak ein heimlicher Verbündeter von Ibn Asl war, ist schon erwähnt worden.

Man darf nun nicht denken, daß wir ohne weiteres unsern Einzug in Faschodah gehalten hätten. Das wäre geradezu unverantwortlich gewesen. Ich mußte annehmen, daß Ibn Asl bereits hier sei. Auch der Türke Murad Nassyr mit seiner Schwester, der Muza'bir und der Mokkadem der heiligen Kadirine, meine rachsüchtigen Feinde, waren hier zu suchen. Dazu kam, daß ich mich vor dem Anführer der Arnauten in acht nehmen mußte, da ihm von den Genannten jedenfalls schon alles über mich erzählt worden war. Sie kannten mich persönlich, und ich

---

[1] Kreisrunde Hütten mit kegelförmigem Dach

durfte mich nicht sehen lassen, wenn ich meinen Zweck erreichen wollte. Darum sagte ich nicht, daß wir in, sondern bei Faschodah angekommen seien.

Wir hielten ungefähr eine Stunde vor der Stadt an einem Ort an, der zu einem einstweiligen Versteck geeignet war. Es gab da eine aus Sunut-, Hegelik- und anderen Hochbäumen bestehende Waldung, zwischen deren Stämmen Kittr- und Vabaqbüsche standen, die durch Ranken des *Cyssus quadrangularis* dicht verwoben waren. In diesem Wald machten wir Halt und suchten uns einen Platz, an dem wir nur schwer aufgefunden werden konnten.

Von hier aus wollte ich dem Mudir einen Boten senden. Am liebsten hätte ich Ben Nil geschickt, was ich aber nicht wagen konnte, da er einigen, denen er in Faschodah leicht begegnen konnte, bekannt war. Darum vertraute ich Hafid Sichar die Botschaft an und gab ihm den Empfehlungsbrief des Reïs Effendina mit. Auch unterrichtete ich ihn genau darüber, wie er sich verhalten und was er sagen sollte. Nach seinem Weggang warteten wir volle vier Stunden. Dann kehrte Hafid Sichar zurück und brachte einen Begleiter mit, der die landesübliche Kleidung eines gewöhnlichen Mannes trug. Ich hatte erwartet, daß der ,Vater der Fünfhundert' mir einen seiner vertrauten Beamten senden würde, und vernahm jetzt zu meiner Überraschung, daß dieser einfach gekleidete Mann der Mudir selber sei. Er kennzeichnete sich durch seine Barschheit gleich im ersten Augenblick der Begegnung:

„Du hast lange warten müssen, Effendi", sagte Hafid Sichar zu mir.
„Dieser hohe Herr ist —"

„Schweig!" donnerte ihn der andre zornig an. „Ich habe dich freundlich behandelt, weil mich dein trauriges Schicksal erbarmte, aber du darfst deshalb nicht denken, daß ich deinesgleichen bin. Wie kannst du es wagen, mich dem Effendi vorstellen zu wollen! Und wie darfst du dich erdreisten, dich zu entschuldigen, daß er gewartet hat? Bin ich ein Hund, der immer da sein muß, wenn ihm gepfiffen wird, du Halunke?"

„Na", dachte ich im stillen, „das kann gut werden! Das ist der ,Vater der Fünfhundert' selber. Wenn er sich gegen uns in dieser Weise benimmt, wie mag er da erst mit Verbrechern umspringen!"

Jetzt wendete Ali Effendi sich zu mir und musterte mich mit neugierigem Blick, wobei sein Gesicht nicht die geringste Spur von Freundlichkeit entdecken ließ. Ich war aufgestanden, hielt seine forschenden Blick gelassen aus und fragte:

„Wer bist du? Jedenfalls Ali Effendi selber?"

„Ali Effendi?" fragte er streng. „Weißt du nicht, wie man einen Mudir anreden muß?"

„Ich weiß es und werde die Pflicht der Höflichkeit erfüllen, sobald ich mit einem Mudir zu sprechen komme."

„Das ist jetzt der Fall, denn ich bin der Mudir von Faschodah."

Ein Morgenländer hätte nun die Arme gekreuzt und sich zur Erde gebeugt, ich aber senkte nur den Kopf, reichte ihm die Hand und sagte höflich:

„Allah gebe dir tausend Jahre, o Mudir! Ich freue mich, dein Angesicht zu sehen, denn es ist das eines gerechten Mannes, unter dessen Verwaltung sich diese Provinz erheben und von allem schlimmen Gesindel reinigen wird."

Ali Effendi zögerte, meine Hand anzunehmen, und warf einen verwunderten Blick auf mein Gesicht.

„Nach dem, was ich von dir gelesen und gehört habe, bist du ein tüchtiger Mann. Aber ein Freund von Artigkeiten scheinst du nicht zu sein?"

„Jeder Mensch hat seine eigne Art und Weise und ist danach zu nehmen, o Mudir."

„So habe ich meine Diener wohl auch nach ihrer Art und Weise zu nehmen? Allah erbarme sich! Damit würde ich weit kommen! Ihr Christen seid sonderbare Menschen, aber ich will dich so nehmen, wie du bist, nämlich sehr wacker und sehr grob. Setzen wir uns!"

Ich lächelte in mich hinein, von ihm, der verkörperten Grobheit, als grob bezeichnet zu werden. Wir setzten uns. Er zog eine Streichholzschachtel und eine Ledertasche voll Zigaretten hervor, brannte sich eine an, ohne mir davon anzubieten, blies den Rauch behaglich durch die Nase, legte Zigaretten und Zündhölzer zum weiteren bequemen Gebrauch neben sich und begann:

„Also du bist ein Diener des Reïs Effendina. Wo und wie hat er dich eigentlich kennengelernt?"

„Ob er mich kennenlernte oder ob ich ihn kennengelernt habe, das ist ein Unterschied, mit dem wir uns jetzt nicht beschäftigen wollen. Wenn du aber meinst, daß ich sein Diener bin, so irrst du dich."

„Nun ja, er nennt dich in dem Brief seinen Freund, aber ich kenne das. Es ist nur eine Form und gehört zur Empfehlung. Du bist ein mutiger, ja ein verwegener Mann, auch dumm scheinst du nicht zu sein, aber als Christ kannst du doch niemals der Freund eines Muslim werden."

„Warum nicht? Wenn ich einen Menschen so achte und liebe, daß ich ihn meiner Freundschaft für würdig halte, so hindert mich der Umstand, daß er Muslim ist, nicht, sie ihm anzutragen."

„Ah!" machte Ali Effendi erstaunt. „So hast du, du sie ihm angetragen und nicht er sie dir?"

„Von wem das erste Wort ausging, ist Nebensache. Es genügt, daß wir eben wirkliche Freunde sind. Willst du es nicht glauben, nun, so ist es mir auch gleich."

„Wie? Es ist dir gleichgültig, ob dir der Mudir von Faschodah Glauben schenkt oder nicht? So ein Mann ist mir noch nicht vorgekommen!"

„Es gibt in meinem Vaterland ein Sprichwort, das lautet: Wie du mir, so ich dir. Ich befolge es gern."

„Das ist stark, sehr stark. Höre, wenn das ein andrer sagte, bei Allah, ich ließe ihm auf der Stelle fünfhundert aufzählen!"

„Ja, das ist das gewöhnliche Maß, und darum nennt man dich Abu Hamsah Miah. Ich aber bin vor dieser Liebesgabe sicher."

„Sicher? Das glaube ja nicht! Wenn ich wollte, wer oder was könnte mich abhalten, auch dir fünfhundert geben zu lassen?"

„Meine Staatsangehörigkeit und mein Konsul."

„Auf die pfeife ich."

„Nun, dann diese hier. Auf die würdest du gewiß nicht pfeifen."

Ich hielt dem groben Beamten bei diesen Worten die Faust so dicht vor die Nase, daß er mit dem Gesicht schnell zurückwich.

„Kara Ben Nemsi, willst du etwa zuschlagen?"

„Nein, so lange nämlich auch du nicht zuschlagen willst. Doch wir haben nun genug gescherzt und wollen von nötigern Dingen sprechen. Wir sind —"

„Wer hat hier zu bestimmen, wovon gesprochen werden soll, du oder ich?" unterbrach er mich.

„Ich, denn du bist bei *mir*. Hast du keine Lust, dich nach mir zu richten, so kannst du gehen. Ich komme auch ohne dich durch die Welt und durch diese Gegend."

Da blickte, nein, starrte mich der Mudir förmlich an und warf den Rest der Zigarette fort.

„Allah ist groß, nein, er ist größer, nein, er ist am allergrößten! Du aber bist der größte Grobsack, der mir vorgekommen ist! Welche Wonne, wenn ich dir fünfhundert aufzählen lassen könnte! Aber ich denke, daß ich noch dazu komme!"

„Und ich hoffe es auch, um dir nämlich beweisen zu können, daß dir meine Kugel durchs Gehirn fahren würde, noch ehe du den betreffenden Befehl völlig ausgesprochen hättest."

„Fresse dich der Teufel! Ich glaube, mit dir kommt man am allerbesten aus, wenn man höflich ist."

Ali Effendi brannte sich wieder eine Zigarette an.

„So mache den Anfang", lächelte ich, „indem du mir erlaubst, auch eine Zigarette zu rauchen."

Ich griff zu, nahm mir eine und brannte sie an. Als ich sah, daß er darüber zornig werden wollte, fügte ich hinzu:

„Das war schon vorhin deine Pflicht, als du die erste anbranntest. Du hast es unterlassen und hast doch mich ermahnt höflich zu sein. Was soll ich von dir denken? Mir ist es gleichgültig, ob du mich grob oder freundlich behandelst. Ich will von dir nicht die geringste Gefälligkeit erbitten. Ich komme vielmehr, um dir zu helfen, deine Pflicht zu erfüllen. Gleiches gegen Gleiches, das ist das Gesetz der Wüste: Leben gegen Leben, Blut gegen Blut — und Grobheit gegen Grobheit. Lerne mich kennen, dann wirst du anders von mir denken. Du hast mir sogar deine Hand verweigert. Ich habe mit noch höheren Männern gesprochen als du bist und bin von jedem höflich behandelt worden."

Der Mudir warf die kaum angebrannte Zigarette wieder fort, ballte die Faust und wollte zornig losbrechen, doch beherrschte er sich. Die Zornesfalten seiner Stirn glätteten sich und sein Blick wurde milder.

Dann kehrte der Grimm plötzlich zurück. Er warf einen wütenden Blick auf die Umgebung, deutete auf den auf dem Boden liegenden Scheik Amr el Makaschef und fuhr ihn an:

„Ich sehe, daß du gefesselt bist. Bist du der Baggara, der den Takaleh die Botschaft von Ibn Asl gebracht hat?"

„Ja", bekannte der Gefragte.

„Du Hund und siebenfacher Hundesohn, du verkehrst mit den Sklavenfängern? Ich werde dir fünfhundert aufzählen lassen, so sicher fünfhundert, wie ich fünf Finger an jeder Hand habe. Du bekommst wöchentlich hundert und kannst dann laufen, wohin es dir beliebt, um zu erzählen, wie dir dein Besuch bei Abu Hamsah Miah gefallen hat. Leider kann ich dich nicht köpfen, du Schuft, da du nur dieses Botengangs zu überführen bist. Doch habe keine Sorge! Jeder einzelne Hieb von den fünfhundert soll dir im Gedächtnis flimmern, bis dir der Teufel in der Hölle ein ganzes Feuerwerk abbrennen läßt!"

Mit diesem Ausbruch schien sein Zorn verflogen zu sein, denn er wendete sich plötzlich mit ganz freundlicher Miene zu mir und gab mir endlich die Hand.

„Kara Ben Nemsi Effendi, du mußt mit dabei sein, wenn dieser Hundesohn seine Hiebe erhält. Es wird deine Seele erquicken und dein Herz stärken, deinen Sinn erleichtern und deinen Geist erfrischen. Oh, es gibt keine größere Lust, als solche Übertreter unsrer guten und gerechten Gesetze heulen, jammern und wimmern zu hören! Nun aber erzähle mir vor allen Dingen, was alles geschehen ist, seit der Reïs Effendina dich kennenlernte — oder", fügte er sich verbessernd mit einem Lächeln hinzu, „oder seit du ihn kennengelernt hast."

„Das würde eine lange Geschichte werden. Die anzuhören, muß man viel Zeit haben."

„Es gehört zu meinem Amt, diesen Bericht zu hören, und für die Erfüllung meiner Pflichten habe ich immer Zeit genug."

„So erlaube, daß Ben Nil erzählt."

„Warum nicht du selber?"

„Du wirst, wenn er fertig ist, meinen Grund wissen, ohne daß ich ihn dir zu sagen brauche."

„Gut, so mag er reden!"

Ben Nil erzählte. Ich griff in die Zigarettentasche und nahm mir eine zweite Zigarette heraus.

Dann legte ich mich lang hintenüber, hielt die Hände unter den Kopf und ließ Ben Nil sprechen. Er tat es kurz und doch ausführlich. Man hörte aus jedem seiner Worte, wie aufrichtig er mich liebte. Der Mudir mochte schon einiges über unsre Erlebnisse von Hafid Sichar gehört haben, und verschiedenes war jedenfalls auch in dem Empfehlungsschreiben des Reïs Effendina angedeutet worden. Nun vernahm er Dinge, von denen er keine Ahnung gehabt hatte, und die seine ganze volle Teilnahme beanspruchten. Als Ben Nil fertig war, griff er zur Streichholzschachtel und zur Zigarettentasche, schüttete den Inhalt beider über mich aus und rief:

„Rauche, rauche, Kara Ben Nemsi Effendi, rauche nur zu! Du hast es verdient, ja, bei Allah und dem Propheten, du hast es verdient! Und wenn du zu mir kommst, sollst du noch mehr haben, eine ganze große Kiste voll, obwohl sie schändlich teuer sind, jawohl, schändlich teuer!"

„Wieviel zahltest du dafür?" fragte ich, neugierig auf den Preis dieser Zigaretten, die sich auf irgendeine Weise in den Sudan verirrt hatten.

„Einen ganzen Piaster für das Stück."

„Das ist zu teuer. Hast du nichts abgehandelt?"

„Abgehandelt?" fragte er grimmig. „Ist mir nicht eingefallen! Ich pflege nicht zu handeln. Ich bezahle ehrlich, voll und gleich: Jeder Piaster ein Hieb. Als der Kerl zwanzig Hiebe hatte, lief er davon, ließ mir die Ware und erklärte heulend, er sei bezahlt und verzichte auf das übrige. Also rauche, Effendi, laß es dir schmecken! Du bist ein Teufelskerl, und der Reïs Effendina muß ganz entzückt sein, dich kennengelernt zu haben. Ihr Christen seid eigentlich doch nicht ganz so übel, und ich will nun glauben, daß der Emir dich in Wirklichkeit als seinen Freund betrachtet. Ich bin Mudir, und das ist, bei Allah, nichts Geringes, aber ich bitte dir dennoch meine frühere Geradheit ab. Aber dafür mußt du mir nun auch einen Gefallen tun. Du darfst ihn mir nicht abschlagen!"

„Ich weiß doch noch nicht, ob ich imstande sein werde, deinen Wunsch zu erfüllen?"

„Du kannst es!"

„Nun, in diesem Fall — ja!"

Da drückte er mir beide Hände und rief freudig aus:

„Hamdulillah! Das gibt Hiebe, Hiebe, fünf- oder sechstausend Hiebe oder gar noch mehr! Du sollst nämlich Ibn Asl fangen, aber nicht für den Reïs Effendina, sondern für mich."

„Gut!"

„Und auch diesen dicken Türken, der Murad Nassyr heißt."

„Schön!"

„Und den Muza'bir mit dem allerliebsten Mokkadem der heiligen Kadirine."

„Auch diese beiden!" lächelte ich.

„Ich danke dir! Das wird ein Fest, wie ich noch keines erlebt habe. Ich lasse sie alle hängen! Vorher aber bekommt jeder seine wohlgezählten fünfhundert auf die Fußsohlen, auch die Schwester des Türken, ja, bei Allah, auch sie!"

„Sie ist ein Mädchen, o Mudir! Welches Verbrechens willst du sie beschuldigen?"

„Des allergrößten, das es gibt. Sie hat Ibn Asl, den Sklavenjäger, heiraten wollen."

„Wollen? Davon ist keine Rede. Sie hat gemußt. Diese Verheiratung ist nichts weiter als die Besiegelung einer Geschäftsverbindung."

„Rede mir nicht drein!" gebot Ali Effendi eifrig. „Hier hat niemand zu besiegeln als ich allein, und ich besiegle stets mit fünfhundert. Aber fangen mußt du sie mir alle, denn du hast es mir versprochen."

„Ich werde Wort halten. Einen aber brauche ich nicht zu fangen, weil er sich schon in deinen Händen befindet, den Sangak deiner Arnauten."

„Ibn Mulei? Er hat bis zu diesem Augenblick mein Vertrauen besessen. Glaubst du wirklich, daß er Ibn Asl kennt?"

„Ich bin überzeugt davon."

„Dann, dann soll auch er seine fünfhundert —"

Ali Effendi hielt inne. Es war ihm ein Gedanke gekommen. Er sann ihm nach und fuhr dann fort:

„Der also, der ist der Briefempfänger! Darum also habe ich mir fast den Kopf zerbrochen und mich vergeblich angestrengt! Kara Ben Nemsi Effendi, ich möchte fast glauben, daß du recht hast, und daß ich mein Vertrauen einem Unwürdigen geschenkt habe."

„Ich bin überzeugt, daß dieser Ibn Mulei ein Verbündeter der Sklavenjäger ist."

„Das ist allerdings sehr wahrscheinlich, denn die Stellen des Briefs, die mir dunkel waren, passen nur auf ihn, wie ich jetzt erst erkenne."

„Darf ich wissen, von welchem Brief du sprichst?"

„Ja. Du mußt es sogar wissen. Meine Leute fingen gestern oben an der Bringhi Seribah einen Nuehr-Neger auf, der ihnen verdächtig vorkam. Als sie ihn untersuchten, fanden sie einen Brief in seinem Haarschopf. Der Mann riß sich los und wollte entspringen. Da schossen sie ihn nieder. Heute früh brachten sie mir den Brief. Er ist aus der Seribah Aliab, die oben am Rohl liegt. Der Empfänger sollte ihn lesen und an Ibn Asl geben."

„Ah! Sollte diese Seribah Ibn Asl gehören?"

„Das weiß ich nicht, da ich mich erst seit kurzer Zeit hier befinde."

„Fast möchte ich es annehmen. Darf ich das Papier sehen?"

„Ja, natürlich! Und, Effendi, da kommt mir ein Gedanke, ein kostbarer Gedanke! Der Arnaut muß den Brief bekommen."

„Ganz richtig! Dadurch überführen wir ihn am leichtesten. Aber wer soll das Schreiben bringen?"

„Du."

„Ich? Ich darf mich bei dem Sangak und überhaupt in Faschoda jetzt noch nicht sehen lassen."

„Warum nicht? Die Männer, vor denen du dich verbergen willst, sind noch nicht da!"

„Wenn nun aber einer heimlich kommt und geht?"

„Das ist unmöglich. Es stehen Tag und Nacht Wachen an den Ufern. Du gibst dich für den Boten von der Seribah Aliab aus, und wenn Ibn Mulei den Brief behält, ist er überführt, und ich lasse ihn so lang peitschen, bis er alles gesteht und wir von ihm erfahren, wie wir die andern fangen können."

„Aber ich bin kein Neger. Und selbst wenn ich mich färbte, würde der Schnitt meines Gesichtes verraten, daß ich nicht zu den Nuehr gehöre. Ist der Bote in dem Schreiben erwähnt?"

„Mit keinem Wort."

„Dann wäre es vielleicht auszuführen. Noch besser erscheint es mir, ihm den Brief durch einen andern, aber sichern Mann zuzustellen."

„Und ich mag keinen andern als nur dich damit beauftragen. Erstens ist die Sache so gefährlich, daß nur ein Mutiger sie zustande bringt, und zweitens handelt es sich doch nicht nur darum, den Brief zu übergeben, sondern der Arnaut muß vom Boten ausgehorcht werden. Nur du allein kannst das fertigbringen."

Ich hätte auf diesen Plan nicht eingehen sollen. Er kam mir nicht nur unzweckmäßig, sondern sogar gefährlich vor, und es zeigte sich dann später, daß er es auch wirklich war. Aber der Mudir hatte mich, schon ehe ich ihn gesehen hatte, wegen seiner Gerechtigkeitsliebe für sich eingenommen, und daß er so rasch nach einer so unfreundlichen Begrüßung, wie die unsrige gewesen war, ein solches Vertrauen zu mir äußerte, das schmeichelte mir. Die liebe, alberne Eitelkeit trübte meinen Blick, und ich griff eine Sache, die gar nicht zu verderben war, grad bei der Seite an, wo ich sie aller Wahrscheinlichkeit nach verderben mußte. Nur ‚ich allein' konnte es fertigbringen! War ich es da nicht Ali Effendi und mir schuldig, zu beweisen, daß er sich nicht in mir täuschte?

„Gut, ich werde es übernehmen", erklärte ich. „Wo und wann bekomme ich den Brief?" — „Wo und wann du willst."

„Wo wohnt der Arnaut?"

„Ibn Mulei bewohnt ein ganzes Haus neben der Kaserne. Willst du dir den Brief holen oder soll ich ihn dir schicken?"

„Nicht holen. Ich darf mich am Tag im Ort nicht blicken lassen, kann also erst nach Einbruch der Dunkelheit kommen, und wenn ich da erst noch zu dir gehen müßte, würde mir eine Zeit verstreichen, die ich anders anwenden kann. Schicken aber auch nicht, da du einen Boten haben müßtest, der mich hier aufzusuchen hätte, wo ich verborgen bleiben will. Ich werde dir Hafid Sichar wieder mitgeben, dem du den Brief anvertrauen kannst."

„Er soll ihn bekommen, und ich sende dir durch ihn auch einigen rischen Mundvorrat, damit ihr essen könnt."

„Bis wir die Stadt betreten dürfen, sind wir noch damit versehen. Nötiger wäre mir ein Anzug, der für meine Gestalt paßt. Ich bin dem Arnauten jedenfalls beschrieben worden, und dabei sind auch die Kleidungsstücke, die ich trage, in Erwähnung gekommen. Er würde mich daran sofort erkennen, und darum muß ich mich anders kleiden. Auch meine Waffen darf ich nicht mitnehmen."

„Es ist aber doch hier jedermann bewaffnet!"

„So sende mir eine alte, lange Flinte, ein altes Messer und eine lte Pistole! Für was ich mich ausgebe, weiß ich noch nicht, auf keinen Fall aber für einen reichen oder gar hochgestellten Mann. Darum müssen Anzug und Bewaffnung so einfach wie möglich sein."

„Dein Wunsch soll erfüllt werden. Was aber tun die andern, während du in der Stadt bist?"

„Sie warten hier."

„Warum das? Sie mögen zu mir kommen. Am Abend ist es dunkel, so daß niemand sie sehen kann. Und von dem Sangak weg begibst auch du dich sogleich zu mir."

„Es soll aber doch verborgen bleiben, wer wir sind und was wir beabsichtigen. Ich gebe mich für einen Sklavenjäger aus und kann als solcher unmöglich bei dir wohnen."

„Dein Bedenken ist hinfällig. Wir haben es jetzt zunächst nur mit Ibn Mulei zu tun, mit dem du heute fertig wirst. Dann hast du keinen Grund mehr, dich zu verstecken. Nein, ihr werdet bei mir wohnen. Ich freue mich darauf und sage dir, daß ich viel mit dir zu reden habe. Übrigens hast du den Gefangenen, diesen Hund von Baggara bei dir. Warum sollst du dich mit ihm quälen? Du nimmst ihn mit, und während du bei eurer Ankunft sogleich zu dem Arnauten gehst, bringen ihn die andern zu mir. Ich lasse ihn einsperren, und sobald du dann erscheinst, will ich dir das Vergnügen machen, dabei zu sein, wenn er die ersten hundert bekommt."

„Wie du willst, o Mudir. Du bist hier der Gebieter, und ich tue was du für richtig hältst."

„Ich werde, sobald es dunkel ist, zwei verschwiegene Diener senden. Dem einen überantwortet ihr die Kamele, die er einem zuverlässigen Schilluk in Pflege gibt, und der andre führt euch in die Stadt und zeigt euch den Weg zu mir. Wenn du dann vom Sangak zu mir kommst, können wir alles weitere ausführlich besprechen. Ich bin jetzt länger bei dir geblieben, als ich vermuten konnte, und muß aufbrechen, weil ich mich heimlich und verkleidet entfernt habe. Meine Leute würden, wenn sie mich vermissen, in Sorge kommen und Lärm schlagen."

„So habe ich nur noch die Takaleh zu erwähnen. Du bist doch bereit, dich ihrer zu bemächtigen?"

„Allah! Welche Frage! Natürlich werden sie gepackt! Die Sklaven erhalten ihre Freiheit, und die andern bekommen ihre Strafe, den für Mördern ist der Tod sicher. Denke dir, daß jeder fünfhundert bekommt, und rechne dir aus, wieviel Hiebe das im ganzen macht. Eine solche Freude hat Faschodah noch nicht erlebt. Welch ein warnendes Beispiel wird das für den ganzen ägyptischen Sudan sein! Ein Entzücken aller Gerechten und ein Zittern aller Ungerechten! Ich habe dir viel zu danken, Effendi, denn nur du bist es, der mich in den Stand setzt, ein solches Beispiel aufzustellen. So etwas konnte ich nicht erwarten. Ich habe mich in dir geirrt, was du mir aber nicht nachtragen darfst. Wann denkst du, daß die Takaleh hier ankommen werden?"

„Vor übermorgen nicht. Dann sind sie zu jeder Stunde zu erwarten."

„Sie sollen empfangen werden, wie es sich gebührt. Dieser ihr Freund aber soll die Bastonnade noch eher schmecken, als sie. Ich lasse ihn hauen, daß man sein Geheul unten in Kahira und oben bei Emin bey[1] hören wird."

[1] Der nachmalige Emin Pascha = Eduard Schnitzer

Ali Effendi war aufgestanden und versetzte dem Scheik einen Fußtritt, daß er auf die Seite flog. Darauf entfernte er sich mit Hafid Sichar, kehrte aber nach wenigen Augenblicken noch einmal zurück und sagte:

„Ich nehme keine Sigara mit. Rauche sie und laß sie dir schmecken. Das Täschchen behalte einstweilen als Andenken an mich. Allah behüte dich, bis wir uns abends wiedersehn!"

Ich teilte die Zigaretten mit Ben Nil. Wir saßen einige Zeit rauchend und schweigsam da. Das Unternehmen, zu dem ich mich verpflichtet hatte, kam mir jetzt, da der Mudir fort war, gar nicht mehr so geheuer vor wie vorher. Ich begann zu bereuen, mich darauf eingelassen zu haben, konnte aber nun nicht mehr zurück.

Amr wälzte sich von einer Seite auf die andre. Der Fußtritt des Mudir hatte ihn so getroffen, daß er Schmerzen fühlte. War er vorher vielleicht der Ansicht gewesen, daß man ihn schonen würde, weil er die Würde eines Scheiks trug, so hatte er jetzt erkannt, daß das nicht der Fall war. Er sah ein, daß ihm die bekannten fünfhundert sicher seien. Fünfhundert Hiebe auf die Fußsohlen! Und nicht auf einmal, sondern wöchentlich hundert! Wenn die aufgeplatzten Sohlen zu heilen beginnen, hundert neue Streiche darauf! Und dabei fünf Wochen lang eingesperrt, wer weiß, in was für einem Loch! Es wurde dem Araber angst und bange. Man sah es ihm im Gesicht an. Er begann nachzudenken, wie er wohl dieses Unheil von sich abwenden könne, und kam zu dem Ergebnis, daß es nur durch mich zu erreichen sei. Er mußte versuchen, mich zu gewinnen. Dieser Gedankengang offenbarte sich dadurch, daß er sich mit einem Vorschlag an mich wendete:

„Effendi, darf ich mit dir sprechen?"

Ich hatte ihn während des Rittes möglichst wenig beachtet und tat auch jetzt so, als hätte ich seine Worte nicht gehört.

„Effendi, ich habe dir etwas zu sagen!"

„Schweig!" gebot ich, obgleich ich ahnte, daß das, was Amr el Makaschef vorbringen wollte, für mich von Wert sein würde. Er verstummte für eine Weile, begann aber bald von neuem:

„Du wirst es bereuen, wenn du mich nicht sprechen läßt. Was ich dir zu sagen habe, ist wichtig für dich."

„Ich mag nichts hören. Du willst von den fünfhundert loskommen, eine Sache, die jedenfalls von ungeheurer Wichtigkeit für deine Fußsohlen ist."

„Aber ich biete dir auch viel dafür."

„Was denn?" begann ich einzulenken.

„Nachrichten über die Seribah Aliab, von der ihr vorhin gesprochen habt. Ich habe alles gehört und denke mir, daß es dir willkommen sein muß, über die Verhältnisse der Niederlassung unterrichtet zu werden."

„Das ist allerdings der Fall. Sind dir diese Verhältnisse vielleicht bekannt?"

„Sogar sehr genau."

„Wem gehört die Seribah?"

„Soll ich diese Frage wirklich beantworten? Meinst du, daß ich es ohne Gegenleistung tun werde?"

„Ja. Ich denke, daß du diese Geheimnisse für fünfzig oder sechzig Hiebe gern verkaufen wirst."

„Nein, nein! Effendi, nur nicht die Bastonnade! Bitte mich beim Mudir von den fünfhundert los, so teile ich dir alles mit, was ich über die Seribah Aliab weiß."

„Du wirst nicht viel wissen."

„Nicht viel? Alles, alles weiß ich. Ich bin ja selber dort gewesen."

„In welcher Absicht? Bei welcher Gelegenheit?"

„Das kann ich dir nur sagen, wenn du mir versprichst, beim Mudir für mich zu bitten. Auch darf mir das, was ich dir jetzt sage, keinen Schaden bringen."

„Das Versprechen kann ich dir geben. Ob es aber beim Mudir Erfolg haben wird, ist zu bezweifeln."

„Ich zweifle nicht. Ich habe gehört, was von dir erzählt wurde, und weiß infolgedessen, was der Mudir von dir denkt. Er hält so viel von dir, daß deine Fürbitte gewiß von Erfolg sein wird."

„Wahrscheinlich irrst du dich, doch will ich dir versprechen, ein gutes Wort für dich einzulegen. Ich mache dich aber darauf aufmerksam, daß ich mich nicht betrügen lasse. Wenn du etwa meinst, durch eine bloße Flunkerei von der Bastonnade loszukommen, befindest du dich in einem gewaltigen Irrtum. Was weißt du über die Seribah?"

„Sie gehört Ibn Asl."

„Ich dachte es mir! Das, was ich jetzt wissen will, soll dir, wie ich versprochen habe, in keiner Weise schaden. Sag mir aufrichtig: du hast mit diesem Mann Sklavenraub getrieben?"

„Ja, Effendi. Das mußt du aber dem Mudir verschweigen."

„Ich glaube nicht, daß ich diesen Umstand mit Stillschweigen übergehen kann, aber ich verspreche dir, daß er dir auf keinen Fall angerechnet wird. Ich kann mich in deine Lage denken. Du hast als Muslim die Sklaverei für erlaubt und ihr Verbot für einen Eingriff in eure uralten, angestammten Rechte gehalten."

„So ist es, so ist es, Effendi! Denke, daß wir Baggara nur vor unsern Herden leben, und daß eine einzige Seuche, die unter ihnen ausbricht, uns leicht zugrunde richtet. Da war es der Sklavenhandel der uns in solchen Fällen die Mittel gab, zu leben und nicht zu darben bis unsre Herden wieder gewachsen waren. Wir gaben den Sklaven jägern unsre Krieger als Asaker mit und bekamen für jeden gefangener Schwarzen einen bestimmten Lohn. Dieser wurde uns in Sklaven aus gezahlt, die man uns billig berechnete, wir aber verkauften sie zu einem weit höheren Preis. Das gab einen Gewinn, der uns willkommen war."

„Und du hast nicht nur deine Krieger zum Sklavenfang hergegeben sondern bist selbst dabei gewesen?"

„Ja. Wir fuhren zur Seribah Aliab, von wo aus dann die Jag unternommen wurde."

„Wer gebietet dort, wenn Ibn Asl abwesend ist?"

„Der Baschschawisch[1] Ben Ifram. Ein Schuß hat ihm ein steifes Bein eingebracht. Deshalb kann er an der Jagd nicht mehr teilnehmen. Daheim aber ist er sehr tüchtig, und da sich Ibn Asl auf seine Treue verlassen kann, hat er ihm den Befehl anvertraut."

„Für jetzt weiß ich genug. Es kann aber leicht möglich sein, daß ich später mehr von dir erfahren muß."

„Später? Ich hoffe, daß der Mudir mich auf deine Fürbitte freigibt, so daß ich zu den Meinen zurückkehren kann."

„Auch ich denke das. Aber du weißt ja, was wir beabsichtigen. Es ist möglich, daß sich Ibn Asl schon nicht mehr hier befindet. In diesem Fall müssen wir ihm nach. Jedenfalls ist die Seribah Aliab sein Ziel, und da du sie so genau kennst, würdest du uns als Führer dienen müssen."

„Allah mag das verhüten! Was sollen meine Leute denken, wenn ich monatelang fern bleibe! Und soll ich euern Führer gegen Ibn Asl machen, der mein Freund ist und mir ein so großes Vertrauen schenkt!"

„Das ist ein Bedenken, das uns jetzt noch nicht zu beschäftigen braucht. Ich habe von diesem Fall nur als von einer Möglichkeit gesprochen. Schweigen wir jetzt, und warten wir das Kommende ruhig ab!"

„Ruhig!" seufzte er. „Ja, du kannst ruhig sein, aber ich — ich —!!"

Amr hatte recht gehabt. Seine Mitteilung war von großer Wichtigkeit für uns, da wir nun wußten, wo Ibn Asl auf alle Fälle zu finden war. Zunächst aber hoffte ich, daß er noch in Faschodah weilte.

Nach ungefähr drei Stunden kehrte Hafid Sichar zurück. Er war schwer bepackt, denn er brachte einen Anzug, die verlangten Waffen, zwei gebratene Hühner, andres Fleisch, Teigkuchen und eine Flasche Raki mit. Wir aßen und ließen auch dem Baggara sein Teil zukommen, wie er auch schon während des Ritts, die Freiheit ausgenommen, uns gleichgestellt gewesen war.

Dabei war es Nachmittag geworden, vier Uhr nach unsrer Zeit. Eine Stunde hatten wir bis zum Nil. Um sechs Uhr wurde es Abend, also bereiteten wir uns vor, das Versteck zu verlassen. Nach einer Stunde brachen wir auf. Ich hatte mich umgekleidet und sah nun in dem Anzug und mit dem sonnverbrannten Gesicht und den braunen Händen wie ein echter Sklavenjäger aus. Freilich, das Gesicht war nicht zu verwandeln, es konnte mich verraten.

Hafid Sichar hatte von dem Mudir die Uferstelle bezeichnet erhalten, an der wir die beiden auf uns wartenden Diener treffen sollten. Zugleich hatte er mir die größte Vorsicht gegen den Sangak der Arnauten anraten lassen, da dieser ein sehr starker und gewalttätiger Mensch sei.

Ich hatte den Brief aufmerksam durchgelesen und die Überzeugung gewonnen, daß er vom Feldwebel auf der Seribah Aliab geschrieben

[1] Feldwebel

worden sei. Er war nicht versiegelt, sondern einfach mit Mehlteig verklebt gewesen, was es mir ermöglichte, ihn wieder so zu verschließen, daß es, wenigstens am Abend, schwer zu erkennen war, daß man ihn geöffnet hatte.

Es wurde dunkel, noch ehe wir an das Ufer kamen.

Wir fanden die Diener. Der eine nahm die Kamele in Empfang und führte sie fort. Der andere trug die Satteltaschen und geleitete uns in die Stadt.

Zu bemerken ist der Vollständigkeit wegen, daß der Händler Sinan noch bei uns war, und daß sich seine drei Esel bei unsern Kamelen befanden.

Als wir in der Stadt angekommen waren, führte der Diener uns zunächst zur Kaserne, um mir dort das Haus des Arnauten zu zeigen, dann brachte er die andern zur Wohnung des Mudir. Meine heikle Aufgabe begann.

Soviel ich in der Dunkelheit bemerken konnte, bestand das Gebäude nur aus dem Erdgeschoß und hatte nur zwei kleine, schießschartenähnliche Fenster, zwischen denen sich die schmale, niedrige Tür befand. Sie war mit Eisenblech beschlagen. Einen Türdrücker ein Schloß schien es nicht zu geben, sondern ich fühlte an der Tür das Ende eines kleinen Hebels, mit dessen Hilfe man die jenseits befindliche Klinke emporheben konnte. Ich versuchte es und fühlte, daß die Klinke sich hob, aber die Tür ließ sich dennoch nicht öffnen. Jedenfalls hatte man noch einen Riegel vorgeschoben. Ich betätigte den Klopfer. Nach kurzer Zeit hörte ich zunächst Schritte und dann eine fragende Stimme:

„Wer ist draußen?"

„Ein Bote an den Sangak vom Rohl."

„Komm wieder! Er ist nicht da!"

„Ich bin hier fremd. Laß mich ein! Ich will warten, bis er kommt."

Es blieb still. Der Mann schien sich zu besinnen, dann sagte er:

„Bleib stehen! Ich will fragen."

Er entfernte sich. Nach einiger Zeit hörte ich wieder Schritte, und eine andre Stimme fragte:

„Ist deine Botschaft denn so wichtig?"

„Ja. Ich habe einen Brief."

„So gib ihn mir! Ich werde die Luke aufmachen."

„Das kann ich nicht. Ich darf den Brief nur an Ibn Mulei, den Sangak der Arnauten, abgeben."

„So komm herein!"

Ein schwerer eiserner Riegel klirrte, dann wurde die Tür geöffnet. Ich sah in einen schmalen, stubenartigen Flur, der von einer Öllampe beleuchtet wurde. Der Mann, der sie in der Hand hielt, trug die bekannte Tracht der Arnauten. Seine Bewaffnung bestand selbst jetzt im Innern des Hauses aus zwei Pistolen, zwei dolchähnlichen Messern und einem krummen Säbel. Aus seinem bösartigen Gesicht blitzten mich zwei dunkle Augen scharfforschend an, und mißmutig forderte er mich auf:

„Näher herbei mit dir! Warum kommst du bei Nacht? Hättest du nicht früher kommen können?"

„Niemand kann eher kommen, als er da ist. Ich muß noch in dieser Nacht wieder fort. Übrigens ist mir anbefohlen worden, den Brief sofort abzugeben."

„Du bedienst dich eines sehr kurzen Tones, Bursche. Ich bin ein Arnaut, und meine Messer stecken niemals fest. Verstanden! Folge mir!"

Ich war eingetreten, und er verriegelte die Tür. An den Wänden rechts und links hingen Gewehre, was dem kleinen Raum das Aussehen einer Wachtstube gab. Gegenüber dem Eingang gab es eine zweite, jetzt offenstehende Tür, durch die er mich führte. Dahinter lag ein größeres Zimmer, von dessen Decke ein vierarmiger, tönerner Leuchter niederhing, der mit seinen qualmenden Ölflammen den Raum nur spärlich erleuchtete. Jede der vier Wände hatte eine Tür. Fenster gab es nicht. Unter dem Leuchter lag eine Schilfmatte. Darauf hockten vier wilde Gesellen, die mich mit unfreundlichen Blicken neugierig betrachteten. Sie würfelten. Mein Führer kauerte sich zu ihnen nieder, um das unterbrochene Spiel fortzusetzen, und herrschte mir dabei die Worte zu:

„Hier wartest du, bis unser Gebieter kommt. Aber schweig und störe uns nicht, sonst schließen wir dir das Maul!"

Man kann sich denken, daß ich von meiner Lage nicht allzusehr erbaut war. Ich befand mich an dem Ort, der wahrscheinlich der Versammlungsort aller meiner Todfeinde war, hinter eisenbeschlagenen Türen und von fünf Strolchen bewacht, die zum denkbar wildesten Kriegsvolk gehörten, dazu mit so armseligen Waffen, daß ich fast wehrlos war und mich im Notfall nur auf meine Körperkraft verlassen konnte. Meine eignen Waffen, meinen Anzug, die Uhr, kurz mein ganzes Eigentum, hatte ich Ben Nil in Verwahrung gegeben.

Daß diese Arnauten unendlich roh waren, hörte ich aus jedem Wort, das sie sprachen. Ihre Reden waren mit Flüchen gespickt, und bei jedem Wurf gerieten sie in Streit und dabei wiederholt in eine solche Aufregung, daß ich oft glaubte, sie würden die Entscheidung ihren Messern oder Pistolen anheimstellen. Ich wurde gar nicht beachtet, was mir freilich sehr lieb war. So verging die Zeit, eine viertel, eine halbe Stunde nach der andern. Da ich keine Uhr bei mir hatte, wußte ich nicht genau, wie spät es war, aber ich hatte ganz gewiß drei volle Stunden in dieser Höhle gesessen, als endlich donnernd an die Tür geklopft wurde.

„Der Sangak!" rief der Arnaut, der mir geöffnet hatte. Er schien Unteroffizier zu sein, da ihm mein Anliegen von dem andern gemeldet worden war.

Er stand auf, um seinem Vorgesetzten zu öffnen. Auch seine Kameraden erhoben sich, ließen aber die Würfel auf dem Boden liegen. Der Sangak durfte sehen, was sie getrieben hatten.

Der Riegel wurde zurück- und wieder vorgeschoben. Dann hörte ich eine leise Stimme. Der Unteroffizier meldete meine Anwesenheit. Hierauf traten sie ein, der Sangak voran. Es gibt menschliche Gesichter, die mit gewissen Tierarten eine täuschende Ähnlichkeit haben. Der Betreffende besitzt dann gewöhnlich auch die hervorragenden Eigenschaften des ihm ähnelnden Tiers. Als ich in das Gesicht des Sangak sah, mußte ich unwillkürlich an einen Stier denken, der mit gesenkten Hörnern und heimtückisch blickenden Augen zum Angriff schreitet. Er warf mir nur einen kurzen Blick zu und befahl mir:

„Komm!"

Ibn Mulei schritt gradeaus durch die Tür, die der Unteroffizier ihm aufgestoßen hatte, und ich folgte ihm. Wir befanden uns im Dunkeln. Er öffnete eine andre Tür, rechts, aus der Lichtschein drang, und rief mit dröhnender Baßstimme hinein:

„Heda, aufgepaßt! Als ich kam, schien es mir, es stände ein Kerl draußen vor dem Eingang, um zu horchen. Steigt doch über die hintere Mauer, und geht in zwei Abteilungen rechts und links um das Haus nach vorn. Er verschwand, als er mich kommen hörte. Sollte er wieder zurückgekehrt sein, so nehmt ihr ihn fest und bringt ihn mir herein!"

Dann wendete Ibn Mulei sich links, wo wir in ein gut erleuchtetes Zimmer traten, das sein Sselamlük[1] zu sein schien.

Ein Polstergestell zog sich an drei Wänden entlang, und in der Mitte lag ein Teppich. Er blieb darauf stehen, drehte sich um und fragte:

„Einen Brief hast du?"

„Ja. Vom Feldwebel Ben Ifram."

„Her damit!"

Ibn Mulei bekam den Brief, behielt ihn in der Hand, ohne ihn anzusehen, betrachtete mich prüfenden Auges und fragte weiter:

„Dein Name?"

„Iskander Nikopulos."

Ich wählte diesen griechischen Namen, weil ich europäische Gesichtszüge hatte und sich unter den im Sudan verwendeten Soldaten viele Levantiner, also auch Leute griechischer Abkunft befanden.

„Also ein Grieche!" sagte er. „Woher?"

„Ich wurde griechischen Eltern in Kahira geboren."

„Christ?"

„Ja."

„Ist mir gleichgültig. Was treibst du in der Seribah Aliab?"

„Ich bin Dolmetscher. Habe mich lange bei den Negern aufgehalten und verstehe ihre Mundarten."

„Das bringt Geld ein, ohne daß du Pulver zu riechen brauchst", meinte er verächtlich. „Will sehen, was mir Ben Ifram zu sagen hat."

Jetzt erst warf der Sangak einen Blick auf den Brief. Mir klopfte das Herz. Das Zimmer war gut erleuchtet. Wenn der Arnaut sah, daß das Schreiben schon geöffnet worden war, so durfte ich Schlimmes

[1] Empfangsraum

erwarten. Glücklicherweise war seine Neugierde größer als seine Bedachtsamkeit. Ibn Mulei riß den Umschlag auf, und mir wurde leichter. Er las, von mir abgewendet, steckte den Brief in den Gürtel und drehte sich wieder zu mir um.

„Kennst du den Inhalt des Schreibens?"

„Ben Ifram hat ihn mir nicht mitgeteilt."

„Aber du weißt, wer ihn bekommen soll?"

„Doch du!"

„Aber ich soll ihn Ibn Asl, deinem Herrn, geben. Der Feldwebel scheint kein großes Vertrauen zu dir zu haben, da er dir das verschwiegen hat."

„Wäre das wahr, so hätte er mich nicht nach Faschodah gesandt."

„Hm! Aber für eine Plaudertasche hält er dich gewiß. Auf welche Weise hast du die Reise gemacht?"

„Bis in den See No in einem kleinen Boot. Dort traf ich auf einen Noqer aus Diakin, der nach Khartum will und mich mitgenommen hat."

„Wann kam er hier an?"

„Gleich nach Sonnenuntergang."

„Sonderbar! Ich war doch oben im Fluß und habe von einem Noqer nichts bemerkt!"

„Man wollte mich hier nicht einlassen", fiel ich schnell ein, um ihn von diesem Gedanken abzubringen. „Ich wartete drei Stunden auf dich."

„So wirst du Hunger haben. Du sollst zu essen bekommen und mir dabei von der Seribah erzählen."

Ibn Mulei ging hinaus, indem er mir winkte, mich niederzusetzen. Hätte er mir doch lieber gewinkt fortzugehen. Ich wußte ja genug, denn ich hatte erfahren, daß er die Seribah und den Baschschawisch kannte und also zweifellos zu Ibn Asl in Beziehungen stand. Aber konnte, durfte ich gehen? Nein. Ohne seine Erlaubnis war es auch unmöglich, aus dem Haus zu kommen. Ich mußte mich fügen und das Kommende meinem guten Glück überlassen.

Freilich verursachten mir seine letzten Worte jenes Gefühl, das einen zwingt, sich mit der Hand hinter dem Ohr zu kratzen. Ich sollte essen und ihm dabei von der Seribah erzählen. Essen, nun, davor war es mir nicht angst. Diesen Gefallen konnte ich ihm nach Wunsch erweisen, aber das Erzählen, das leidige Erzählen! Was wußte ich von der Seribah? Der Scheik der Baggara hatte sie mir beschreiben wollen. Hätte ich ihn doch nicht daran gehindert! Aber auch das wäre nicht hinreichend gewesen. Dieser Arnaut konnte hundert Fragen an mich richten, zu deren Beantwortung man notwendig selber dort gewesen sein mußte.

Nach kurzer Zeit kehrte der Sangak zurück, eine brennende Pfeife im Mund. Ihm folgte ein Arnaut, der auf einem Brett einen riesigen Knochen brachte, an dem noch einige Fleischfetzen hingen. Das waren die Reste einer Rindslende. Sie sahen aus, als hätten Hunde darum gestritten. Der Mann legte das Brett auf die Mitte des Teppichs und entfernte sich dann. Ibn Mulei befahl mir:

„Setz dich und laß es dir schmecken!"

In Beziehung auf das Setzen konnte ich ihm gehorchen, aber die zweite Hälfte seines Befehls war wieder nicht so leicht auszuführen. Dennoch versuchte ich es, indem ich mein Messer zog und mich über den Knochen hermachte. Während ich ihn zunächst von allen Seiten betrachtete, um zu erforschen, in welcher Weise seinen sehnigen Anhängseln am besten beizukommen sei, fragte der Arnaut:

„Seit wann befindest du dich auf der Seribah?"

„Seit zwei Jahren", erwiderte ich, indem ich mit Anstrengung aller Kräfte arbeitete, um eine verdauliche Flechse loszubringen.

„Wer dingte dich?"

„Ibn Asl selber in der Mischra Om Oschrin. Amr el Makaschef, der Scheik der Baggara, hatte mich ihm gelegentlich warm empfohlen."

„Dieser? Das spricht für dich, denn der Scheik ist ein zuverlässiger Bekannter von uns. Wie geht es dem Feldwebel?"

„Nicht gut. Seine Beinwunde ist aufgebrochen."

„Allah! Da wird er wohl sterben müssen! Was habt ihr unternommen, während Ibn Asl jetzt so lange Zeit abwesend war?"

„Die Asaker haben fleißig geübt. Ich aber war nicht da."

„Nicht? Du gehörst als Dolmetscher doch auf die Seribah! Wo befandest du dich denn?"

„Ein Dolmetscher ist besser zu verwenden als nur zu Waffenübungen. Ich war oben bei den schwarzen Völkern der Rohl und Dschur, um einen guten Fang vorzubereiten. Ich habe dabei sehr schöne Erfolge gehabt. Der Baschschawisch hat mir jetzt schon wieder einen ähnlichen Auftrag überwiesen."

„Jetzt? Wohin sendet er dich?"

„Zu den Takaleh."

„Das ist ja die entgegengesetzte Richtung! Allerdings bekommen wir von dort jährlich zweimal Sklaven. Getraust du dich denn zu diesen Leuten?"

„Getrauen? Ich war schon mehrmals dort. Der Mek will mir wohl, und sein Vertrauter, den du ja auch kennst, ich meine nämlich Schedid, hat innige Freundschaft mit mir geschlossen."

„Wie? Du kennst auch Schedid, den Starken, und bist sogar sein Freund? Dann bist du allerdings ein brauchbarer Mann? Wie lange bleibst du hier?"

„Ich darf mich gar nicht aufhalten, denn der Noqer, mit dem ich bis zur Insel Matenieh fahren will, geht noch vor Mitternacht von hier ab."

„So iß schnell, damit du nicht zurückbleibst! Nimm dich aber unterwegs vor dem Schiff des Reïs Effendina in acht, und weiche ganz besonders einem christlichen Hundesohn, einem fremden Effendi aus, der jetzt von hier bis hinab nach Khartum sein Wesen treibt."

„Ein Christ? Ich bin ja auch Christ und habe keine Ursache, ihm auszuweichen."

„Alle Ursache hast du dazu, alle! Er ist ein Verbündeter des Reïs Effendina und scheint es nur auf unsre Leute abgesehen zu haben. Du hast offenbar noch nichts davon gehört, und so muß ich dir von ihm erzählen."

Wie froh war ich über diese Wendung des Gesprächs! Es war mir gelungen, dem Arnauten Vertrauen einzuflößen, und er glaubte mir. Ich hatte auch erreicht, daß er mich selber aufforderte, schnell zu essen und dann zu gehen, um die Abfahrt nicht zu versäumen. Jetzt wollte er erzählen, und ich war der Gefahr enthoben, nach Dingen gefragt zu werden, von denen ich nichts wußte. Konnte es besser gehen? Nein! Bis zu diesem Augenblick hatte das Glück mich begünstigt, jetzt drehte es mir plötzlich den Rücken.

Er erhob sich nämlich vorn vom Eingang her ein großer Lärm. Stimmen schrien, Türen wurden auf- und zugeschlagen, dann trat ein Arnaut herein und meldete:

„O Sangak, wir haben den Kerl, der draußen lauschte."

„Bringt ihn herein!"

„Als wir ihn ergriffen, kam grad der fromme Herr mit seinem Freund dazu. Sie wollten zu dir und scheinen ihn zu kennen."

Nach diesen Worten ging er hinaus. Mich beschlich eine böse Ahnung. Ein ‚frommer' Herr war da? Hm! Und wer war der Fremde, den man ergriffen hatte, und den der ‚Fromme' kannte? Doch nicht etwa gar mein Ben Nil? Es war ja möglich, daß ihn wegen meines langen Ausbleibens die Sorge um mich hierher getrieben hatte.

Da wurde die Tür geöffnet, und man brachte — ihn, den eben Genannten, Ben Nil, den armen Teufel!

Ich war aufgestanden und in die Ecke getreten, wo ich von der Tür aus nicht sogleich bemerkt werden konnte. Vier, fünf Soldaten hatten Ben Nil gepackt, acht, neun andre folgten. Hinter ihnen trat — der Mokkadem der heiligen Kadirine mit dem Muza'bir ein. Beide hatten uns bisher vergeblich nach dem Leben getrachtet, nun aber stand es schlimm um uns.

Fünf Arnauten hielten Ben Nil. Er konnte nicht los. Neun andre, dazu den Sangak, den Muza'bir und den Mokkadem, also zwölf Personen, mußte ich auf mich nehmen, wenn ich durchkommen wollte. Draußen in den andern Räumen gab es jedenfalls noch mehr Arnauten. Dazu die eisernen Türen, meine Unkenntnis des Hauses und die Unbrauchbarkeit meiner Waffen. Indem ich in einem einzigen Augenblick das alles erwog, wußte ich, was ich tun mußte.

„Wer bist du, Hundesohn?" schnauzte der Sangak Ben Nil an. „Warum treibst du dich bei meinem Haus herum?"

Der Gefragte hatte mich noch nicht gesehen. Vielleicht glaubte er, sich durch eine einfache Lüge retten zu können.

„Herr, ich hatte nichts Unrechtes vor", erklärte er. „Ich bin Matrose auf einem hier ankernden Schiff und —"

„Lüge, Lüge!" fiel ihm der Mokkadem in die Rede. „Glaub ihm nicht, o Sangak! Wir kennen ihn." — „So? Dann sagt, wer es ist."

„Herr, wie frohlockt unser Herz, und wie wirst du staunen! Wir haben den Freund unsres grimmigsten Gegners, den Allah verfluchen möge, gefangen." — „Welches Gegners?"

„Des Christenhundes! Dieser Jüngling ist nämlich Ben Nil, von dem wir dir erzählt haben, Ben Nil, der treue Begleiter des Kara Ben Nemsi Effendi. Wo der eine ist, ist auch der andre, und da wir Ben Nil hier gefunden haben, so steht mit Sicherheit zu erwarten, daß auch sein Herr in Faschodah ist."

„Ist's möglich? Ben Nil soll das sein?" zweifelte Ibn Mulei.

„Ja, ja! Wir irren uns nicht, denn wir kennen ihn genau. Laß ihn hauen, laß ihn peitschen, bis er uns sagt, wo sich sein Herr befindet!"

„Das ist nicht nötig", rief ich da, indem ich aus der Ecke hervortrat. „Ich kann es euch selber sagen, wo ich bin."

Der Eindruck, den diese Worte machten, war ganz anders, als ich erwartet hatte. Ich wollte mich ohne Gegenwehr ergeben, da ich Widerstand für Wahnsinn hielt und rechnete dabei für später auf bessere Umstände. Ich glaubte, man würde sich sogleich auf mich werfen und mich niederreißen, aber es fand grad das Gegenteil statt.

„Kara Ben Nemsi selber!" schrie der Muza'bir Nubar. „Er ist mitten unter uns! Allah beschütze uns! O Allah, Allah!"

Die erschrockenen Menschen standen steif wie Marmorbilder. Einige sperrten die Mäuler auf, doch keiner machte eine Bewegung, sich an mir zu vergreifen. Das mußte ich benutzen. Zwei Sprünge brachten mich zu Ben Nil. Ich riß ihn los und schleuderte ihn zur Tür hinaus, so daß die Arnauten links und rechts zurückflogen. Nun auch mir mit Fausthieben und -stößen Bahn brechend, drang ich ihm nach. Ich kam hinaus. Hinter mir hatte man sich endlich gefaßt.

„Heraus, Arnauten, heraus!" dröhnte die Baßstimme des Sangak. „Haltet die Flüchtlinge, haltet sie!"

Ben Nil war vor der Tür niedergestürzt und hatte sich noch nicht erhoben. Ich stolperte über ihn. Uns gegenüber wurde die Tür aufgestoßen und mir an den Kopf geschlagen. Arnauten kamen heraus. Hinter uns drängten die andern. Mir flimmerte es vor den Augen, denn der Schlag hatte mich an einer empfindlichen Stelle getroffen. Ich fühlte mich ergriffen und rang mit zehn, mit zwanzig Fäusten. Ich stieß und schlug um mich, trat mit den Füßen gegen alle Seiten — vergeblich. Wir wurden niedergerungen und ins Empfangszimmer geschleift, wo man uns fesselte.

Der Auftritt läßt sich unmöglich beschreiben. Ich keuchte vor Anstrengung, Ben Nil ebenso. Auch die Arnauten standen mit fliegendem Atem um uns herum. Der Sangak schob sie auseinander, so daß er zu uns konnte, wirbelte seinen langen Schnurrbart rechts und links in die Luft und rief höhnisch und zugleich jubelnd:

„Welch ein Tag! Welch glückliche Stunde! Welche Überraschung! Haben meine Ohren denn recht gehört? Ja, denn dieser Mann hätte nicht versucht zu entfliehen, wenn er nicht der wäre, als der er bezeichnet wurde."

„Pah!" entgegnete ich. „Ich habe ja selber zugegeben, daß ich es bin."

„Also doch! Und welche Frechheit, welche Unverschämtheit, es auch noch zuzugeben! Hebt die Kerle auf und stellt sie an die Wand! Ich muß sie näher betrachten."

Man folgte diesem Gebot. Als wir nun wie Schaustücke an der Mauer lehnten, stellte der Sangak sich vor mich hin, zählte alles, was er von mir gehört hatte, der Reihe nach auf und fragte endlich:

„Was wolltest du jetzt bei mir? Du bist doch nicht ohne Absicht zu mir gekommen?"

„Allerdings nicht."

„So antworte! Was führtest du gegen mich im Schild?"

„Vielleicht sag ich es dir nachher, jetzt aber noch nicht."

Da wendete er sich an den Mokkadem und den Muza'bir:

„Dieser verfluchteste der Giaurs ist noch viel schlimmer und gefährlicher, als ihr ihn mir beschrieben habt. Denkt euch, er kam vorhin zu mir, nannte sich Iskander Nikopulos und gab sich für den Dolmetscher der Seribah Aliab aus. Er brachte mir einen Brief, den er wahrscheinlich selber geschrieben hat, und nun frage ich euch, welche Absicht er dabei wohl gehabt haben mag!"

„Eine schlimme jedenfalls", erwiderte Abd el Barak. „Wenn er es dir nicht sagen will, so laß ihn prügeln, bis er es vor Schmerzen gesteht."

„Das werde ich allerdings tun und zwar sofort."

„Dann lieferst du ihn uns aus. Wir bringen ihn zu Ibn Asl, wo ihn das Schicksal ereilen wird, das ihm schon wiederholt vorhergesagt worden ist."

„Ja", fiel ich ein. „Es sollen mir alle Glieder einzeln vom Leib gerissen werden. Aber damit hat es noch eine gute Weile. Um zu erfahren, was ich bei dir wollte, o Sangak, brauchst du mich nicht peitschen zu lassen. Du hast ja gehört, daß ich es dir sagen will. Ich kam zu dir, um dich zu warnen vor Ibn Asl und seinen Leuten."

„Welch eine Warnung!" lachte er höhnisch auf. „Bist du toll?"

„Dann müßte es der Mudir auch sein, denn er ist es, der mich zu dir geschickt hat."

„Der? Lüge, dreifache Lüge!"

„Frage Ben Nil, meinen Begleiter! Wir wohnen beim Mudir, und er hat mich zu dir geschickt, um von Ibn Asl mit dir zu reden."

Ich sah, daß Ibn Mulei erschrak, denn er veränderte die Farbe.

„Hundesohn, sag die Wahrheit!" gebot er Ben Nil. „Wo wohnt ihr?"

„Beim Mudir", erklärte der Jüngling.

„Hat er von mir gesprochen?"

„Ja, wie Kara Ben Nemsi Effendi schon gesagt hat."

„Ihr habt euch besprochen. Ihr lügt!"

„Denke, was du willst. Ich aber will die Reihe meiner Taten, die du vorhin aufzähltest, noch um eine verlängern", mischte ich mich wieder ein. „Du wirst von Ibn Asl erfahren haben, daß er Amr el Makaschef, den Scheik der Baggara, in die Wüste gesandt hat. Ich habe den Scheik ergriffen und mit nach Faschodah gebracht, um ihn dem Mudir zu übergeben. Das ist geschehen, ehe ich zu dir kam. Scheik Amr steckt nun im Gefängnis und wird seine berühmten ‚fünfhundert‘ erhalten, wenn ihm nicht noch Schlimmeres bevorsteht.“

„Schurke, was tust du uns für Schaden! Ich möchte dich zermalmen!“

„Das wirst du bleibenlassen, denn wenn ich nicht bis Mitternacht zum Mudir zurückgekehrt bin, wirst du eingesperrt. Darauf kannst du dich verlassen.“

„Glaube ihm nicht! Er lügt, um sich zu retten!“ warnte der Mokkadem.

„Ich werde binnen wenigen Minuten wissen, woran ich bin.“

Bei diesen Worten ging der Sangak hinaus. Als er zurückkam, zog er sich mit Abd el Barak und Nubar in die entfernteste Ecke zurück, wo sie leise, aber äußerst lebhaft miteinander verhandelten. Das dauerte so lange, bis ein Arnaut eintrat.

„Nun?“ fragte der Sangak ihn laut.

„Der Scheik der Baggara steckt gefesselt im Gefängnis. Ich habe ihn gesehen“, meldete der Mann.

„Legt die Gefangenen wieder nieder, und packt euch alle hinaus!“

Wir wurden wieder auf den Boden gelegt. Die drei standen in der Ecke und stritten. Wir konnten zwar nichts verstehen, sahen aber ihre lebhaften Gebärden. Endlich gingen auch sie hinaus. Vorher trat der Sangak zu mir.

„Das hast du sehr fein angelegt, aber es soll dir doch nichts helfen. Wir sehen uns niemals wieder. Der Scheïtan fresse euch, ihr räudigen Hunde!“

Ibn Mulei spuckte uns an und ging. Wir lagen für kurze Zeit allein in dem Zimmer. Was sollte ich tun? Meinem braven Ben Nil dafür, daß ihn die Sorge um mich zu einer Dummheit getrieben hatte, Vorwürfe machen? Das fiel mir nicht ein. Ich hätte übrigens dadurch unsre Lage nicht zu ändern vermocht. Er begann selber, indem er niedergedrückt gestand:

„Effendi, ich habe eine große Unvorsichtigkeit begangen, die du mir unmöglich verzeihen kannst. Gieße deinen Zorn über mich aus! Das ist mir lieber als dieses Schweigen, das meine Seele martert.“

„Ich zürne dir nicht“, tröstete ich ihn. „Du hast nur dich selber in Schaden gebracht, nicht aber mich.“

„Nein, auch dich! Wäre ich nicht gekommen und ergriffen worden, so befändest du dich jetzt in Freiheit und könntest zu uns zurückkehren.“

„Du irrst. Ich wäre auch ohne deine Anwesenheit erkannt worden.“

„Aber du hättest leichter fliehen können als zu zweien.“

„Schwerlich. Wie die Verhältnisse hier liegen, war ein Entkommen mit dir nicht schwerer, als wenn ich allein gewesen wäre.“

„Wenn das wirklich deine Ansicht ist, so bin ich wenigstens in bezug auf deinen Zorn beruhigt, wenn auch nicht über das, was uns nun erwartet. Man wird uns gewiß töten. Auf keinen Fall dürfen wir hoffen, diesen Leuten, die einen so grimmigen Haß gegen uns hegen, diesmal zu entkommen.“

„Ich hege diese Hoffnung dennoch und habe keine Lust, sie aufzugeben. Ich habe mich in noch viel schlimmeren Lagen befunden, ohne den Mut zu verlieren, und du auch: als du so verlassen im tiefen Brunnen bei Siut stecktest, um elend zu verhungern, hattest du eigentlich weniger Veranlassung als jetzt, auf Rettung zu hoffen. Ich bin überzeugt, daß uns hier in Faschodah nichts geschieht. Man wird uns jedenfalls dorthin schaffen, wo sich Ibn Asl befindet. Wir müssen abwarten. Ich bin froh, daß ich meine Waffen und mein sonstiges Eigentum nicht bei mir hatte. Es wäre mir abgenommen worden, und ich hätte im Fall einer heimlichen Flucht darauf verzichten müssen und alles verloren. Wie steht es denn mit deiner Habe?“

„Ich besitze nichts. Die Flinte und meine Pistolen hatte ich beim Mudir abgelegt, und da er von meinem Vorhaben nichts wissen durfte und ich unbemerkt fortschleichen mußte, so habe ich nur das Messer bei mir gehabt, und nur das ist mir abgenommen worden.“

Jetzt kamen vier Männer herein, die große Bastmatten und Stricke trugen. Wir erhielten Knebel in den Mund. Man verband uns die Augen, und dann wurden wir in die Matten gewickelt. Diese umschlang man dann mit den Stricken. So bildeten wir zwei steife, walzenförmige Pakete, die aufgenommen und fortgetragen wurden. Unsere Köpfe ragten über die Matten hinaus, so daß wir wenigstens an Luft keinen Mangel litten.

Wir konnten nicht sehen, wohin man uns schaffte. Ich fühlte, daß es über Schmutzhaufen und Schlammlöcher ging. Dann hörte ich Wasser plätschern, und man ließ uns auf eine harte Unterlage nieder.

„Jetzt fort, schnell und vorsichtig!“ hörte ich eine befehlende Stimme sagen.

Dann vernahm ich das Geräusch von Rudern, die ins Wasser getaucht wurden. Wir lagen jedenfalls in einem Boot. Tiefe Stille herrschte um uns. Sie wurde nur von Zeit zu Zeit durch eine flüsternde Stimme unterbrochen, deren Worte ich nicht verstehen konnte. Später, als man Faschodah im Rücken hatte, wurde lauter gesprochen, doch nichts, was uns über das Ziel unsrer Fahrt Aufklärung geben konnte. Was ich vernahm, waren nur kurze Befehle, die sich auf das Rudern und auf den Gebrauch des Steuers bezogen.

15. Rechtsprechung im Sudan

Es verging eine lange, lange Zeit. Wie viele Stunden es waren, konnte ich nicht einmal erraten. Als man endlich anlegte, war es mir, als hätte die Fahrt einen ganzen Tag gedauert.

„Wer ist da?" rief eine Stimme aus der Höhe, wie mir schien.

„Leute des Sangak", lautete die Antwort. „Ist Ibn Asl da?"

„Nein. Kommt herauf!"

Wieder verging eine Weile, während der man leise über uns sprach. Auch jetzt konnte ich nichts verstehen, doch waren es Laute freudiger Verwunderung, die sich in das Geflüster mischten. Dann band man uns an Seile, um uns emporzuziehen. Wir wurden niedergeworfen und dann aus unsern Hüllen gewickelt. Man nahm uns die Knebel und die Augenbinden weg, und nun sah ich, daß wir auf dem Deck eines Schiffs lagen. Ungefähr zwanzig Männer standen um uns herum. Ich konnte ihre Gesichter deutlich sehen, denn der Mond schien hell. Man hatte also nicht einen ganzen Tag, sondern noch nicht einmal bis zum Anbruch des Morgens gerudert. Freilich war es kein Wunder, daß mir diese Zeit so lang geworden war.

Der mir am nächsten stand, war Murad Nassyr, der dicke Türke, mit dem ich hätte reisen sollen, um sein Teilhaber im Sklavenhandel zu werden. Als ich ihn jetzt vor mir stehen sah, mußte ich an die Abschiedsworte denken, die er mir in Korosko zugerufen hatte. Sie hatten eine Drohung enthalten, doch hatte ich wegen dieses dicken Türken weit weniger Sorge als wegen seiner Verbündetn, die viel mehr Tatkraft besaßen und weit gefährlicher waren als er. Er sprach mit einem Mann, der wohl zu denen gehörte, die mich auf das Schiff gebracht hatten. Ich hörte ihn fragen:

„Wo sind der Mokkadem und der Muza'bir? Konnten sie nicht gleich mitkommen?"

„Sie haben Faschodah auf dem Landweg verlassen, um zu den Dinka zu gehen, bei denen sich Ibn Asl befindet. Sie wollen ihn von der Gefangennahme der beiden Feinde benachrichtigen."

„Dann werden sie ihn vielleicht nicht mehr dort antreffen. Ich erwarte ihn jeden Augenblick mit den angeworbenen Dinka. Kommt Ibn Asl eher als sie, so müssen wir ihretwegen hier liegenbleiben und die kostbare Zeit versäumen."

Diese Worte bewiesen, daß Murad Nassyr kein Übermaß von Klugheit besaß. Es war ein Fehler von ihm, in meiner Gegenwart hören zu lassen, daß Ibn Asl im Begriff stand, eine Schar von Dinka[1] zum Sklavenfang anzuwerben. Er war dazu gezwungen gewesen, weil wir alle seine Leute ergriffen hatten. Jetzt wendete sich Murad Nassyr zu mir, indem er mich giftig fragte:

„Kennst du mich noch, du stinkender Hund? Reichen deine Gedanken so weit, jetzt noch zu wissen, wer ich bin?"

Da ich nicht antwortete, fuhr er fort:

„Denk an Korosko und an die Worte, die ich dir dort zurückließ!"

Und als ich auch jetzt nichts sagte, fügte er hinzu:

„Ich drohte dir damals: Sollte ich dich wiedersehen, so zerschmettere ich dich! Dieses Wiedersehen findet jetzt statt. Bereite dich auf den Tod vor! Du bist verloren und hast bei uns keine Barmherzigkeit zu erwarten."

[1] Die Dinkastämme südöstlich von Faschodah werden auch Dschangeh genannt

Murad mochte denken, daß ich nun antworten würde. Als es nicht geschah, trat er mich in die Seite und fuhr mich an:

„Willst du wohl dein Maul öffnen, du schmutzige Kröte! Hat dich die Angst stumm gemacht?"

Da lachte ich laut auf.

„Die Angst? Etwa vor dir? Lieber Dicker, laß dich doch nicht auslachen! Vor dir ängstigt sich kein Mensch, ich aber am allerwenigsten. Du kannst wohl Reis mit Schaffleisch verschlingen, mich aber nicht."

„Hundesohn, verhöhnst du mich auch noch! Ich werde dafür deine Qualen verdoppeln!"

„Laß mich in Ruh! Du spielst als Rächer einfach eine lächerliche Rolle. Du kennst mich schon von Algier her und mußt doch wissen, daß deine Prahlerei auf mich keinen Eindruck macht. Leg dich aufs Ohr und schlafe. Das ist jedenfalls besser, als ein so verunglückter Versuch, mir bange zu machen!"

Da versetzte er mir einen zweiten Fußtritt.

„Das werde ich dir heimzahlen! Ich weiß, daß du bereits erfahren hast, welche Qualen dir bestimmt sind. Sie sollen nun noch entsetzlicher werden, als du bisher wußtest. Glaube nicht, auch diesmal zu entkommen! Ich selber werde dich bewachen und dich, bis Ibn Asl kommt, nicht aus meinen Augen lassen. Hebt die Hunde auf und folgt mir mit ihnen!"

Murad Nassyr begab sich zum Bug. Man trug uns hinter ihm drein. Der Türke öffnete eine von zwei Türen, die nebeneinander lagen, trat in einen Raum, der jedenfalls seine Wohnung bildete, und untersuchte da unsre Fesseln. Das geschah beim Schein einer Lampe. Als sich der Dicke überzeugt hatte, daß wir fest gebunden waren und nicht loskommen konnten, gab er die nötigen Befehle, uns unterzubringen.

Der Raum, in dem wir uns befanden, hatte nicht etwa Holzwände, er glich vielmehr einem Zelt. Man hatte Stangen über dem Bug angebracht und Matten darübergebreitet. Das war ein Sonnendach, von dem mehrere Stücke Leinwand herniederhingen, die als Wände dienten. Die vordere Wand bestand aus zwei Stücken, das waren die erwähnten beiden Türen. Eine Querwand schied den Raum in zwei Teile. Im Gelaß rechter Hand befanden wir uns. Aus dem links liegenden Teil hörte ich weibliche Flüsterstimmen, was mich auf die Vermutung brachte, daß dort die Schwester des Türken mit ihren Dienerinnen untergebracht sei. Hinten gab es wieder eine Querleinwand, die jetzt aufgehoben wurde. Dort war der Winkel der Schiffsspitze, ein zwei Meter langer, anderthalb Meter breiter Raum, in dem allerlei Gepäck und Gerümpel lag. Man schaffte es fort, um Platz für uns zu bekommen. Dann wurden starke Eisennägel in die Planken geschlagen. Daran band man uns fest, eine Vorsicht, die gar nicht überflüssig war, denn falls es uns gelang, uns der Fesseln zu entledigen, brauchten wir nur die Matte, die die Decke bildete, emporzuheben, um über Bord zu kommen.

Als wir in dieser Weise untergebracht waren, erklärte Murad Nassyr:

„Jetzt könnt ihr euch nicht rühren! Nun versucht doch einmal, mir zu entfliehen! Ibn Asl kommt jedenfalls bis zum Nachmittag zurück, und dann wird euer Schicksal entschieden. Ich wohne gleich nebenan und kann jedes eurer Worte hören. Vernehme ich das geringste, was mir nicht gefällt, so erhaltet ihr die Peitsche. Jetzt gebe euch Allah eine angenehme Ruhe und noch angenehmere Träume!"

Murad Nassyr lachte höhnisch und entfernte sich dann mit seinen Leuten. Wir sahen das Licht durch die dünne Leinwand scheinen und seinen Schatten sich daran bewegen. Dadurch wurde uns verraten, was er tat. Er hob die Seitenleinwand auf und verschwand dahinter. Dann hörten wir flüstern und erkannten seine Stimme und die eines weiblichen Wesens, seiner Schwester Kumru.

Bald darauf kam er in sein Gemach zurück und setzte sich dort nieder. Abermals nach einem Weilchen zeichnete sich ein weiblicher Schatten an der Leinwand ab. Die Schwester war zu ihm getreten. Sie flüsterten miteinander. Dann stand er auf und ging mit ihr hinaus auf das Deck.

Kaum war das geschehn, so wurde wieder eine weibliche Gestalt sichtbar, die aus der Seitenabteilung trat. Sie näherte sich der Leinwand, hinter der wir lagen, hob sie ein wenig empor und flüsterte:

„Effendi, wo bist du?"

„Hier!" meldete ich mich. „Wer bist du?"

„Ich bin Fatma, die du kennst."

Also Fatma, die Lieblingsdienerin der Schwester des Türken! In welcher Absicht kam sie? Jedenfalls in keiner schlechten.

„Was willst du von mir?" fragte ich sie.

„Meine Herrin sendet mich. Sie hat vom Gebieter erfahren, daß du gefangen bist und zu Tod gemartert werden sollst. Das tut ihrem Herzen weh."

„Allah segne Kumru für ihr Mitgefühl!"

„Ja, sie ist gut, Effendi. Sie will dich retten."

„Hamdulillah! In welcher Weise?"

„Leider kann meine Herrin gar nicht viel tun. Aber was sie vermag, soll geschehen. Du hast ihr, als ihr Haar zu schwinden begann, die Zierde ihres Hauptes wiedergegeben. Das kann sie nicht vergessen. Sie will dir dafür danken, und ich soll dich bitten, mir zu sagen, welchen Wunsch du hast."

„Wo ist deine Gebieterin?"

„Draußen auf Deck. Sie hat ihren Bruder beredet, mit hinaus zu gehen, damit ich mit dir reden kann."

„Aber wenn er nun plötzlich zurückkehrt und sieht, was du tust!"

„Sie will ihn draußen festhalten, bis ich ihr ein Zeichen gebe, daß ich ihren Auftrag ausgerichtet habe."

„Das ist gut. Bring mir schnell ein scharfes Messer."

Fatma huschte fort, brachte ein Messer mit Scheide und reichte es mir zu.

„Ich kann es nicht fassen, denn meine Hände sind gefesselt. Du mußt mir die Liebe erweisen, sie loszuschneiden."

„Allah, was verlangst du von mir! Meine Hände zittern vor Angst. Aber ich werde es dennoch tun, da du der Wohltäter meiner Herrin bist."

Ich fühlte allerdings, daß ihre Hände zitterten, als sie den Strick durchschnitt. Dann nahm ich das Messer und drückte ihr die Hand.

„Ich danke dir, Fatma, du Lieblichste unter den Töchtern. Allah möge es dir vergelten! Weißt du, wie viele Männer sich auf diesem Schiff befinden?"

„Zwanzig und ein paar. Sie liegen draußen und schlafen."

„Wo sind die Leute, die uns gebracht haben? Wieder nach Faschodah zurück?"

„Nein. Sie liegen bei unsern Leuten."

„So hängt ihr Boot noch am Schiff?"

„Ja."

„Das ist es, was ich wissen will. Du kannst nun gehen und brauchst das Zeichen gar nicht zu geben, denn deine Herrin wird auch ohne das in einigen Minuten erfahren, daß du deinen Auftrag gut ausgeführt hast. Wahrscheinlich sehen wir uns wieder. Dann werde ich dir ausführlicher danken, als es jetzt geschehen kann."

Fatma zog sich zurück.

„Welche Wonne, Effendi!" atmete Ben Nil auf. „Du hattest doch recht. Man soll die Hoffnung niemals aufgeben. Wir sind gerettet, wenn man uns nicht aufhält!"

„Aufhält? Wenn ich im freien Besitz meiner Glieder bin und ein Messer in der Hand habe, lasse ich mich von einigen zwanzig Männern nicht aufhalten. Darauf kannst du dich verlassen. Es ist ganz so, als wären wir schon frei."

Da ich die Hände gebrauchen konnte, war es nicht schwer, mir auch die Füße freizumachen und mich von dem Nagel loszuschneiden. Das tat ich dann auch mit Ben Nil. Wir standen jetzt aufrecht. Ich hob die Matte, die die Decke bildete, ein wenig in die Höhe und sah hinaus.

Noch schien der Mond. Wir lagen am rechten Ufer des Flusses. Unweit vom Schiff sah ich die absonderlichen Gestalten von drei nebeneinander stehenden Wolfsmilchstauden *(Euphorbien)* in Armleuchterform. Das mußte mir später als Merkmal dienen. Auf Deck lagen die Schläfer. Der Türke stand mit seiner Schwester hinten am Steuer und blickte mit ihr, über die Reling gebeugt, in die Flut hinab. Das Boot, mit dem man uns hergeschafft hatte, mußte auf der Wasserseite hängen. Das Schiff war mit einem Buganker befestigt. Die Kette hing an einem starken Eisenring, der an der inneren Bugwand, also an unserm Gefängnis, angebracht war.

„Es steht alles gut", sagte ich. „Wir klettern an dieser Kette über Bord. Kein Mensch achtet auf uns. Haben wir das Wasser erreicht, so schwimmen wir zum Boot."

Ich schob die Matte über uns weg und schwang mich über die Reling, um jenseits an der Kette hinabzuklettern. Ben Nil folgte mir. Es war keine Kunst, hinunter zu kommen. Daß wir dabei naß wurden, konnte uns in diesen Breiten nur lieb sein.

Wir hielten uns beim Schwimmen so nah wie möglich an der Schiffswand, damit man uns nicht von oben sehen könne. Auch hüteten wir uns zu plätschern. Das gesuchte Boot hing hinten an der dem Wasser zugekehrten Seite des Schiffs. Nun fragte es sich, ob man die Ruder darin liegen gelassen hatte. Als wir es erreichten, sahen wir zu unsrer Freude, daß sie da waren. Wir stiegen ein.

„Nun schnell fort, Effendi!" meinte Ben Nil. „Wir sind wieder frei und wollen uns keinen Augenblick hier aufhalten."

Er setzte sich auf die Ruderbank und wollte den Riemen gegen die Schiffswand stemmen, um vom Schiff abzukommen. Da bemerkte man uns.

„Der Effendi ist los!" schrie Murad. „Er will entfliehen! Da unten ist er im Boot. Auf, ihr Männer, zur Verfolgung! Tausend Piaster dem, der ihn mir bringt!"

Vom Deck ertönten wirre Stimmen. Man beeilte sich, in das Boot zu kommen, das zum Schiff gehörte, und jedenfalls hinten am Steuer hing, so daß wir es nicht gesehen hatten.

„Schnell, schnell!" schrie er. „Zweitausend, dreitausend Piaster, wenn ihr ihn wieder fangt!"

„Zehntausend Piaster dem, der mich ergreift!" lachte ich als Antwort. Dann tauchte ich die Ruder ein, Ben Nil folgte meinem Beispiel, und unser Boot flog, wie von einer Sehne geschnellt, flußabwärts. Man hatte uns flußaufwärts geschafft. Also mußten wir, um nach Faschodah zu kommen, die entgegengesetzte Richtung einschlagen. Wir konnten schon nach kurzer Zeit das Schiff nicht mehr sehen.

Ben Nil war ein ausgezeichneter Ruderer. Auch ich hatte gelernt, einen Riemen zu gebrauchen, und so hatten wir keine Sorge, daß man uns einholen würde. Schon nach einer Viertelstunde ließen wir in unsrer Anstrengung nach, da es nicht nötig war, eine solche Schnelligkeit zu entfalten.

Nach meiner Schätzung war es, als man uns bei dem Sangak gefangengenommen hatte, ungefähr zehn Uhr abends gewesen. Ein Blick auf den Himmel zeigte, daß es jetzt vielleicht drei Uhr morgens war. Angenommen, wir waren eine Stunde auf dem Schiff gewesen, so hatte die Fahrt zu ihm vier Stunden gedauert, eine Zeit, die mir wie eine Ewigkeit vorgekommen war. Da man flußabwärts schneller vorwärts kommt, rechnete ich drei Stunden für unsre Fahrt. Wir mußten Faschodah gegen sechs Uhr erreichen.

Man kann sich leicht denken, in welcher Stimmung wir uns befanden. Ben Nil jubelte zuweilen laut auf. Ich blieb zwar still, doch war meine Freude nicht geringer. Und wem hatten wir unsre Rettung zu verdanken? Der Lösung eines wohlbekannten Salzes, mit der ich einst die kahle Stelle auf dem Kopf der Schwester des Türken befeuchten ließ. Damals dachte ich nicht, daß mich dieses Mittel später aus solcher Not erlösen würde. Kumru war doch ein gutes, dankbares Mädchen. Ich nahm mir vor, alles aufzubieten, um zu verhindern, daß sie Ibn Asls Frau wurde.

Als der Morgen graute, hatten wir uns Faschodah so weit genähert, daß wir es liegen sahen. Ein kleines Segelboot kreuzte auf dem Fluß hin und her, das nur einen Mann trug. Als er uns bemerkte, hielt er auf uns zu, ließ das Segel fallen und fragte:

„Woher kommt ihr?"

„Von da oben", erklärte ich, indem ich rückwärts deutete. „Wir wollen nach Faschodah."

„Wer seid ihr?"

„Warum fragst du? Bist du ein Beamter des Mudir?"

„Nein. Aber ich suche Kara Ben Nemsi Effendi und einen jungen Mann namens Ben Nil, die beide seit gestern abend spurlos verschwunden sind. Der Mudir läßt sie suchen. Da ihr zwei seid, ich euch nicht kenne und auch die Beschreibung stimmt, so glaube ich, die Gesuchten gefunden zu haben."

„Kennst du den Sangak der Arnauten?"

„Ich habe ihn gesehen, aber noch nie mit ihm gesprochen."

„Haßt oder liebst du ihn?"

„Herr, diese Frage ist verfänglich. Da ich weder etwas Gutes, noch etwas Böses von ihm zu erwarten habe, so will ich sie beantworten. Ich hasse ihn nicht und liebe ihn nicht, denn er ist mir gleichgültig, trotzdem er viel Einfluß und Macht besitzt."

„So will auch ich aufrichtig sein, wenn ich auch eigentlich Grund habe, dir die Wahrheit zu verschweigen. Wir sind die Gesuchten."

„Wirklich? Ist's wahr?" fragte er freudig. „Hamdulillah! So bin ich es, der das viele Geld verdient!"

„Welches Geld?"

„Die hundert Piaster, die der Mudir für dich zahlen will."

„Du sollst sie bekommen, obgleich er uns auch ohne dich wiedergesehen hätte."

„Hätte er das?" fragte er enttäuscht. „Allah! So erhalte ich das Geld nicht!"

„Ali Effendi wird es dir geben. Verlange es nur!"

„Fällt mir nicht ein, Effendi. Ich würde an Stelle der Piaster fünfhundert Hiebe erhalten."

„Du erhältst das Geld. Ich gebe dir mein Wort. Und wenn der Mudir sich weigert, so werde ich dir das Geld geben. Aber ich knüpfe die Bedingung daran, daß du uns zum Mudir bringst, ohne daß wir vom Sangak oder einem seiner Arnauten gesehen werden."

Er blickte mich verwundert an.

„Effendi, sind diese Arnauten an euerm Verschwinden schuld?"

„Das kann ich dir nicht sagen, weil ich dich nicht kenne."

„Oh, du darfst mir vertrauen. Ich bin Denab, ein armer Fischer, und liefere alles, was ich fange, nur in die Küche des Mudir, der mich dafür bezahlt, während ich von dem Sangak nichts bekommen würde."

„Wo wohnst du?"

„Hier vor der Stadt. Du siehst meine Hütte dort links am Ufer. Sie steht weit entfernt von allen andern Häusern."

Ich erzählte ihm, was uns zugestoßen war, und fuhr dann fort:

„Erfährt der Sangak, daß wir wieder da sind, so findet er vielleicht Zeit zur Flucht, ehe der Befehl gegeben werden kann, ihn zu ergreifen."

„Effendi, ich würde über das, was ich da höre, staunen, wenn ich nicht wüßte, was für ein gewalttätiger Mann dieser Sangak ist. Wenn es so ist, so hast du recht. Du mußt unbemerkt zum Mudir kommen. Ich werde dich jetzt in meine Hütte bringen, wo ihr wartet, bis ich beim Mudir gewesen bin. Ich will ihm ausrichten, was du mir aufträgst."

„Gut, ich bin einverstanden."

„Aber ihr dürft mir jetzt nicht im Boot folgen, denn das würde auffallen. Man darf nicht bemerken, daß ich zwei Männer bei mir habe, denn man würde sogleich ahnen, daß ihr es seid. Steig zu mir herein! Ich werde dich erst allein zu meiner Hütte rudern. Dann hole ich auch Ben Nil ab, der hier am Ufer anlegen und da auf mich warten mag."

Ich sprang zu Denab hinüber und wurde von ihm zur Hütte gebracht. Sein Weib, eine Negerin, war daheim und erhielt von ihm den Befehl, uns verborgen zu halten und keinen Menschen in die Hütte zu lassen. Dann holte er Ben Nil. Als das geschehen war, und Denab von mir genaue Unterweisung erhalten hatte, begab er sich zum Mudir. Es dauerte fast eine Stunde, bis der Fischer zurückkehrte. Er brachte Anzüge, einen weiblichen für Ben Nil und den eines Eunuchen für mich. Ich mußte mir das Gesicht schwärzen. Zwar hätte ich in weiblicher Kleidung viel weniger erkannt werden können als in der eines Haremswächters, aber meine Gestalt paßte nicht zu einer solchen Verkleidung.

Als wir die Anzüge angelegt hatten, bestiegen wir das Boot wieder, und der Fischer ruderte uns, nachdem er seinem Weib die strengste Verschwiegenheit anbefohlen hatte.

Ben Nil war tief verhüllt. Ein Schleier bedeckte sein Gesicht, so daß er völlig einer Frau glich. Die Verkleidung belustigte ihn, und er kicherte in einem fort vor sich hin, weniger über sich, als über mein schwarzes Gesicht, zu dem der Bart nicht passen wollte.

Als wir ausstiegen, war kein Mensch zu sehen. Vielleicht auch deshalb, weil so viele Leute auf der Suche nach uns waren, um sich die hundert Piaster zu verdienen. Wir erreichten sogar das Regierungsgebäude, ohne von jemand beobachtet worden zu sein, und wurden dort von einem Bediensteten, der auf uns gewartet hatte, zu seinem Herrn geführt. Dieser hatte dafür sorgen lassen, daß uns im Innern des Gebäudes niemand begegnete.

Ali Effendi saß rauchend auf einem seidnen Diwan. Über sein ernstes, ja strenges Gesicht ging, als wir eintraten, ein heiteres Lächeln. Ja, es schien, als müßte er sich Mühe geben, nicht laut aufzulachen.

„Allah tut Wunder!" rief er aus. „Wer hat schon einmal einen Neger, einen Hüter der Frauen, mit einem solchen Bart gesehen! Hat man dich erkannt, Effendi?"

„Nein. Wir sind von keinem Menschen beobachtet worden."

„Das ist gut. Setzt euch, und nehmt die Pfeifen, die ich bereitlegen ließ. Du aber wartest draußen vor der Tür, um zu erfahren, ob ich dir das Geld geben werde oder nicht!"

Die letzten Worte waren an den Fischer gerichtet. Er gehorchte dem Befehl nicht sofort, sondern antwortete in bittendem Ton:

„Verzeih meine Kühnheit, o Mudir, und erlaube mir, dir zu —"

„Schweig, sonst bekommst du sofort fünfhundert!" unterbrach ihn der Mudir mit Donnerstimme. „Hinaus mit dir!"

Ich hatte mich mit Ben Nil zu ihm gesetzt. Wir steckten unsre Pfeifen an, und dann mußte ich erzählen. Der Statthalter verzog während meines Berichtes keine Miene und ließ auch kein Wort hören. Als ich geendet hatte, schwieg er immer noch eine Weile. Dann brach er los, aber nicht so, wie ich erwartet hatte, sondern beinahe leise und sehr ruhig. Aber grad diese Ruhe ließ auf die Größe seines Grimms schließen, den er gewaltsam niederzwang.

„Gestern", sagte er, „als du mir mitteiltest, daß dieser Hundesohn ein Verbündeter des Sklavenjägers sei, wollte ich es nicht glauben. Jetzt hast du mir die Wahrheit deiner Worte bewiesen. Er soll —"

Ali Effendi hielt mitten im Satz inne und blickte vor sich nieder. Er war empört und tief aufgeregt und hielt es für unter seiner Würde, das so merken zu lassen. Nach einer Weile klatschte er in die Hände. Ein Diener trat herein und erhielt den Befehl:

„Geh zum Sangak der Arnauten und sag ihm, daß ich mit ihm zu sprechen wünsche. Es betrifft ein Geheimnis, darum soll er keinen Menschen wissen lassen, zu wem er geht. Da versteht es sich von selber, daß du diesen Auftrag so ausrichtest, daß nur er allein deine Worte hört. Sende mir den Abu Chabta[1] herein!"

Der Mann entfernte sich, und kurze Zeit darauf trat ein schwarzer, vierschrötiger Kerl herein, der beide Hände auf die Brust legte und sich fast bis auf den Boden verneigte.

„Es gibt zu tun", sagte der Mudir zu ihm. „Ein Hund aller Hunde soll fünfhundert erhalten und dann nicht mehr gesehen werden. Besorge das Nötige!"

„Wo?" fragte der Schwarze, wobei ein Grinsen über sein Gesicht ging. Er freute sich auf die Ausübung seines Amtes.

„Da", erwiderte der Mudir, indem er mit dem Daumen über die Achsel auf eine Tür zeigte, die sich hinter ihm befand. Der ‚Vater der Prügel' verbeugte sich abermals und ging dann rückwärts wieder hinaus. Als wir allein waren, fragte der Mudir:

„Weißt du, warum der Sangak heimlich kommen soll?"

„Ich denke es mir. Wegen deiner Sicherheit."

„Allah! Du hast es erraten!" rief Ali Effendi erstaunt.

„Das war nicht schwer. Ich kenne die Arnauten zur Genüge. Sie sind äußerst schwer im Zaum zu halten. Wenn du den Sangak richtest und seine Soldaten erfahren es, so hast du eine Empörung zu erwarten."

[1] Vater der Prügel

„So ist es! Ibn Mulei soll seine Strafe erhalten, ohne daß man es ahnt. Als du gestern nicht kamst, sandte ich zu ihm. Er ließ mir sagen, es sei niemand bei ihm gewesen. Später ging ich selber zu ihm und bekam die gleiche Behauptung zu hören. Dann erfuhr ich gar, daß auch Ben Nil verschwunden sei, und erteilte sofort den Befehl, überall nach euch zu suchen. Dieser Hundesohn hat mich an der Nase herumführen wollen. Er ist ein Begünstiger des Sklavenhandels, ein Verräter und Mörder. Du wirst hören und sehen, was ich mit ihm spreche und mit ihm tue. Begebt euch jetzt dort hinein, wo ihr alles findet, was ihr braucht. Ihr werdet die Aussage des Sangak vernehmen und im geeigneten Augenblick hereinkommen."

Ali Effendi hatte auf eine zweite Tür gedeutet. Wir folgten seiner Aufforderung und kamen in ein Zimmer, wo ich mein ganzes Eigentum liegen sah. Es gab da auch alles Nötige, mich von der schwarzen Farbe zu reinigen, was ich schleunigst tat. Dann kleidete ich mich um. Ben Nil mußte den Frauenanzug noch anbehalten, weil der seinige sich in den Händen des Fischers befand. Eben war ich mit der Verwandlung fertig, als ich Schritte hörte. Der Sangak trat bei dem Mudir ein. Wir konnten alles hören, denn das, was ich eine Tür genannt habe, bestand nur aus einem die Türöffnung bedeckenden Teppich.

„Du hast mich rufen lassen, o Mudir?" hörte ich den Arnauten sagen.

„Ja, heimlich. Wer weiß noch von deinem Kommen?"

„Kein Mensch."

„Setz dich!" fuhr der Mudir fort. „Hast du vielleicht gehört, ob man von den verschwundenen Männern eine Spur gefunden hat?"

„Man hat bis jetzt nichts entdeckt."

„Das ist schlimm. Ich werde nicht eher ruhen, als bis ich sie gefunden habe."

„Auch ich habe alles getan, was möglich ist. Meine Arnauten sind alle fort, um zu suchen, obgleich sie nicht begreifen können, wie ich von ihnen verlangen kann, daß sie, die Rechtgläubigen, der stinkenden Fährte eines Christen nachforschen sollen."

„Ich will diesen Christen haben. Das muß dir und ihnen genügen. Hast du auch bei dir aufmerksam gesucht?"

„Ja, doch vergebens."

„Sonderbar! Kara Ben Nemsi Effendi ist zu dir gegangen, und seine Begleiter haben deutlich gehört, daß er bei dir klopfte."

„Das mag sein. Es ist auch geöffnet worden, aber man hat niemand gesehen. Später hat der Wächter bemerkt, daß fremde Gestalten um die Türen schlichen. Wer weiß, in welcher Absicht der Christ gekommen, und warum er so plötzlich verschwunden ist."

„Kara Ben Nemsi hat mir seine Absichten mitgeteilt. Es gab für ihn keinen Grund zu verschwinden. Wohl aber gab es hier für einige Personen Veranlassung, ihn verschwinden zu lassen!"

„So rate ich dir, diese Leute zu fragen!"

„Das habe ich getan, aber sie leugnen, etwas zu wissen."

266

„Laß ihnen fünfhundert aufzählen, dann werden sie gestehen!"

„Da du es mir rätst, werde ich es tun, und du sollst dabei sein dürfen."

„Ich danke dir, o Gebieter! Du weißt, daß ich die Gerechtigkeit liebe und stets gern dabei bin, wenn du sie an denen übst, die dagegen gesündigt haben. Es wird mir eine Wonne sein, das Geheul dieser Hunde zu hören. Nun aber möchte ich dich nach dem geheimnisvollen Grund fragen, aus dem du mich zu dir kommen ließest."

„Du sollst alles sofort hören. Ja, es ist ein Geheimnis, dessen Aufklärung mir sehr am Herzen liegt, und du bist der richtige Mann, mir dabei behilflich zu sein. Ist dir vielleicht Nubar, ein Gaukler aus Kahira, bekannt?"

„Nein."

„So kennst du aber vielleicht Abd el Barak, den Mokkadem der heiligen Kadirine?"

„Auch nicht."

„Diese beiden Männer befinden sich jetzt in Faschodah. Ich will und muß sie finden, weil sie Verbündete des Sklavenjägers Ibn Asl sind."

„Soll ich sie suchen? Wenn sie wirklich hier sind, werde ich sie ganz gewiß entdecken."

„Sie sind hier. Man hat sie noch gestern abend gesehen. Sie sollen an deiner Tür geklopft haben."

„Allah! Was könnten sie bei mir gewollt haben? Das muß ein Irrtum sein. Solche Leute werden doch nicht so wahnsinnig sein, sich zu mir zu wagen!"

„Es gibt Wahnsinnige, die zuweilen recht gut wissen, was sie tun. Und nun noch eine Frage. Hast du vielleicht einmal mit einem Türken gesprochen, der Murad Nassyr heißt?"

„Nie. Was ists mit ihm?"

„Davon nachher. Ich muß dich noch nach einer andern Person fragen. Es ist der Takaleh Schedid."

„Ich kenne ihn nicht. Wie kommt es, daß du mir so viele unbekannte Namen nennst?"

„Ich tu es, um dir die Entdeckung des Geheimnisses zu erleichtern. Ich habe dir schon ein wenig vorgearbeitet, und du sollst die Sache zum Schluß bringen. Es liegt nämlich vier Ruderstunden aufwärts von hier ein Schiff, das Ibn Asl gehört."

„Allah, Allah!"

Der Sangak hatte bis jetzt schnell und unbefangen geantwortet. Den letzten Ausruf tat er erschrocken.

„Auf diesem Schiff", fuhr der Mudir fort, „befindet sich jener Türke, nach dem ich dich fragte. Er hat eine Schwester bei sich, die das Weib Ibn Asls werden soll."

„Woher weißt du das?" erklang es niedergedrückt.

„Nachher, nachher! Vorher mußt du wissen, daß Ibn Asl sich jetzt bei den Dinka befindet, um eine Schar ihrer Krieger zu einem

Sklavenzug anzuwerben. Man hat dieses Schiff bewacht und heute früh bemerkt, daß ein Boot dort anlegte, in dem zwei lange, runde Pakete lagen, die an Bord geschafft wurden. Kannst du vielleicht erraten, was in diesen Paketen gesteckt hat?"

„Wie könnte ich das wissen?"

„So suche es zu erfahren! Das eben ist das Geheimnis, das ich so gern aufgeklärt wissen möchte. Du bist sehr schlau, und ich denke, daß es dir nicht schwer fallen wird, das Richtige zu entdecken."

Während dieses Gesprächs hatte ich den Teppich ein wenig zur Seite geschoben, um die beiden zu beobachten. Der Mudir saß mit dem Gesicht, der Sangak mit dem Rücken zu uns. Jetzt glaubte ich den richtigen Augenblick gekommen und flüsterte Ben Nil zu:

„Geh leise hinein, und bleib neben der Tür stehen!"

Ich schob ihn hinein und sah, daß über das Gesicht des Mudir ein Lächeln der Befriedigung glitt. Der Sangak fühlte sich jedenfalls nicht übermäßig behaglich. Er schien nachzudenken, was er in diesem Augenblick von Ali Effendi halten sollte, denn es dauerte eine kleine Weile, ehe er antwortete:

„Ich werde es entdecken, o Mudir. Ich werde sofort aufbrechen und das Schiff ausfindig machen. Die Pakete müssen doch noch vorhanden sein."

„Vielleicht auch nicht, doch kommt es darauf nicht an. Ich will nur erfahren, was sie enthalten haben. Das ist mir so wichtig, daß ich dir für die Entdeckung dieses Geheimnisses eine Belohnung zugedacht habe, von deren Größe du keine Ahnung hast."

„Mudir, ich bin der treueste deiner Diener", versicherte der Arnaut geschmeichelt. „Mein Glück besteht nur in deiner Güte und Gnade!"

„Ja, du bist der treueste von allen. Darum habe ich dir als Beweis meiner Huld ein Weib ausersehen, ein Weib, mit dem sich keine Haura des Paradieses vergleichen kann!"

„Ein Weib?" rief der Sangak erstaunt und enttäuscht.

„Ja, ein Urbild der Schönheit und Tugend, ein Muster der Lieblichkeit. Damit du schon jetzt erkennst, welch großen Schatz du erhalten wirst, sollst du diesen Engel aller Engel sogleich sehen dürfen. Tritt herbei, du Einzige, und enthülle dein Angesicht, damit dir Ibn Mulei, der brave Sangak der Arnauten, hingerissen von dem Glanz deiner Augen und den Wundern deiner Seele, zu Füßen sinkt!"

Ali Effendi winkte Ben Nil, und dieser trat langsam näher. Der Sangak sprang auf. Er hatte schon ein Weib. Daß ihm noch ein zweites angeboten wurde, befremdete ihn, zumal er es vorher sehen sollte, was doch eigentlich ungebräuchlich ist. Er starrte die verhüllte Gestalt mit großen Augen an.

„Ein Weib, wahrhaftig ein Weib! Welche Überraschung! Ist es noch ein Mädchen? Welche Farbe hat sie? Weiß oder schwarz?"

„Beantworte dir diese Fragen selber! Siehe und staune!"

Der Mudir stand auch auf und entfernte den Schleier. Der Erfolg war der, den ich erwartet hatte: Ibn Mulei stieß einen unverständlichen, heisern Schrei des Schreckens aus.

„Nun, wie gefällt dir das Mädchen? Bist du nicht entzückt?" fragte der Mudir, indem er mit Bedacht eine solche Stellung annahm, daß der Sangak mir wieder den Rücken zukehren mußte.

Das benutzte ich, um auch unbemerkt einzutreten. Der Arnaute antwortete nicht. Sein Gesicht war fahl geworden. Es schien, als könnte er sich gar nicht bewegen.

„Du bist sprachlos vor Wonne", höhnte Ali Effendi. „Wenn das schon beim Anblick des einen Pakets geschieht, wie groß wird deine Seligkeit erst sein, wenn du auch das andre erblickst. Sieh dich noch einmal um!"

Ibn Mulei gehorchte gedankenlos dieser Aufforderung. Sein Auge fiel auf mich, und mein Anblick gab ihm sofort seine Fassung zurück.

„Bei der Hölle!" schrie er auf. „Man hat mit mir gespielt, aber man soll nicht weiterspielen. Der Scheïtan vernichte euch alle drei!"

Der Arnaut wendete sich zur Tür, um schleunigst zu entwischen. Ich aber vertrat ihm den Weg.

„Fort mit dir, du Hundesohn!" fuhr er mich an. „Du bist mir widerlich."

„Vielleicht sagtest du mir darum gestern abend, daß wir uns nicht wiedersehen würden", spottete ich. „Ich war überzeugt, dich wieder zu finden, da ich mit dir abzurechnen hatte."

„Fort! Zur Seite, oder ich bahne mir den Weg!"

Ibn Mulei zog das Messer und zückte es zum Stoß. Da schlug ich ihn von unten herauf an den Ellbogen, daß er es fallen ließ, packte ihn, hob ihn hoch und warf ihn zu Boden, daß ich glaubte, er habe das Genick gebrochen. Er hatte die Augen offen, rührte sich aber nicht.

„Allah, Allah!" rief der Mudir. „So verfährst du mit diesem Riesen! Das hat mir der Reïs Effendina berichtet, und das wollte ich nicht glauben. Ist er tot?"

„Nein", erklärte ich. „Ibn Mulei wird sich sogleich bewegen, ganz plötzlich, um —"

Ich sprach nicht weiter, denn was ich erwartet hatte, geschah: der Sangak fuhr jäh mit der Hand in den Gürtel und riß eine Pistole heraus, um sie auf mich zu richten, wobei er den Oberkörper aufschnellte. Seine Unbeweglichkeit war eine List gewesen. Ben Nil stand hinter ihm, bückte sich rasch und ergriff die Hand, die die Pistole hielt. Zugleich versetzte ich dem Arnauten einen Fußtritt gegen den Magen, daß er wieder hintenüberflog und die Waffe fallen ließ. Er wollte sich aufrichten, um die Gegenwehr fortzusetzen, der Fußtritt aber hatte ihn dazu unfähig gemacht. Mit halberhobenem Körper streckte er mir die geballte Faust entgegen und stieß dabei einen Fluch aus, der unmöglich wiedergegeben werden kann.

„Laßt ihn!" gebot der Mudir. „Der Schurke ist nicht wert, von euern Händen berührt zu werden. Effendi, du hast gehört, was ich meinem ‚Vater der Prügel' geboten habe. Ist ein solcher Befehl gegeben, so ist auch dafür gesorgt, daß wir den Betreffenden sicher haben. Ihr braucht euch nicht weiter um ihn zu kümmern."

Ali Effendi klatschte in die Hände. Auf dieses Zeichen traten von zwei Seiten Schwarze herein, die den Sangak ergriffen und vom Boden aufzogen. Er sah den ‚Vater der Prügel‘ und ahnte, was man mit ihm vorhatte.

„Willst du mich etwa schlagen lassen?“ brüllte er den Mudir an.

„Ich beabsichtige nur, deinen eignen Willen an dir zu erfüllen. Du hast mir vorhin den vortrefflichen Rat der Bastonnade gegeben, und er wird nun an dir selber ausgeführt.“

„Weißt du, was das bedeutet?“

„Nichts weiter, als daß ein Hund geprügelt wird.“

„Aber dieser Hund hat Zähne! Nur ein kleiner Wink von mir, und meine Arnauten fallen über dich her! Du kennst mich noch nicht!“

„Ich kenne dich genau. Ich habe dir vorhin die Namen deiner Freunde genannt. Das überhebt mich der Mühe, dir dein Sündenverzeichnis vorzuhalten. Wenn du meinst, daß ich dich noch nicht kenne, so weiß ich um so sicherer, daß du mich kennst. Man nennt mich Abu Hamsah Miah. Du bekommst die fünfhundert!“

„Fünf—hun—dert!“ schrie der Arnaut. „Das kostet dein Leben!“

„Drohe nicht noch! Bitte Allah, daß er dich sicher über die Brücke des Todes geleite, damit du nicht hinab in die Feuer der Dschehenna stürzt.“

Ibn Mulei zuckte zusammen, warf einen unbeschreiblichen Blick auf den Mudir und fragte stockend:

„Brücke — des — Todes! So willst — du mich — totpeitschen — lassen?“

„Du bekommst fünfhundert und wirst nicht mehr gesehen. So habe ich es dem ‚Vater der Prügel‘ befohlen, und was ich gesagt habe, geschieht!“

„Noch nicht, noch nicht! Noch habe ich Arme und Hände, um mich zu wehren und dich zu zerreißen!“

Ibn Mulei wollte sich von den Schwarzen losmachen, um sich auf den Mudir zu werfen. Die Gehilfen des ‚Vaters der Prügel‘ aber besaßen Übung. Sie drückten ihn nieder, hielten ihn fest, und im Handumdrehen wurde ihm ein Leder um Kopf und Kinn geschnallt, durch das der untere Kiefer so fest gegen den obern gedrückt wurde, daß er ihn nicht bewegen und nicht schreien konnte. Dann trugen sie ihn hinaus.

„Der Schurke bekommt, was er verdient“, meinte der unerbittliche Richter. „Wir werden als Zeugen dabei sein.“

„Ich nicht“, wehrte ich ab. „Ich verzichte darauf, bei einem solchen Auftritt zugegen zu sein.“

„Hast du schwache Nerven? Die darf ein Beamter nicht haben, wenn er der Gerechtigkeit die Wege bahnen will. Ich zwinge dich nicht, dabei zu sein. Wartet hier, bis ich zurückkehre.“

„Bleib noch einen Augenblick, o Mudir! Ich will dir noch Wichtiges sagen.“

„Was?“

„Vertraue mir eine Schar Asaker und einige schnelle Boote an! Wir müssen uns beeilen, das Schiff Ibn Asls wegzunehmen, sonst entkommt er uns."

„Ich habe nichts dagegen, doch mußt du der Arnauten wegen, die dich nicht sehen dürfen, noch einige Stunden warten. Wenn sie dich bemerken und dann ihren Sangak vermissen, ahnen sie den Zusammenhang. Ich befinde mich zu kurze Zeit hier, um kräftig genug gegen sie auftreten zu können. Nicht der Mudir hatte bisher hier zu befehlen, sondern diese Soldaten herrschten durch die Angst, die sie einflößten. Ich werde sie zähmen, doch geht das nicht so schnell, wie ich es wünsche."

„Aber wie soll ich mit Soldaten absegeln, ohne daß die Arnauten es merken?"

„Ich schicke sie fort, flußabwärts, um Steuer einzutreiben, wozu sie sich mit Freuden bereitfinden. Ich will den Befehl dazu sofort erteilen."

Der ‚Vater der Fünfhundert' entfernte sich durch die Tür, durch die der Sangak hinausgeschafft worden war. Ich ging zu der andern, wo der Fischer Denab noch stand, mit Ben Nils Anzug auf dem Arm. Mein Gefährte nahm die Kleider, um sich umzuziehen. Dann setzten wir uns zu den Pfeifen, um rauchend die Rückkehr des Mudir zu erwarten.

Während wir so still dasaßen, hörten wir gedämpft die Hiebe fallen. Das Gefühl, das ich dabei hatte, ist nicht zu beschreiben. Ich hätte den Mudir hassen mögen und mußte doch einsehen, daß seine eiserne Strenge hier angebracht sei.

Als Ali Effendi zurückkehrte, nahm er bei uns Platz und brannte sich auch seine Pfeife an. Gesprochen wurde nicht. Er lauschte mit seitwärts gebogenem Kopf auf das klatschende Geräusch, das mir durch Mark und Bein ging. Endlich wurde die Tür geöffnet, der ‚Vater der Prügel' steckte den Kopf herein und meldete:

„Fünfhundert!"

„Und der Sangak?" fragte der Mudir.

„Wird nicht mehr gesehen, o Gebieter."

„Fort mit ihm!"

Der Kopf des Schwarzen verschwand, und ich fragte:

„So ist der Arnaut tot?"

„Ja."

„Wo wird er begraben?"

„Im Magen der Krokodile. Die plaudern nichts aus. Jetzt wird der Baggara an die Reihe kommen. Ich habe um ihn geschickt. Ich versprach dir, ihn in deiner Gegenwart peitschen zu lassen. Dieses Mal bist du doch dabei?"

„Nein, ich bitte dich vielmehr, ihn nicht schlagen zu lassen. Ich habe ihm versprochen, ein gutes Wort für ihn einzulegen."

„Warum?"

„Weil er offen zu mir war und unsrer Sache dadurch viel genützt hat."

Der Mudir nahm diese Fürbitte zunächst sehr ungnädig auf, endlich aber ließ er sich doch erweichen. Der Baggara, der schon zur Züchtigung bereitstand, wurde in den Kerker zurückgeschafft, um vorläufig festgehalten zu werden.

Nun erinnerte ich den Mudir an den Fischer Denab, der noch immer auf seine hundert Piaster wartete. Er ließ ihn hereinkommen und fragte ihn:

„Erwartest du vielleicht, den Preis zu bekommen, den ich bekanntmachen ließ?"

„Wenn deine Güte mir erlaubt, diese Hoffnung zu hegen, so tue ich es, o Gebieter", antwortete Denab demütig.

„Meine Güte erlaubt dir nichts. Du hast nichts zu hoffen."

„Aber ich habe dir doch den Effendi und auch Ben Nil gebracht!"

„Sie wären auch ohne dich gekommen. Ich stelle dir die Wahl: Entweder erklärst du, bezahlt zu sein, oder du bekommst fünfhundert. Was ist dir lieber?"

„O Mudir, ich bin bezahlt!"

„So kannst du gehen!"

Der ‚Vater der Fünfhundert' war ein Feund der Gerechtigkeit, selbst auf die Gefahr hin, unmenschlich zu sein, aber den Beutel zu ziehen, das schien doch auch nicht zu seinen Leidenschaften zu gehören. Der beste Mensch hat seine Schwächen! Der Fischer wendete sich zum Gehen, drehte aber unter dem Eingang den Kopf noch einmal um und fragte mich:

„Effendi, wirst du Wort halten? Ich bin ein armer Mann."

„Was ist's? Welches Wort sollst du halten?" fragte mich der Mudir.

„Ich versprach Denab, daß er die hundert Piaster bekommen soll", erklärte ich, indem ich in den Beutel griff.

„Und da willst du sie ihm geben? Was fällt dir ein! Du bist mein Gast und hast nichts zu bezahlen. Hörtest du nicht, daß er sie erhalten hat?"

„Gehört habe ich es, aber nicht gesehen. Erlaube mir, sie ihm zu geben!"

„Nein! Wenn du darauf bestehst, so soll er sie von mir bekommen. Aber Geld habe ich nicht. Die Steuern werden in Gestalt von Tieren und Früchten entrichtet, und so kann ich auch nur in dieser Münze bezahlen. Er mag zu meinem Schäfer gehen und sich drei Schafe geben lassen. Und nun fort mit ihm!"

Als ich mich am nächsten Tag erkundigte, erfuhr ich zu meiner Befriedigung, daß der Mann die Schafe wirklich erhalten hatte. Er schien dessen auch jetzt schon ganz sicher zu sein, denn er bedankte sich durch drei tiefe Verneigungen, wobei sein Gesicht vor Freude glänzte.

Kaum war Denab fort, so wurde gemeldet, die Arnauten seien abgezogen. Ihr Ziel war die Gegend von Kuek. Wehe den armen Menschen, bei denen diese Soldaten einfielen, um die Steuer zu erheben! Es war nicht nur diese zu bezahlen, sondern auch der ganze Unterhalt für die Arnauten, und dessen Höhe hatten diese selber zu bestimmen. Was da für Ungerechtigkeiten vorkommen, kann man sich denken. Gewöhnlich ergreifen die Bewohner, sobald sie hören, daß die Steuersoldaten nahen, mit Weib und Kind, mit Hab und Gut die Flucht, um erst dann zurückzukehren, wenn sie erfahren, daß die Asaker wieder fort sind.

Nun wurde eine Anzahl von Segelbooten beigetrieben, die fünfzig wohlbewaffnete Soldaten aufnahmen. Ich schloß mich mit Ben Nil dieser verspäteten Unternehmung an. Als wir aufbrachen, war der Mittag schon vorüber. Gegen fünf Uhr langten wir bei den drei Armleuchterbäumen an — das Schiff war fort.

Ich ging ans Ufer, um es zu untersuchen, und fand die Spuren vieler Menschen, die an Bord gegangen waren. Ihre Zahl war unmöglich zu bestimmen, die Zeit aber konnte ich fast mit Sicherheit erraten. Die Eindrücke waren wenigstens fünf Stunden alt. Das Schiff konnte nicht eingeholt werden, und wir mußten unverrichteter Sache nach Faschodah zurückkehren.

Nach diesem Fehlschlag hoffte ich, wenigstens etwas andres zu erreichen, nämlich die Gefangennahme der fünf Takaleh, die die drei Händler überfallen und zwei von ihnen ermordet hatten.

Schedid, ihr Anführer, war mit dem Sangak der Arnauten bekannt. Es stand zu erwarten, daß er sich in der Nähe von Faschodah verbergen und dann einen Boten zu den Arnauten senden würde. Da dieser Bote sich jedenfalls geradewegs in die Wohnung Ibn Muleis begab, konnte er am besten dort erwartet und ergriffen werden. Darum ersuchte ich den Mudir um die Erlaubnis, die Wohnung mit Ben Nil und dem Händler Sinan beziehen zu dürfen, was mir auch gern gewährt wurde. Hafid Sichar, den wir aus den Händen der Takaleh befreit hatten, zog auch zu uns, da er sich von mir nicht trennen wollte. Dazu kamen einige Soldaten zu unsrer Bedienung. Sie hatten den Eingang zu bewachen und erhielten den Befehl, jeden, der nach dem Sangak fragen würde, sofort zu mir zu bringen.

Es war am Spätabend des ersten Tags, als wir einzogen. Der nächste Tag verging, ohne daß der Bote eintraf. Kaum war der dritte Tag angebrochen, so hörten wir es draußen klopfen, und der Erwartete kam. Er wurde zu mir geführt und war nicht wenig betroffen, anstatt des Sangak mich zu sehen. Ich sagte ihm, daß ich Kara Ben Nemsi und nicht der Mudir von Dscharabub, noch viel weniger aber ein Senussi sei. Auch teilte ich ihm mit, daß ich ihnen Hafid Sichar und den Scheik der Baggara entführt hatte. Das machte den Boten noch ängstlicher, und er wollte nicht mit der Sprache heraus. Als ich ihm aber mit der Bastonnade drohte und, da auch das nicht half, die Vorbereitungen dazu treffen ließ, bequemte er sich, mir den Ort zu verraten, an dem Schedid sich mit seiner Karawane befand. Es war der Wald, in dem wir die Rückkehr unsres Boten Hafid Sichar erwartet hatten. Als ich das dem Mudir meldete, stellte er mir fünfzig Soldaten zur Verfügung, um die Karawane auszuheben. Wir marschierten ab und nahmen den Boten mit, damit er uns die betreffende Stelle, die er uns nicht genau hatte beschreiben können, zeigen solle. Er mußte zwischen Ben Nil und

Hafid Sichar gehen, die ihm erklärten, sie würden ihn beim geringsten Verrat mit dem Tode bestrafen.

Die Vorsicht veranlaßte uns, einen Umweg zu machen. Es war anzunehmen, daß Schedid in der Richtung nach Faschodah aufpassen würde und also unsre Annäherung bemerken müsse, falls wir in gerader Richtung kamen. Wir schlugen deshalb einen Bogen, um anstatt von Osten her, von Süden auf den Wald zu treffen.

Als wir ihn erreichten, drangen wir unter den Bäumen langsam vor. Da zeigte es sich, daß es dem Boten, eben weil wir aus andrer Richtung kamen, unmöglich war, die Stelle zu finden, wo seine Kumpane lagerten. Wir blieben also halten, und ich ging allein auf Kundschaft.

Mein gutes Geschick führte mich schnell an den richtigen Ort. Hinter Bäumen versteckt, konnte ich die Karawane beobachten. Sie lagerte auf einem Platz, der für unsre Zwecke günstig war, denn er wurde auf zwei Seiten von Büschen eingefaßt, die uns eine unbemerkte Annäherung gestatteten. Ich holte die Soldaten herbei und stellte sie hinter diesen Sträuchern auf. Dann machte ich mir den Spaß, allein eine kurze Strecke zurückzukehren und mich von der andern Seite der Karawane offen zu nähern. Die Takaleh sprangen überrascht auf, als sie mich sahen und erkannten.

„Der Senussi, der Senussi, der Mudir von Dscharabub!" riefen sie.

Ich trat so furchtlos, als hätte es keinen Zwist zwischen uns gegeben, zu ihnen heran und grüßte.

„Du bist hier, hier in der Gegend von Faschodah?" fragte Schedid mit finsterer Miene. „Wie kommst du hierher?"

„Auf meinem Kamel."

„Wo ist dein Begleiter, der junge Chatîb der Senussi?"

„In der Nähe."

„Was wollt ihr hier in Faschodah? Du kommst mir verdächtig vor. Warum habt ihr uns nicht gesagt, daß ihr nach Faschodah wollt?"

„Weil ihr uns zwar nach unsrer Herkunft, nicht aber nach dem Ziel unsrer Reise fragtet."

„Seid ihr erst jetzt hier im Wald angekommen?"

„Nein. Wir waren schon früher hier. Wir wohnen in der Stadt bei dem Sangak der Arnauten oder vielmehr in seinem Haus."

„Bei Ibn Mulei? Du weißt, daß ich ihn kenne. Ich habe einen Boten an ihn gesandt. Ist er zu Haus?"

„Jetzt nicht mehr. Er befindet sich im Himmel oder in der Hölle."

„Allah! So ist er gestorben?"

„Ja, gestern."

„An welcher Krankheit?"

„An der Bastonnade."

„O Allah, o Mohammed, o Prophet! Willst du mit deinen Worten sagen, daß er totgeprügelt worden ist?"

„Allerdings."

„Ein Sangak der Arnauten! Totgeprügelt! Das kann doch nur auf Befehl des Mudir geschehen sein, und der war ja sein Gönner, sein Freund!"

„Der frühere ja, aber nicht der jetzige."

„Gibt es denn jetzt einen andern?"

„Ja. Ali Effendi el Kurdi wurde abgesetzt, weil er den Sklaven-handel begünstigte. Der neue Mudir heißt zwar auch Ali Effendi, ist aber ein ganz andrer Mann. Er rottet die Sklavenhändler aus und wird Abu Hamsah Miah genannt, weil er jedem Sklavenjäger, den er er-greift, fünfhundert aufzählen läßt."

„So stehe uns Allah bei! Unsre Berechnung ist zuschanden. Unser Bote müßte längst zurück sein. Es wird mir angst um ihn. Wenn der Mudir ihn ergreift, wird er sagen müssen, weshalb er nach Faschodah gekommen ist."

„Das schadet nichts."

„Nicht? Soeben sagtest du, daß jeder Sklavenjäger fünfhundert Hiebe bekommt, und wir sind doch hier, um Sklaven zu verkaufen."

„Die habt ihr aber nicht gefangen, sondern sie sind das Eigentum eures Mek, der dich mit ihnen nach Faschodah sandte. Du mußt die Befehle deines Gebieters erfüllen. Übrigens ist bei euch das Sklaven-machen ein Recht des Königs, das der Mudir ihm nicht nehmen kann. Er kann dich also nicht bestrafen, aber er wird dir verbieten, die Skla-ven zu verkaufen."

„Allah sei Dank, denn diese Worte erleichtern mein Herz. Ich brauche nicht so um mich besorgt zu sein wie du um dich."

„Ich um mich? Wieso?"

„Du bist nicht der Mann, für den du dich ausgibst. Erst als du fort warst, kamen mir verschiedene Punkte deiner Aussagen verdächtig vor, und je länger ich darüber nachdachte, desto sicherer erschien es mir, daß du nicht aus Dscharabub bist. Jetzt läufst du mir wieder in die Hände, und ich will die Wahrheit wissen. Belüge uns nicht abermals, sonst kenne ich Mittel, um die Wahrheit aus dir herauszubringen!"

„Pah! Was kann dir denn daran liegen, genau zu wissen, wer ich bin!"

„Viel liegt mir daran, denn ich habe dir in meiner Leichtgläubigkeit, in meinem vorschnellen Vertrauen, Dinge mitgeteilt, die eigentlich nie-mand außer uns wissen darf. Wenn du jener verdammte Kara Ben Nemsi Effendi wärst!"

„Hm! Das ist wahr! Aber du kannst es nun nicht ändern."

„Nicht ändern?" fragte Schedid, mich mit einem betroffnen Blick musternd. „Was soll das heißen?"

„Es heißt, daß ich allerdings jener ‚verdammte' Effendi bin."

„Hundesohn! Das wagst du mir zu sagen?"

„Warum nicht? Ich sehe kein Wagnis dabei. Ich will dir sogar noch mehr sagen. Als wir von euch fort waren, verschwand der Baggara, und auch der Sklave Hafid Sichar kam euch abhanden?"

„So ist es."

„Diesen Hafid Sichar habe ich befreit, während ihr schlieft. Ich schnitt ihn von dem Seil los. Und den Baggara nahm ich gefangen, um ihn in Faschodah bestrafen zu lassen. Er ist zu fünfhundert Hieben verurteilt, von denen er auf meine Fürbitte hin allerdings verschont blieb."

„Welche Verwegenheit, mir das zu sagen!" rief Schedid, indem er beide Hände nach mir ausstreckte, als wolle er mich ergreifen. Er ließ sie aber wieder sinken, so starr war er über meine vermeintliche Kühnheit.

„Das, was du mir über den Sangak mitteiltest", fuhr ich fort, „ist ihm freilich verderblich geworden, denn ich habe ihn angezeigt. Hierauf erhielt er die Bastonnade und ist an ihr gestorben."

„Du bist also schuld an seinem Tod? Und dessen rühmst du dich auch noch! Das soll auf der Stelle gerächt werden. Ich zermalme dich mit meinen Fäusten!"

Schedid wollte mich jetzt in Wirklichkeit packen. Ich wich zurück und warnte ihn:

„Wage es nicht, mich zu berühren! Ich habe mich seinerzeit nur zum Schein von dir besiegen lassen, im Ernst aber würdest du den kürzern ziehen!"

„Es ist Ernst, voller Ernst. Nun zeige mir, wie ich den kürzern ziehen soll!" schrie er, indem er auf mich eindrang.

„Ben Nil, herbei!" rief ich, indem ich dem riesigen Takaleh in raschen Wendungen auswich. Er drang mir immer ungestümer nach und achtete weder auf meine Worte noch auf das, was geschah. Schedid hatte nur Augen für mich. Er hörte das Geschrei seiner Leute, bezog es aber auf ihre Teilnahme an seinem Kampf mit mir. Ich wich in der Weise vor ihm zurück, daß er den Seinen den Rücken zukehrte. Dabei stolperte er über eine Wurzel, und ich benutzte das, ihn zu packen und vollends niederzuwerfen. Er wollte wieder auf, doch ich hielt ihn fest, bis Ben Nil mit einigen Asakern herbeikam und ihn band.

Der Riese knirschte vor Grimm. Seine Augen waren rot unterlaufen. Er hatte immer noch nur mich im Sinn und schrie mit heiserer Stimme:

„Hundesohn, du wagst es mich zu binden? Der Tod des Sangak soll zehnfach über dich kommen!"

„Bist du denn plötzlich erblindet?" lachte ich. „Sieh doch um dich, was geschehen ist! Wer soll dich denn freimachen? Etwa deine Leute?"

Die Takaleh waren völlig überrumpelt worden. Unser Angriff war an den Sklaven vorbeigegangen, und es fiel diesen auch nicht ein, sich an dem kurzen Kampf zu beteiligen. Und die freien Krieger hatten sich so wenig eines Überfalls versehen, daß sie schnell niedergerissen und entwaffnet worden waren. Sie bildeten jetzt eine enge Gruppe, um die die Soldaten mit schußfertigen Gewehren standen. Als Schedid das sah, schrie er auf:

„Soldaten hier! Wir sind überfallen worden! Lügner, Verräter, Betrüger! Ich glaubte, du wärst allein im Wald."

„Das war sehr unklug von dir. Du wirst mir nach Faschodah zum Mudir folgen."

„Was soll ich bei ihm? Du selber hast mir ja soeben versichert, daß er mir nichts anhaben könne!"

„Wegen deiner Absicht, diese Sklaven zu verkaufen, kann er dir allerdings nichts tun. Es gibt aber einen andern, weit triftigern Grund, der mich veranlaßt hat, euch hier so freudig zu überraschen. Gibt es vielleicht einen oder mehrere unter euch, die Goldstaub aus Dar Famaka bei sich tragen?"

„Goldstaub? Aus Famaka? Wir sind ja nie in jenem Land gewesen", erwiderte Schedid sichtlich verlegen.

„Oh, man kann Thibr von dorther besitzen, ohne jene Gegend jemals gesehen zu haben. Man kann durch Tausch und auch durch Diebstahl oder durch Raub in seinen Besitz gekommen sein."

„Was willst du damit sagen? Ich verstehe dich nicht."

„Ich will damit die Ansicht aussprechen, daß fünf von euch solchen Staub bei sich tragen."

Der Takaleh erschrak, schwieg eine Weile und leugnete dann:

„Ich weiß nichts davon."

„So weiß ich mehr als du und werde dir diese fünf genau bezeichnen. Sind euch nicht drei Djallâbîn begegnet, die auf Eseln ritten?"

„Nein", würgte er mühsam hervor.

„Lüge nicht! Du hast sie begrüßt und ausgefragt. Dann ließest du die Karawane vorausgehen und bliebst mit noch vieren bei den Händlern zurück, um sie zu ermorden, und wegen dieses Mordes bist du jetzt festgenommen worden."

Und mich an seine Leute wendend, fuhr ich fort:

„Euer Anführer hat euch betrogen; ihr müßt zugeben, daß euch die drei Händler begegnet sind. Schedid erfuhr, daß sie viel Goldstaub besaßen, und beschloß, ihnen ihren Reichtum abzunehmen. Er schickte euch voran und behielt nur vier bei sich, mit deren Hilfe er die Djallâbîn überfiel. Die fünf nahmen den Goldstaub an sich und haben euch die Tat jedenfalls verschwiegen, um nicht mit euch teilen zu müssen. Ihr wißt, wer die vier gewesen sind, die mit dem Anführer zurückblieben, und ich fordere euch auf, sie mir zu bezeichnen. Nur die Täter trifft die Strafe, die andern können unbehelligt in ihre Heimat zurückkehren. Schweigt ihr aber, so macht ihr euch der Tat mitschuldig. Das gebe ich euch zu bedenken."

Schedid versuchte, den Folgen meiner Worte vorzubeugen, indem er grimmig beteuerte:

„Wir sind keine Räuber, keine Mörder. Wir haben keinen Händler getötet und besitzen keinen Goldstaub. Meine Leute sind mutige Takaleh, und keiner von ihnen wird sich erniedrigen, dir, dem Ungläubigen, eine Antwort zu geben."

Die Takaleh waren vorhin bei meiner Rede unruhig geworden. Sie hatten gegeneinander gemurrt, denn die Unschuldigen waren im Begriff gestanden, sich von den Schuldigen zu scheiden, das hatte ich wohl bemerkt. Ich hatte den Händler mitgenommen und ihm zunächst verboten, sich sehen zu lassen. Er stand noch hinter dem Gebüsch, und ich rief ihn jetzt herbei. Sinan erhob seine Stimme, schon ehe er mich erreicht hatte:

„Effendi, sie sind da, alle fünf. Ich habe sie sogleich erkannt."

Sinan deutete auf Schedid und noch vier andre, die ich sofort auch binden ließ. Wir untersuchten ihre Kleidung, fanden aber nichts. Da ließ ich mir ihre Kamele zeigen, um die Decken, Sättel und Sattelsäcke zu durchsuchen. Das war von Erfolg begleitet. Jeder hatte seinen Anteil schlau versteckt, doch wurde alles gefunden. Erst jetzt hielten es die Unschuldigen für geraten, sich zu erklären. Einer von ihnen nahm das Wort:

„Effendi, Allah weiß es, daß wir unschuldig sind. Verlange jeden Eid, wir sind bereit, ihn zu leisten. Wir wissen nichts von der Tat."

„Ich glaube dir und wiederhole meine Versicherung, daß euch nichts geschehen wird. Zwar muß ich auch euch zum Mudir bringen, doch wird er euch nicht festhalten. Nur wenn ihr euch weigert mitzugehen, wird euch Strafe treffen."

Ich hatte einen guten Grund, schon hier im Wald und nicht erst später in Faschodah den Goldstaub suchen zu lassen. Wenn nämlich der Mudir den Staub in die Hände bekam, so stand zu erwarten, daß ein Teil davon, vielleicht alles daran kleben blieb. Das wollte ich mit Rücksicht auf den armen Händler verhüten. Ich nahm Sinan also beiseite, während zum Aufbruch gerüstet wurde, und fragte ihn:

„Kennst du vielleicht die Familien deiner beiden ermordeten Gefährten Edhem und Latif?"

„Gewiß kenne ich sie. Wir drei waren nahe verwandt und sind stets nur miteinander gereist. Du hast den Staub gefunden, Effendi. Was wird damit geschehen? Besinnst du dich, daß du die Gnade hattest, mir zu sagen, ich würde wahrscheinlich wieder zu meinem Eigentum kommen?"

„Ja, ich weiß es. Ich halte dich für einen ehrlichen Mann, der seine Verwandten nicht betrügen wird. Hier hast du den Staub. Du wirst erfahren haben, wo eure drei Esel stecken. Hole sie dir, und mache dich auf und davon, damit dir nichts genommen werden kann!"

„Ist es möglich? Meinst du es wirklich so? Ich soll alles haben? Du willst nichts für dich behalten?" — „Nein. Ich habe kein Recht daran."

„O Effendi! Da sind die fünf Pakete. Nimm wenigstens eins, nimm zwei!"

Der glückliche Händler hielt sie mir hin.

„Ich wiederhole, daß ich nichts nehme."

„Aber wie soll ich dir deine Güte vergelten? Ich weiß, daß der Mudir sehr zornig auf dich sein wird."

„Mag er. Ich mache mir nichts draus. Sorge nur dafür, daß er deiner nicht etwa habhaft wird!"

„Oh, Ali Effendi wird mich nicht mehr zu sehen bekommen. Ich werde laufen, gleich jetzt, und nicht eher ausruhen, als bis ich weit von Faschodah fort bin. Allah segne dich! Du bist ein Christ, Effendi, wären doch alle Muslimin solche Menschen!"

Sinan drückte meine Hand an seine Lippen und eilte fort. Es fiel ihm nicht ein, mit uns zurückzumarschieren, und ich nahm ihm das auch gar nicht übel.

Der Aufbruch verursachte dadurch einige Schwierigkeiten, da Schedid sich sträubte, sich fortschaffen zu lassen. Er war gefesselt, besaß aber eine so ungewöhnliche Körperstärke, daß er uns selbst in diesem Zustand zu schaffen machte. Er konnte nur durch Ben Nils Peitsche zur bessern Einsicht gebracht werden. Dann gaben wir ihm die Füße frei und banden ihn mit einem Strick an den Sattel seines Kamels. Wollte er sich nun nicht schleppen lassen, so mußte er wohl oder übel laufen. Seine vier Mittäter waren klug genug, sich fügsamer zu zeigen. Die übrigen folgten freiwillig, wie sie es versprochen hatten.

Unser Zug erregte, als wir in Faschodah ankamen, kein geringes Aufsehen. Alt und jung lief uns nach, bis wir hinter der Tür des Regierungsgebäudes verschwanden. Als ich dem ‚Vater der Fünfhundert‘ meine Meldung machte, war seine erste Frage nach dem Goldstaub, ganz so wie ich es erwartet hatte. Er fuhr zornig auf und blickte mich grimmig an, als ich ihm mitteilte, wem ich den Staub gegeben hatte. Er wurde sehr grob und beehrte mich mit verschiedenen Namen, für deren Wiedergabe ich kein Bedürfnis besitze, rannte mit wütenden Gebärden im Zimmer umher, blieb endlich vor mir stehen und schnaubte mich an:

„Ich werde diesen Händler holen lassen. Sinan ist gewiß noch da zu finden, wo eure Kamele und Esel untergebracht wurden. Ich lasse ihn festnehmen, ich sperre ihn ein, er bekommt die Peitsche. Ich muß den Goldstaub haben, ich muß! Verstehst du mich?"

„Wenn der Mann aber schon fort ist?"

„So laß ich ihn verfolgen, und wenn ich ihm alle Soldaten nachschicken sollte."

„Und wenn auch das vergeblich ist?"

„So jage ich dich zum Teufel! Hörst du, dich!"

„Kommst du dadurch zu dem Gold?"

„Nein, leider nein! Aber ich habe dann doch wenigstens eine Rache, eine — ah, Rache! Jetzt fallen mir die fünf Takaleh ein, die den Raubmord auf dem Gewissen haben. Wehe ihnen, wenn der Goldstaub nicht zu erlangen ist! Sie sollen es mir büßen, schwer büßen!"

Damit war des Mudirs Zorn von mir ab- und auf Personen gelenkt, denen seine Rache mehr als mir zu gönnen war. Ali Effendi befahl, die ganze Sippschaft, Schuldige und Unschuldige, einzusperren und streng zu bewachen, und sandte dann Boten aus, die den Händler Sinan samt seinem Gold herbeischaffen sollten. Ich zog mich in das mir zugewiesene Gemach zurück und ließ mich nicht eher wieder blicken, als bis er mich gegen Abend zu sich rufen ließ. Er war noch immer erregt und knurrte mich an:

„Sinan ist fort, über alle Berge, dieser Hundesohn, und mit ihm der

Goldstaub, der in die Kasse der Regierung gehört. Kein Mensch kann erfahren, wohin er sich gewendet hat. Er hat die Esel abgeholt und ist dann verschwunden wie ein Tropfen, der ins Wasser fällt. Allah vernichte ihn! Ich werde mich aber schadlos halten. Was ich an Goldstaub eingebüßt habe, werden die Takaleh an Schlägen mehr erhalten. Das wird mein Herz erquicken und meine Seele beruhigen. Ich habe diese Hunde holen lassen. Ich will jetzt Gericht halten, und du mußt als Zeuge dabei sein. Komm!"

Ali Effendi führte mich in den Hof, wo sämtliche Takaleh unter militärischer Bewachung aufgestellt waren. Ben Nil und Hafid Sichar befanden sich auch schon da. In einer Ecke stand ein barrenartiges Gestell, dessen Seitenteile durch breite Gurte und schmale Riemen mit Schnallen verbunden waren. Daneben lag ein Haufen fingerdicker Stöcke, und dabei hockte der ‚Vater der Prügel'. Das sagte mir, welchem freundlichen Zweck das Gestell gewidmet sei. Die zahlreich anwesenden Zuschauer füllten über die Hälfte des Hofs.

Es ist überflüssig, die ‚Gerichtsverhandlung' zu beschreiben. Schedid wurde mit seinen vier Mitschuldigen verurteilt zu ‚fünfhundert Hieben und nicht mehr gesehen zu werden'. Die übrigen wurden in der Hauptsache freigesprochen, aber dafür, daß sie mit den Raubmördern eines Stammes waren, durch die Bank jeder zu zehn Hieben verurteilt, auch die Sklaven nicht ausgenommen. Diese wollten auf keinen Fall in ihre Heimat zurückkehren, wo sie die Möglichkeit erwartete, doch noch einmal verkauft zu werden. Sie fragten mich um Rat, und ich wies sie an den Reïs Effendina, dessen Ankunft bald zu erwarten war. Er brauchte Leute zur Aufbringung der Sklavenjäger, und da die Takaleh den Ruhm der Tapferkeit besitzen, hegte ich die Überzeugung, daß er die männlichen Sklaven dingen würde.

Als der Richterspruch gefällt war, begann der ‚Vater der Prügel' seine Arbeit. Die Takaleh wurden, einer nach dem andern, auf das erwähnte Gestell geschnallt, und jeder bekam seine zehn Streiche aufgezählt. Die Arbeit wurde so fabrikmäßig vollführt, und die Missetäter nahmen ihre zehn Hiebe mit — wie Uhland sagt — einem so schlichten Heldentum hin, daß mir das Zusehen beinah eine spaßhafte Unterhaltung war. Als dann aber der erste Raubmörder eingeschnallt wurde, entfernte ich mich. Zehn oder fünfhundert Hiebe, das ist ein Unterschied. —

Der Reïs Effendina war wider Erwarten in Khartum und auch unterwegs aufgehalten worden. Er hatte sich so verspätet, daß er erst am sechsten Tag meines Aufenthalts in Faschodah ankam. Er dingte die Takaleh und versah sein Schiff mit Schießbedarf und frischen Vorräten. Dann begannen wir die Fahrt, von der wir erwarteten, daß sie uns sicher zum Ziel führen würde. Leider war der Vorsprung von sechs Tagen, den Ibn Asl vor uns hatte, nicht so leicht und schnell einzuholen, wie wir wünschten.

16. Im Quellgebiet des Nil

Eine Fahrt auf dem Weißen Nil wird bis zur Einmündung des Sobat, wenn man aufwärts segelt, dadurch erleichtert, daß sich bei Tagesanbruch ein guter Nordwind erhebt, der während des ganzen Tags kräftig in den Segeln liegt und erst am Abend einschläft, um am nächsten Morgen von neuem zu beginnen. Hat man aber den erwähnten Fluß erreicht, so verliert sich der Wind entweder, oder man kann ihn wegen der unzähligen Krümmungen des Flusses nicht mehr recht benutzen. Man segelt dann nur, wenn der Nil die geeignete Richtung hat, und muß in den Zwischenzeiten versuchen, mit Hilfe des Zugseils und der Stoßstangen vorwärts zu kommen. Das ist eine schwere und mühselige Arbeit. Ist das Ufer trocken, daß die am Seil ziehenden Leute dort gehen können, dann ist man schon zufrieden. Bildet es aber Sümpfe, in denen man versinken würde, so müssen die Boote vorgespannt werden, die das Schiff ziehen müssen. Selbst das ist aber nicht möglich, wenn die ganze Oberfläche des Flusses, was sehr häufig vorkommt, mit Om-Sufah-Strecken bedeckt ist, durch die man nicht zu rudern vermag. Dann kann man nur bei den Stoßstangen Hilfe suchen. Oft bedarf man eines ganzen Tags, um das Fahrzeug durch ein einziges Om-Sufah-Feld zu bringen. Dann segelt man eine halbe Stunde lang über eine freie, offne Stelle, um nachher auf eine noch längere und dichtere Schilfstrecke zu stoßen. Das ist überaus langweilig.

Dazu kommt das veränderte Bild der Ufer. Der Nil ist hier nicht der durch dürres Wüstenland strömende Fluß, dessen Feuchtigkeit nur dem nahen Ufergelände erlaubt, einen reichen Pflanzenwuchs zu tragen, sondern er greift in vielen Haupt- und Nebenarmen über ein weites, niedriges, sumpfiges und meist bewaldetes Gebiet. Dort herrscht das Fieber und werden die Stechfliegen zur entsetzlichen Plage. Dort liegen riesige Krokodile zu Hunderten im Schlamm, Nilpferde weiden auf dem Grund des Flusses, und zahlreiche größere oder kleinere Raubtiere bevölkern die dichten oft undurchdringlichen Wälder. Man kann da tagelang fahren, ohne einen einzigen freien Ausblick zu genießen. Das Wasser ist fast ungenießbar, Wildbret fault schon nach zwei Stunden, der mitgenommene Mundvorrat verdirbt. Man möchte bezweifeln, daß Menschen hier zu bestehen vermögen, und doch leben sie da, in ganzen Völkern, ganzen Stämmen, oft streng voneinander getrennt, oft eng vermischt und dennoch ihr Gepräge und ihre Eigenschaften treu bewahrend.

Diese Menschen, die Bewohner, keineswegs aber die Herren des ‚schwarzen' Erdteils, sind alle von mehr oder weniger dunkler Farbe, Neger, das vielgesuchte Wild der Sklavenjagden.

Der Weiße kommt, befreundet sich mit einem Negerstamm, erhält durch List oder für einen lächerlichen Preis ein Gebiet abgetreten und errichtet darauf eine Niederlassung, Seribah genannt. Er ist im Besitz größerer Kenntnisse und überlegenerer Waffen. Seine anfängliche

Freundlichkeit verwandelt sich bald in Strenge. Die Schwarzen fürchten ihn, während sie ihn vorher liebten.

Er läßt andre Weiße kommen, die er angeworben hat, Auswurf aller Gegenden und Bevölkerungsklassen des Ostens. Sie bringen Flinten und Pulver mit, suchen nebenbei durch schlechtes Baumwollzeug, Branntwein, Tabak und Glasperlen die Schwarzen zu ködern. Sie sind gekommen, um Elfenbein zu suchen, weißes in Gestalt von Elefantenzähnen und schwarzes in menschlicher Gestalt.

Der Scheik des schwarzen Stammes wird mit seinen Leuten gewonnen, indem man ihm einen Anteil an der Beute verspricht. Der Raubzug beginnt. Die weißen Teilnehmer nennen sich Soldaten, Asaker. Sie sind Offiziere, Unteroffiziere und gewöhnliche Asaker. Sie wagen am wenigsten und nehmen den Löwenanteil des Raubertrags für sich. Die Schwarzen gelten nicht als Soldaten. Sie müssen die schwersten Arbeiten verrichten, Kundschafterdienste tun, sich den größten Gefahren aussetzen, die Vordersten beim Angriff sein und erhalten so viel oder so wenig, daß sich die armseligen Vorschüsse mit dem gesamten Anteil gewöhnlich aufheben oder gar der Rest in Schulden besteht.

Bei größern und besser eingerichteten Jagdgesellschaften gibt es auch schwarze Soldaten, die aber gegen die Weißen immer im Nachteil sind. Der Besitzer einer Seribah zahlt den Sold vom Raub aus, mag dieser nun in Menschen oder Rinderherden bestehen. Die schwarzen Asaker bekommen die alten oder kranken Sklaven und Kühe, von denen sie keinen Nutzen haben.

Und wie wird eine solche Ghasuah, eine solche Sklavenjagd, vorbereitet und ausgeführt? Nun, genau in gleicher Weise, wie ein Einbrecher verfährt, der sich an fremdem Gut bereichert und früher oder später dem Zuchthaus verfällt. Nur ist der Sklavenjäger weitaus schlimmer als der Einbrecher, da er Menschen stiehlt, große Dörfer verheert und entvölkert, und während er hundert Sklaven macht, wenigstens eben so viele Greise und Kinder, als unbrauchbar für sich, umbringt.

Seit unserer Abfahrt von Faschodah waren drei Wochen vergangen, und wir lagen am Einfluß des Rohl in den See No. Den Verhältnissen Rechnung tragend, konnten wir mit unserer Fahrt zufrieden sein. Der ‚Falke‘ war scharf gebaut und gehorchte dem Wind, dem Zugseil und den Stoßstangen viel williger als ein schwerfälliger Noqer. Er ging leichter durch die vielen Schilffelder, die wir durchschneiden mußten. Seine innere Einrichtung bot mehr Bequemlichkeit als die eines Sklavenschiffs. Unsere Vorräte hatten sich leidlich erhalten. Wir fingen Fische, schossen täglich Wild, hatten eine gute Schiffsapotheke und besaßen Mückennetze für alle Mann. Unser Gesundheitszustand war darum verhältnismäßig befriedigend.

Leider hatten wir im See No einen Schiffsschaden erlitten, der uns volle drei Tage aufgehalten hatte, und es fehlte uns ein Lotse, der die Gegend kannte. Der eigentliche Steuermann des ‚Falken‘ und der alte Abu en Nil kannten beide den Fluß nur bis zum See No. Seit wir in den

Rohl eingebogen waren, befanden wir uns beinah in vollständiger Unkenntnis der Flußverhältnisse, mit denen wir in Anbetracht unsrer Aufgabe wenigstens so vertraut hätten sein müssen wie Ibn Asl.

Wir suchten die Seribah Aliab. Wo lag sie? Mehrere unsrer Leute hatten behauptet, sie leicht finden zu können. Jetzt zeigte es sich, daß sie sich zuviel zugetraut hatten. Da, wo wir zur Zeit lagen, begann die Landschaft Aliab. Die hier wohnenden Nuehr-Neger nennen sich Aliab. Eine Seribah Aliab aber war schlechterdings nicht zu entdecken. Hie und da war uns ein einsam rudernder Neger begegnet, und wir hatten uns bei ihm erkundigt, leider aber nichts erfahren.

Unsre Bemannung bestand aus den eigentlichen Matrosen, den gemieteten Takaleh und hundert Soldaten, die unter einem Hauptmann standen. Mochte die Mannschaft Ibn Asls noch so stark sein, wir fürchteten uns nicht.

Der Strom war am Einfluß des Rohl sehr breit. Die Sonne brannte förmlich nieder, und kein bewaldetes Ufer bot Schatten. Es gab nur Schilf und nichts als Schilf. Die Leute hatten sich mit den Stoßstangen anstrengen müssen und waren ermüdet. Darum hatten wir Anker geworfen, um auszuruhen und die größte Hitze vorüber zu lassen. Das war mir zu langweilig, und ich beschloß, das kleine Boot zu besteigen, um irgend etwas Eßbares zu schießen. Ich mußte nämlich die Verpflegung des Schiffs herbeischaffen und war meist im Boot voraus, um zu jagen.

Ben Nil begleitete mich wie gewöhnlich. Ich nahm ihn gern mit, da man nicht stets schußfertig sein kann, wenn man das Ruder führen muß. Zuweilen bat mich Pulo, der kleine Dschangeh-Knabe, ihn mitzunehmen, und ich erfüllte ihm dann und wann die Bitte, weil er sich kindlich freute über alles, was ich schoß. Pulo und seine Schwester Dschangeh waren, wie bereits früher erwähnt, ihrem Dongiol-Stamm geraubt und nach Kairo gebracht worden, wo sie im Dienst des Mokkadem arbeiten und ihm alles Geld abliefern mußten, selbst aber dafür Hunger zu leiden hatten und Prügel bekamen. Ich hatte sie aus dieser Sklaverei befreit und auf den ‚Falken‘ gebracht, wo sie sich jetzt noch befanden. Sie wurden ihren Kräften angemessen beschäftigt, gut verpflegt und mit Liebe behandelt. Da die Negerkinder mir ihre Befreiung zu verdanken hatten, war es kein Wunder, daß sie mir eine besondere Zuneigung erwiesen. Wir hegten die Absicht, sie ihrem Stamm zurückzubringen, hatten aber noch keine Gelegenheit dazu gefunden.

Jetzt schlief der Knabe, weshalb ich nur Ben Nil aufforderte, mich zu begleiten. Wir stiegen ins Boot und stießen vom Schiff ab. Der Bahr el Ghasal hatte mir schon viel Beute geliefert, darum steuerte ich jetzt den Rohl aufwärts, um zu sehen, ob ich auch auf diesem Nebenfluß glücklich sein würde.

Leider war die Zeit nicht günstig. Die Hitze war zu groß, und die Tierwelt lag wie im Schlaf. Um die Glut ohne Schaden auszuhalten, mußten wir uns von Zeit zu Zeit Kopf und Brust befeuchten. So glitten wir wohl eine Stunde lang zwischen Om-Sufah-Inseln vorwärts. Dann meinte Ben Nil, daß es geraten sei umzukehren. Ich wollte aber nicht ohne Beute zurückkommen und stand im Boot auf, um besser Umschau halten zu können. Da sah ich oberhalb der Stelle, an der wir uns befanden, einen Gegenstand, der sich abwärts auf uns zu bewegte. Oben hell und unten dunkel, konnte er aus solcher Entfernung für einen großen Schwimmvogel mit dunklem Körper und weißem Kopf und Hals gehalten werden. Ich setzte mich schnell wieder nieder, um nicht bemerkt zu werden, und gebot Ben Nil, das Boot an eine Schilfinsel zu rudern, wo wir hinter den hohen Stengeln versteckt waren.

Ich nahm das Gewehr zur Hand, bereit, dem Vogel eine Kugel zu geben, ganz gleich, zu welcher Art er gehöre. Nach einiger Zeit hörten wir ein Plätschern. Ich legte an. Der Vogel erschien, und zwar grad in Schußlinie. Fast hätte ich abgedrückt! Glücklicherweise hielt ich den Finger am Drücker noch in letzter Sekunde zurück. Es war kein Vogel, sondern ein Mensch, ein Schwarzer. Der Neger saß in einem leichten, dunklen Kahn und war nur mit einer westenartigen Leinwand bekleidet, die seine schwarzen, kräftigen Arme frei ließ. Den Kopf hatte er in ein weißes Tuch gehüllt. Darum hatte er in seinem Kahn, von vorn gesehen, einem Vogel mit weißem Kopf und Hals geglichen.

„Ein Neger!" flüsterte Ben Nil. „Wollen wir ihm nach?"

„Gewiß! Vielleicht erfahren wir von ihm etwas über die Seribah Aliab. Leg dich ins Zeug! Er rudert schnell, und wir müssen ihn einholen!"

Ben Nil griff in die Riemen. Wir schossen hinter der Schilfinsel hervor und dann im Fahrwasser des Schwarzen dahin. Ben Nil war ein tüchtiger Ruderer, und wir näherten uns dem Neger so schnell, daß er bald das Geräusch hörte. Er drehte sich um, sah uns, erschrak und begann nun aus Leibeskräften zu rudern. Der Schwarze wollte uns entkommen. Das war überaus verdächtig.

Von jetzt an kamen wir ihm nicht näher. Wir tauschten daher die Plätze. Ich nahm die Ruder, und Ben Nil setzte sich ans Steuer. Ich war kräftiger als er. Die Ruder bogen sich unter meinem Druck.

„Wir holen ihn ein, Effendi, wir holen ihn ein! Mach so fort!" drängte Ben Nil.

Nach einer Minute meldete er, die Entfernung betrüge nur noch die Hälfte. Dann aber rief er:

„Der Neger will zur Seite entkommen, zwischen die Schilfinseln hinein!"

„Nimm meine Büchse und schieß den rechten Lauf ab! Aber triff den Neger nicht!"

Der Schuß krachte, und fast gleichzeitig hörte ich einen Schrei vor uns. Ben Nil berichtete, da ich mit dem Rücken zum Bug saß:

„Er hält an, denn er sieht mich schußbereit. Er hat Angst und zieht die Ruder ein."

„So laß mich wieder ans Steuer! Ich will selbst mit ihm sprechen."

Wir wechselten wieder die Plätze. Der Neger hatte die Ruder im Boot liegen und erwartete uns. Sein Gesicht drückte halb Furcht halb Trotz aus.

„Zu welchem Volk oder Stamm gehörst du?"

„Ich bin ein Bongo", antwortete er.

„Wohin willst du?"

„Nach Faschodah. Ich möchte gern Soldat werden und habe gehört, daß man dort Asaker braucht."

„Das ist schon wahr. Du wirst wohl angenommen werden."

„Denkst du, o Herr? Kennst du vielleicht diese Stadt?"

„Ja. Ich komme von dorther."

Er wollte etwas sagen, verschluckte es, öffnete aber schließlich doch noch den Mund, um es hören zu lassen:

„Kennst du den Sangak der Arnauten?"

„Sehr gut."

„Lebt Ibn Mulei noch?"

„Warum sollte er tot sein?"

„Weil — weil — weil —!"

Er stockte. Ich nahm das Steuer in die linke, den Stutzen in die rechte Hand und herrschte ihn an:

„Du belügst uns. Du bist kein Bongo, sonst würdest du eine braunere Farbe haben, du aber bist tiefschwarz. Auch hat ein Bongo die Stirn niemals so tätowiert wie du. Wir werden uns näher kennenlernen. Da unten liegt unser Schiff. Du kannst es von hier aus nicht sehen. Rudere langsam vor uns her. Wir folgen dir. Sobald du einen Versuch machst, uns zu entweichen, schieße ich dich durch den Kopf."

Der Mann sah ein, daß Widerstand vergeblich sei, tauchte seine Ruder ins Wasser und bewegte sein Fahrzeug langsam stromabwärts. Wir folgten ihm.

Als wir den ,Falken' erreicht hatten, mußte der Schwarze sein Boot neben dem unsrigen anbinden und dann mit uns das Deck besteigen. Er tat es mit der Miene eines Mannes, der sich seiner Unschuld bewußt ist, doch bemerkte ich gar wohl die besorgten Blicke, die er um sich warf. Er war keineswegs so unbefangen, wie er sich den Anschein geben wollte. Der Reïs Effendina erkundigte sich, warum ich ihn an Bord gebracht hätte. Ich teilte es ihm mit. Achmed musterte den Neger und meinte dann:

„Er hat ein harmloses Aussehen. Warum sollte er sich für einen Bongo ausgeben, wenn er keiner ist?"

„Aus irgend einem Grund, den wir gewiß erfahren werden. Betrachte sein Gesicht. Die Tätowierung ist eigenartig: in der Mitte der Stirn ein senkrechter Schnitt, von dem auf beiden Seiten punktierte Linien bogenförmig zum Scheitel und zu den Schläfen ziehen. In dieser Weise tätowieren sich die Dinka, aber niemals die Bongo. Er hat mich belogen, und das muß einen Grund haben. Daß er Soldat werden will, ist nicht wahr, und daß er mich nach Ibn Mulei fragte, muß den Verdacht nur noch erhöhen. Ich habe große Lust, ihn für einen Boten zu halten, den irgend jemand zum Sangak sendet."

„Doch nicht etwa Ibn Asl?"

„Entweder dieser oder ein andrer Sklavenhändler."

285

„Wäre das richtig, so hätte dieser Schwarze für uns einen hohen Wert. Wir wollen ihn doch noch einmal vornehmen."

Achmed gebot dem Neger, die Wahrheit zu sagen, und bedrohte ihn für den Weigerungsfall mit schwerer Strafe, bekam aber nur die Antworten, die ich vorher erhalten hatte. Nun wurde der Mann untersucht. Man fand nichts bei ihm, obgleich sich die Nachforschung sogar auf sein Haar erstreckte. Dieses war bis auf ein dünnes Büschel auf dem Scheitel glatt geschoren, was man auch nur bei den Dinkastämmen findet. Auch in seinem Boot entdeckte man nichts.

Was war da zu tun? Der Verdacht, den ich gegen diesen Neger hegte, war meiner Überzeugung nach wohlbegründet, aber wir konnten ihm nichts beweisen und hatten kein Recht, ihn festzuhalten. Als ihm eröffnet worden war, daß er seine Kahnfahrt fortsetzen könne, fragte ich ihn, ob er wüßte, wo die Seribah Aliab liege. Da überflog er mit einem forschenden Blick unser Schiff, den Reïs Effendina und mich und meinte:

„Ja, ich weiß es."

Sein Blick war sehr beredt gewesen: ich schloß daraus, daß der Schwarze wußte, auf welchem Fahrzeug er war, und welche Personen er vor sich hatte. Wenn ich mich damit nicht irrte, mußte er auf uns aufmerksam gemacht worden sein, und zwar nur von Ibn Asl. Das gab mir Veranlassung, seine Aussagen nur mit Vorsicht aufzunehmen.

„Nun, wo liegt sie?" fragte ich.

„Da drüben", meinte er, indem er mit der Hand zum Bahr el Dschebel deutete, „in der Gegend, die Bahita genannt wird, vier Tagereisen weit."

„Was für Leute wohnen dort?"

„Ein Stamm des Dschur-Volkes."

Er gab diese Antworten langsam. Man sah und hörte, daß er sich jedes Wort überlegte, ehe er es aussprach. Dabei besaß er nicht die nötige Selbstbeherrschung, einen Zug wohlgefälliger Pfiffigkeit zu unterdrücken. Er freute sich innerlich über den Bären, den er uns aufzubinden meinte. Ich tat so, als ob ich ihm glaubte, und fragte weiter.

„Weißt du das genau! Bist du vielleicht dort gewesen?"

„Ich war dort", behauptete der Neger, indem er in die Falle ging, die ich ihm mit meiner letzten Frage gestellt hatte.

„So! Dann weißt du also ganz bestimmt, was du sagst. Wie aber kommt es denn, daß nicht die Dschur, sondern die Tuitsch jene Gegend bewohnen?"

„Die Tuitsch?" meinte er verlegen. „Die sind nicht dort."

„O doch! Sie sind am rechten Ufer des Bahr el Dschebel, während am linken die Kytsch ihre Hütten haben. Das Gebiet der Dschur beginnt erst westlich des Rohl. Die Entfernung soll nur vier Tagereisen betragen? Das sagst du, um uns bereitwilliger zu machen, nach Bahita zu segeln. Ich aber kenne die richtige Entfernung. Wir würden Bahita, selbst wenn wir stets günstigen Wind hätten, nicht unter fünfundzwanzig Tagen erreichen. Du bist unvorsichtig gewesen, denn deine Lüge war zu grob, zu handgreiflich."

„Ich lüge nicht, Effendi!" beteuerte er.

„Effendi? Du gibst mir diesen Titel? Also kennst du mich?"

Seine Verlegenheit wuchs, doch antwortete er schnell:

„Ich nenne jeden vornehmen Weißen so."

„Also hältst du mich für einen vornehmen Mann und bildest dir dennoch ein, klüger zu sein als ich? Das ist eine Albernheit von dir. Du willst uns in die Irre führen, wir aber werden uns hüten, uns nach deinen Unwahrheiten zu richten."

„Herr", rief er, „ich habe nichts als die Wahrheit gesagt!"

„Von allem, was du gesagt hast, ist nur das eine wahr, daß du die Seribah kennst. Du willst, daß wir sie nicht finden, und hast uns daher eine falsche Richtung angegeben. Ich nehme grad das Gegenteil an. Die Seribah liegt nicht am Bahr el Dschebel, sondern am Rohl, den du herabgerudert kamst. Sag mir doch, wem die Seribah Aliab gehört! Da du dort gewesen bist, mußt du es wissen."

„Sie gehört — gehört —", stotterte der Schwarze verlegen, „einem Weißen, dessen Namen ich vergessen habe."

„Sag lieber, dessen Namen du nicht nennen willst. Er heißt Ibn Asl. Erinnerst du dich?"

„Ja", gab er zögernd zu.

„Schön! Du kennst diesen Mann. Du warst bei ihm. Du gehörst zu den Dinka, die er unten am Weißen Nil angeworben hat. Ibn Asl sandte dich mit einer Botschaft an den Sangak der Arnauten in Faschodah und hat dich aufmerksam gemacht, daß du uns möglicherweise unterwegs begegnen wirst. Er hat dir unser Schiff, den Reïs Effendina und auch mich beschrieben und dir gesagt, wie du dich verhalten sollst, falls du mit uns zusammentriffst. Willst du das ableugnen?"

Sein Verstand reichte nicht hin, einzusehen, daß ich nur durch eine einfache und folgerichtige Denkweise zu diesen Behauptungen gekommen war. Er sah mir betroffen ins Gesicht, blickte dann zu Boden und schwieg.

„Antworte!" herrschte ich ihn an.

„Es ist nicht so, wie du denkst", versicherte er. „Ich bin ein Bongo und will nach Faschodah, um Soldat zu werden. Das habe ich dir schon gesagt und kann auch jetzt nichts andres sagen."

Diese Hartnäckigkeit hätte mich wohl in Verlegenheit gebracht, wenn in diesem Augenblick nicht etwas Unerwartetes geschehen wäre. Pulo, der geschlafen hatte, war erwacht und kam mit seiner Schwester Dschangeh auf die Gruppe zu, die sich um uns gebildet hatte. Als sein Blick auf den Neger fiel, blieb er wie versteinert stehen, starrte ihn mit großen, weitgeöffneten Augen an und schrie dann mit gellender Stimme auf:

„Agadi, Aba-charang!"

Diese Worte waren aus der Mundart des Stammes, dem die beiden Negergeschwister angehörten. Sie bedeuteten: Agadi, mein Vatersbruder! also: mein Oheim. Der Angeredete hatte die Kinder nicht bemerkt. Als er seinen Namen hörte, wendete er sich schnell zu ihnen um. Sie eilten auf ihn zu, und er erkannte sie. Seine Überraschung war so groß, daß er sich widerstandslos von ihnen umschlingen ließ. Sie weinten vor Freude und kletterten an ihm empor. Da löste sich seine Erstarrung in einem schrillen Schrei des Entzückens. Der Neger drückte sie an sich. Er tanzte mit ihnen über das Deck und brüllte dazu Worte, die ich nicht verstand, weil sie der Dinka-Sprache angehörten, von der mir nur einige Redensarten bekannt waren. Endlich wurde er ruhiger und setzte sich mit ihnen nieder. Sie führten ein lebhaftes Gespräch, das wohl eine halbe Stunde währte.

Wir störten sie nicht und warteten das Ergebnis dieser Unterredung ruhig ab. Als der Mann alles erfahren hatte, stand er auf, kam mit freudestrahlendem Gesicht auf mich zu, machte mir eine ehrerbietige Verbeugung und sagte in arabischer Sprache:

„Effendi, verzeih mir! Ich wußte nicht, daß diese Kinder hier sind, und was du an ihnen getan hast. Du bist ein sehr guter Herr und kein so schlechter, böser Mann, wie ich vorher dachte."

„Ah, also hast du mich doch gekannt?"

„Ja. Als ich euch da oben auf dem Fluß begegnete, wußte ich nicht, wer du warst. Als ich aber das Schiff sah, erkannte ich, wen ich vor mir hatte."

„Ich habe also vorhin ganz richtig vermutet: wir sind dir beschrieben worden?"

„Ja, und zwar so genau, daß ich mich jetzt wundere, dich nicht sogleich erkannt zu haben. Ibn Asl tat es."

„Zu dessen Kriegern du gehörst?"

„Ja, ich gehöre zu den Dschangeh, die er angeworben hat. Ich bin sogar ihr Anführer."

„Du sollst eine Botschaft nach Faschodah bringen?"

„So ist es. Einen Brief an Ibn Mulai, den Sangak der Arnauten."

„Wir haben den Brief nicht gefunden. Du mußt ihn sehr gut versteckt haben. Wo ist er?"

„Effendi, ich habe Ibn Asl mein Wort gegeben, ihn nur an den Sangak abzuliefern."

„Du bist ein ehrlicher Mann. Ibn Asl aber ist ein Schurke, der dich wahrscheinlich betrügen will."

„Mich betrügen? Wieso?"

„Du bist der Anführer der Dschangeh-Krieger, und er kann dich als solchen unmöglich missen. Wenn er dich dennoch entfernt hat, so ist zu vermuten, daß er gegen deine Leute keine ehrlichen Absichten hegt. Hatte er keinen andern, keinen Weißen, den er senden konnte? Deine Leute sollen führerlos sein. Verstanden?"

Der Dinka blickte sinnend und finster vor sich nieder. Dann meinte er:

„Ibn Asl sagte, es sei grad ein großer Beweis seines Vertrauens, daß er mich schickt. Er kann nichts Schlimmes gegen meine Dschangeh vorhaben, denn er braucht sie. Ohne sie kann er keine Sklaven jagen."

„Das ist wahr. Er wird mit ihrer Hilfe Sklaven fangen. Aber dann, wenn er sie nicht mehr braucht?! Wie nun, wenn er ihnen dann nicht nur ihren Lohn verweigert, sondern sie selber zu Sklaven macht?"

Agadi sah mich erschrocken an. Er brauchte Zeit, sich ein solches Verhalten als möglich zu denken. Dann fuhr er auf.

„Effendi, kann denn so etwas überhaupt geschehen?"

„Ibn Asl ist jede, auch die größte Schlechtigkeit zuzutrauen. Und was für Menschen hat er bei sich? Frage deine jungen Verwandten: Pulo und Dschangeh!"

„Sie haben mir schon alles gesagt. Du hast sie gerettet. Du hast schon viele andre Sklaven erlöst. Du weißt alles vorher. Dein Auge schaut in die Zeit, die erst später kommt. Solltest du auch hier richtig gesehen haben? Dann wehe Ibn Asl! Wenn ich nur erfahren könnte, ob du recht hast!"

„Das ist sehr leicht zu erfahren. Es steht jedenfalls im Brief. Gib ihn mir!"

„Aber — aber —!"

Seine Ehrlichkeit sträubte sich, das ihm Anvertraute in unsre Hände gelangen zu lassen. Er kämpfte mit sich. Endlich entschied die Sorge um sich und die Seinen.

„Effendi, der Mensch soll nicht nur ehrlich, sondern er muß auch klug sein. Hat Ibn Asl Schlimmes mit uns vor, so hilft meine Ehrlichkeit nichts dagegen."

„So sag, wo du den Brief hast!"

Ich war neugierig, das Versteck zu erfahren, da wir ihn und sein Boot auf das genaueste durchsucht hatten, ohne etwas zu finden.

„Das Schreiben steckt in einem kleinen Tongefäß, das unten am Boden meines Bootes befestigt ist", erklärte er.

Das Boot, das sehr leicht war, wurde an Bord gezogen. Am Kiel hing ein kleines, enghalsiges Tonfläschchen, dessen Öffnung mit Harz verschlossen war. Wir schnitten es ab und zerbrachen es. Der Inhalt bestand in einem beschriebenen Papierblatt. Der Reïs Effendina nahm es, um es zu lesen, wiegte den Kopf, betrachtete es abermals und fragte mich dann:

„Verstehst du Persisch, Effendi?"

„Ja. Aber wie käme Ibn Asl zur Kenntnis dieser Sprache? Und auch der Sangak, der den Brief doch lesen soll, müßte sie verstehen. Ist der Brief denn persisch geschrieben? Zeig her!"

Achmed gab mir das Blatt. Ich betrachtete die Zeilen, die mit Tinte und Rohrfeder geschrieben waren, aber das war weder Arabisch noch Persisch. Ich konnte die Worte zwar lesen, fand sie aber unverständlich, bis ich auf den Gedanken kam, daß Ibn Asl sich wahrscheinlich einer bekannten Vorsichtsmaßregel bedient hatte, damit der Brief, falls er in falsche Hände kommen sollte, nicht gelesen werden könne.

Das Arabische wird bekanntlich von rechts nach links geschrieben. Ich versuchte, von links nach rechts zu lesen, und siehe da, es ging. Der Brief lautete:

„Ich sende dir Agadi, den Anführer meiner Dinkakrieger. Ich habe ihm gesagt, daß wir zu den Rohl ziehen, um sie zu Sklaven zu machen. Mein Zug ist aber gegen die Gohk gerichtet, was er jetzt noch nicht wissen darf, da diese zu den Dinkavölkern gehören. Sende mir fünfzig oder mehr weiße Asaker nach! Sie mögen mich auf der Seribah Aliab erwarten. Wenn ich von meinem Zug dorthin zurückkehre, werde ich mit Hilfe dieser Weißen die hundertfünfzig Dinkakrieger auch zu Sklaven machen. Dann brauche ich sie nicht zu bezahlen und werde noch Geld für sie bekommen. Ich entferne den Anführer, damit sie nur mir zu gehorchen haben, und beauftrage dich, dafür zu sorgen, daß er nicht zu mir zurückkehrt. Ich erfuhr, daß Kara Ben Nemsi Effendi bei dir war, und konnte doch nicht kommen, weil er uns entfloh und wir deshalb sehr schnell fort mußten. Da ich deine Klugheit kenne, bin ich überzeugt, daß dir sein Entkommen keinen Schaden bereitet hat. Er weiß nichts von der Seribah Aliab und wird uns also nicht finden, so viel er auch nach uns sucht. Und falls er doch davon erfahren hat, wird er diesem Dinka Agadi begegnen, dem ich Anweisung gegeben habe, ihn irrezuführen."

Das war der Inhalt des Briefs, der weder Auf- noch Unterschrift hatte. Ich las ihn dem Reïs Effendina vor. Der Dschangeh hörte es und fragte:

„Wer ist der Dinka, von dem hier die Rede ist?"

„Du selbst bist es, und mit den Dinkakriegern sind deine Leute gemeint. Hast du hundertfünfzig Mann bei dir?"

„Ja. Wir sollen mit gegen die Rohl ziehen, um sie zu Sklaven zu machen."

„Du hast aber gehört, daß der Zug nicht gegen diese, sondern gegen die Gohk gerichtet ist."

„Das sind unsre Brüder. Ich gebe es nicht zu!"

„Du bist doch nicht mehr dort und kannst also nichts dagegen tun. Seit du fort bist, haben deine Leute nur Ibn Asl zu gehorchen, und er wird ihnen sagen, du seist mit dem Zug gegen die Gohk einverstanden. Kommen sie dann zurück, so werden sie zu Sklaven gemacht und verkauft, anstatt ihren Lohn zu erhalten. Und du, nun, du wirst in Faschodah sterben, falls du hingehst und diesen Brief abgibst."

Agadi sah mich mit ungläubigen Augen an. Er, der Neger, der Heide, konnte eine solche Schlechtigkeit nicht begreifen. Ich kam ihm zu Hilfe, indem ich ihm mit kurzen Worten erzählte, was ich von Ibn Asl wußte, und das war mehr als genug, um dem Mann zu zeigen, in welche Hände er geraten war. Als ich zu Ende gesprochen hatte, bat er hastig:

„Effendi, erlaube mir, das Schiff zu verlassen! Ich muß fort, ich muß augenblicklich zur Seribah zurück, um meine Leute zu warnen und mich an Ibn Asl zu rächen!"

Agadi wandte sich hastig von mir ab, doch ich hielt ihn am Arm zurück.

„Bleib! Du kannst zwar gehen, wenn es dir beliebt, denn du bist frei und nicht mehr unser Gefangener, aber ich rate dir, bei uns zu bleiben. Du vermagst nun wohl nichts mehr zu ändern und gehst höchstens dem sichern Tod entgegen."

„Ich werde Ibn Asl töten, nicht aber er mich!"

„Du kennst ihn nicht. Was bist du gegen ihn! Und — würdest du ihn denn noch auf der Seribah treffen?"

„Nein, denn er wollte die Ghasuah sofort beginnen. Ich muß ihm nach. Den Weg, den er eingeschlagen hat, werde ich auf der Seribah erfahren."

„Du irrst. Man würde dich dort festnehmen und ermorden. Du allein vermagst nichts, gar nichts. Darum rate ich dir, bei uns zu bleiben. Mit uns kommst du wahrscheinlich noch schneller zur Seribah, als wenn du dich auf deine Ruderkraft verlassen mußt. Dann stehst du unter unserm Schutz. Wir eilen Ibn Asl nach und nehmen ihn und alle Weißen gefangen. Dann sind deine Krieger gerettet."

„Du hast recht, Effendi. Wenn ihr es erlaubt, werde ich bei euch bleiben. Wer hätte das gedacht! Ihr wurdet uns als die größten Feinde der schwarzen Völker beschrieben, und ich nahm mit Freuden den Auftrag an, euch im Fall der Begegnung zu täuschen. Jetzt sind die Feinde zu Freunden und die Freunde zu Feinden geworden. Ich gab euch einen falschen Weg an. Ihr solltet zurück und den Bahr el Dschebel aufwärts segeln. Nun aber werde ich euch den Rohl aufwärts führen, um euch zur Seribah Aliab zu bringen."

„Wie weit liegt sie von hier?"

„Wir werden wahrscheinlich fünf oder sechs Tage brauchen."

„Kennst du die Lage der Seribah genau?"

„Gewiß! Sie liegt am rechten Ufer des Flusses, uns also, wenn wir kommen, zur linken Hand."

„Gibt es dort Berge?"

„Nein. Die Gegend ist vollständig eben. Wald und nichts als Wald. Die Seribah ist von einem Dickicht umgeben, durch das kein Mensch dringen kann. Als sie von Ibn Asl angelegt wurde, hat er viele Bäume umhauen lassen, die jetzt noch auf dem Boden liegen. Zwischen ihnen sind andre emporgewachsen, dazwischen Sträucher und Schlinggewächse, wodurch der Wald um die Seribah einer Mauer gleicht, durch die man nicht zu kommen vermag."

„Doch nur auf drei Seiten. Die Flußseite muß offen sein."

„Sie ist ebenso verschlossen, und nur an einer einzigen Stelle befindet sich ein Eingang, der mit Balken und Dornen versetzt werden kann."

„So ist diese Seribah eine Festung!"

„Ja. Ibn Asl behauptet, daß sie von zehn Männern leicht gegen mehrere hundert verteidigt werden kann."

„Wenn die Angreifer kein Geschick haben, ja. Wie ist das Innere beschaffen?"

„Es ist ein großer, viereckiger Platz, auf dem wohl zwanzig runde Tukul aus Schlamm und Schilf stehen. Sie sind sehr fest. Einen Tukul bewohnt Ibn Asl selber, in zweien befinden sich die Vorräte, und in den übrigen halten sich die Asaker auf."

„Die jetzigen Gäste Ibn Asls wohnen auch in solchen Hütten? Du hast sie doch gesehen?"

„Alle. Sie befanden sich ja mit auf dem Schiff, das uns zur Seribah brachte. Da gab es einen Weißen, der Abd el Barak hieß —"

„Das ist der Mokkadem der Kadirine, aus dessen Händen ich die Kinder deines Bruders befreite. Weiter!"

„Ein andrer wurde Nubar genannt, und ein dritter war ein Türke, ein sehr dicker Mann. Bei ihm befand sich seine Schwester, die von zwei weißen und zwei schwarzen Mädchen bedient wurde."

„Weißt du, weshalb die Türkin mitgekommen ist?"

„Um das Weib Ibn Asls zu werden."

„Die Hochzeit sollte auf der Seribah gefeiert werden? Ist sie schon vorbei?"

„Nein. Man will damit bis nach der Rückkehr von dem Sklavenzug warten."

„Weißt du, wer und wie viele sich an dem Sklavenfang beteiligen?"

„Alle, außer dem Türken, der seine Schwester nicht verlassen wollte, und zehn weißen Asakern, über die ein alter, lahmer Feldwebel den Befehl führt. Aber, Effendi, das könnte ich euch alles auch unterwegs sagen. Warum verliert ihr die Zeit, indem ihr hier liegen bleibt? Seht ihr nicht, daß der Wind die Wasser des Nil kräuselt?"

„Du hast recht, wir müssen den Anker lichten. Aber gut war es, daß wir hier liegenblieben, sonst wären wir den Bahr el Ghasal hinaufgesegelt und hätten dich nicht getroffen."

17. Die Seribah Aliab

Man lichtete den Anker, setzte die Segel, und dann steuerte der ‚Falke' in den Rohl hinein.

Der Nebenfluß führte eine Wassermenge, die selbst weit größere Schiffe als das unsre zu tragen vermochte. Ich habe schon gesagt, daß es in dieser Gegend nur Schilf und nichts als Schilf gab. Wir fuhren bis gegen Abend immer nur zwischen Om-Sufah-Inseln hin. Dann besäumten sich die Ufer mit grünen Büschen, der Baumwuchs stellte sich wieder ein, und schließlich gab es rechts und links nur Wald, dichten, geschlossenen Wald. Dabei wurde der Strom frei vom Schilf, und wir hatten eine leichtere Fahrt. Nach Sonnenuntergang leuchteten die Sterne. Wir konnten weit sehen, und so war es uns möglich, die ganze Nacht hindurch zu fahren.

Dieses Glück begünstigte uns auch in den nächsten Tagen, so daß wir eine außergewöhnlich rasche Fahrt machten und unser Ziel eher erreichten, als zu vermuten gewesen war. Schon am Abend des vierten Tags erklärte uns Agadi, die Seribah sei so nahe, daß wir sie in einer Stunde zu erreichen vermöchten. Wir mußten also haltmachen und legten am rechten Ufer des Flusses an.

Jetzt galt die Frage, was geschehen müßte. Sollten wir morgen am hellen Tag offen bei der Seribah anlegen? Das war nicht geraten, weil der Zugang zu ihr so leicht zu verteidigen war. Die Besatzung konnte uns dann trotz ihrer geringen Zahl sehr zu schaffen machen. Übrigens war es doch nicht gewiß, ob Ibn Asl die Niederlassung schon verlassen hatte. Es konnte leicht eine Verzögerung eingetreten sein. Darum hielt ich es für geraten, noch während des Abends eine Erkundigung vorzunehmen, und der Reïs Effendina stimmte bei. Er hätte sich gern daran beteiligt, hielt es aber für seine Pflicht, auf dem Schiff zu bleiben.

Ich brauchte dazu zwei auf dem Wasser erfahrene Leute und suchte mir infolgedessen Ben Nil und seinen Großvater Abu en Nil aus. Auch mußte uns der Dinka begleiten, da nur er wußte, wo die Seribah lag. Es war vielleicht neun Uhr abends, als wir vom Schiff stießen.

Ben Nil und sein Großvater ruderten. Ich saß am Steuer, und Agadi hatte sich im Bug des Bootes niedergekauert. Die Sterne funkelten am Himmel, und die Wasser strahlten ihre leuchtenden Bilder wider. In einer halben Stunde hatten wir den Aufgang des Mondes zu erwarten.

Wir hielten uns zunächst in der Mitte des Rohl. Als wir aber eine halbe Stunde gerudert hatten und uns der Seribah näherten, lenkten wir auf das Ufer zu, um in den Schatten der Bäume zu kommen. Agadi versicherte zwar, daß während seiner Anwesenheit kein Posten den Eingang bewacht habe, aber jetzt, wo sich nur noch zehn Mann da befanden, war der alte Feldwebel vielleicht vorsichtiger. Wir mußten uns daher so nähern, daß wir nicht von einem Wächter bemerkt werden konnten.

Jetzt wurden die Sterne bleicher, denn der Mond ging auf; er war aber noch nicht zu sehen, da er hinter dem Wald stand. Dieser glich einer dunklen Mauer, in der es keine Lücke gab. Der Dschangeh machte den Führer des Bootes. Er deutete leise an, wie gerudert und wie gesteuert werden sollte. Die Ruder wurden dabei so vorsichtig eingetaucht und bewegt, daß sie kein Geräusch verursachten. Endlich flüsterte der Neger:

„Hier ist die Mischra. Wir müssen anlegen."

„Aber nicht an der Mischra selber, sondern vorher, an einem Baum!" verbesserte ich ihn.

Mischra ist Landeplatz. Dorthin durfte das Fahrzeug nicht kommen, da es in diesem Fall von einem Posten bemerkt werden mußte. Wir konnten jetzt in der dichten Wand des Waldes doch eine Lücke erkennen, die ungefähr zwanzig Schritt breit war. Das war der Landeplatz. Er stieg vom Wasser zur Höhe des Ufers empor, immer schmäler werdend, und endete an den Balken und Dornen, mit denen der Eingang zur Seribah verschlossen war.

Ich steuerte das Boot zu einem Baum, der halb im Wasser, halb am Ufer stand. Agadi erhob sich vorn im Boot, um es am Baum zu befestigen, der aber eine lange, starke Wurzel ins Wasser herausstreckte. Sie war hier im Schatten nicht zu sehen. Das Boot streifte auf, legte sich auf die Seite, und der Dschangeh verlor das Gleichgewicht. Er stürzte in den Fluß und stieß dabei einen lauten Schreckensruf aus, da er wußte, daß es an dieser Stelle des Flusses Krokodile gab. Agadi ging unter, kam wieder hoch und wurde von Ben Nil am Arm ergriffen und festgehalten. Weiter oben gab es einige Sand- oder Schlammbänke. Ein dunkler Streifen zog sich von dort her schnell auf uns zu. Der Dinka, der ängstlich um sich blickte, sah ihn und rief erschrocken:

„Ein Krokodil, ein Krokodil! Hebt mich hinein!"

Agadi befand sich allerdings in höchster Gefahr. Ich sprang vom Steuer auf, faßte ihn beim andern Arm, ein Ruck von mir und Ben Nil, und der Bedrohte flog herein ins Boot, das dabei so ins Schwanken kam, daß es zu kentern drohte. Schon verschwand der Rand unter dem Wasser. Da stieß das Krokodil mit dem Kopf dagegen, zu unserm Glück, denn das Boot wurde dadurch wieder aufgerichtet. Ben Nil versetzte dem Tier einen Ruderhieb auf die Schnauze, daß es unter der Wasserfläche verschwand.

Nun wurde das Boot an dem Stamm befestigt, und wir blieben wohl zehn Minuten lang still sitzen um zu lauschen. Als sich nichts regte, nahmen wir an, daß der Schrei und die Worte des Negers nicht gehört worden seien, und ich schickte mich an auszusteigen.

„Nicht du allein!" flüsterte Ben Nil mir zu. „Nimm mich mit, Effendi!"

Da wir einen solchen Lärm verursacht hatten, hielt ich es für besser, zu zweien zu sein, und erteilte ihm die erbetene Erlaubnis. Wir stiegen da aus, wo die Ecke des Waldes an das Wasser und an die Mischra stieß. Ich hatte kein Gewehr mitgenommen und war nur mit dem Messer und den beiden Revolvern bewaffnet.

Sobald unsre Füße den Boden berührten, kauerten wir uns nieder, um abermals eine Weile zu lauschen. Es herrschte das tiefste Schweigen um uns her, und nichts Verdächtiges war zu hören. Eben stieg der Mond über den Bäumen auf und ergoß sein Licht über den freien Raum der Mischra. Wir konnten sie überblicken. Sie lag so hell vor uns, daß selbst eine Maus auf dieser Fläche uns kaum entgangen wäre. Wir standen auf, um hinaufzusteigen und zu untersuchen, in welcher Weise der Eingang zur Seribah verschlossen war. Der Verschluß bestand aus starken Pfählen, die durch dichtes Dorngeflecht verbunden waren, und diese hatten eine Höhe von vier Metern.

„Da ist nicht hindurchzukommen, Effendi", flüsterte Ben Nil. „Wir müssen umkehren."

„Es war auch gar nicht meine Absicht, in die Seribah einzudringen", erwiderte ich ebenso leise. „Laß uns sehen, ob diese Pfähle in die Erde gerammt sind. Die Leute müssen doch einen bequemen Durchgang haben. Falls dieser Verhau sich als gar zu fest erweist, muß ich annehmen, daß hier irgendwo ein Schlupfloch vorhanden ist."

Ich bückte mich, um den untern Teil der Pfähle zu untersuchen. Da ertönte neben mir ein Schrei aus Ben Nils Mund. Ich wollte mich rasch aufrichten, bekam aber einen Hieb auf den Kopf, daß ich die Besinnung verlor. —

Als ich wieder zu mir kam, war ich mit Stricken umschnürt wie eine ägyptische Mumie mit Leinwandbinden und lag in einem Tukul, in dem ein Feuer brannte, dessen Rauch durch eine Öffnung im Dach abzog. Neben mir lag Ben Nil, ebenso gefesselt wie ich. Als er sah, daß ich die Augen öffnete, holte er tief Atem.

„Allah sei Dank, daß du erwachst! Ich hielt dich für tot, Effendi!"

Mein Kopf schmerzte mich. Es flimmerte mir vor den Augen, und in den Ohren summte es wie ein Bienenschwarm. Ich bemerkte, daß wir allein waren.

„Hat man dich auch niedergeschlagen?" fragte ich.

„Nein."

„So kannst du erzählen, wie es zugegangen ist, daß wir uns hier befinden, wahrscheinlich in einem Tukul der Seribah."

„Leider ja. Wir sind in der Niederlassung, trotzdem du sagtest, es sei gar nicht deine Absicht, hier einzudringen. Du hattest diese Worte eben ausgesprochen, als ich von hinten gepackt wurde. Ich wendete den Kopf und sah hinter dir einen Menschen stehen, der mit einem Ruder ausholte, um dich auf den Kopf zu schlagen. Ich schrie laut auf. Der Hieb fiel, und du brachst wie tot zusammen. Es waren drei oder vier starke Männer, die mich hielten. Sie wollten mich niederreißen, aber ich wehrte mich aus Leibeskräften, leider vergeblich."

„Hoffentlich haben unsre beiden Gefährten bemerkt, was geschehen ist."

„Ich habe dafür gesorgt, daß sie es hörten, denn während ich mit den Angreifern rang, bin ich nicht still gewesen, sondern habe sie laut angeschrien, damit mein Großvater es hören sollte."

„Abu en Nil wird mit Agadi sofort zum Schiff zurückgekehrt sein, um Hilfe zu bringen. Erzähle weiter."

„Du hattest von einem Schlupfloch gesprochen, Effendi, und mit dieser Vermutung das Richtige getroffen. Als man mich niedergerungen und einstweilen mit einer Schnur gebunden hatte, wurde ein Strauch zur Seite geschoben, und es entstand dadurch eine Lücke, durch die ein Mann gebückt kriechen konnte. Wir wurden durch diese Öffnung gebracht und hierher getragen, wo man mich noch stärker fesselte und auch dich mit Stricken ganz umwickelte."

„War Murad Nassyr dabei?"

„Nein. Ich sah nur unbekannte Gesichter."

„Gut. Zunächst möchte ich wissen, was die Leute, die uns überfielen, eigentlich da draußen zu tun hatten."

„Ich weiß es, Effendi. Ich entnahm es aus ihren Reden. Sie haben Fische stechen wollen. Du weißt, daß das nur des Nachts geschieht. Man brennt am Ufer oder auf einem Boot ein Feuer an, dessen Schein die Fische anlockt. Dann werden sie mit der Lanze gestochen. Die Männer waren eben durch das Schlupfloch gekrochen, um sich an das Wasser zu begeben, als sie Agadi schreien hörten. Sie blieben stehen, horchten und gewahrten uns beide. Wir kamen an der linken Seite der Mischra herauf. Sie zogen sich in den tiefen Schatten zurück und ließen uns ganz herankommen, um uns dann festzunehmen. Einer von ihnen hatte ein Ruder. Er war es, der dich damit niederschlug. Meinst du, daß wir wieder loskommen werden?"

„Ich hoffe stets, also auch jetzt. Der Reïs Effendina ist ja da."

„Aber wenn man uns vorher umbringt, noch ehe er kommt!"

„Mit diesem Gedanken müssen wir allerdings rechnen. Wir sind unsern Feinden schon wiederholt entkommen, und um das jetzt zu verhüten, können sie leicht auf den Gedanken geraten, uns sofort das Leben zu nehmen. Es ist zu verwundern, daß sie uns so allein lassen und keinen Wächter herstellen. Doch still, man kommt!" Wir hörten Schritte. Die Matte, die die Tür bildete, wurde entfernt, und dann traten einige Männer ein, voran Murad Nassyr, hinter ihm der alte Feldwebel Ben Ifram, wie ich an seinem hinkenden Gang erkannte. Der Dicke stellte sich vor mich hin, strich sich behaglich den Bart und höhnte:

„Bist du wieder da? Hoffentlich wirst du uns deinen Besuch jetzt länger gönnen. Ober beabsichtigst du auch heute, so schnell wieder zu verschwinden?"

Ich antwortete nicht. Da wendete er sich an den Feldwebel:

„Sieh, das ist der Christenhund, von dem wir euch erzählt haben. Dieser verdammte Kerl setzte uns sogar bis hierher nach. Das soll aber der letzte Weg sein, den er in seinem Leben gemacht hat. Ich schwöre bei Allah, daß er von hier nicht fortkommen soll! Er und sein Gefährte müssen sterben!"

„Ich habe nichts dagegen", lächelte der Baschschawisch. „Du bist jetzt an Ibn Asls Stelle Gebieter hier, und ich bin dir Gehorsam schuldig. Wollen wir sie sofort hinausführen und erschießen?"

„Erschießen? Das wäre ein viel zu schneller Tod. Sie sollen ganz langsam sterben und mehrere Todesarten zugleich erleiden. Wir müssen Martern finden, an denen noch niemand gestorben ist. Jetzt ist es Nacht. Ich will ihre Qualen sehen, ich will jeden Zug ihrer heulenden Gesichter beobachten. Das kann erst am Tag geschehen. Warten wir also, bis es licht geworden ist."

„Sollen sie bis dahin hier liegen bleiben?"

„Nein, sondern wir werfen sie in die Dschura el dschasa, wo sie so tief und sicher liegen, daß wir sie gar nicht zu bewachen brauchen. Indessen können wir den unterbrochenen Fischfang wieder aufnehmen. Unser Fleisch ist zu Ende, wir müssen Fische haben. Ist das Boot der beiden Hundesöhne in Sicherheit gebracht worden?"

„Ja. Es hing am äußersten Baum der Mischra. Wir zogen es ans Ufer und können es nun gleich mit zum Fischestechen benutzen."

„Das ist gut. Zwei Boote geben doppelten Fang. Wir sind zehn Asaker, du und ich. In jedes Boot fünf Männer, so können zwei in der Seribah bleiben, um die Gefangenen zu bewachen, was übrigens gar nicht nötig ist."

„Ich halte es im Gegenteil für sehr nötig", meinte Ben Ifram. „Glaubst du, daß die beiden Feinde sich allein hier herumtreiben? Könnten sie nicht mit dem Schiff des Reïs Effendina gekommen sein?"

„Ich werde sie fragen, und wehe ihnen, wenn sie mir nicht antworten, oder mir gar die Unwahrheit sagen!"

Murad wendete sich wieder zu mir, trat mich mit dem Fuß gegen den Leib und zog sein Messer.

„Jedes Schweigen auf eine meiner Fragen kostet dich einen Finger. Das merke dir. Ich scherze nicht. Sieh hier das Messer! Gibst du nicht sofort Antwort, so schneide ich! Bist du allein hierher gekommen?"

Der Türke machte Ernst. Es konnte mir nicht einfallen zu schweigen. Noch weniger fiel es mir ein, ihm die Wahrheit zu sagen, da es mein Leben galt. Eins war mir übrigens noch unerklärlich. Man hatte unser Boot gefunden und sich seiner bemächtigt. Man sprach aber nicht von Abu en Nil und Agadi, die sich doch darin befunden hatten. Wohin waren die beiden geraten? Sie hatten das Boot verlassen. Zu welchem Zweck? Um uns zu retten? Ich traute dem alten Steuermann keinen so männlichen Entschluß zu. Auch war er wohl kaum der Mann, ihn auszuführen. Es wäre für die beiden am klügsten gewesen, sofort zum Schiff zurückzukehren und es noch während der Nacht herbeizuholen.

Daß der Türke in unsrer Gegenwart vom Fischfang sprach, war eine Dummheit. Wir wurden dadurch mit der Lage bekannt, und es konnte sich uns doch immerhin eine Gelegenheit bieten, diese Kenntnis auszunützen.

„Ich bin nur mit Ben Nil hier", antwortete ich auf die Frage des Dicken.

„Wo ist der Reïs Effendina?"

Ich tat, als wollte ich mit der Sprache nicht recht heraus, da bückte er sich zu mir nieder, ergriff meinen linken Daumen, setzte das Messer an und drohte: „Antworte, sonst schneide ich! Wo ist er!"

„Reïs Achmed ist drüben im Bahr el Dschebel und sucht euch dort."

„Warum bist du nicht bei ihm?"

„Weil ich nicht glaubte, daß die Seribah da drüben sei."

„Wer hat es euch denn gesagt, daß sie drüben am Bahr el Dschebel liegen soll?"

„Ein Bongo-Krieger namens Agadi."

„Ah, also doch! Wohin wollte er?"

„Nach Faschodah, um Soldat zu werden."

„Ihr habt ihn wohl auf euer Schiff geholt und durchsucht?"

„Ja. Aber wir fanden nichts."

„Fragtet ihr nach unsrer Seribah?"

„Nein, denn wir kannten ihren Namen nicht. Aber wir fragten Agadi nach Ibn Asl, und da sagte er, daß er ihn kenne. Ibn Asl habe eine Seribah Aliab droben in der Gegend, die Bahita heißt."

„Und ihr glaubtet es?"

„Der Reïs Effendina glaubte es, ich aber traute dem Mann nicht. Darum nahm ich, als der Reïs Effendina im Bahr el Dschebel aufwärts segelte, das Boot und ruderte mit Ben Nil den Rohl hinauf, um euch zu suchen."

„Ich habe gehört, daß du bei Ibn Mulei, dem Sangak der Arnauten, warst. Wie geht es ihm?"

„Gut. Dieser Kerl ist schuld, daß ich Faschodah verlassen mußte. Ich hatte entdeckt, daß er es mit den Sklavenjägern hält. Er hatte mich gefangen genommen und zu euch schaffen lassen. Es gelang mir zu entkommen. Ich zeigte ihn in Faschodah an, aber er besaß das Vertrauen des Mudir in einem solchen Grad, daß dieser nicht mir, sondern ihm glaubte. Ich mußte fort und war froh, daß ich nicht die Bastonnade bekam."

„Dir ist recht geschehen", lachte der Türke. „Wenn es dir leid tut, dort keine Prügel bekommen zu haben, so kannst du dich trösten, denn wir werden das hier nachholen. Also der Bongo-Krieger Agadi wollte in Faschadoh Soldat werden? Hatte er Hoffnung, angenommen zu werden?"

„Ja. Er wollte sich unmittelbar an den Sangak der Arnauten wenden."

„Ihr seid die Söhne und Enkel der Dummheit und des Unverstandes! Ihr dünkt euch klug und weise und seid doch so albern, daß es einen erbarmen möchte. Weißt du, wer dieser Bongo eigentlich war?"

„Nun?"

Der dicke Türke hatte einen sehr überlegenen Ton angenommen. Er glaubte, wir seien überlistet worden, und das tat ihm, den Allah nicht mit hervorragendem Verstand begabt hatte, außerordentlich wohl.

„Er ist gar kein Bongo, sondern ein Dinka", erklärte er stolz. „Wir haben hundertfünfzig Dinka gemietet, und er ist der Anführer dieser Krieger."

„Maschallah!" rief ich, indem ich mich überrascht stellte.

„Ja", lachte Murad. „Ihr seid in eine prächtige Falle gegangen. Agadi hatte einen sehr wichtigen Brief bei sich. Hättet ihr diesen erwischt, so hätte es uns schlimm ergehen können. Ihr seid aber viel zu dumm, hinter so etwas zu kommen. Er war auch angestellt, euch irrezuleiten. Er sollte euch in den Bahr el Dschebel schicken."

„Nun, mich hat er doch nicht irregeführt!"

„Aber die andern!"

„Ich habe euch gefunden!"

„Was nützt euch das? Ihr beide werdet morgen früh hingerichtet. Der Reïs Effendina braucht einen Monat, um hinauf nach Bahita zu kommen. Es vergehen von heut an wenigstens fünfzig Tage, bevor er seinen Irrtum einsieht, umkehrt und uns hier finden kann. Dann ist Ibn Asl längst zurück und wird ihn so willkommen heißen, daß er das Fortgehen für alle Zeiten vergißt."

„Allah, Allah!" stellte ich mich bestürzt. „Dieser Dinka ist ein großer Schurke gewesen!"

„Ein gescheiter Kerl war er, zehnmal klüger als ihr alle zusammengenommen! Du bist völlig verrückt gewesen und hast die Tollkühnheit besessen, zu zweien eine feindliche Seribah aufzusuchen.

Jetzt kommt die Strafe. Du bist in den sichern Tod gelaufen. Und nun sage mir doch, wie war es dir denn auf dem Schiff bei Faschodah möglich, aus meiner Kajüte hinunter ins Boot zu kommen?"

„Ich hatte zwei Messer mit", log ich, da ich seine Schwester nicht verraten durfte. „Ihr hattet das eine nicht gefunden. Es fiel mir aus dem Gürtel, und so war es uns möglich, einander die Fesseln zu durchschneiden. Dann kletterten wir an der Ankerkette hinab ins Wasser und schwammen zum Boot, das noch am Schiff hing."

„So ist es zugegangen! Nun, da wollen wir uns heute besser vorsehen. Man sagte mir zwar, euch sei alles abgenommen worden, aber ich werde euch doch lieber noch einmal durchsuchen lassen, und dann werdet ihr in die Dschura el dschasa geworfen, die ihr erst früh verlassen werdet, um in den Tod zu gehen."

Dschura el dschasa heißt zu deutsch Grube der Strafe. Die Asaker der Sklavenjäger sind meist sehr unbotmäßige, verwilderte Menschen, denen es nicht darauf ankommt, sich zuweilen gegen ihre Herren aufzulehnen. Aus diesem Grund sind Gefängnisse nötig. Da sich aber ein Tukul, ein so leichtes Bauwerk, wie sie in jenen Gegenden ausschließlich als Wohnungen dienen, nicht dazu eignen würde, so gräbt man einfach tiefe senkrechte Gruben, in die die Verbrecher geworfen werden. Sie können da nicht entfliehen, weil die glatten Wände unmöglich zu erklettern sind.

Da die Seriben fast alle an den Flußläufen liegen und die Gruben tief sind, so kann man sich denken, daß der Grund feucht, modrig, ja schlammig ist. Obendrein wird aller Unrat hineingeworfen, und allerhand Ungeziefer treibt dort sein Wesen. Ich fühlte mich nicht begeistert, als ich hörte, daß ein solches Loch uns zum Aufenthalt dienen solle.

Wir wurden noch einmal genau durchsucht und dann hinaus ins Freie und zur Grube geschleift, neben der eine Art Leiter lag. Ihre Länge ließ erraten, daß das Loch ungewöhnlich tief sei. Man ließ die Leiter hinein, ließ uns daran hinabgleiten und zog sie dann wieder empor.

„Schlaft wohl!" rief der Türke uns noch höhnisch zu. „Allah gebe euch angenehme Ruhe und noch angenehmere Träume!"

Das waren die gleichen Worte, die mich schon einmal hatten ärgern sollen, und die ich dann wieder zurückgegeben hatte. Würde ich sie ihm auch heut wiedergeben können! Wohl schwerlich! Ja, wenn der alte Steuermann mit dem Dinka auf das Schiff zurückgekehrt wäre, dann hätten wir auf Rettung hoffen können. Doch gab ich den Mut trotz allem nicht ganz auf.

Die Sklavenjäger hatten sich entfernt. Die Sterne leuchteten zu uns herab, und um uns raschelte und kribbelte und krabbelte es. Wir waren nicht die einzigen lebenden Wesen in diesem finstern Loch, was aber leider kein Trost für uns war.

Wir glaubten unbeaufsichtigt zu sein. Nach einiger Zeit rief uns aber eine Stimme von oben zu:

„Wie befindet ihr euch, ihr räudigen Hunde? Habt ihr mit den Skorpionen und Ratten schon Brüderschaft gemacht?"

Wir antworteten nicht. Es war Unsinn, uns einen Wächter zu geben, denn selbst wenn wir ungefesselt gewesen wären, hätten wir nicht hinauf gekonnt. Wir hatten gehört, daß zehn Personen fischen gehen wollten. Zwei waren zurückgeblieben. Einer saß hier bei uns, der andre befand sich jedenfalls vorn am Eingang der Seribah. Nach wenigen Minuten hörten wir unsern Wächter wieder sprechen.

„Wer kommt da?" fragte er.

Er erhielt eine Antwort, wir konnten aber die Worte nicht verstehen.

„Habt ihr euch denn anders angezogen?" fragte er dann. „Ich kenne euch doch gar nicht. Es ist ein Schwarzer dabei. Bleibt stehen, sonst — o Allah, Allah!"

Dieser Ruf erstickte in einem Röcheln. Wir hörten ein Stampfen und Strampeln, dann wurde es still. Eine halblaute Stimme fragte in die Grube herab:

„Effendi, seid ihr da unten?"

„Ja", meldete ich mich. „Wer ist's?"

„Ich, der Steuermann Abu en Nil. Allah sei Dank, daß wir dich haben! Ist mein Enkel bei dir?" .

„Ja. Leg die Leiter an, und komm herab, um uns die Stricke loszuschneiden!"

„Gleich, gleich!"

Der Alte schob die Leiter herein und kam herunter. In wenigen Sekunden befanden wir uns wieder im Besitz unsrer Freiheit.

„Wunderst du dich nicht, mich hier zu sehen?" fragte er. „Wir sind —"

„Jetzt nicht erzählen!" unterbrach ich ihn. „Erst hinauf! Eher fühle ich mich nicht sicher."

Ich stieg hinauf. Großvater und Enkel folgten mir. Oben sah ich unsern Wächter auf dem Boden liegen. Der Dinka kniete bei ihm und hatte beide Hände um seinen Hals geschlungen.

„Ist er tot?" fragte ich.

„Nein", antwortete der Schwarze. „Er bewegt noch die Beine."

Und der Steuermann fügte hinzu:

„Wir wollten ihn nicht ganz erwürgen, weil er uns sonst keine Auskunft erteilen kann."

„Das war klug von euch. Laßt ihn los! Wir wollen sehen, ob wir ihn zum Sprechen bringen."

Agadi nahm seine Hände weg, und ich kniete bei dem Mann nieder, wobei ich nur seinen Arm ergriff, damit er nicht plötzlich aufspringen und fortlaufen könne. Er holte wieder frei Atem, bewegte den Kopf, öffnete die Augen und sah mich an.

„Weißt du, wer ich bin?" fragte ich.

„Der Franke", stieß er mühsam hervor.

„Wo ist Murad Nassyr?"

„Fischen, unten an der Mischra."

„Wo ist der Feldwebel?"

„Auch fischen mit acht Asakern."

„So ist noch ein Askari hier in der Seribah. Wo steckt er?"

„Am Eingang. Wenn ich peife, so kommt er."

„Wo sind die Sachen, die man uns abgenommen hat?"

„Im Tukul des Türken, da rechts, der zweite von hier."

„Der Tukul ist groß. Wohnt die Schwester des Türken mit bei ihm?"

„Ja, mit ihren Dienerinnen."

„Sind die Männer, die fischen gegangen sind, mit Pistolen und Flinten bewaffnet?"

„Nein. Sie haben nur ihre Messer und Fischlanzen mit. Gewehre und Pistolen befinden sich in dem Tukul, den wir zehn bewohnen. Es ist die erste Hütte hier links."

Ich hatte den Mann gar nicht ermahnt, uns nur die Wahrheit zu sagen. Er antwortete in solcher Angst, daß man es ihm anhörte, er getraue sich nicht, eine Lüge zu ersinnen. Ich nahm ihm alles ab, was er bei sich hatte, gebot meinen drei Gefährten, sich einstweilen hinter die nächste Hütte zu verstecken, und befahl dann dem Askari:

„Nun pfeif deinem Kameraden!"

Er tat es und bekam vom Eingang her einen Pfiff zur Antwort.

„Jetzt schnell hinab in die Grube mit dir!" gebot ich ihm. „Schnell, sonst werfe ich dich hinunter! Und wenn du einen Laut von dir gibst, ist es um dich geschehen!"

Der Soldat stieg gehorsam hinab. Ich glaubte, die Leiter noch emporziehen zu können, fand aber keine Zeit dazu, denn ich sah den zweiten Askari schon kommen. Ich setzte mich nieder, damit er nicht meine ganze Gestalt sehen und daran erkennen könne, daß ich es mit einem andern zu tun habe.

Er sah das Ende der Leiter aus der Grube ragen. Das lenkte seine Aufmerksamkeit von mir ab. Er war noch fünfzehn Schritt entfernt, da rief er schon: „Was ist das! Du hast ja die Leiter angelegt! Sollen die Gefangenen entkommen? Heraus damit!"

Der Mann sprang herbei und faßte die Leiter an. Da schnellte ich auf, nahm ihn bei der Kehle und riß ihn nieder.

„Schweig! Keinen Laut, sonst bist du des Todes!"

Ihm war der Schreck in die Glieder gefahren, und er bewegte sich nicht. Als ich ihm den Hals freigab, starrte er mich an und murmelte:

„Der Effendi! O Allah, Allah!"

Ich winkte meine Gefährten herbei. Wir leerten dem Mann den Gürtel und die Taschen. Dann mußte auch er in die schöne Dschura el dschasa hinab, und wir zogen die Leiter heraus.

Jetzt galt es zunächst, uns der Waffen der Asaker zu versichern, weshalb wir uns in den betreffenden Tukul begaben. Der Dinka war hier bekannt. Er suchte im Finstern die Stelle, an der Holzspäne lagen, und eilte dann zum Tukul, in dem ich von meiner Betäubung erwacht war. Dort glühten die Kohlen des Feuers noch. Er kehrte mit dem brennenden Span zurück, und wir hatten nun die nötige Beleuchtung. Außerdem fanden wir eine tönerne Lampe, die mit Palmöl gefüllt war

An der kreisrunden Wand hingen zehn Gewehre und noch mehr Pistolen, alle geladen. Wir nahmen diese Waffen an uns und gingen dann zum Tukul, der uns als die Wohnung des Türken bezeichnet worden war. Als wir in die vordere Abteilung traten, war es finster darin, aber durch den Mattenvorhang schimmerte aus der zweiten, hintern Abteilung Licht. Ich schob ihn zurück und trat hinein. Die ‚Damen' saßen beim Kaffee. Kumru saß in der Mitte der Abteilung auf einem Teppich. Daneben kauerten die vier Dienerinnen um einen tönernen Topf, in dem Holzkohlen glühten. Darauf stand ein zweiter Topf mit kochendem Wasser, in den Fatma soeben die zerstampften Bohnen schüttete. Alle fünf starrten mich wortlos an, so erschrocken waren sie über mein Erscheinen.

Ich bin sonst gern rücksichtsvoll gegen Damen, jetzt aber war ich äußerst rücksichtslos, was mir jedoch, wie ich aufrichtig gestehe, selbst heut noch keine Gewissensbisse macht. Erstens kam ich nicht zur vorgeschriebenen Besuchszeit, zweitens betrat ich einen Harem, was bekanntlich streng verboten ist, und drittens war meine Erscheinung so wenig gesellschaftsfähig, daß ich jetzt, da ich dies niederschreibe, die Augen, allerdings nur für zwei Sekunden, niederschlage. Hatte mein Anzug schon während der langen Fahrt und der vorherigen Erlebnisse bedeutend gelitten, so war ihm nun vorher in der schlammigen Grube der Rest gegeben worden. Mein Aussehen war nichts weniger als ‚gentlemanlike'. Dazu meine Bewaffnung! Ich hatte nämlich von den Waffen, die wir an uns genommen hatten, drei Flinten überhängen und vier Pistolen im Gürtel stecken — ein Rinaldini in Lehm! Trotz dieser für einen Damenbesuch wenig geeigneten Äußerlichkeiten kreuzte ich die Hände auf der Brust und verbeugte mich.

„Mohammed, der Prophet der Propheten, verleihe euerm Trank die Wohlgerüche des Paradieses! Meine Seele dürstet nach Erquickung. Darf ich euch um einen Findschân[1] bitten?"

Da erkannte die ‚Turteltaube' mich.

„Kara Ben Nemsi Effendi!" rief sie, indem sie aufsprang. „Ich denke, du liegst im Loch gefangen!"

„Wie du siehst, ist es nicht mehr der Fall!"

„Ich wollte — wollte — wollte dich gern befreien, wußte aber nicht, wie ich es diesmal anfangen sollte."

„Ich danke dir, du lieblichste unter den Jungfrauen! Du hast mir schon einmal die größte aller Wohltaten erwiesen. Heute durfte ich nicht wieder auf dich rechnen. Ich bin gekommen, eine andre Bitte an dich zu richten, die nämlich, diesen Harem nicht eher zu verlassen, bis ich dir gesagt habe, daß du die vordere Abteilung des Tukuls wieder betreten darfst."

„Warum?"

„Es könnte dich oder eine deiner Dienerinnen eine Kugel treffen."

[1] Henkellose morgenländische Kaffeetasse

„Allah, eine Kugel! Du willst kämpfen? Mit wem?"

„Mit dem Feldwebel Ben Ifram und seinen Asakern."

„Also auch mit meinem Bruder?"

„Ja, wenn er sich wehren sollte."

„Allah, Allah! Du bist ein starker und kühner Mann. Du wirst ihn sicher besiegen und wirst ihn töten!"

„Nein. Meine Dankbarkeit verbietet mir, dein Herz zu betrüben. Ich werde Murad schonen. Das kann ich aber nur dann, wenn ihr euch völlig ruhig verhaltet."

„Wir werden es tun, Effendi! Wir werden hier bleiben. Ich verspreche es dir, Effendi!"

Kumru hob die Hände beteuernd zu mir empor. Sie vergaß dabei, daß sie unverschleiert war, und so hatte ich zum zweitenmal die ‚Wonne', ihr Angesicht schauen zu dürfen, dies wunderlich verkniffene Gesicht, das mich so lebhaft an die sächsische Löffelhändlerin aus Beierfeld bei Schwarzenberg erinnerte. Selbst heute noch muß ich, wenn von morgenländischer Frauenschönheit die Rede ist, unwillkürlich an die Züge jener ‚Turteltaube' denken.

Auf dem Serîr, einem Holzgestell, stand eine brennende Tonlampe, ganz der ähnlich, die wir vorhin im Tukul der Asaker gefunden hatten. Ich ergriff sie und trat in die vordere Abteilung zurück, wo zu meiner Freude alles lag, was man mir und Ben Nil abgenommen hatte. An der Wand hingen einige gute Gewehre, mehrere Pistolen und zwei Säbel. Wir nahmen auch diese Waffen an uns und begaben uns, nachdem ich die Lampe zurückgetragen hatte, wieder hinaus ins Freie.

„Bis jetzt ist alles gut gegangen", meinte Ben Nil. „Jetzt fragt es sich, wie wir die zehn Menschen in unsre Gewalt bekommen, ohne daß wir uns in große Gefahr begeben."

„Das allerbeste ist, wir schießen sie nieder", antwortete sein Großvater. „Waffen haben wir genug dazu."

„Das werden wir nur im Notfall tun", entgegnete ich. „Ihr wißt, daß ich kein Blut vergießen will. Gehen wir zunächst zum Eingang, um zu beobachten, was die Leute machen."

Als wir an die erwähnte Stelle kamen, zeigte mir Abu en Nil den Busch, der das Schlupfloch verbarg. Ich schob ihn zur Seite und sah hinaus. Die beiden Boote, das zur Seribah gehörende und das andre, das man uns weggenommen hatte, hingen grad vor mir unten an der Mischra. Man hatte sie durch einige Querhölzer verbunden, auf denen Steine aufgelegt waren. Darauf brannte ein Feuer, das seinen Schein eine Strecke über das Wasser hinwarf und die Fische anlockte. In den Booten standen die Männer, um die Beute mit den Speeren, die mit Widerhaken versehen waren, anzustechen.

„Wir haben Zeit zum Überlegen", sagte ich. „Jetzt, da wir sicher sind, wenigstens nicht wieder in die Hände dieser Menschen zu geraten, könnt ihr uns sagen, wie es euch beiden gelungen ist, in die Seribah einzudringen und uns aus der ‚Grube der Strafe' zu holen. Ihr hattet wohl das Geschrei Ben Nils gehört?"

„Ja", antwortete der alte Steuermann. „Wir hörten nicht nur, sondern wir sahen auch. Der Mond war heraufgekommen und schien so hell, daß wir alles beobachten konnten. Die Kerle krochen mit euch zurück. Als wir das bemerkten, besann sich Agadi auf das Schlupfloch. Er hatte es, als er hier war, oft benutzt, uns aber nichts davon gesagt. Er forderte mich auf, mit ihm durch dieses Loch in die Seribah zu schleichen, um zu versuchen, euch zu befreien. Er behauptete, daß nur ganz wenig Asaker in der Seribah seien, und so stimmte ich bei. Wir stiegen aus dem Boot, huschten die helle Mischra hinauf und krochen durch das Loch. Als wir uns drinnen befanden, schien der Mond uns grad ins Gesicht. Wir eilten weiter, um in den Schatten der Bäume zu kommen. Wir beobachteten, daß man euch aus einem Tukul brachte und in die Grube gleiten ließ. Dann sahen wir zehn Männer die Seribah verlassen. Ein elfter setzte sich bei der Grube nieder, um euch zu bewachen. Da verloren wir keine Zeit und gingen auf den Wächter zu. Er rief uns an. Er befahl uns, stehenzubleiben, aber der Dinka schnellte auf ihn zu, warf ihn nieder und preßte ihm die Kehle zusammen. Was nachher geschah, wißt ihr. Jedenfalls gibst du zu, daß wir unsre Sache ziemlich gut gemacht haben, Effendi?"

„Ja, ich erkenne es dankbar an und werde es euch nie vergessen."

Wir hatten während dieses Gesprächs hinter dem Busch gesessen, und ich schob ihn von Zeit zu Zeit mit dem Gewehr zur Seite, um die Fischenden zu beobachten. Der Türke besaß keine Übung, stieß stets fehl und hatte deshalb sein Boot verlassen, um sich am Ufer niederzusetzen und dem Fang zuzusehen. Das schien ihm langweilig zu werden, denn er stand auf und kam langsam die Mischra emporgestiegen.

„Vielleicht kommt er herein!" flüsterte Ben Nil.

„Wahrscheinlich", erwiderte ich. „Lauf schnell zur Grube! Dort liegen noch die Stricke, mit denen wir gebunden waren. Und im Tukul der Asaker gab es, wie ich gesehen habe, auch welche. Ihr andern weicht zur Seite, damit Murad euch nicht gleich bemerkt, wenn er den Kopf in die Öffnung steckt."

Sie gehorchten dieser Aufforderung. Ich selber drückte mich neben dem Busch hart an die natürliche Umfriedung und legte die Flinten weg, die mich hinderten.

Der Türke kam, bog das Gezweig zur Seite und schob sich herein, was nur gebückt geschehen konnte. Noch ehe Murad sich aufrichtete, hatte ich ihn gepackt, zog ihn vollends herein und drückte ihn zu Boden. Er konnte nicht schreien, wollte sich aber wehren; doch griffen Abu en Nil und der Dinka schnell mit zu und hielten ihm die Arme und Beine fest.

„Ein Laut von dir, und ich töte dich!" raunte ich dem Türken zu, indem ich mit der freien Hand das Messer zog und es ihm auf die Brust setzte. Dann wagte ich es, ihm die Kehle freizugeben. Er holte tief Atem, sah mich mit Entsetzen an und schwieg. Die beiden andern kauerten neben ihm und hielten auch die Messer in den Händen.

„Wenn du still bist, geschieht dir nichts", versicherte ich flüsternd.

„Gehorchst du aber nicht, so fährst du augenblicklich in die Dschehenna!"

Bald kam Ben Nil mit den Stricken, und der Türke wurde gebunden. Kaum war das geschehen, so hörte ich wieder Schritte, und ein kurzer Blick hinaus belehrte mich, daß zwei Asaker kamen. Sie trugen ein Tongefäß, das einen Teil des bisherigen Fangs enthielt. Es sollte in der Seribah geleert werden. Jetzt galt es, die zwei zu ergreifen, ohne daß sie dabei laut werden konnten.

Das war nicht leicht. Das Schlupfloch war zu eng, als daß sie zugleich hereinkonnten. Ich raffte eine Flinte auf, stellte mich auf die eine Seite des Lochs und schob Ben Nil auf die andre.

„Zieh den Mann weg, sobald ich ihn getroffen habe!"

Jetzt waren die beiden Asaker da. Der erste kam herein, und zwar verkehrt, um das Gefäß hinter sich hereinzuziehen. Ich traf ihn mit dem Kolben auf den Kopf, daß er niederstürzte. Ben Nil riß ihn zur Seite, ergriff dann den einen Henkel des Gefäßes und zog. Der draußenstehende Askari schob und drängte sich dann nach. Sobald sein Kopf innen erschien, bekam auch er einen Hieb. Er stürzte und blieb in der Öffnung liegen. Wir zogen ihn herein.

Beide waren betäubt. Sie wurden gebunden und neben den Türken gelegt, der zugeschaut hatte, ohne zu wagen, die Asaker durch einen Zuruf zu warnen. Wir hatten nun fünf Personen unschädlich gemacht und hatten es noch mit sieben zu tun.

„Wollen wir die andern in gleicher Weise abfangen, Effendi?" fragte Ben Nil. „Immer könnte es doch nicht so glücken!"

„Ganz richtig. Warten wir noch ein bißchen!"

Wir hatten ja Zeit und brauchten uns nicht zu übereilen. Es war in jedem Boot ein solches Gefäß. Das zweite war auch bald gefüllt. Die Träger wurden zurückerwartet. Sie kamen nicht. Ich hörte, daß der Feldwebel einen Befehl gab, worauf zwei andre Asaker das Gefäß aus dem Boot schafften und sich damit dem Eingang näherten. Wir hatten Glück, denn es gelang uns, sie ebenso still zu überwältigen wie die beiden vorigen.

Nun war ich neugierig, was die andern draußen anfangen würden. Sie wußten nicht, wohin mit den Fischen. Sie warfen sie in die Boote, konnten es aber nicht vermeiden, daraufzutreten. Sie richteten ihre Blicke wiederholt zum Eingang, da sie ihre Kameraden mit den leeren Gefäßen zurückerwarteten. Der alte Ben Ifram steckte mehrere Male die Finger in den Mund, um einige schrille Pfiffe hören zu lassen. Als das keinen Erfolg hatte, verließ er sein Boot und kam brummend heraufgehinkt. Nachdem er den Busch mit dem Arm zur Seite gedrängt hatte, schob er Kopf und Schultern nach und wurde augenblicklich beim Hals genommen. Ben Nil und sein Großvater hatten bereits Übung darin bekommen. Sie und auch der Dinka unterstützten mich so vortrefflich, daß es eine Lust war, diese schwierige Arbeit zu verrichten.

„Das geht ja so leicht und ordnungsgemäß wie das Aufrollen eines

Taus!" lachte der Steuermann. „Nun haben wir nur noch vier zu besorgen."

„Mit denen werden wir es kürzer machen", erklärte ich. „Ich gehe jetzt hinaus und stelle mich in den Schatten. Dann rufst du ihnen zu, sie sollten schnell heraufkommen."

„Sie werden hören, daß es eine fremde Stimme ist, Effendi!"

„Nebensache! Sie kommen jedenfalls! Ihr drei nehmt die Gewehre in die Hand, so müssen sie sich, sobald sie durch das Loch sind, ergeben."

„Wenn sie nun nicht hereinkommen? Wenn der erste, der kommt, uns hier vor sich sieht, wird er die andern warnen."

„Deshalb gehe ich jetzt hinaus. Ich lasse sie nicht zurück und treibe sie hinein."

Nachdem ich mich mit zwei Flinten versehen hatte, kroch ich hinaus und stellte mich in den Schatten der Bäume, wahrscheinlich grad da, wo die Asaker auch gestanden waren, bevor sie mich und Ben Nil gefangennahmen. Nun steckte Abu en Nil den Kopf durch den Busch und forderte die Leute auf, schnell in die Seribah zu kommen. Er hatte nicht nötig, den Ruf zu wiederholen. Daß nun bereits fünf Personen, den Türken nicht gerechnet, davongegangen waren, ohne wiederzukommen, sagte ihnen, daß da oben irgend etwas geschehen sei. Sie sprangen aus den Booten und kamen herbeigeeilt, an mir vorüber. Der erste kroch hinein, der zweite schob sich ihm sofort nach. Drinnen ertönte ein Schrei. Der dritte folgte, wollte wieder zurück, bekam aber vom vierten einen derben Stoß, der ihn hineintrieb. Abermals ein Warnungs- oder Schreckensruf! Der vierte wich zurück. Er hatte gesehen, was drinnen vorging, und drehte sich um. Da stand ich mit angelegter Flinte vor ihm.

„Hinein, sonst jage ich dir eine Kugel durch den Kopf!"

„O Himmel! Der Effendi!" rief er aus.

„Ja, der Effendi! Vorwärts, wenn dir dein Leben lieb ist!"

Ich trat näher an ihn heran und setzte ihm die Mündung des Flintenlaufs an die Brust. Er hätte das Gewehr zur Seite schlagen können. Das fiel ihm aber nicht ein, denn er drehte sich um, kroch durch das Loch, und ich folgte ihm. Da standen Ben Nil, der Steuermann und Agadi mit erhobenen Gewehren, und vor ihnen die Asaker in so trauriger Haltung, daß es mir nicht möglich war, ernst zu bleiben. Ich lachte lustig auf. Meine Gefährten stimmten ein, und Ben Nil rief:

„Ja, ja, ihr tapfern Männer, hier werden andre Fische gefangen, als da unten im Wasser. Werft eure Messer weg, sonst schießen wir!"

Sie gehorchten, und wir banden ihnen die Hände hinten zusammen. Nun untersuchte ich die vier Träger, die meine Kolbenhiebe empfangen hatten. Sie lagen still, waren aber bei Bewußtsein. Die letzten vier Asaker waren nicht an den Füßen gebunden, so daß sie zur ‚Grube der Strafe' gehen konnten, die übrigen wurden hingetragen. Wir legten die Leiter an und ließen einen nach dem andern hinabgleiten. Den Türken und den Feldwebel behielt ich bis zuletzt zurück. Ich zog mein Messer und sagte zu dem Dicken:

„Murad Nassyr, das Schweigen auf eine meiner Fragen kostet dich je einen Finger. Ich zahle gern mit gleicher Münze heim. Verstehst du? Antworte schnell und der Wahrheit gemäß! Seit wann ist Ibn Asl von hier fort?"

„Seit fünf Tagen", beeilte er sich zu sagen, „mit über zweihundert Leuten."

„Kennst du den Dinka, der da neben mir steht?"

„Es ist Agadi."

„Nun wirst du wohl ahnen, daß ich nicht so dumm war, mich von ihm betrügen zu lassen. Wir haben euern Brief gelesen, und der Reïs Effendina befindet sich nicht drüben im Bahr el Dschebel, sondern liegt mit seinem Schiff so nah, daß ich ihn fast herbeirufen könnte. Morgen früh wird er kommen, und dann wirst du gerichtet. Du wirst sterben, und zwar eines so qualvollen Todes, wie noch nie ein Mensch gestorben ist."

„Erbarmen, Effendi, Erbarmen!" zeterte er.

„Sprich nicht von Erbarmen! Du hättest mit mir auch keins gehabt. Leben um Leben, Blut um Blut. Ich hatte bisher Geduld mit dir, nun aber ist meine Nachsicht zu Ende. Mit dir ist's aus. Sobald es Tag geworden ist, wird die Sonne deinen Tod sehen!"

„Sag das nicht! Effendi, sprich nicht solche Worte! Du bist ein Christ!" jammerte er.

„Ein Christenhund! So habt ihr mich stets, und so hast du mich noch vorhin genannt. Ihr beruft euch auf unsre milden Lehren nur dann, wenn sie euch von Nutzen sind. Ich habe mit dir nichts zu schaffen und wiederhole nur: Mit dir ist's aus!"

„Effendi, denk an meine Schwester! Was soll aus ihr werden, wenn man mich tötet?!"

„Ihr Los wird jedenfalls ein besseres sein, als das Schicksal, das du ihr zugedacht hattest. Ibn Asls Weib zu sein, ist das schrecklichste Los, das ich mir denken kann. Werft ihn hinab! Ich habe nichts mehr mit ihm zu schaffen!"

Ich richtete die Aufforderung an meine Gefährten. Sie legten ihn auf die Leiter und ließen ihn in die Grube gleiten. Der Feldwebel wurde ihm nachgeschickt. Es war nicht Hartherzigkeit, nicht Rachsucht, daß ich in dieser Weise mit ihm redete, sondern ich wurde von der besten Absicht geleitet. Murad sollte in sich gehen und in der Grube einige böse Stunden verbringen. Er sollte Todesangst ausstehen, um dadurch vielleicht zur Erkenntnis seiner Schuld zu kommen.

18. Das Ende der Seribah

Nun hatten wir alle zwölf Männer unten in der ‚Grube der Strafe'. Welch ein Unterschied gegen vorhin, als ich mit Ben Nil unten lag! Er, der trotz seiner Jugend sehr bedächtig, ja umsichtig war, machte mich auf eine vermeintliche Unachtsamkeit aufmerksam:

„Hast du vergessen, daß die zwei Asaker, die wir zuerst hinab-schafften, nicht gefesselt waren? Wenn sie die andern losbinden, ver-mögen sie sich zu befreien. Wenn drei sich aufeinander stellen, kann der oberste heraus!"

„Wir halten Wache. Durch jeden Kopf, der hier am Rand der Grube erscheinen sollte, schicken wir eine Kugel. Mögen sie sich losbinden, heraus kommt keiner."

Es galt nun, den Reïs Effendina zu benachrichtigen. Ich gab Abu en Nil den Auftrag dazu, weil er fahren konnte. Ich begleitete ihn an die Mischra, wo die Boote noch zusammenhingen. Das Feuer war erloschen. Wir warfen die zuletzt gefangenen Fische in das zur Seribah gehörige Boot und machten das unsrige los. Abu en Nil stieg ein und steuerte auf die im Mondschein glänzende Mitte des Stroms hinaus. Ich ging in die Seribah zurück, um nun die ‚Turteltaube' wieder aufzusuchen.

Kumru empfing mich wie vorhin unverschleiert. Sie gab mir die Versicherung, daß ihr aus Sorge um den Bruder der Kaffee nicht ge-schmeckt habe.

„Was hast du mit ihm gemacht?" fragte die holde Jungfrau. „Wo ist er? Warum kommt er nicht? Hast du mit ihm gekämpft?"

„Ja, aber ich habe ihn nur niedergeworfen und gebunden. Nun ist er unser Gefangener und wird ruhig schlafen in der Dschura el dschasa."

„Dort? Mein Bruder in der Dschura el dschasa? Ist das ein Aufent-haltsort für einen so vornehmen und hohen Herrn?"

„Hältst du mich für einen gewöhnlichen Mann?"

„Nein, Effendi. Das bist du nicht, ganz und gar nicht. Wärst du kein Christ, so würde man dich für noch vornehmer und höher als meinen Bruder halten."

„Trotzdem warf mich Murad in dieses Loch! War ich nicht zu vor-nehm für die Grube, so ist er es auch nicht. Ich habe stets danach getrachtet, auf dem Weg des Gesetzes zu wandeln, er aber ist ein Verbrecher."

„Ist denn der Sklavenfang wirklich ein Verbrechen?"

„Eins der schrecklichsten."

„Das habe ich nicht gewußt. Ich habe stets geglaubt, der Weiße habe das Recht, den Schwarzen zu fangen und zu verkaufen. Kann mein Bruder bestraft werden?" — „Murad muß sogar bestraft werden."

„Allah, Allah! Doch nicht etwa mit dem Tod? Ich weiß, daß der Reïs Effendina ihn fangen will, und daß du ein Freund des Reïs bist. Ist dieser entsetzliche Mann vielleicht mit da?"

„Achmed Abd el Insaf ist da. Du wirst ihn am Morgen sehen."

„So sag mir schnell nur eins! Man hat mir erzählt, daß der Reïs Effendina alle Sklavenhändler tötet. Ist das wahr?"

„Ich kann dir nicht verschweigen, daß ich es erlebt habe, daß er eine Schar von Sklavenfängern erschießen ließ."

„Welch ein Schreck, welch ein Entsetzen für meine Seele! Er wird doch meinen Bruder nicht auch erschießen lassen?"

„Ich befürchte sehr, daß er diese Absicht hat."

„Dann mußt du ihn retten, Effendi! Hörst du, du mußt! Ich habe dich ja auch gerettet!"

Kumru hob die Hände flehend zu mir empor.

„Ja, du hast mich aus der Gefangenschaft befreit, und ich bin nicht undankbar. Ich werde den Reïs Effendina bitten, ihm das Leben zu schenken."

„Dann ist ja alles, alles gut! Ich danke dir, Effendi, und werde mir nun nochmals Kaffee kochen. Den vorigen verbitterte mir die Angst, diesen aber werde ich mit ruhigem Herzen genießen, und sein Duft wird die Freude, die du mir bereitet hast, erhöhen. Ich erinnere mich, daß du vorhin auch eine Tasse haben wolltest?"

„Ich bat dich allerdings darum, aber du antwortetest mir nicht."

„Ich war von Angst und Sorge verwirrt. Jetzt bin ich getröstet. Du sollst Kaffee haben."

„Koche einen großen Topf voll! Ich habe zwei Gefährten, die sich geradeso wie ich danach sehnen, von deiner Güte bedacht zu werden. Fatma, dein Liebling, mag uns den Trank und die Tassen hinaus an die ‚Grube der Strafe' bringen."

„Dürfen wir jetzt den Harem verlassen?"

„Ja. Ich will mein Verbot zurücknehmen. Nur mußt du mir versprechen, nicht etwa einen Versuch zur Befreiung deines Bruders zu machen. Wenn du das wagtest, würde der Reïs Effendina dich augenblicklich erschießen lassen."

Ich ging. Eine unverfälschte Tochter des Morgenlandes! Ihr Bruder war gefangen. Was man mit ihm vornahm, welche Verluste ihn erwarteten, das ging sie nichts an. Er durfte leben bleiben, das genügte, und so kochte sie sich noch einen Kaffee! Und die Schwester dieses gedankenarmen Wesens hätte meine Frau werden sollen, falls ich bereit gewesen wäre, Sklavenjäger zu werden!

Dann saß ich mit Ben Nil und Agadi draußen, um den arabischen Trank zu erwarten. Als Fatma ihn brachte, folgten ihr die beiden schwarzen Dienerinnen, die uns Tabak und Pfeifen brachten, Eigentum des Türken. Wir bekamen den Kaffee nicht fertig, sondern erhielten kochendes Wasser und die fein im Mörser gestampften Bohnen. Ich bereitete mir eine Tasse, trank sie aus, brannte mir eine Pfeife an und ging dann, um im Mondschein den Umfang der Seribah kennenzulernen. Sie war bedeutend größer, als ich gedacht hatte. Der hintere Teil war von dem vordern durch nebeneinander eingerammte Pfähle abgesperrt und zur Aufnahme der Herden bestimmt, die bei jedem Sklavenzug mit den Schwarzen zugleich geraubt und fortgetrieben werden. Jetzt war dieser Platz leer.

Die übrigen Stunden der Nacht vergingen schnell. Als der Tag graute, erhob sich der gewöhnliche Morgenwind, den der Reïs Effendina benutzen konnte, um heranzusegeln. Ich ließ den Dinka als Wächter an der Grube zurück und ging mit Ben Nil, um beim Licht des Tags die Tukul zu untersuchen.

Die meisten waren leer, da sich die Bewohner auf der Sklavenjagd befanden. Doch entdeckten wir noch Waffen und Schießbedarf. Eine Hütte enthielt Vorräte aller Art, auch eine Kiste mit Kleidungsstücken, unter denen sich ein Anzug befand, der mir leidlich zu passen schien. Ben Nil fand auch einen, der ihm behagte. Der Umtausch wurde bewerkstelligt, und als wir die Hütte verließen, hatte ich mich so zu meinem Vorteil verändert, daß mir der Gedanke kam, der ‚Turteltaube‘ nun auch in würdiger Kleidung einen Morgenbesuch zu machen, um ihr für den Kaffee und die Pfeifen Dank und Anerkennung auszudrücken. Leider aber belehrte mich, als ich die vordere Abteilung betrat, ein kräftiges Schnarchen darüber, daß innerhalb des Tukul die Sonne noch nicht aufgegangen war. Ich mußte also darauf verzichten, meine neuen äußern Vorzüge anerkannt und bewundert zu sehen.

Ich hatte mir vorgenommen, noch vor der Ankunft des ‚Falken‘ den Türken abermals vorzunehmen. Ich gedachte, von ihm manches zu erfahren, was uns wichtig sein mußte. Darum verfügte ich mich wieder zu der Grube. Als ich hinabblickte, sah ich, daß die Gefangenen sich allerdings von ihren Fesseln befreit hatten, aber einen Fluchtversuch hatten sie trotzdem nicht gewagt. Sie lagen nebeneinander im Schmutz, schliefen jedoch nicht. Murad Nassyr sah mich stehen und rief mir zu:

„Effendi, ich bitte dich um eine Gnade! Laß mich nur für eine Minute zu dir hinauf! Ich habe mit dir zu sprechen!"

„Du bist es nicht wert. Aber komm meinetwegen!"

Wir ließen die Leiter hinab, und er kam heraufgestiegen. Er war so angegriffen — wohl mehr innerlich als äußerlich — daß er nicht stehen blieb, sondern sich wie schwer ermüdet niedersetzte.

„Du hast mir böse Stunden bereitet!" seufzte er, indem er den Ellbogen auf das Knie stemmte und den Kopf in die Hand legte.

„Ich? Du selber bist schuld daran. Du ganz allein! Wir Christen haben ein Sprichwort, das sagt: Tue nichts Böses, so widerfährt dir nichts Böses!"

„Ich habe doch nichts getan, was meinen Tod rechtfertigen kann!"

„Ich hatte gar nichts Böses, sondern nur Gutes getan, und doch seid ihr fest entschlossen gewesen, mich umzubringen."

„Das ist nun völlig vorüber, Effendi! Ich sehe ein, daß es die größte Dummheit meines Lebens war, mich so tief in den Sudan hineinzuwagen. Wie gern kehrte ich augenblicklich zurück!"

„Um dort den Sklavenhandel fortzusetzen!"

„Nein. Es gibt andre Waren, die man kaufen und verkaufen kann. Effendi, laß mich fort, so schwöre ich dir bei Allah, beim Propheten und bei der Seligkeit aller meiner Ahnen und Nachkommen, daß ich niemals wieder einen Sklaven verkaufen werde!"

„Dieses Versprechen genügt mir nicht, weil es keine hinreichende Sühne ist für das, was ich dir vorzuwerfen habe."

„Was verlangst du denn noch?"

„Eigentlich nichts weiter als dein Leben."

Murad legte das Gesicht in beide Hände und schwieg. Nach einer Weile sah er wieder zu mir auf.

„So mach es kurz, und schieße mich hier auf der Stelle nieder!"

Was war das für ein Gesicht! Der Mann schien in diesen wenigen Stunden zehn, fünfzehn Jahre älter geworden zu sein. Es sah wirklich aus, als hätten sich Falten in seine vollen Wangen gegraben. Das befriedigte mich, das hatte ich gewollt. Darum sprach ich weiterhin weniger streng:

„Murad Nassyr, denk an die Stunde, da wir uns in Kahira trafen. Ich kannte dich nicht, du aber hattest mich in Algier gesehen und auch von mir gehört. Du erzähltest mir das und ludest mich zu dir ein. Ich fand Wohlgefallen an dir und zeigte mich bereit, mit dir nach Khartum zu gehen. Wir wurden Freunde. Da erfuhr ich, daß du Sklavenhändler seist, was du mir bis dahin verschwiegen hattest. Wir mußten uns trennen. Eigentlich waren wir nun fertig miteinander, du aber warfst Haß und Rache auf mich und wurdest mir ein grimmiger Feind. Das war nicht klug. Du kanntest mich als einen Mann, der seine eigenen Wege geht, der außer Gott nichts fürchtet und auch vor keiner List die Segel streicht. Eines solchen Mannes Feind hättest du schon aus bloßer Klugheit, aus reiner Berechnung nicht werden sollen. Du bist es trotzdem geworden, hast Karte um Karte verloren und stehst nun heut mit leeren Händen vor mir, nachdem ich dir sämtliche Trümpfe abgenommen habe. Du dauerst mich. Ich bin dein Freund gewesen und habe das nie vergessen können. Ich kann es auch jetzt nicht vergessen und möchte dir hilfreich die Hand bieten. Aber nicht ich, sondern der Reïs Effendina hat über dich zu bestimmen. Er wird deinen Tod verlangen. Wenn ich mir dein Leben von ihm erbitte, muß ich ihm dafür mehr bieten können als das Versprechen, das du mir soeben gabst."

„So sag, was du forderst!"

„Den klaren, sichern Beweis, daß es dir Ernst ist, mit dem Sklavenhandel zu brechen. Sag dich von Ibn Asl los! Das ist der Beweis, den ich von dir verlange."

„Das forderst du? Weiter nichts?" fragte der Türke, indem sein Auge wieder Glanz bekam. „Nichts leichter als das! Ich habe eingesehen, daß dieser Mann mein böser Dämon gewesen ist, daß er mein böser Geist bleiben würde. Warum verlangte er meine Schwester? Warum nimmt er sie nicht, da ich sie ihm bringe? Warum lockt er mich mit ihr weiter und immer weiter in die Wildnis hinein? Welchen Zweck kann das haben?"

„Jedenfalls einen schlimmen für dich und deine Schwester."

„Erst sollte die Hochzeit in Khartum sein, dann in Faschodah, dann hier in der Seribah. Und nun zieht er wieder fort und läßt uns allein mit Menschen, die ich nicht kenne, und zu denen ich kein Vertrauen fassen kann!"

„Du hast nicht den nötigen Scharfblick, diesen Teufel zu durchschauen. Ich an deiner Stelle wüßte längst, was er mit mir vorhat. Ich hätte ihn längst durch List gezwungen, Farbe zu bekennen. Denke an den Verrat, den er gegen die armen Dinka beabsichtigt! Sie sind seine Verbündeten. Er hat ihnen Lohn versprochen, und doch — will er sie später, nachdem sie für ihn gearbeitet und ihr Blut vergossen haben, zu Sklaven machen und verkaufen! Ist ein solcher Mensch nicht fähig, ebenso schlecht und vielleicht gar noch schlechter gegen dich zu handeln? Er hat Hafid Sichar überfallen und verkauft, um zum Vermögen dieses Mannes zu kommen. Auch du bist reich. Ibn Asl hat viel, fast alles verloren, er braucht Geld. Warum zieht er dich hinter sich her? Warum entfernt er dich von den Gegenden und Orten, wo man dein Verschwinden, deinen Tod bemerken würde?"

„Effendi!" schrie er auf. „Meinst du es so?"

„Jawohl! Anders nicht!"

„Vielleicht hast du recht. Ja, je mehr ich darüber nachdenke, desto mehr will es mir scheinen, daß dein Scharfsinn auch hier das Richtige trifft." — „So kehre um! Weißt du, wohin Ibn Asl ist?"

„Zu den Gohk."

„Kannst du mir den Weg beschreiben, den er eingeschlagen hat?"

„Ich habe geschworen, kein Wort darüber verlauten zu lassen."

„Einen solchen Schwur zu halten, ist Sünde. Wir wollen den bedrohten Negern zu Hilfe kommen. Das ist uns aber nur möglich, wenn du aufrichtig bist. Dein Schwur war eine Unvorsichtigkeit und wird zum Verbrechen werden, wenn du ihn hältst."

„Bedenke doch, Effendi, ich habe beim Bart des Propheten geschworen!"

„Unsinn!" rief ich ärgerlich. „Euer Prophet hat ja gar keinen Bart gehabt!"

„Wie? Was? Keinen Bart? Mohammed — hat — kei — —"

Die Worte blieben ihm im Mund stecken. Er sah mir wie geistesabwesend ins Gesicht.

„Na, beruhige dich! Vielleicht hatte er doch einen!"

„Vielleicht? Effendi, du weißt so vieles, was andre nicht wissen, und da grad du behauptest, er habe keinen — o Himmel!"

„Diese Worte sind mir ja nur im Ärger entfahren."

„Unser Prophet hatte also einen Bart?"

„Wahrscheinlich."

„Allah sei Dank! Ich habe noch nie einen Menschen gesehen, der am Bart des Propheten zweifelte."

„Nun, gesehen hat ihn niemand, wenigstens kein jetzt noch lebender Mensch, und im Koran steht auch nichts davon. Wenn du nun bei einer so zweifelhaften Sache schwörst, so hat dieser Eid in meinen Augen gar keinen Wert. Du hast ihn in der Übereilung abgelegt. Nimm ihn zurück! Ich rate es dir. Es ist zu deinem Besten."

„Kannst du mir nicht eine Bedenkzeit geben?"

„Auch darauf will ich eingehen, aber nur eine sehr kurze Zeit. Der Reïs Effendina wird deine Entscheidung verlangen, und er kann jeden Augenblick hier ankommen."

„Eigentlich habe ich dir schon genug gesagt, Effendi, indem ich dir mitteilte, daß Ibn Asl zu den Gohk will."

„Das wußte ich schon vorher, aus seinem Brief. Die Gohk sind ein Dinkavolk. Sie grenzen mit den Dschur zusammen, haben ein großes Gebiet inne und besitzen eine Anzahl reicher Dörfer. Ein solcher Sklavenzug ist stets gegen ein bestimmtes Dorf gerichtet, und diesen Ort müssen wir wissen, wenn wir Erfolg haben wollen. Er ist dir doch jedenfalls bekannt, und du kennst auch den Weg, den Ibn Asl einschlagen will?"

„Ich kenne ihn. Ibn Asl hat Karten über alle Gegenden des obern Nil, die er sich nach den zuverlässigen Angaben seiner Kundschafter zeichnet. Ich habe sie mit ihm durchgesehen und war dabei, als er nach ihnen den Weg bestimmte, den er eingeschlagen hat."

„So bist du also imstande, uns die beste Auskunft zu geben. Weigerst du dich, das zu tun, so hast du vom Reïs Effendina keine Schonung zu erwarten. Kehre jetzt in die Grube zurück! Ich habe dir gesagt, was ich sagen wollte. Was du nun tun wirst, ist deine Sache."

„Vorher noch eins, Effendi! Wie verhältst du dich zu meiner Schwester? Behandelst du sie auch als Feindin?"

„Nein. In dieser Beziehung kannst du ruhig sein. Ich werde so für Kumru sorgen, daß sie dich nicht vermissen wird. Wie ich weiß, trinkt sie fleißig Kaffee, und solang ein Weib das tun kann, ist der Einsturz des Himmels nicht zu befürchten."

Murad Nassyr kletterte hinab in die Grube, und wir zogen die Leiter wieder zurück. Ich stopfte mir eine neue Pfeife, setzte sie in Brand und stieg dann zur Mischra hinab. Kaum war ich dort angekommen, so erschien der ‚Falke', die vollen Segel vor dem Wind blähend. Es war ein prächtiger Anblick, diesen scharfen Segler zu sehen. Vorn am Bug stand der Reïs Effendina. Er sah mich und rief mir zu:

„Holla! Da steht ja der Welteroberer und raucht die Siegespfeife! Die Gefangenschaft scheint dir nicht übel bekommen zu sein!"

„Sie war so kurz", lächelte ich, „daß sie mich weit mehr unterhalten als belästigt hat."

„Habe es gehört. Abu en Nil hat mir alles erzählt. Nun will ich aber auch dich hören. Ich komme gleich!"

Der ‚Falke' rauschte näher, die Segel sanken. Von der Stetigkeit weitergetrieben, kam das Schiff vollends bis an die Mischra und ließ da den Anker fallen. Der Landungssteg wurde ausgelegt, und der Reïs Effendina eilte als erster ans Ufer, streckte mir die beiden Hände entgegen und schüttelte die meinigen kräftig.

„Vier Männer haben eine große Seribah erobert und sind gar vorher erst gefangen gewesen, das ist schon etwas, worauf man stolz sein kann. Ich beglückwünsche dich. Nun sollen die Hunde aber über die Klinge springen, alle vom ersten bis zum letzten, den dicken Türken nicht ausgenommen."

„Langsam, langsam! Ich möchte das nicht als so sicher aussprechen hören."

„Was?" meinte Achmed, die Brauen finster zusammenziehend. „Willst du mir wohl wieder mit einer deiner menschenfreundlichen Bitten kommen?" Sein erst so frohes, heiteres Gesicht hatte einen ganz andern Ausdruck angenommen, als er jetzt beinah barsch fortfuhr: „Daraus wird nichts. Es ist schon festbeschlossene Sache. Solche Brut darf nicht leben bleiben. Komm mit hinauf in die Seribah!"

Wir stiegen die Mischra empor und krochen durch das Schlupfloch. Dann führte ich ihn herum, ohne daß wir zunächst einen Tukul betraten. Hierauf setzte ich mich auf einen Baumstamm und forderte ihn auf:

„Laß dich hier mit mir nieder! Ich will dir erzählen."

„Gut, Effendi. Vorher aber will ich dir sagen, daß Ibn Asl es verstanden hat, eine Seribah anzulegen. Das ist ja eine wahre Festung! Durch diese Waldmauer kann man nicht hindurch. Er brauchte die Verteidiger nur an die Mischra zu stellen, so hätte man sich die Köpfe einlaufen müssen. Zwölf Mann hast du im ganzen angetroffen? Selbst diese hätten, wenn sie hinreichend mit Schießbedarf versehen waren, meinen Asakern und den Takaleh zu schaffen gemacht."

„Sie waren mit allem versehen. Ich habe einen guten Vorrat von Pulver und Blei gefunden."

„Dann nur ein umsichtiger, aufmerksamer Anführer, und ich hätte unverrichteter Sache abziehen müssen. Und du hast gesiegt ohne einen Schuß, ohne einen einzigen Messerstich! Effendi, du hast ein ungeheures Glück, ein Glück, daß es mir angst und bange um dich werden möchte. Wenn es dich einmal verläßt, wird es dir um so trauriger ergehen. Nimm dich in acht und wage in Zukunft nicht mehr soviel wie bisher! Doch erzähle mir nun!"

Die Tatsachen wußte Achmed schon durch den Bericht des alten Steuermanns, so daß ich mich kurz fassen konnte. Die Hauptsache war mir, ihn für den Türken günstiger zu stimmen. Ich tat mein möglichstes, hielt ihm eine lange Rede und raffte alle möglichen Gründe zusammen, die den Gefangenen zu entschuldigen vermochten. Der ‚Diener der Gerechtigkeit‘ hörte mich an, ohne mich nur einmal zu unterbrechen, und blickte, als ich zu Ende war, eine ganze Weile finster und wortlos vor sich nieder.

„Ich bin dir zu Dank verpflichtet", sagte er dann, „und du hast so eine eigne Art, das für deine falsche Menschlichkeit nutzbar zu machen. Einen deiner Gründe will ich gelten lassen, aber auch nur einen einzigen, nämlich den: Murad ist ein Sklavenhändler, aber kein Sklavenjäger. Er hat mit Schwarzen gehandelt, aber noch keinen selber gefangen. Eigentlich ist der Händler nicht besser als der Jäger, denn wenn es jenen nicht gäbe, könnte dieser nicht bestehen. Aber man nimmt es beim Händler nicht so genau. Und er hat die Schwester mit, die wir dann auf dem Hals hätten. Was sollten wir mit dem Mädchen und den vier Dienerinnen tun? Wir können sie doch unmöglich in den Nil werfen, nur um sie los zu werden!"

„Nein", antwortete ich, auf seine gegenwärtige Laune eingehend.

„Wenn wir ihm diese fünf Frauenzimmer lassen, ist er bestraft genug."

„Oho! Soll er sonst ganz frei ausgehen? Und weiterhin muß ich dir ein schweres Bedenken mitteilen. Die zehn Asaker und ihr Feldwebel Ben Ifram müssen doch bestraft werden?"

„Das zu bestimmen ist deine, aber nicht meine Sache."

„Winde dich mir nicht aus der Hand! Sicher müssen sie bestraft werden. Ich bin entschlossen, sie erschießen zu lassen. Wie aber kann ich das tun, wenn ich Murad Nassyr freilasse! Du siehst wohl ein, daß deine Bitte mir unbequem sein muß! Wenn dieser Türke wenigstens aufrichtig sein wollte!"

„Ich hoffe es."

„Er kann uns falsch berichten. Ist er dann fort, so können wir uns nicht mehr an ihn halten."

„Dagegen gibt es ein ausgezeichnetes Mittel: Wir lassen ihn eben nicht fort."

„So müssen wir seine Frauenzimmer auch behalten."

„Das läßt sich einrichten. Stecke sie auf das Schiff, das wir doch irgendwo zurücklassen müssen! Wir können doch nicht zu Schiff über Land fahren."

„Das ist wahr. Und Murad nehmen wir mit. Stellt es sich dann heraus, daß er uns belogen hat, so bekommt er die Kugel."

„Ich meine, daß wir schon jetzt imstande sind, seine Aussagen nachzuprüfen. Der Dinka wollte uns auch irreführen, und es ist ihm nicht gelungen. Ich durchschaute ihn und habe ihm alles, was er uns verheimlichen wollte, auf den Kopf zugesagt. Grad so ist's auch mit dem Türken. Erinnerst du dich jenes Malaf, der mir zwischen dem Bir Murat und dem heimlichen Brunnen begegnete?"

„Ja. Du warst ganz allein und nahmst ihn und seine Begleiter doch gefangen. Er durfte zwar laufen, aber die Halunken mußten dir alles übergeben, was sie bei sich hatten. Er war der Anführer von Ibn Asls Vorhut."

„Du hast es dir gut gemerkt. Von allen den Waffen und sonstigen Gegenständen, die ich diesen Leuten abnahm, habe ich nichts für mich beansprucht als einige Karten, die mir wichtig erschienen. Es waren genaue Zeichnungen der Gegenden, in denen Ibn Asl zu jagen pflegt. Das Land der Gohk ist auch dabei. Ich habe diese Karten noch. Sie befinden sich auf dem Schiff, und ich werde sie holen. Wenn die Angaben des Türken mit diesen Aufzeichnungen übereinstimmen, dürfen wir ihm getrost Glauben schenken."

„Das ist freilich wahr."

„So bist du also bereit, Gnade gegen ihn walten zu lassen?"

„Nicht so schnell! Du hast mich zwar schon fast überredet, aber ich will Murad doch erst selber hören. Es soll auf sein Verhalten ankommen, was ich über ihn beschließe. Holen wir deine Karten! Ich werde meine Asaker ausschiffen und dann die Gefangenen vernehmen."

Wir kehrten auf das Schiff zurück, wo er den Soldaten die Erlaubnis gab, an Land zu gehen. Die Pfähle, mit denen der Eingang zur

Seribah verschlossen war, wurden mit dem daranhängenden dornigen Flechtwerk aus der Erde gerissen. Dann zogen die Asaker mit übergenommenen Gewehren in Marschordnung ein und bildeten um die ‚Grube der Strafe‘ einen Kreis. Die Leiter wurde angelegt, und die Gefangenen mußten heraufkommen.

Wie erschraken sie, als sie die uniformierten Asaker des Vizekönigs erblickten! Sie kannten ihr Schicksal, den fast sichern Tod, und knickten vor Angst beinah in die Knie. Murad Nassyr stand bei ihnen und wagte kaum aufzusehen. Seine Schwester wartete mit ihren Dienerinnen verschleiert vor dem Tukul. Was sie jetzt dachte und fühlte, weiß ich nicht. Vielleicht berührte sie der Anblick der Truppen mehr als das Schicksal ihres Bruders, das jetzt entschieden werden sollte. Es war mir immer, als müßte sie kommen und den Reïs Effendina fragen, ob sie ihm eine Tasse Kaffee kochen dürfe.

Achmed Abd el Insaf musterte den Türken einige Augenblicke und fragte dann:

„Weißt du, wer ich bin?“

Murad Nassyr verneigte sich tief und schweigend.

„Und du bist ein Sklavenschinder, dem ich eigentlich das Fell vom Leib schneiden sollte, ein giftiges Ungeziefer, das man zertreten und ausrotten muß. Gestehe, handelst du mit Sklaven?“

„Bisher, ja.“

„Du warst mit Ibn Asl verbündet?“

„Ja.“

„Damit hast du dein Todesurteil ausgesprochen.“

„Emir, ich kannte ihn nicht genau!“ stammelte der Türke erschrocken.

„Desto schlimmer für dich! Einem Unbekannten läuft man nicht bis in den tiefen Sudan nach! Wohin ist er jetzt?“

„Zu den Gohk.“

„Welchen Weg hat er eingeschlagen?“

„Zunächst zu Schiff flußaufwärts gegen Aguda.“

Murad Nassyr dachte jetzt nicht mehr an seinen Eid, nicht mehr an den Bart des Propheten. Er zitterte vor Angst. Der Ton, in dem der strenge Richter zu ihm sprach, ließ keinen Versuch des Widerstands, kein Zögern aufkommen. Er beantwortete jede Frage sofort. Ich zog die Karte hervor, um seine Angaben damit zu vergleichen.

„Welchen Ort will er überfallen?“

„Wagunda.“

„Warum diesen?“

„Der Gebieter von Wagunda hat bedeutende Elfenbeinvorräte aufgestapelt, und seine Untertanen besitzen große Herden. Auch sind die Neger jener Gegend als kräftig bekannt.“

„Bringen also, wenn man sie verkauft, einen guten Preis! O ihr Hundesöhne! Elfenbein, Herden und Neger! Der Scheïtan soll euch durch alle Lüfte entführen! Gibt es noch andre Orte in der Nähe von Wagunda?“

„Thuat, Agardu, Akokju und Foguda liegen in der Nähe."

„Wann gedachte Ibn Asl dort einzutreffen? Hat er sich das aus-gerechnet?"

„Wir haben alles genau überlegt. Er glaubte, nicht länger als zwan-zig Tage auf dem Marsch zuzubringen."

Achmed warf mir einen fragenden Blick zu, und ich nickte bejahend mit dem Kopf, um anzudeuten, daß der Türke die Wahrheit gesagt habe. Die Folge davon war, daß der Richter bedeutend milder fortfuhr:

„Ich will dir Glauben schenken. Du hast in deinen Antworten nichts beschönigt, und das rettet dich. Der Effendi hat mich um Gnade für dich gebeten, und ich will einmal versuchen, dieser Bitte Folge zu leisten. Kennst du den geraden, kurzen Weg zu den Gohk?"

„Ja. Er geht von hier stromaufwärts bis zum Maijeh Semkat, den man am dritten Tag erreicht. Dort kann man das Schiff lassen und muß von da an sechs Tage lang nach Westen über Land ziehen."

„Kennst du den Landweg? Kannst du uns führen?"

„Leider nein, denn ich war noch niemals dort."

Da rief einer der gefangenen Asaker, ein noch ziemlich junger Mann:

„Sei gnädig, o Achmed Abd el Insaf, und gestatte mir zu sprechen! Ich kenne diesen Weg. Ibn Asl schickte Malaf hin, um eine Karte anzufertigen. Dieser nahm mich mit. Wir sind überall herumgewandert, um jeden Wald und jedes Wasser kennenzulernen."

Der Jüngling war zu gebrauchen! Ich gab dem Richter einen Wink. Er verstand mich und wollte weitersprechen, doch wurde seine Auf-merksamkeit auf einen Punkt gelenkt, an dem der Kreis unsrer Asa-ker in Unordnung zu geraten schien. Man sah, daß jemand sich durchdrängen wollte. Der Kreis öffnete sich auch wirklich. Und wer erschien?

Hatte ich es mir doch gedacht! Kumru, die Turteltaube, den Schleier vor dem Gesicht und einen rauchenden Wassertopf in den Händen! Hinter ihr kam Fatma, der Liebling, den zerstoßenen Kaffee tra-gend, dann die zweite weiße Dienerin mit dem Findschân aus Por-zellan. Und dann folgten die schwarzen Mädchen, das eine mit der Pfeife und das andre mit dem Tabakskrug. Ich hätte laut auflachen mögen. Der Reïs Effendina machte ein finsteres Gesicht und rief den Schönen entgegen: „Was wollt ihr hier? Fort mit euch! Ihr gehört in den Harem, nicht aber in diesen Kreis!"

Aber die Weiblichkeiten waren nun einmal losgelassen und nicht zu-rückzuhalten. Sie ließen sich nicht irremachen, nahten in wackelnder Wettfahrt und hielten vor ihm an.

„Wir gehören gar wohl hierher, o Gebieter", gurrte die Turteltaube. „Wir bieten dir Erquickung nach der Reise: Kaffee, frisch und warm, wie die Lippen der Mädchen, und Tabak, die Wonne des Geruchs, köstlicher Wohlgeschmack des Paradieses. Trinke, rauche und gib mir dafür meinen Bruder frei, den ich nicht —"

Sie kam nicht weiter. Ihre Arme hatten gleich von Anbeginn eine eigentümliche Lage, ihre Hände eine ebenso eigenartige Haltung gehabt. Der rauchende Topf kippte bald nach rechts, bald nach links, bald ließ Kumru ihn sinken, bald hob sie ihn krampfhaft wieder empor. Ihr Oberkörper beugte sich vor, richtete sich wieder auf, wand sich herüber, dann wieder hinüber — man sah das Unglück kommen. Der guten Turteltaube fehlte nämlich jener wohltätige Händeschutz, den die Araberin Tandscharaja, die Deutsche aber einen Topflappen nennt. Das Wassergefäß war zu heiß für ihre zarten Finger. Lange hatte das Mädchen den Schmerz ertragen, nun aber ging es beim besten Willen nicht mehr. Kumru warf den Topf mitsamt dem Wasser dem Reïs Effendina an die Beine, eilte davon und schrie:

„Geduld, Geduld, o Emir! Ich koche sogleich frischen!"

Ihre vier dienstbaren Geister glaubten, dem Beispiel ihrer Gebieterin folgen zu müssen. Sie warfen das Zubehör zu dem leeren Topf und wackelten ihr schleunigst nach. Ich biß mich in die Lippen. Der Türke stieß einen zornigen Fluch aus. Achmed sah an seinen nassen Beinen nieder, richtete dann seine Augen auf mich, bemerkte das krampfhafte Zucken meiner Gesichtsmuskeln und — brach in ein lautes, herzliches Gelächter aus. Ich stimmte sofort ein, denn ich war froh, mir Luft machen zu können. Ben Nil und sein Großvater fielen auch ein, und das wirkte ansteckender und schneller als der gefährlichste Spaltpilz: das Gelächter ging rundum, es lachte der ganze Kreis unsrer Soldaten.

Nun war es unmöglich, die vorige Strenge wieder aufzunehmen. Der Richter faßte mich beim Arm und zog mich aus dem Kreis. Hin und her gehend, besprachen wir uns. Der Wassertopf hatte Achmed wohlwollender gestimmt, und ich tat dazu mein möglichstes. Das Ergebnis war, daß er in den Kreis zurückkehrte und mit lauter Stimme sein Urteil verkündete:

„Im Namen und Auftrag des Vizekönigs, dem Allah tausend Jahre verleihen möge! Diese Seribah Aliab ist seit ihrem Bestehen ein Schauplatz des Verbrechens gewesen. Sie soll von der Erde verschwinden, indem noch heute vormittag an alle Tukul Feuer gelegt wird. Murad Nassyr, der bisherige Sklavenhändler, wird schwören, daß er diesem Handwerk für immer entsagt. Darauf begleitet er uns auf unserm Zug nach Wagunda. Hat er uns die Wahrheit gesagt, so wird ihm verziehen, und all sein Eigentum bleibt unangetastet. Stellt es sich aber heraus, daß er uns belogen hat, so bekommt er die Kugel, und alles, was ihm gehört, verfällt der Kasse des Vizekönigs. Während seiner Abwesenheit werden seine Niswân[1] auf meinem Schiff wohnen. Die elf Soldaten des Sklavenjägers haben den Tod verdient, doch Kara Ben Nemsi Effendi hat für sie gebetet, und Allah will ihnen Gelegenheit zur Besserung geben. Sie dürfen mit uns ziehen. Kämpfen sie tapfer an unsrer Seite, so sei ihnen verziehen, und sie mögen, wenn sie wollen, zu uns gehören. Zeigt sich aber auch nur einer von ihnen ungehorsam, so werden sie alle erschossen. Sie mögen darum aufeinander achtgeben."

[1] Frauenzimmer

Es entstand fast eine minutenlange Pause. Dann sprang der alte Feldwebel vor und schwang beide Arme hoch in die Luft.

„Allah segne den Reïs Effendina heute, immer und ewig!"

„Iljôm, dâ'iman, äbädi!"[1] wiederholten alle Stimmen im Chor.

Der Türke kam zum Reïs Effendina, verbeugte sich und leistete den verlangten Schwur. Dann gab er mir die Hand.

„Das habe ich nur dir zu verdanken und werde es dir nie vergessen. Ich schwöre dir, daß du deine Fürbitte nie bereuen wirst!"

Damit der allgemeinen Freude auch die prickelnde Würze nicht fehle, kam das Ewigweibliche jetzt wieder gewallfahrtet. Turteltaube hatte einen andern, ebenfalls dampfenden Topf in den Händen. Die Hände aber waren dieses Mal nicht in Gefahr, verbrannt zu werden, denn sie hatte — ihre Pantöffelchen darüber gesteckt. Die Not ist zuweilen eine scherzhafte Lehrmeisterin.

Ich eilte hinzu, ergriff sie — nicht etwa am Arm, nein, das durfte ich nicht, sondern bei ihrer Umhüllung und zog sie zum Tukul ihres Bruders, in dessen Vorderabteilung sie Achmed und mir den festlichen Trank darreichen durfte, wobei es dieses Mal keine nassen Kleider gab.

Nun begann in der Seribah ein lebendiges Treiben. Die vordem feindlichen Asaker wurden als Freunde behandelt und halfen fleißig bei der Arbeit. Alles Brauchbare in den Tukul wurde entweder gleich verteilt oder auf das Schiff gebracht, und als sie dann leer waren, wurde Feuer an sie gelegt. Wir blieben wachend dabei, um zu verhüten, daß der Brand auf den Wald übersprang. Inzwischen wurde mit Hilfe von Matten und Stangen für den Harem eine kleine Kajüte auf dem Deck des Schiffs errichtet. Zur Mittagszeit lag die Seribah in rauchenden Trümmern. Dann schifften wir uns ein, lichteten den Anker und segelten mit geschwellter Leinwand dem Süden zu.

Welche Sorge hatte uns anfangs die Seribah Aliab gemacht! Und nun hatte nur die Hälfte eines Tags dazu gehört, sie in unsre Hand zu bringen und völlig zu zerstören! — Bis jetzt waren wir Sieger geblieben. Der Vorhang zum letzten Akt begann sich zu heben. Würde uns das Glück bis zum Ende treu bleiben?

[1] Heute, immer, ewig!

309

Die vorliegende Erzählung

DER MAHDI

ist als Band 17 in Karl Mays Gesammelten Werken erschienen.

KARL MAYS GESAMMELTE WERKE

Jeder Band in grünem Ganzleinen mit Goldprägung und farbigem Deckelbild

KARL-MAY-VERLAG, Bamberg